LE PROCESSUS DE LA RECHERCHE

de la conception à la réalisation

Marie-Fabienne Fortin, Ph. D.

Professeure titulaire
Faculté des sciences infirmières
Université de Montréal

DÉCARIE
ÉDITEUR

Le processus de la recherche : de la conception à la réalisation

Marie-Fabienne Fortin, Ph. D.

Tous droits réservés
© Décarie Éditeur inc.

Dépôt légal : 3e trimestre 1996
Bibliothèque nationale du Québec
Bibliothèque nationale du Canada

Infographie, maquette de couverture :
Suzanne L'Heureux

Révision et lecture des épreuves :
Sylvie Racine

Décarie Éditeur inc.
233, avenue Dunbar, bureau 201
Ville Mont-Royal (Québec)
H3P 2H4

ISBN 2-89137-136-4

Données de catalogage avant publication (Canada)

Fortin, Fabienne

  Le processus de la recherche

  Comprend un index.
  Publ. antérieurement sous le titre: Introduction à la recherche. 1988.

  ISBN 2-89137-136-4

  1. Recherche - Méthodologie. 2. Sciences humaines - Recherche - Méthodologie. 3. Soins de la santé - Recherche - Méthodologie. 4. Recherche - Méthodologie - Problèmes et exercices. 5. Soins infirmiers - Recherche - Problèmes et exercices. I. Titre. II. Titre: Introduction à la recherche.

Q180.A1F58 1996   001.4'2   C96-940996-6

IMPRIMÉ AU CANADA   5 HN 00 99 98 97

AVANT-PROPOS

Le présent ouvrage s'inscrit dans la continuité du manuel *Introduction à la recherche : apprentissage assisté par ordinateur* de Fortin, Taggart, Kérouac et Normand, paru en 1988. Dans l'ensemble, le nouvel ouvrage conserve la structure d'*Introduction à la recherche* (l'auteur principal est le même), mais le contenu en diffère grandement. Il est plus complet, plus approfondi et plus précis en ce qui concerne les diverses étapes du processus de la recherche et leur application. L'ouvrage couvre un ensemble de connaissances et de méthodes organisées d'après les étapes de la recherche, allant de l'étude de la problématique à la réalisation concrète de la recherche. Il renferme également un grand nombre d'exemples pour illustrer certaines parties du contenu. Il peut être utilisé pour l'étude du processus de la recherche aussi bien au baccalauréat qu'à la maîtrise.

Pour son utilisation au baccalauréat, l'ouvrage fait partie d'un ensemble pédagogique comportant un logiciel éducatif et un cahier d'exercices. Cet ensemble pédagogique s'adresse à des étudiants et étudiantes de divers horizons, particulièrement des sciences de la santé et des sciences connexes, et de différentes orientations. Le logiciel éducatif est un supplément au manuel et au cahier d'exercices. Il comporte trois modules correspondant aux phases conceptuelle, méthodologique et empirique explicitées dans cet ouvrage. Le cahier d'exercices contient une variété d'applications et d'exercices adaptés à diverses disciplines et visant à permettre à l'étudiant ou à l'étudiante de renforcer ses apprentissages et d'en assurer le suivi. Au niveau de la maîtrise, le manuel peut être utilisé seul ou avec d'autres textes portant sur la recherche. Il sert à guider l'apprentissage séquentiel de chacune des étapes de la démarche scientifique dans l'élaboration d'un projet de recherche. Le but que nous visons en présentant ce texte sur le processus de la recherche est d'accroître la compréhension des différentes étapes de la démarche scientifique et de faciliter l'acquisition des connaissances par la recherche. La recherche fait partie intégrante de l'apprentissage au baccalauréat et pendant les études supérieures.

L'ouvrage est organisé selon trois phases, conceptuelle, méthodologique et empirique, chacune renfermant une série d'étapes. La phase conceptuelle est précédée de trois chapitres d'introduction au processus de la recherche. Ces chapitres consistent à présenter la recherche, à décrire son importance pour l'évolution des disciplines et à exposer les principaux éléments qui lui sont sous-jacents, les fondements philosophiques et les méthodes d'investigation. Les cinq chapitres portant sur la phase conceptuelle visent à aider l'étudiant et l'étudiante à comprendre comment la démarche scientifique permet de structurer un problème de recherche en prenant appui sur l'avancement des travaux théoriques et empiriques antérieurs, et comment elle mène à la formulation du but et des questions de recherche ou des hypothèses. Neuf chapitres traitent de la phase méthodologique. On y met l'accent sur les diverses méthodes de recherche et les devis appropriés pour répondre aux questions de recherche formulées. On y étudie également les méthodes d'échantillonnage, les aspects de la mesure, incluant les notions de fidélité et de validité qui sont étroitement liées aux opérations de mesure, la façon de décrire précisément les concepts étudiés, les principales méthodes de collecte des données ainsi que les aspects éthiques. Les six chapitres décrivant la phase empirique concernent les principales stratégies d'analyse statistique des données de la recherche, l'analyse qualitative des données et la triangulation ainsi que la présentation, l'interprétation et la communication des résultats de recherche; le dernier chapitre traite de l'analyse critique des travaux de recherche.

Bien que le contenu de cet ouvrage porte sur l'ensemble du processus de la recherche, il n'est certainement pas exhaustif. Pour les uns, l'ouvrage peut servir à se familiariser avec la démarche scientifique et son application dans un domaine particulier d'une discipline; pour d'autres, il peut être associé à des textes plus poussés ou plus spécialisés permettant la poursuite d'activités de recherche d'envergure. Il est souhaitable que, dès leur premier contact avec la recherche, les étudiants et les étudiantes prennent conscience de l'importance de la conceptualisation du problème de recherche dans la détermination de la méthode la plus appropriée pour mener à bien l'étude entreprise. Persuader les étudiants et les étudiantes de l'utilité de la démarche scientifique pour mieux acquérir et approfondir la compréhension de divers phénomènes reliés à une discipline est un des objectifs visés par cet ouvrage.

Je désire remercier personnellement tous les collaborateurs et collaboratrices provenant de différentes universités, Laval, McGill, Montréal, Ottawa et Sherbrooke, qui ont contribué à la réalisation de cet ouvrage. Merci à M. Marcel Nadeau pour la révision de l'ensemble du texte et un remerciement spécial à Mme Sylvie Racine pour le travail d'édition. Grâce à cette collaboration soutenue et à celle de la maison d'édition, ce manuscrit a pu devenir un produit fini.

Marie-Fabienne Fortin, Ph. D.
25 mai 1996

COLLABORATEURS ET COLLABORATRICES

JOSÉ CÔTÉ, M. SC.
    Faculté des sciences infirmières
    Université de Montréal

GINETTE COUTU-WAKULCZYK, PH. D.
    École des sciences infirmières
    Université d'Ottawa

CLAIRE-JEHANNE DUBOULOZ, PH. D.
    École d'ergothérapie
    Université d'Ottawa

FRANCINE DUCHARME, PH. D.
    Faculté des sciences infirmières
    Université de Montréal

FABIE DUHAMEL, PH. D.
    Faculté des sciences infirmières
    Université de Montréal

FRANÇOISE FILION, M. SC.
    Étudiante au doctorat
    McGill University

RAYMOND GRENIER, PH. D.
    Faculté des sciences infirmières
    Université de Montréal

FRANÇOIS HAREL, M. SC.
    Département de mathématiques
    et statistiques
    Université de Montréal

LOUISE MERCIER, M. SC.
    Faculté des sciences infirmières (assistante de recherche)
    Université de Montréal

MARCEL NADEAU, PH. D.
    Faculté de l'éducation physique
    Université de Sherbrooke

DIANE PRUD'HOMME-BRISSON, M. SC.
    École des sciences infirmières
    Université d'Ottawa

MARY REIDY, M. SC.
    Faculté des sciences infirmières
    Université de Montréal

SYLVIE ROBICHAUD, PH. D.
    Professeure adjointe
    Faculté des sciences infirmières
    Université de Montréal

NICOLE ROUSSEAU, PH. D.
    École des sciences infirmières
    Université Laval

FRANCINE SAILLANT, PH. D.
    Département d'anthropologie
    Université Laval

BILKIS VISSANDJEE, PH. D.
    Faculté des sciences infirmières
    Université de Montréal

LE LOGICIEL ÉDUCATIF

Cet ouvrage s'accompagne d'un logiciel éducatif[1] destiné à l'étude du processus de la recherche au baccalauréat. Le logiciel éducatif proposé est un supplément au présent manuel et au cahier d'exercices. Il possède une interface utilisateur[2]-ordinateur des plus conviviales, qui facilite l'interactivité nécessaire à la recherche d'information. Ainsi, grâce à l'affichage de la structure arborescente du contenu, il est possible de trouver rapidement l'information souhaitée.

ARRIMAGE DU LOGICIEL ÉDUCATIF ET DU MANUEL DE RECHERCHE

L'arrimage du logiciel éducatif avec le manuel peut s'effectuer de diverses façons. L'utilisateur a le loisir de poursuivre les objectifs d'apprentissage de chacune des leçons informatisées ou de naviguer au gré de ses besoins et des objectifs d'apprentissage qu'il se fixe afin de parfaire ses connaissances concernant le processus de la recherche. Il trouvera dans le logiciel éducatif et dans le manuel des informations complémentaires qui lui permettront d'approfondir les notions enseignées. L'utilisateur peut aussi bien décider d'apprendre en surface comme en profondeur, de se familiariser davantage avec un aspect présenté dans le manuel ou de parcourir l'ensemble des trois modules.

Le logiciel éducatif comporte trois modules incluant des leçons informatisées dont le contenu s'harmonise avec des chapitres précis du présent ouvrage. Les modules I, II et III correspondent respectivement aux trois phases – conceptuelle, méthodologique et empirique – de la recherche décrites dans cet ouvrage. Les thèmes abordés dans les leçons informatisées sont présentés selon une structure arborescente sous forme de questions-réponses, de « minicours », d'exemples et de contre-exemples.

OBJECTIF GÉNÉRAL DU MODULE I (LOGICIEL ET MANUEL)

Le module I vise l'apprentissage des étapes de la phase conceptuelle de la recherche; il inclut la formulation d'un problème à l'aide de six éléments donnés, l'énoncé du but et des questions de recherche, la recension des écrits et la délimitation d'un cadre de référence.

CONTENU DU MODULE I

Le module I comporte quatre leçons informatisées correspondant aux chapitres 4 à 8 du présent ouvrage. Les chapitres 1, 2 et 3 ne correspondent à aucune leçon informatisée. La première leçon informatisée, *Introduction, domaines, énoncés et tests*, aborde les thèmes discutés au chapitre 4, à savoir : les domaines de recherche, l'énoncé d'un problème, les éléments d'un problème; la leçon se termine par des tests. La leçon intitulée *Éléments d'un problème de recherche* couvre l'ensemble des éléments nécessaires à la formulation d'un problème (5). La leçon suivante se rapporte au *cadre de référence*, qui correspond au 6e élément nécessaire à la précision d'un problème (7). L'utilisateur est invité à procéder à un repérage automatisé des sources documentaires pour la recension des écrits portant sur le domaine étudié (6). La dernière leçon du module I présente des *Jeux-tests* relatifs au but, aux questions de recherche et aux hypothèses (8). Le couplage manuel-logiciel s'établit comme suit :

CHAPITRES DU LIVRE	LEÇONS INFORMATISÉES
1. Introduction à la recherche scientifique	Aucune
2. La recherche propre à une discipline : l'exemple des sciences infirmières	Aucune
3. Étapes du processus de la recherche	Aucune
4. Choix d'un problème de recherche	Introduction, domaines, énoncés et tests
5. Formulation d'un problème de recherche	Éléments d'un problème de recherche
6. Recension des écrits	Recherche documentaire automatisée
7. Cadre de référence	6e élément du problème de recherche
8. But, questions de recherche et hypothèses	Terminologie en recherche : jeux-test

---

1. Enseignement de la recherche par ordinateur, édition en révision, Fortin, Dalpé, Normand, Taggart, et Kérouac.
2. ...ou utilisatrice. Nous emploierons le masculin ici pour simplifier le texte.

Objectif général du module II (logiciel et manuel)

Le module II permet les apprentissages liés aux étapes de la phase méthodologique et oriente vers les méthodes appropriées pour répondre aux types de questions posées ou aux hypothèses formulées.

Contenu du module II

Le module II comprend cinq leçons informatisées correspondant à six chapitres (12 à 17) du livre. Les chapitres 9, 10 et 11 ne sont pas repris dans des leçons informatisées; ils traitent de notions théoriques relatives à l'éthique en recherche, au devis et à la recherche qualitative. La leçon intitulée *Études non expérimentales* couvre les chapitres sur les études descriptives (12) et les études de type corrélationnel (13). La leçon *Études expérimentales* correspond au chapitre sur les études de type expérimental et décrit les principaux devis utilisés dans ce type de recherche (14). La leçon sur l'*échantillonnage* initie aux méthodes d'échantillonnage par l'intermédiaire de questions à choix multiple (15). La leçon *La mesure en recherche* présente des questions-réponses relatives aux principaux éléments de la mesure (16). Enfin, la leçon *Méthodes de collecte des données* traite de la construction d'un questionnaire (17) et inclut des exemples. Le couplage s'établit comme suit :

CHAPITRES DU LIVRE	LEÇONS INFORMATISÉES
9. Notions d'éthique en recherche	Aucune
10. Introduction au devis de recherche	Aucune
11. Introduction à la recherche qualitative	Aucune
12. Études descriptives	Études non expérimentales
13. Études de type corrélationnel	Études non expérimentales
14. Études de type expérimental	Études expérimentales
15. Méthodes d'échantillonnage	L'échantillonnage
16. La mesure en recherche	Mesures en recherche
17. Méthodes de collecte des données	Collecte des données : le questionnaire

Objectif général du module III (logiciel et manuel)

Le module III concerne les apprentissages liés à la phase empirique. Il vise particulièrement l'acquisition et la maîtrise des notions théoriques relatives à l'analyse des données et des diverses façons de présenter les résultats de recherche, de les interpréter et de les communiquer.

Contenu du module III

Le module III comporte une leçon informatisée correspondant au chapitre 18 du livre. La leçon informatisée *Analyse des données* permet de s'initier à l'organisation des données et à l'utilisation de tableaux et de graphiques servant à la présentation des résultats.

CHAPITRES DU LIVRE	LEÇONS INFORMATISÉES
18. Analyse statistique des données	Analyse des données
19. Analyse des données en recherche qualitative	Aucune
20. La triangulation : une réponse méthodologique	Aucune
21. Présentation et interprétation des résultats	Aucune
22. Communication des résultats	Aucune
23. Analyse critique des travaux de recherche	Aucune

La combinaison des deux médias, le manuel et le logiciel éducatif, sous-tend une démarche pédagogique visant l'atteinte des objectifs d'apprentissage énoncés pour chacune des leçons informatisées et chacun des chapitres du manuel de recherche. Ces objectifs correspondent aux besoins des étudiants et des étudiantes dans le cadre d'un cours sur la recherche dispensé au baccalauréat.

TABLE DES MATIÈRES

MODULE I
PHASE CONCEPTUELLE

MODULE II
PHASE MÉTHODOLOGIQUE

MODULE III
PHASE EMPIRIQUE

Chapitre 22

COMMUNICATION DES RÉSULTATS 335

Chapitre 23

ANALYSE CRITIQUE DES TRAVAUX DE RECHERCHE 345

CHAPITRE 1

LA RECHERCHE SCIENTIFIQUE

Marie-Fabienne Fortin, José Côté et Bilkis Vissandjée

Objectifs d'apprentissage

À la fin de ce chapitre, l'étudiant devrait être capable de :

✔ Définir ce qu'est la recherche scientifique.

✔ Apprécier l'importance de la recherche pour les disciplines.

✔ Discuter des éléments sous-jacents à la recherche scientifique.

✔ Décrire les liens entre recherche, théorie et pratique.

✔ Comprendre les fondements philosophiques de la recherche et les méthodes d'investigation scientifique.

La recherche scientifique est une démarche qui permet de résoudre des problèmes reliés à la connaissance des phénomènes du monde réel dans lequel nous vivons. C'est une méthode particulière d'acquisition des connaissances, une façon ordonnée et systématique de trouver des réponses à des questions qui nécessitent une investigation. Par ses fonctions, la recherche permet de décrire, d'expliquer et de prédire des faits, des événements ou des phénomènes. La recherche est étroitement liée à la théorie puisqu'elle contribue à son développement, soit pour la produire, soit pour la vérifier. À son tour, la théorie accroît la compréhension des phénomènes étudiés par la recherche et cette nouvelle compréhension conduit à l'analyse d'autres problèmes. Cette interaction entre la théorie et la recherche sous-tend toute la démarche scientifique exposée dans cet ouvrage.

Concevoir une démarche de recherche, c'est aussi prendre en compte la signification accordée à celle-ci et à ses retombées. Avant d'élaborer un projet de recherche, il faut d'abord être bien convaincu de son importance, non seulement pour le développement des connaissances dans la discipline concernée, mais aussi pour les retombées que ces nouvelles connaissances procurent à cette discipline. Ce chapitre d'introduction a pour but de définir ce qu'est la recherche scientifique, de démontrer son importance et ses liens avec la théorie, la pratique et d'autres éléments de la connaissance, d'exposer ses fondements philosophiques et de décrire les modes d'investigation scientifique.

1.1

MÉTHODES D'ACQUISITION
DES CONNAISSANCES

La connaissance s'acquiert d'un grand nombre de façons. Nous connaissons certains faits grâce à la méthode scientifique d'acquisition des connaissances; d'autres cependant émanent d'une variété de sources qui correspondent à des degrés divers de précision. Dans la plupart des disciplines, la connaissance a été acquise par le biais de diverses sources au cours de l'histoire, telles que l'intuition, les traditions et l'autorité, l'expérience personnelle, l'essai et l'erreur, le raisonnement logique, la recherche. Nous décrirons ces diverses sources de connaissances dans les paragraphes qui suivent.

L'intuition

L'intuition est une forme de connaissance immédiate qui ne recourt pas au raisonnement; c'est l'acquisition d'une certitude sans utilisation du raisonnement et sans références (Robert, 1988). Avoir de l'intuition, c'est aussi sentir ou deviner les choses. Demers (1993) souligne que l'intuition ne fonctionne pas à vide et qu'elle tire avantage des connaissances assimilées et des questions que l'on se pose. La pensée intuitive suffit parfois à la conduite de la vie pratique; elle est moins fiable cependant lorsqu'il est question de l'activité scientifique. En effet, chacun sait à quel point l'intuition est sujette à l'illusion. Bien que l'intuition ne soit pas un moyen suffisant d'obtenir de l'information dans le contexte d'une recherche scientifique, elle peut néanmoins servir de guide et d'adjuvant à la créativité.

Les traditions et l'autorité

Les traditions incluent les croyances basées sur les coutumes et les tendances passées. Bien que les traditions puissent avoir une certaine valeur en tant que sources de connaissances, elles peuvent néanmoins freiner la connaissance quant elles s'appuient sur des rituels. Cette source de connaissances qu'est la tradition doit être évaluée de façon critique à la lumière d'autres sources de données disponibles. Le champ des connaissances dans une discipline doit être davantage basé sur la recherche que sur la tradition. Il en est de même des coutumes dont plusieurs sont maintenues par l'autorité. La connaissance transmise par l'autorité, à moins d'être fondée sur la recherche, ne peut représenter une méthode scientifique d'acquisition des connaissances.

L'expérience personnelle;
l'essai et l'erreur

L'expérience personnelle est une autre source d'acquisition des connaissances. Toute personne a appris de ses propres expériences. À partir des données fournies par ses observations, l'être humain manifeste une tendance naturelle à l'anticipation. Cependant, il est difficile de généraliser à partir de ses expériences personnelles sans avoir consulté au préalable la littérature pour explorer d'autres possibilités ou d'autres façons de procéder. L'apprentissage par essais et erreurs n'est ni systématique, ni infaillible. De plus, le fait de multiplier les essais jusqu'à l'obtention d'une réponse à nos questions ne constitue pas en soi une méthode très efficace d'acquisition des connaissances !

Le raisonnement logique

Le raisonnement logique est une méthode d'acquisition des connaissances qui combine à la fois l'expérience, les facultés intellectuelles et les processus de pensée (Polit et Hungler, 1995). Les deux voies du raisonnement logique sont les raisonnements inductif et déductif. Le raisonnement inductif est une voie qui conduit à une généralisation à partir d'observations précises. Le raisonnement déductif, pour sa part, se fait à partir de principes généraux et de postulats, qui mènent à une assertion. Par conséquent, c'est à partir du général que l'on va vers des phénomènes particuliers. Ces deux méthodes de raisonnement, utiles pour comprendre et classer les phénomènes, contribuent à l'acquisition des connaissances. Cependant, ni l'une ni l'autre ne peut être utilisée seule comme base de connaissance scientifique.

Bien qu'aucune des méthodes d'acquisition des connaissances que nous venons de décrire ne soit à négliger, aucune ne permet à elle seule d'approfondir la base des connaissances dans les différentes disciplines.

La recherche scientifique

De toutes les méthodes d'acquisition des connaissances, la recherche scientifique est la plus rigoureuse et la plus acceptable puisqu'elle repose sur une démarche rationnelle. Un aspect important qui la distingue des autres méthodes d'investigation, c'est qu'elle peut être amendée au fur et à mesure de sa progression et remettre en question tout ce qu'elle propose. Cette méthode d'acquisition des connaissances est dotée d'un pouvoir descriptif et explicatif des faits, des événements et des phénomènes. Voyons plus en détail ce qui constitue la recherche scientifique.

1.2

QU'EST-CE QUE LA RECHERCHE SCIENTIFIQUE ?

La recherche scientifique, c'est d'abord un processus, une démarche systématique qui permet d'examiner des phénomènes en vue d'obtenir des réponses à des questions précises qui méritent une investigation. Ce processus comporte certaines caractéristiques indéniables : entre autres, il est systématique et rigoureux et mène à l'acquisition de nouvelles connaissances. Plusieurs penseurs ont tenté d'en énoncer une définition.

Kerlinger (1973) définit la recherche comme une méthode systématique, contrôlée, empirique et critique servant à vérifier des hypothèses sur les relations présumées entre des phénomènes naturels. Cette définition suppose le contrôle des variables dans la situation de recherche et implique la vérification d'hypothèses. Ainsi, l'effort de formuler des hypothèses plutôt que de les vérifier n'est pas considéré ici comme étant de la recherche. Cette définition apporte donc une certaine difficulté vis-à-vis des travaux de recherche pour les disciplines ayant une portée clinique ou sociale. D'autres définitions sont plus conciliables avec la diversité des approches de recherche.

Par exemple, Seaman (1987) définit la recherche scientifique comme un processus systématique de collecte de données observables et vérifiables, à partir du monde empirique (celui que nous connaissons à travers nos sens), en vue de décrire, d'expliquer, de prédire ou de contrôler des phénomènes. Cette définition a l'avantage de présenter diverses fonctions de la recherche applicables aux connaissances qui existent déjà sur un sujet donné : la description consiste à déterminer la nature et les caractéristiques des phénomènes et parfois à établir certaines associations entre eux (Chinn et Kramer, 1991). Il s'agit alors de découvrir ou de classifier de nouvelles informations. L'explication va plus loin : elle consiste à clarifier les relations entre des phénomènes et à déterminer pourquoi tels événements se produisent. La prédiction permet d'estimer la probabilité qu'un tel résultat se produise dans une situation donnée. Par le contrôle, une situation est provoquée, c'est-à-dire qu'un élément extérieur est introduit de manière à produire un résultat prévu.

Il existe également d'autres définitions de la recherche qui s'accordent avec diverses approches de recherche. Par exemple, Burns et Grove (1993) définissent la recherche scientifique comme suit : une démarche systématique, effectuée dans le but de valider des connaissances déjà établies et d'en générer de nouvelles qui vont, de façon directe ou indirecte, influencer la pratique. Cette dernière définition ne requiert pas que l'étude soit empirique, ni strictement objective, (ce qui laisse place aux méthodes subjectives ou interprétatives), mais rigoureuse et systématique. La rigueur, dont dépend l'exactitude scientifique, tient en partie à la capacité d'assurer une perception fiable et correcte de la réalité (Gauthier, 1992). La systématisation, quant à elle, relève de la méthode, c'est-à-dire d'une façon organisée et ordonnée d'atteindre un but.

La recherche est donc une méthode d'acquisition de nouvelles connaissances. De plus, les définitions que nous en avons présentées renferment toutes des notions de rigueur et de systématisation. Toutes laissent entendre que la recherche permet de générer de nouvelles connaissances par le développement de la théorie ou par la vérification de la théorie. Selon le genre d'investigation dans lequel le chercheur désire s'engager, il adoptera la définition qui correspond le mieux à ses préoccupations et planifiera une méthode appropriée à l'obtention des réponses à ses questions.

1.3

IMPORTANCE DE LA RECHERCHE POUR LES DISCIPLINES ET LES PROFESSIONS

Par la recherche dans une discipline donnée, on vise la production d'une base scientifique pour guider la pratique et assurer la crédibilité de la profession. Ainsi, la recherche consiste à élargir le champ des connaissances dans la discipline concernée et à faciliter son développement en tant que science. L'étude systématique de phénomènes, qui conduit à la découverte et à l'accroissement de savoirs spécifiques, est aussi un des buts de la recherche. Par exemple, la recherche appliquée dans une discipline consiste en l'utilisation de la démarche scientifique à l'étude de problèmes spécifiques, en vue d'induire des changements dans les situations où se présentent ces problèmes. La recherche permet de déterminer, parmi les problèmes cliniques, ceux qui nécessitent d'être examinés empiriquement. Il peut s'agir, entres autres, de décrire les caractéristiques d'une situation particulière, d'expliquer la nature de phénomènes ou encore de prédire des comportements de santé désirables.

La recherche sert aussi à définir les paramètres d'une profession. Aucune profession ne saurait connaître un développement continu sans l'apport de la recherche. C'est par elle que se constitue un domaine de connaissances dans une discipline donnée et que sont élaborées et vérifiées les théories (Fortin et Bélair, 1994). La recherche dans une discipline professionnelle permet de préciser les sphères d'application qui lui sont propres et de définir ses buts, ses objectifs auprès de la communauté. La recherche scientifique est une démarche rigoureuse d'acquisition de connaissances, que ce soit dans les domaines des sciences de la santé, des sciences humaines ou des sciences sociales. Ce sont les orientations philosophiques et le champ d'application de la recherche qui diffèrent d'une discipline à l'autre.

La recherche est un moyen de démontrer le champ d'action et de connaissance d'une profession. Chaque profession doit être en mesure de fournir à ses membres une base de connaissances théoriques sur laquelle s'appuie sa pratique. Elle doit de plus fournir des services de qualité aux personnes et à la communauté. Un des critères traditionnels de l'existence d'une profession réside dans l'expansion de ses assises théoriques à l'aide de la méthode d'investigation scientifique qu'est la recherche (Hogstel et Sayner, 1986). C'est le rôle de la recherche de renforcer les bases scientifiques et de contribuer au développement continu des professions. Un corps professionnel est crédible lorsque ses membres sont reconnus, par d'autres professionnels, comme étant des experts dans un domaine particulier de connaissances et d'applications.

Puisque c'est par le biais de la recherche que se constitue un champ de connaissances bien défini dans une discipline donnée et que les théories s'élaborent et se vérifient, il est important de mieux comprendre les différents liens de la recherche avec la théorie, la pratique et d'autres éléments de la connaissance.

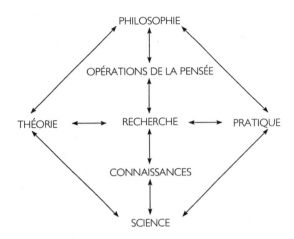

FIGURE I.I

Les points d'attache de la recherche scientifique.

1.4

PRINCIPAUX POINTS D'ATTACHE
DE LA RECHERCHE SCIENTIFIQUE

La recherche est influencée par des éléments abstraits et des éléments concrets qui sous-tendent sa démarche et concourent à son application au monde empirique, c'est-à-dire la pratique. La figure 1.1, inspirée de Burns et Grove (1993), illustre ces principaux éléments et leurs liens réciproques.

Liens entre recherche,
théorie et pratique

La recherche, la théorie et la pratique sont des entités intimement liées les unes aux autres. Bien que le terme « théorie » puisse revêtir différentes connotations, nous pouvons dire qu'une théorie est une généralisation abstraite qui présente une explication systématique des relations entre les phénomènes; c'est une série de principes ou

de propositions qui concernent les relations entre les concepts. Par exemple, l'explication moderne de la réaction au stress constitue une théorie. Elle est composée de plusieurs concepts généraux, liés entre eux par un ensemble de propositions, lesquelles servent à expliquer le phénomène du stress. Les théories se présentent sous différents aspects selon qu'elles visent à décrire, expliquer ou prédire des segments de la réalité.

La recherche dépend de la théorie du fait que la théorie apporte une signification aux concepts utilisés dans une situation donnée.

La réciprocité recherche/théorie se retrouve aussi sur le plan de la méthode. Les théories sont généralement descriptives, explicatives ou prédictives (Diers, 1979); dans le même ordre d'idée, les types de recherche qui génèrent ou permettent de vérifier les théories sont respectivement descriptifs, explicatifs et prédictifs. Ainsi, les caractéristiques des phénomènes sont définies à l'aide d'études descriptives, les relations entre ces caractéristiques sont expliquées par les études corrélationnelles, alors que les devis expérimentaux servent à prédire et à contrôler des phénomènes.

La recherche permet d'élaborer des théories, ou de les vérifier. La recherche qui vise à produire la théorie consiste à déceler la présence d'un phénomène, à découvrir ses caractéristiques et à préciser les relations entre elles. La recherche qui vise à vérifier la théorie tend à démontrer, à l'aide d'hypothèses tirées de la théorie, que cette dernière possède une évidence empirique (Stevens, 1984).

Ainsi, l'étroite connexion entre la recherche et la théorie est telle que l'élaboration de la théorie repose sur la recherche et que celle-ci, en retour, repose sur la théorie (Fawcett et Downs, 1992). Un des rôles de la théorie, c'est de lier en un tout organisé et cohérent des faits observés qui, pris un à un, ont peu de signification. Les théories représentent donc une méthode pour organiser, intégrer et extraire des concepts abstraits se rapportant à la façon dont les phénomènes sont associés les uns aux autres (Polit et Hungler, 1989).

Il existe aussi une relation de réciprocité entre la théorie et la pratique. En effet, de la pratique émanent des théories, lesquelles auront besoin d'être vérifiées de façon empirique avant d'être validées à nouveau dans la pratique (Meleis, 1991). En fait, la recherche établit un pont entre la discipline comme champ de connaissances et la pratique professionnelle comme champ d'intervention. Elle permet, entre autres, de vérifier la théorie ou de la développer, et cette union de la théorie et de la recherche fournit une base à la pratique. Les préoccupations qui évoluent vers la définition de problèmes de recherche dans une discipline professionnelle prennent souvent racine dans la pratique.

Les opérations de la pensée

Les opérations de la pensée constituent un autre élément important de la recherche scientifique. Deux formes de la pensée sont nécessaires à la recherche : la pensée concrète et la pensée abstraite. La pensée concrète est orientée vers les choses tangibles ou les événements observables dans la réalité; elle est nécessaire à la planification des différentes étapes de la collecte des données et de l'analyse. La pensée abstraite est orientée vers le développement d'une idée sans une application directe à un cas particulier; elle permet de définir des problèmes de recherche et d'interpréter des résultats. Selon Burns et Grove (1993), la recherche requiert des habiletés intellectuelles dans les deux formes de pensée.

Les opérations de la pensée influent sur chacun des éléments de la recherche dans une discipline donnée. C'est grâce à la pensée abstraite que les théories sont vérifiées et incorporées dans un ensemble de connaissances. Guidée par un cadre philosophique, la pensée abstraite permet à la science et à la théorie de se fondre en un ensemble de connaissances articulées en vue d'une application dans le monde empirique. Parmi les opérations de la pensée abstraite, on distingue l'intuition et le raisonnement. L'intuition se définit comme la faculté de recevoir des impressions intérieures. Elle est issue des connaissances accumulées, des questions que l'on se pose, des réflexions que l'on s'accorde (Demers, 1993). L'intuition est le fait de l'intelligence qui saisit d'emblée la diversité et la complexité du réel pour l'organiser en un tout, en une synthèse.

Par ailleurs, ce que l'intelligence croit avoir trouvé dans l'éclair de l'intuition, le jugement doit le démontrer ou l'expliquer par le raisonnement (Giroux et Forgette-Giroux, 1989). Le jugement ou le raisonnement deviennent ainsi le contrôle rationnel de la compréhension. Raisonner, c'est penser et relier des idées dans le but d'en arriver à des conclusions; c'est partir de ce qu'on connaît pour aller vers la découverte. Le raisonnement est utilisé pour développer des théories, résoudre des problèmes et interpréter des résultats de recherche. Le raisonnement procède par analyse; analyser, c'est décomposer un tout en ses éléments constitutifs. Dans l'analyse, l'esprit va du complexe au simple afin d'examiner chacune des composantes d'un ensemble, le but étant de proposer une explication d'un phénomène donné. La logique intervient dans les opérations de la pensée abstraite et de la pensée concrète, ainsi que dans les méthodes du raisonnement logique que sont les raisonnements inductif et déductif.

Science et philosophie

Le but premier de la science est d'expliquer le monde empirique. La science correspond à l'organisation cohérente de résultats de recherche et de théories vérifiées à l'intérieur d'un champ de connaissances déterminé. La science est à la fois un résultat, qui peut être une découverte, et un processus, au cours duquel les idées théoriques sont vérifiées. La science offre deux perspectives : celle d'un corpus de connaissances théoriques qui concernent spécifiquement les relations entre les faits, les principes, les lois et les théories, et celle d'une méthode d'investigation (Andreoli et Thompson, 1977; Beckwith et Miller, 1976; Newman, 1979).

Une philosophie consiste généralement en un énoncé de croyances et de valeurs à propos de la nature et de l'être humain et de leur réalité (Kim, 1989; Seaver et Catwright, 1977). Différentes philosophies ou façons de concevoir le monde débouchent sur différentes perceptions des concepts clés d'une discipline et fournissent des

énoncés différents sur la nature des relations entre ces concepts (Altman et Rogoff, 1987). Le développement de la connaissance dépend à la fois de la philosophie et de la science. La recherche d'explications de l'univers est l'objet de la philosophie. Bien que les philosophes et les scientifiques poursuivent un but commun, qui est celui de travailler à l'expansion des connaissances, l'approche des uns et des autres pour mieux saisir la réalité est différente. Le philosophe utilise l'intuition, le raisonnement, l'introspection pour faire un examen du but de la vie humaine, de la nature de l'être, de la réalité et des limites de la connaissance (Silva, 1977). Son approche pour comprendre la réalité se caractérise par la création d'un ensemble de postulats et de croyances qui découlent de son expérience personnelle et de sa réflexion sur les expériences d'autrui.

Le scientifique, quant à lui, observe, conçoit des définitions opérationnelles, vérifie des hypothèses et conduit des recherches de façon à pouvoir découvrir des phénomènes qui présentent de la régularité et apportent ainsi un degré rassurant de certitude (obtention de résultats analogues et constants, exprimés sous forme de « lois »); cette longue démarche lui permet d'interpréter la réalité (LoBiondo-Wood et Haber, 1994).

Une autre distinction entre philosophes et scientifiques tient au type de questions posées. La philosophie traite de questions d'ordre métaphysique : « Qu'est-ce que la connaissance ? » ou « Les individus sont-ils fondamentalement bons ou mauvais ? » Préoccupée par la causalité, la science traite de questions empiriques : « Comment X et Y sont-ils reliés ? », « Est-ce que l'intervention A est meilleure que l'intervention B dans le traitement d'un problème donné ? » La relation de cause à effet est l'élément central qui permet de dégager des lois scientifiques (Labovitz et Hagedorn, 1976).

1.5

Fondements philosophiques et recherche scientifique

Les fondements philosophiques diffèrent selon les perceptions individuelles de la réalité, de la science et de la nature humaine. Ainsi, différentes perspectives philosophiques de la connaissance impliquent diverses façons de développer la connaissance, et donc différentes méthodes d'investigation.

Deux écoles de pensée prévalent en ce qui a trait au développement de la connaissance; la philosophie sous-jacente au courant positiviste logique et la philosophie sous-jacente au courant naturaliste; toutes deux engendrent des paradigmes de recherche différents (Giddens, 1986). Un paradigme est un schème fondamental qui oriente la perspective que le chercheur donne à son étude. Ainsi, le chercheur peut suivre un schème en harmonie avec ses croyances, ses valeurs, sa perception des choses et orienter son problème de recherche et sa démarche en ce sens (Ouellet, 1990).

Suivant la philosophie positiviste logique, la réalité est perçue comme unique et statique. Les faits objectifs existent indépendamment du chercheur et peuvent être découverts, ce qui correspond à la connaissance absolue. Dès lors, les phénomènes humains sont prévisibles et contrôlables. Les efforts scientifiques ont pour but ultime l'expansion et le raffinement de l'habileté à prédire et à contrôler le phénomène à l'étude.

Selon la philosophie naturaliste, la réalité est multiple et se découvre par une démarche dynamique, qui consiste à interagir avec l'environnement, ce qui correspond à une connaissance relative ou contextuelle. Les phénomènes humains sont uniques et non prévisibles et les efforts scientifiques sont orientés vers la compréhension totale du phénomène à l'étude.

De ces fondements philosophiques bien établis découlent des formes différentes de la recherche. La philosophie positiviste émerge d'une tradition basée sur les sciences physiques. Selon cette tradition, les investigations sont orientées vers l'atteinte de résultats. La mesure vise à obtenir des données fidèles et reproductibles. Le chercheur est préoccupé par la généralisation des résultats de son étude. Il utilisera des méthodes pour s'assurer que les individus étudiés sont choisis de telle sorte qu'ils représentent bien la population en cause.

La philosophie naturaliste provient d'une tradition qui admet que les faits et les principes sont enracinés dans des contextes historiques et culturels. La recherche est réalisée dans des milieux naturels et conduit à une compréhension de la situation. Le chercheur est préoccupé par la compréhension du comportement humain à partir du schème de référence de la personne, et non en lui imposant un cadre extérieur. La recherche vise la découverte, la description, l'explication et l'induction. Elle est orientée vers le processus plutôt que vers le résultat; son but est de comprendre plutôt que de maîtriser.

1.6

Méthodes d'investigation

Les méthodes d'investigation s'harmonisent avec les différents fondements philosophiques qui sous-tendent les préoccupations et les orientations d'une recherche. De par la nature des questions posées, certaines recherches nécessiteront une description des phénomènes à l'étude, d'autres une explication sur l'existence de relations entre des phénomènes ou encore la prédiction ou le contrôle des phénomènes. Les deux méthodes d'investigation qui concourent au développement de la connaissance sont le méthode quantitative et la méthode qualitative.

La méthode d'investigation quantitative est un processus systématique de cueillette de données observables et quantifiables. Elle est fondée sur l'observation de faits objectifs, d'événements et de phénomènes existant indépendamment du chercheur. Ainsi, cette approche reflète un processus complexe, qui conduit à des résultats qui doivent contenir le moins de biais possible. Le chercheur adopte une démarche ordonnée, qui le mène à travers une série d'étapes, allant de la définition du problème de recherche à l'obtention des résultats. L'objectivité, la prédiction, le contrôle et la généralisation sont des caractéristiques inhérentes à cette approche. La méthode d'investigation quantitative a pour but de contribuer au développement et à la validation des connaissances; elle offre aussi la possibilité de généraliser les résultats, de prédire et de contrôler des événements.

Le chercheur qui utilise la méthode d'investigation qualitative est préoccupé par une compréhension absolue et élargie du phénomène à l'étude. Le chercheur observe, décrit, interprète et apprécie le milieu et le phénomène tels qu'ils se présentent, sans chercher à les contrôler. Le but de cette approche d'investigation utilisée pour le développement de la connaissance est descriptif ou interprétatif plutôt qu'évaluatif. Cette façon de développer la connaissance démontre l'importance primordiale de la compréhension du chercheur et des participants dans le processus de la recherche. Cette approche est une extension de la capacité du chercheur à donner un sens au phénomène. Bien que les deux méthodes d'investigation proposent des étapes et des approches de la réalité qui sont différentes, toutes deux requièrent néanmoins que la recherche soit aussi rigoureuse et systématique que possible.

1.7
RÉSUMÉ

Quand on considère les différentes méthodes d'acquisition des connaissances, on ne peut que constater la valeur de la démarche scientifique en ce qui concerne le développement des connaissances. La recherche peut se définir selon différentes perspectives, ce qui laisse présumer que plus d'une approche de recherche est possible.

La recherche scientifique sert à décrire des événements, vérifier des données ou des hypothèses, prédire et contrôler des phénomènes. La rigueur et la systématisation doivent être présentes dans toute recherche.

La description des phénomènes, la vérification d'hypothèses et la clarification des relations entre les phénomènes sont des caractéristiques de la recherche.

Il est incontestable que la recherche est essentielle à l'avancement des disciplines et à la reconnaissance des professions.

Les différents éléments qui sous-tendent l'ensemble de la démarche scientifique sont la philosophie, la science, la connaissance, les opérations de la pensée, la théorie, la recherche et, enfin, le monde empirique, qui est celui de la réalité.

La recherche, la théorie et la pratique sont étroitement liées. La recherche dépend de la théorie du fait que celle-ci apporte une signification aux concepts utilisés dans une situation de recherche. La théorie émane de la pratique et, une fois validée par la recherche, elle retourne à la pratique et l'oriente.

Les opérations de la pensée déterminent chaque élément de la recherche scientifique. La pensée concrète est orientée vers les choses tangibles alors que la pensée abstraite est orientée vers le développement d'idées sans une application directe.

La science et la théorie sont deux concepts différents, qui sont toutefois liés par les opérations de la pensée. La science est un corps de connaissances composé de résultats de recherche et de théories qui ont été vérifiées. C'est à la fois un processus et un résultat.

La théorie est un moyen d'expliquer des parties du monde empirique. Les théories sont développées et vérifiées par le processus de la recherche et font ainsi partie de la science.

Les fondements philosophiques diffèrent selon les perceptions individuelles de la réalité, de la science et de la nature humaine. Deux écoles de pensée prévalent en ce qui a trait au développement des connaissances : la philosophie sous-jacente au courant positiviste et la philosophie sous-jacente au courant naturaliste; toutes deux engendrent des paradigmes de recherche différents. Ces deux paradigmes sont la méthode d'investigation quantitative et la méthode d'investigation qualitative.

RÉFÉRENCES BIBLIOGRAPHIQUES

ALTMAN, I., ROGOFF, B. (1987). World views in psychology : Trait, interactional, organismic, and transactional perspectives. In D. Stokols et I. Altman (Éd.), *Handbook of Environmental Psychology*, p. 7-40. New York : John Wiley and Sons.

ANDREOLI, K., THOMPSON, C. (1977). The nature of science in nursing. *Image : Journal of Nursing Scholarship*, n° 9, p. 32-37.

BECKWITH, J., MILLER, L. (1976). Behind the mask of objective science. *The Sciences*, n° 16, p. 16-19.

BURNS, N., GROVE, S. K. (1993). *The practice of nursing research : Conduct, critique and utilization*, 2e éd. Philadelphia : W. B. Saunders Inc.

CHINN, P. L., KRAMER, M. K. (1991). *Theory and nursing : A Systematic approach*, 3e éd. St-Louis : Mosby.

DEMERS, M. (1993). *Le projet de recherche au Ph. D.* Pierrefonds : Éditions Hélio.

DIERS, D. (1979). *Research in nursing practice.* Toronto : J. B. Lippincott.

FAWCETT, J., DOWNS, F. S. (1992). *The Relationship of theory and research*, 2e éd. Norwalk, Ct. : Appleton Century Crofts.

FORTIN, F., BÉLAIR, C. (1994). Les sciences infirmières à l'heure de la recherche. *Recherche en santé*, n° 6, p. 33-34.

GAUTHIER, B. (1992). *Recherche sociale : de la problématique à la collecte de données.* Québec : Les Presses de l'Université du Québec.

GIDDENS, A. (1986). Actions, subjectivity and the constitution of meaning. *Social Research*, n° 3, p. 529-545.

GIROUX, A., FORGETTE-GIROUX, R. (1989). *Penser, lire, écrire : introduction au travail intellectuel.* Ottawa : Les Presses de l'Université d'Ottawa.

HOGSTEL, M. O., SAYNER, N. C. (1986). *Nursing research : An introduction.* New York : McGraw-Hill Book Company.

KERLINGER, F. N. (1973). *Foundations of behavioral research*, 2e éd. New York : Holt, Rinehart and Winston Inc.

KIM, H. S. (1989). Theoretical thinking in nursing : Problems and prospects. *Recent Advances in Nursing*, n° 24, p. 106-122.

LABOVITZ, S., HAGEDORN, R. (1976). *Introduction to social research*, 2e éd. New York : McGraw-Hill.

LoBIONDO-WOOD, G., HABER, J. (1994). *Nursing Research : Methods, critical appraisal and utilization*, 3ᵉ éd. Toronto : The C. V. Mosby Company.

MELEIS, A. I. (1991). *Theoretical nursing : Development and progress*, 2ᵉ éd. Philadelphia : J. B. Lipprincott.

NEWMAN, M. (1979). *Theory development in nursing*. Philadelphia : F. A. Davis.

OUELLET, A. (1990). *Guide du chercheur : Quelques éléments de zen dans l'approche holistique*. Montréal : Gaétan Morin, Éditeur.

POLIT, D. F., HUNGLER, B. P. (1989). *Essentials of nursing research : Methods, appraisals and utilizations*, 2ᵉ éd. Philadelphia : J. B. Lippincott.

POLIT, D. F., HUNGLER, B. P. (1995). *Nursing research : Principles and methods*, 4ᵉ éd. Philadelphia : J. B. Lippincott Co.

ROBERT, M. (1988). *Fondement et étapes de la recherche*. Saint-Hyacinthe : Edisem.

SEAMAN, C. H. C. (1987). *Research methods : Principles, practice and theory for nursing*, 3ᵉ éd. Norwalk : Appleton and Lange.

SEAVER, J. W., CATWRIGHT, C. A. (1977). A pluralistic foundation for training early childhood professionals. *Curriculum Inquiry*, nᵒ 7, p. 305-329.

SILVA, M. C. (1977). Philosophy, science, theory : Interrelationships and implications for nursing research. *Image : Journal of Nursing Scholarship*, nᵒ 9 (3), p. 59-63.

STEVENS, B. J. (1984). *Nursing theory : Analysis, application and evaluation*, 2ᵉ éd. Boston : Little, Brown.

CHAPITRE 2

LA RECHERCHE PROPRE À UNE DISCIPLINE : L'EXEMPLE DES SCIENCES INFIRMIÈRES

Marie-Fabienne Fortin, Bilkis Vissandjée et José Côté

Objectifs d'apprentissage

À la fin de ce chapitre, l'étudiant(e) devrait être capable de :

✔ Préciser l'objet de la recherche en sciences infirmières.

✔ Tracer l'évolution de la recherche dans cette discipline.

✔ Discuter des interrelations de la formation infirmière et de la recherche.

Bien que la recherche s'applique à l'ensemble des disciplines, et que son importance et son rôle dans leur développement sont indéniables, le présent chapitre traitera plus particulièrement, et à titre d'illustration, de l'objet de la recherche infirmière, de son évolution et du rôle des infirmières dans le processus de la recherche.

2.1

L'OBJET DE LA RECHERCHE EN SCIENCES INFIRMIÈRES

La recherche en sciences infirmières relève de l'investigation systématique : celle-ci peut porter soit sur les clientèles, soit sur la pratique des soins et sur ses effets auprès des clients, leurs familles, la communauté, soit encore sur l'étude des contextes de soins. Les contextes de soins englobent aussi bien la prestation, l'organisation que l'évaluation des soins infirmiers dans l'ensemble des milieux où les soins peuvent être prodigués. L'objet de la recherche en sciences infirmières est l'étude systématique de phénomènes présents dans le domaine des soins infirmiers, qui conduit à la découverte et à l'accroissement de savoirs propres à la discipline. Ce savoir s'organise autour de concepts, de modèles et de théories qui sont à la base de la recherche et de la pratique en sciences infirmières.

De façon plus précise, le domaine d'investigation en sciences infirmières correspond sensiblement aux concepts propres aux soins infirmiers que sont la personne, son environnement, la santé, le soin infirmier, et à leurs interrelations (Fawcett, 1984). À cet égard, les modèles ou les théories en sciences infirmières offrent une conception précise des phénomènes qui existent et déterminent l'objet d'étude. La variété des modèles conceptuels au sein de la discipline permet l'étude des phénomènes selon diverses perspectives, ce qui contribue à l'accroissement des savoirs et à l'enrichissement des connaissances.

Plusieurs auteurs (Fawcett, 1989; Parse, 1987, 1992; Phillips, 1988) soutiennent que si la recherche infirmière ne peut établir de liens avec un modèle ou une théorie qui existe en sciences infirmières, les résultats de recherche ne peuvent relever de la discipline. C'est cette relation, se-

lon Smith (1992), qui confirme que les connaissances ainsi générées sont propres à la profession. Les théories développées par d'autres disciplines peuvent s'avérer utiles à l'avancement des connaissances infirmières, dans la mesure où ces théories sont intégrées dans une perspective infirmière (Meleis 1985). L'utilisation de théories intermédiaires empruntées à des disciplines connexes vient expliquer, d'une certaine façon, une portion du modèle conceptuel infirmier.

2.2

APERÇU HISTORIQUE DE LA RECHERCHE INFIRMIÈRE

À l'intérieur d'une discipline, le développement de la recherche n'est pas indépendante de l'évolution de la profession, de son enseignement et de la pratique. Les sciences infirmières ne font pas exception : des progrès dans le domaine de la recherche et des changements de tendances et d'orientations sont survenus au cours de leur histoire.

La recherche infirmière prend naissance au cours de la deuxième moitié du XIXᵉ siècle, dans la foulée des idées et des pratiques véhiculées par Florence Nightingale, durant la guerre de Crimée. La promotion de la santé, la prévention de la maladie et le soin des malades sont les idées centrales de la conception de Nightingale. Elle estime que la collecte systématique de données est nécessaire à l'amélioration des soins (Hogstel et Sayner, 1986; Palmer, 1977). Plus évidente encore est l'importance accordée par Florence Nightingale à l'observation, comme en font foi ses notes (Nightingale et Skeet, 1980), dans lesquelles elle insiste sur l'idée qu'il faut apprendre comment observer et quoi observer. Durant de nombreuses années après les travaux de Nightingale, peu d'activités de recherche ont été relatées dans les écrits en sciences infirmières. La figure 2.1 résume l'évolution de la recherche infirmière.

Durant la période de 1900 à 1950, les activités de recherche infirmière sont encore limitées. La principale préoccupation de la recherche se rapporte à l'éducation en sciences infirmières et aux attributions du personnel infirmier dans les hôpitaux. On s'intéresse aussi à l'amélioration de certaines techniques de soins. Au cours de cette période, on assiste à la publication d'études de cas dans la revue *American Journal of Nursing*, lesquelles servent d'outils d'enseignement aux étudiantes du baccalauréat dans les écoles de sciences infirmières.

Vers les années 1950, un ensemble d'événements contribue au développement de la recherche infirmière en Amérique du Nord, et cette croissance se maintient jusqu'à nos jours. Peu à peu, s'effectue la transition de la formation infirmière dans l'hôpital vers la formation dans les collèges et les universités. De nouvelles connaissances émanent de la recherche, qui devient un outil indispensable à l'évolution de la profession. Au cours de cette période, on trouve plusieurs infirmières préparées au niveau du baccalauréat. Des fonds sont disponibles aux infirmières américaines pour la subvention de projets de recherche et les habiletés et activités de recherche sont valorisées. Ces activités concernent surtout l'étude des infirmières elles-mêmes, leur formation, leurs conditions de travail et leurs caractéristiques personnelles. La première revue de recherche en sciences infirmières, *Nursing Research*, fait son apparition en 1952.

Au cours des années 1960, les études sur les infirmières et la profession se poursuivent. On assiste à l'émergence de théories et de modèles

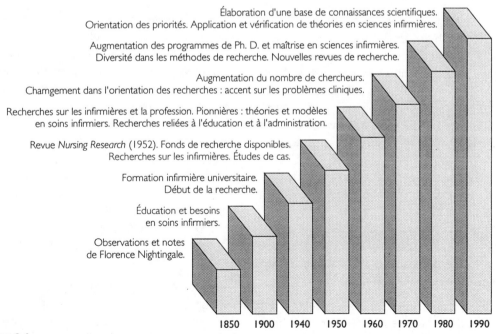

Élaboration d'une base de connaissances scientifiques.
Orientation des priorités. Application et vérification de théories en sciences infirmières.

Augmentation des programmes de Ph. D. et maîtrise en sciences infirmières.
Diversité dans les méthodes de recherche. Nouvelles revues de recherche.

Augmentation du nombre de chercheurs.
Chamgement dans l'orientation des recherches : accent sur les problèmes cliniques.

Recherches sur les infirmières et la profession. Pionnières : théories et modèles
en soins infirmiers. Recherches reliées à l'éducation et à l'administration.

Revue *Nursing Research* (1952). Fonds de recherche disponibles.
Recherches sur les infirmières. Études de cas.

Formation infirmière universitaire.
Début de la recherche.

Éducation et besoins
en soins infirmiers.

Observations et notes
de Florence Nightingale.

1850 1900 1940 1950 1960 1970 1980 1990

FIGURE 2.1

Aperçu historique de l'évolution de la recherche infirmière.

conceptuels en sciences infirmières, développés par des pionnières américaines : Pepleau (1952), *Theory of Interpersonal Relations*; Henderson (1955), *The Nature of Nursing*; Johnson (1980), *Behavioral System Model*; Orlando (1961), *Theory of the Deliberative Nursing Process*; Wiedenbach (1964), *Clinical Nursing, a helping art*. Ces théoriciennes font valoir l'importance d'assises théoriques et de résultats de recherche pour l'évolution de la profession. Une recension des recherches effectuées en sciences infirmières et publiées vers la fin des années 1950 révèle une tendance vers le développement de la recherche clinique. Un cours d'introduction à la recherche est inséré dans la plupart des programmes de baccalauréat en sciences infirmières.

À partir de 1970, le nombre d'infirmières engagées dans la recherche s'accroît. Les discussions entourant les enjeux théoriques et conceptuels de la discipline infirmière sont d'actualité. De nouveaux créneaux de communication voient le jour aux États-Unis, tels que : *Advances in Nursing Science, Research in Nursing and Health, Western Journal of Nursing Research*. Le nombre de programmes de baccalauréat et de maîtrise augmente. Un changement s'installe dans l'orientation des recherches infirmières. Les domaines d'étude relatifs à l'éducation, à l'administration et aux infirmières elles-mêmes sont délaissés au profit d'une plus grande préoccupation pour l'amélioration des soins aux patients et l'étude de problèmes cliniques (LoBiondo-Wood et Haber, 1994; Polit et Hungler, 1989). Au Canada, des conférences nationales sur la recherche en sciences infirmières sont organisées en 1971, en vue de favoriser la diffusion des résultats de recherche (Kerr et MacPhail, 1991).

Vers 1980, on assiste à une diversification des méthodes de recherche utilisées. Les infirmières préparées au niveau du doctorat reçoivent leur formation en recherche dans une variété de programmes d'études autres qu'en sciences infirmières (éducation, administration, sociologie, psychologie, anthropologie) et, par conséquent, acquièrent différentes formations et favorisent diverses tendances. Certaines infirmières chercheures prônent l'avancement des connaissances par le biais d'une approche déductive incluant une méthode quantitative et des analyses statistiques des données. D'autres, ayant reçu une formation qui les prépare à l'utilisation d'une approche inductive comportant une méthodologie qualitative, valorisent davantage cette approche (Hogstel et Sayner, 1986; Polit et Hungler, 1989). Bien que les discussions continuent d'alimenter le débat sur la méthode la plus appropriée au développement de la discipline, il semble se dégager un consensus de la part des chefs de file dans le domaine de la recherche en sciences infirmières à l'effet que les deux approches ont le potentiel de contribuer au développement d'une base scientifique pour la pratique des soins.

En 1990, de nouvelles revues scientifiques font leur apparition aux États-Unis, telles que *Scholarly Inquiry for Nursing Practice, Applied Nursing Research*. Les tendances des années 1990 évoluent vers la poursuite du développement d'une base de connaissances scientifiques pour la pratique des soins. À cet égard, il se dégage un consensus dans les écrits en sciences infirmières (LoBiondo-Wood et Haber, 1994; Phillips, 1988). De même, afin de mieux répondre aux besoins de l'heure, on vise l'établissement de priorités. Les études cliniques qui concernent la pratique des soins vue selon diverses perspectives sont encouragées par les chefs de file en sciences infirmières (Parse, 1992).

Au Canada, la recherche en sciences infirmières suit un modèle de développement similaire à celui qui prévaut aux États-Unis et au Royaume-Uni (Kerr et MacPhail, 1991). Au départ, la recherche porte principalement sur l'éducation et l'administration plutôt que sur des problèmes cliniques. (Cahoon, 1986; Gortner et Nahm, 1977; Hockey, 1986). Dans les écoles universitaires canadiennes de sciences infirmières, les débuts de la recherche coïncident avec l'avènement des programmes d'études supérieures, vers le milieu des années 1960. Le programme de maîtrise en sciences infirmières débute en 1961 à l'Université McGill, soit cinq ans plus tôt qu'à l'Université de Montréal. Au Québec, parmi les premiers projets subventionnés par le ministère de la Santé, on retrouve, en 1969, celui d'une infirmière chercheure de l'Université McGill et, en 1972, ceux de trois professeurs de la faculté des sciences infirmières de l'Université de Montréal (Thibaudeau, 1993). C'est d'ailleurs en 1971, à l'Université McGill que la première unité canadienne de recherche infirmière est établie, grâce à une subvention de Santé et Bien-Être, Canada. Selon Stinson (1986), la recherche infirmière s'implante véritablement au Canada à partir de 1971. Cette même année, un grand nombre d'infirmières assistent à la première conférence nationale de recherche en sciences infirmières.

En 1968 paraît la première revue canadienne bilingue de recherche en sciences infirmières *Nursing Papers/Perspectives en Nursing*, qui devient, en 1986, la *Revue canadienne de recherche en sciences infirmières/Canadian Journal of Nursing Research*. Afin de favoriser le développement de la recherche dans la discipline infirmière, la Fondation de la recherche en sciences infirmières (FRESIQ) est mise sur pied au Québec en 1987. Enfin, en juin 1993, le programme de doctorat en sciences infirmières commun à la Faculté des sciences infirmières de l'Université de Montréal et à l'école des sciences infirmières de l'Université McGill voit le jour. Cette nouvelle initiative porte à cinq le nombre de programmes de doctorat en sciences infirmières au Canada. Les programmes de doctorat en sciences infirmières vi-

sent à former des chercheurs qui vont, par leurs travaux de recherche et leurs publications, contribuer à l'avancement des connaissances dans la discipline.

2.3

LES INFIRMIÈRES ET LA RECHERCHE

Les infirmières de tous les niveaux de formation ont la responsabilité de participer au développement de la connaissance en sciences infirmières et à son utilisation dans la pratique. Le degré de participation à la recherche selon la formation acquise est illustré à la figure 2.2. Le rôle des infirmières dans le processus de la recherche est généralement défini en fonction de la formation acquise. Selon Fawcett (1984), un des moyens de faciliter l'expansion de la recherche serait de délimiter les activités de la recherche selon le niveau de formation des infirmières.

Les infirmières formées dans les collèges sont en mesure de considérer la recherche et la théorie à partir des concepts propres à la profession que sont la personne, son environnement, la santé, les soins infirmiers, et à partir des thèmes qui appliquent les relations entre ces concepts. De par leurs expériences cliniques variées, ces infirmières sont appelées à participer à la délimitation de préoccupations et de problèmes de recherche, et à contribuer à l'application des résultats de recherche au sein de leur pratique.

Les infirmières formées dans les universités sont préparées à baser leur pratique sur des fondements établis par la recherche. Actuellement, la majorité des programmes de baccalauréat au Canada incluent au moins un cours sur la recherche. Par le développement d'habiletés à la recherche, les infirmières apprennent l'importance d'utiliser les résultats de recherche à la base de

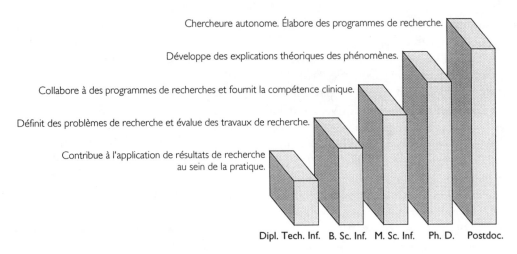

FIGURE 2.2

Degré de participation à la recherche, selon la formation acquise.
(Adaptée de *American Nurses Association* (1989). *Education for participation in Nursing Research.*

leurs interventions et deviennent ainsi d'actives utilisatrices de la recherche. L'apprentissage du processus de la recherche et l'acquisition d'habiletés à apprécier des travaux de recherche contribuent à développer chez l'infirmière un ensemble de connaissances structurées, qu'elle peut appliquer de façon judicieuse à la pratique des soins (Buckwalter, 1992; Duffey, 1988; Massey et Loomis, 1988).

La formation au baccalauréat prépare l'infirmière à mieux discerner les problèmes de recherche en soins infirmiers ou dans les domaines d'étude qui requièrent une investigation empirique. L'observation est la méthode essentielle pour obtenir l'information dans l'évaluation des données de base. L'infirmière bachelière raffine ses habiletés cliniques en plaçant ses observations dans un contexte plus large. Elle doit saisir toutes les occasions de poser des questions qui sont la source de problèmes de recherche. Enfin, à titre de consommatrice de la recherche, la bachelière est en mesure d'évaluer la recher-

che relativement aux transferts de résultats dans sa pratique clinique et de contribuer ainsi à la diffusion des résultats de la recherche.

Au niveau de la maîtrise, les infirmières analysent et reformulent des problèmes de recherche en soins infirmiers. Selon l'*American Nurses Association* (1989), leur rôle consiste principalement à faciliter la conduite de la recherche, grâce à leur expertise clinique, à leur connaissance du fonctionnement des unités de soins et à leur accessibilité aux patients et aux données cliniques. De ce fait, ces infirmières favorisent l'investigation de problèmes cliniques, car elles assurent un climat propice à la recherche et une évaluation clinique de l'applicabilité des résultats à des situations particulières de soins. L'engagement dans la recherche est généralement reconnu comme une des composantes majeures du rôle de l'infirmière clinicienne spécialisée. La nature de l'implication peut varier selon les intérêts, la motivation et la préparation de chacune.

L'apport à la recherche des infirmières formées au niveau du doctorat consiste à développer des explications théoriques des phénomènes reliés aux soins infirmiers. Les infirmières titulaires d'un doctorat conçoivent des projets de recherche, qu'elles soumettent à des organismes subventionnaires en vue d'obtenir des fonds. Elles utilisent différentes méthodes analytiques et empiriques afin d'extraire la connaissance propre à la discipline. Leur rayonnement doit s'établir sur le plan national et international (Hinshaw et Heinrich, 1990). En effet, les infirmières formées à ce niveau d'études assurent plus particulièrement la communication et la diffusion des résultats de recherche par l'intermédiaire de revues et de conférences nationales et internationales.

Les études postdoctorales confirment le statut de chercheur autonome. C'est la voie de la reconnaissance par où le chercheur s'engage dans une carrière axée sur la recherche et signale son appartenance à une discipline. C'est aussi la porte d'entrée dans les programmes de chercheurs boursiers et de chercheurs de carrière des organismes subventionnaires. C'est par la formation de chercheurs que se développe la recherche dans les disciplines.

Quel que soit leur niveau de formation, que les infirmières soient des consommatrices ou des chefs de file en recherche, le processus de la recherche doit être considéré par toutes les infirmières comme une partie intégrante de la profession. Le point d'ancrage sur lequel se greffent la recherche, la théorie et la pratique et où se croisent toutes les activités accomplies par les infirmières est l'observation. Un des facteurs importants dans la démarcation des activités de recherche selon les diverses formations des infirmières est la nécessité d'établir une collaboration entre les infirmières formées à tous les niveaux d'études.

2.4
RÉSUMÉ

La recherche joue un rôle important dans l'établissement d'une base scientifique pour guider la pratique des soins. L'objet de la recherche en sciences infirmières concerne l'étude systématique de phénomènes qui conduisent à la découverte et à l'accroissement de savoirs propres à la discipline.

L'origine de la recherche infirmière remonte à Florence Nightingale, c'est-à-dire à la deuxième moitié du XIXᵉ siècle : la promotion de la santé et la prévention de la maladie sont les idées centrales de sa conception; elle accumule des données auprès des blessés durant la guerre de Crimée. Après Nightingale, il faut attendre jusque vers 1950 avant que la recherche infirmière prenne son essor. Avant 1950, les activités de recherche sont orientées surtout vers l'éducation des infirmières. Après 1950, et avec la parution de la première revue de recherche en sciences infirmières, *Nursing Research*, on assiste à une transformation dans la formation des infirmières, qui se déplace de l'hôpital vers l'université. De nouvelles connaissances se développent par la recherche, qui devient un outil indispensable à l'évolution de la profession.

Au cours des années 1960, on assiste à l'émergence de théories et de modèles conceptuels en sciences infirmières, développés par des pionnières américaines, en vue de guider la pratique des soins. L'orientation de la recherche se modifie pour se centrer vers les problèmes cliniques de soins. À partir de 1970, plusieurs revues en sciences infirmières voient le jour, *Advances in Nursing Science, Research in Nursing and Health, Western Journal of Nursing Research*. Au Canada, des conférences nationales sur la recherche en sciences infirmières sont mises sur pied en vue de favoriser la diffusion des résultats de recherche. Vers 1980, on assiste à une plus grande diversité dans les méthodes de recherche utilisées par les infirmières. Depuis 1990, de nouvelles revues scientifiques en sciences infirmières voient le jour. Un consensus se dégage quant à l'objet de la recherche en sciences infirmières, qui se consolide autour de problèmes de soins.

L'orientation de la recherche au Canada suit un modèle de développement similaire à celui qui prévaut aux États-Unis et au Royaume-Uni.

Les débuts de la recherche coïncident avec l'avènement des programmes d'études supérieures.

Toutes les infirmières, quelle que soit leur formation, ont la responsabilité de contribuer au développement des connaissances dans la discipline infirmière. Certains rôles sont attribués aux infirmières dans leur participation à la recherche depuis la formation au collège jusqu'à la formation au niveau postdoctoral. À ce niveau, les infirmières sont des chefs de file et font de la recherche en sciences infirmières une carrière.

RÉFÉRENCES BIBLIOGRAPHIQUES

AMERICAN NURSES ASSOCIATION. (1989). *Commission of nursing research : Education for participating in nursing research.* Kansas City, Mo : American Nurses Association.

BUCKWALTER, K. C. (1992). Research utilization awards, utilization versus dissemination ? *Reflections*, n° 18 (3), p. 8.

CAHOON, M. (1986). Research developments in clinical settings : A canadian perspective. *In* S. Stinson et J. Kerr (Éd.). *International issues in nursing research.* Philadelphia : Croom Helm.

DUFFEY, M. E. (1987). The research process in baccalaureate nursing education : a ten-year review. *Image : Journal of Nursing Scholarship*, Summer, n° 19, p. 87-91.

FAWCETT, J. (1984). Another look at utilization of nursing research. *Image : Journal of Nursing Scholarship*, Spring, n° 16, p. 12-15.

FAWCETT, J. (1989). *Analyses and evaluation of conceptual models of nursing.* Philadelphia : Davis.

GORTNER, S. R., NAHM, H. (1977). An overview of nursing research in the United States. *Nursing Research*, n° 26 (1), p. 10-33.

HENDERSON, V. (1955). *The Nature of nursing : A definition and its implications for practice, research, and education.* New York : The Macmillan Company.

HINSHAW, A. S., HEINRICH, J. (1990). New initiatives in nursing research : A national perspective. *In* R. Bergman (Éd.), *Nursing research for nursing practice : An international perspective*, p. 20-37. London : Chapman.

HOCKEY, E. (1986). Nursing research in the United Kingdom : The state of the art. *In* S. M. Stinson et J. C. Kerr (Éd.), *International Issues in Nursing Research*, p. 216-235. London et Sydney : Croom Helm.

HOGSTEL, M. O., SAYNER, N. C. (1986). *Nursing research : An introduction.* New York : McGraw-Hill Book Company.

JOHNSON, J. L. (1980). Behavioral system model for nursing. *In* J. P. Riehl et C. Roy. *Conceptual Models for Nursing Practice*, 2e éd., New York : Appleton-Century Crofts.

KERR, J. R., MACPHAIL, J. (1991). *Canadian nursing : Issues and perspectives*, 2e éd., Toronto : Mosby Year Book.

LOBIONDO-WOOD, G., HABER, J. (1994). *Nursing research : Methods, critical appraisal and utilization.* Toronto : The C. V. Mosby.

MASSEY, J., LOOMIS, M. (1988). When should nurses use research findings ? *Applied Nursing Research*, n° 1, p. 32-40.

MELEIS, A. I. (1985). *Theoretical nursing development and progress.* Philadelphia : J. B. Lippincott.

NIGHTINGALE, F., SKEET, M. (1980). *Notes on nursing.* Edinburg : Churchill Livingstone.

ORLANDO, I. J. (1961). *The Dynamic nurse-patient relationship : Function, process and principles.* New York : G. P. Putnam's Sons.

PALMER, I. S. (1977). Florence Nightingale : Reformer, reactionary, researcher. *Nursing Research,* n° 26 (2), p. 84-89.

PARSE, R. R. (1987). *Nursing Science : Major paradigms, theories, and critiques.* Philadelphia : Saunders.

PARSE, R. R. (1992). Nursing knowledge for the 21st century : An international commitment. *Nursing Science Quaterly,* n° 5 (1), p. 8-12.

PEPLEAU, H. E. (1952). *Theory of interpersonal relations in nursing.* New York : G. P. Putnam's Sons.

PHILIPPS, J. R. (1988). The reality of nursing research. *Nursing Science Quarterly,* n° 1, p. 48-49.

POLIT, D. F., HUNGLER, B. P. (1989). *Essentials of nursing research : Methods, appraisal and utilization,* 2e éd., New York : J. B. Lippincott.

SMITH, M. C. (1992). The distinctiveness of nursing knowledge. *Nursing Science Quaterly,* n° 5 (4), p. 148-149.

STINSON, S. (1986). Nursing research in Canada. *In* S. Stinson et J. Kerr (Éd.), *International Issues in Nursing Research.* Philadelphia : Croom Helm.

THIBAUDEAU, M. F. (1993). L'évolution de la recherche infirmière au Québec. Dans : *La profession infirmière : valeurs, enjeux, perspectives* (O. Goulet, Éd.). Boucherville : Gaétan Morin éditeur.

WIEDENBACH, E. (1964). *Clinical nursing : A helping art.* New York : Springer Publishing Company Inc.

CHAPITRE 3

LES ÉTAPES DU PROCESSUS DE LA RECHERCHE

Marie-Fabienne Fortin, José Côté et Bilkis Vissandjée

Objectifs d'apprentissage

À la fin de ce chapitre, l'étudiant(e) devrait être capable de :

✔ Préciser le rôle de l'observation en recherche.

✔ Définir les principaux termes se rapportant à la recherche scientifique.

✔ Décrire les différents types de variables.

✔ Expliquer les étapes du processus de la recherche.

La démarche scientifique s'effectue généralement d'une façon ordonnée, à travers une série d'étapes. C'est le sens même du terme « processus », qui suggère des phases progressives conduisant à un but. Dans cet ouvrage, le processus de la recherche a été réparti selon trois phases, conceptuelle, méthodologique et empirique, chacune comportant des étapes de travail déterminées (voir plus loin figure 3.1). Avant d'entreprendre l'examen détaillé de chacune des étapes du processus de la recherche, nous nous attarderons aux principaux termes propres au processus la recherche scientifique.

3.1

DÉFINITION DE TERMES LIÉS
À LA RECHERCHE SCIENTIFIQUE

Observation

L'observation est la clé de voûte de la connaissance et constitue l'élément central du processus de recherche. Observer, c'est considérer avec attention afin de mieux connaître et comprendre la réalité. L'observation scientifique est étroitement liée à la théorie, laquelle explique les relations entre les faits observés et les propositions (Seaman, 1987). Le chercheur peut partir d'une théorie pour aller vers l'observation, ou inversement de l'observation vers la théorie. Les moyens utilisés par le chercheur pour observer varient en fonction de ce qui est observé. L'observation se retrouve dans chacune des étapes d'une investigation. Basée sur des connaissances préalables, elle est le reflet de l'acuité et de l'intuition du chercheur.

Concept

Les concepts sont les éléments de base du langage qui transmettent les pensées, les idées et les notions abstraites. Parce qu'ils résument et catégorisent les observations concrètes, les concepts servent à lier la pensée abstraite et l'expérience sensorielle. Le terme même de « concept » est à la base de la recherche puisque ce sont les concepts et leurs relations mutuelles, qui constituent les propositions théoriques qui sont vérifiées sous la forme d'hypothèses par la recherche. Un concept est une idée abstraite qui représente les manifestations de certains comportements ou caractéristiques, comme la douleur, la santé, le choc...

« Construit »

Une variante de la notion de concept est celle de « construit ». Selon Kerlinger (1973), le construit est un concept spécialement inventé ou adopté par le chercheur dans un but scientifique précis. Le « foyer de contrôle de la santé », les « autosoins » et le « soutien social », sont des exemples de construits. Le terme « construit » a généralement une signification plus théorique qu'empirique, à moins d'être lié à un fait observable ou à un phénomène. Par exemple, le construit « soutien social » ne peut être observé à moins d'être matérialisé dans une réalité tangible comme la quantité d'échanges qu'une personne reçoit de ses amis ou de son entourage.

Variable

Bien que les termes « concepts », « construits » et « variables » soient parfois utilisés de façon interchangeable, il n'en demeure pas moins que le terme « variable » est le terme privilégié dans le contexte des applications de la mesure. Quand un concept est mis en action dans une recherche, il prend le nom de « variable ». Les variables sont des qualités, propriétés ou caractéristiques d'objets, de personnes ou de situations qui sont étudiées dans une recherche. Une variable peut prendre différentes valeurs pour exprimer des degrés, des quantités, des différences. C'est un paramètre auquel des valeurs numériques sont assignées (Kerlinger, 1973). Par exemple, le poids exprime différentes valeurs affectant des objets qui sont plus ou moins lourds ou plus ou moins légers. L'estime de soi, une variable plus abstraite, peut prendre un ensemble de valeurs, exprimées sous forme de degrés ou de scores. De même, la pression artérielle, variable plus facilement quantifiable, se voit attribuer différentes valeurs numériques selon l'état cardiovasculaire d'une personne.

Par définition, une variable a une propriété inhérente de variation et d'assignation de valeurs. Polit et Hungler (1995) précisent que l'activité de recherche est entreprise afin de comprendre comment et pourquoi les valeurs d'une variable changent et comment elles sont associées aux différentes valeurs d'autres variables.

Types de variables

Les variables peuvent être classifiées de différentes façons, selon leur utilisation dans une recherche. Quelques-unes peuvent être manipulées, d'autres contrôlées. Les types de variables les plus couramment relevés dans les ouvrages méthodologiques sont : 1) les variables indépendantes et dépendantes, 2) les variables attributs, et 3) les variables étrangères.

1) VARIABLES INDÉPENDANTES ET DÉPENDANTES

Les variables indépendantes et dépendantes sont liées dans l'étude de type expérimental, en ce sens que l'une affecte l'autre. Cette relation forme la base de la prédiction et s'exprime par la formulation d'hypothèses. La variable indépendante est celle que le chercheur manipule dans une étude expérimentale pour en mesurer l'effet sur la variable dépendante. La variable indépendante ou explicative est souvent appelée le traitement ou l'intervention, ou simplement la variable expérimentale. À titre d'exemple, si l'on considère l'hypothèse selon laquelle un enseignement structuré offert à des patients traités pour une chirurgie cardiaque diminue leur anxiété, la variable indépendante est l'enseignement structuré (celle dont on veut mesurer les effets). La variable dépendante (le niveau d'anxiété, dans ce cas) est celle qui subit l'effet attendu de la variable indépendante : c'est le comportement, la réponse ou le résultat observé qui est dû à la présence de la variable indépendante. La variable dépendante est souvent appelée la « variable critère » ou la « variable expliquée ». Il est à noter que, dans une étude, il peut y avoir plusieurs variables dépendantes soumises à l'effet d'une ou plusieurs variables indépendantes.

2) VARIABLES ATTRIBUTS

Les variables attributs sont les caractéristiques des sujets dans une étude. Ce sont généralement des variables démographiques : âge, scolarité, genre, statut marital, revenu, ethnie, etc. Elles sont aussi appelées variables organismiques. Le choix des variables attributs est déterminé en fonction des besoins de l'étude. Une fois que les données sont recueillies, l'information sert à dresser un profil des caractéristiques des sujets de l'échantillon.

3) VARIABLES ÉTRANGÈRES

Ce sont des variables qui peuvent avoir des effets inattendus et modifier les résultats d'une recherche. Elles sont présentes dans toutes les études et peuvent influencer à la fois la variable indépendante et la variable dépendante. Dans l'étude de type expérimental, les sujets sont répartis de façon aléatoire dans les groupes, de manière que les variables étrangères soient distribuées aléatoirement et n'agissent pas sur les différences notées entre les groupes (Contandriopoulos et coll., 1990). En l'absence de répartition aléatoire, le chercheur doit reconnaître ces variables et tenter de limiter leur influence. Les variables étrangères définies par le chercheur au début de l'étude, mais qui ne peuvent être maîtrisées, sont appelées des « variables confondantes ». Souvent, ces variables sont introduites dans l'étude et prises en compte dans les analyses statistiques (Burns et Grove, 1993). Les variables de l'environnement physique et social, les variables démographiques et les caractéristiques individuelles sont souvent citées comme des variables potentiellement confondantes.

Définitions conceptuelles
Définitions opérationnelles

Les concepts et les construits peuvent être définis de deux façons, soit par des définitions conceptuelles, soit par des définitions opérationnelles. Une définition conceptuelle définit un construit ou un concept à l'aide d'autres mots, comme les définitions trouvées dans un dictionnaire. Une définition opérationnelle précise les actions ou les comportements, exprimés en décrivant comment une variable sera mesurée. Selon Kerlinger (1973), une définition opérationnelle assigne une signification à un construit ou à un concept en précisant les activités ou les opérations nécessaires pour mesurer le construit ou le concept. Ce sont des instructions qui précisent comment les observations seront faites. Les définitions opérationnelles sont essentielles dans la recherche scientifique non seulement parce qu'elles permettent de mesurer les variables, mais aussi parce qu'elles servent de pont entre la théorie et l'observation (Kerlinger, 1973).

Le processus visant à rendre un concept opérationnel fait ressortir les liens entre la pensée et l'expérience, en délimitant comment un concept ou une idée abstraite seront identifiés et mesurés en termes concrets. Certaines variables sont plus difficiles à rendre opérationnelles que d'autres. Par exemple, il est plus facile de définir de façon opérationnelle le poids, la taille ou le revenu familial que les concepts de solitude et d'estime de soi. Le souci de cerner la signification accordée aux concepts par les participants à la recherche justifie cette précision. Comme l'indiquent Polit et Hungler (1995), il importe que les chercheurs soient vigilants dans la description des bases conceptuelles et méthodologiques des concepts clés.

3.2

PHASES ET ÉTAPES
DU PROCESSUS DE LA RECHERCHE

Le processus de la recherche comporte trois phases principales : 1) la phase conceptuelle, 2) la

phase méthodologique, et 3) la phase empirique. La figure 3.1 illustre ces trois phases et indique les étapes correspondantes. Ces étapes du processus ne sont pas tout à fait indépendantes les unes des autres puisqu'elles se chevauchent pour permettre une meilleure clarification de l'objet d'étude. Par exemple, dans la phase conceptuelle, la première étape consiste à définir un thème ou un domaine de recherche. Avec la deuxième étape, ce domaine sera examiné au moyen des travaux antérieurs, redéfini, puis appuyé par un cadre conceptuel ou théorique (troisième étape), lequel fournira une perspective à l'étude. La description approfondie des différentes étapes du processus de la recherche est présentée au cours des chapitres suivants.

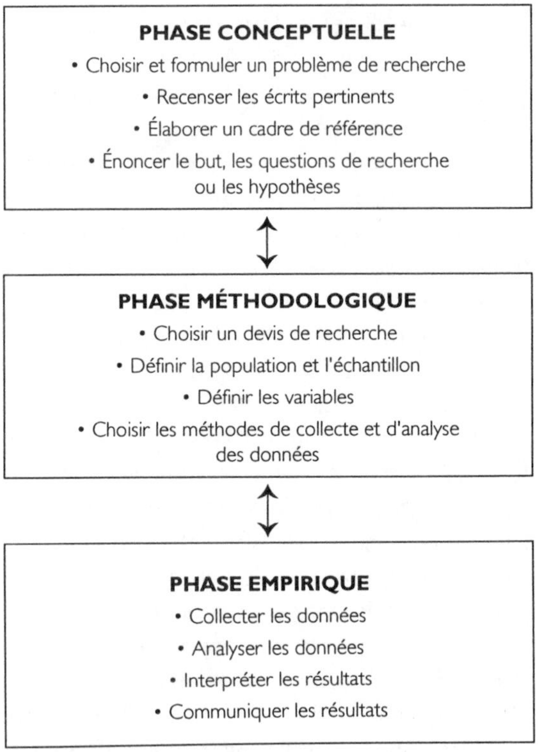

PHASE CONCEPTUELLE

- Choisir et formuler un problème de recherche
- Recenser les écrits pertinents
- Élaborer un cadre de référence
- Énoncer le but, les questions de recherche ou les hypothèses

PHASE MÉTHODOLOGIQUE

- Choisir un devis de recherche
- Définir la population et l'échantillon
- Définir les variables
- Choisir les méthodes de collecte et d'analyse des données

PHASE EMPIRIQUE

- Collecter les données
- Analyser les données
- Interpréter les résultats
- Communiquer les résultats

FIGURE 3.1

Étapes du processus de la recherche.

Phase conceptuelle

Conceptualiser se réfère à un processus, à une façon ordonnée de formuler des idées, de les documenter autour d'un sujet précis, en vue d'en arriver à une conception claire et organisée de l'objet d'étude. Pour mener à bonne fin une recherche, il faut apprendre à penser, à poser une bonne question, à trouver une réponse et à vérifier la validité de cette réponse.

La phase conceptuelle commence quand le chercheur jongle avec une idée pour orienter sa recherche. L'idée peut provenir d'une observation, des écrits, d'une irritation par rapport à un domaine particulier, ou encore d'un concept. Souvent le chercheur découvre que son domaine de recherche est trop vaste pour énoncer une seule question. Le domaine devra être limité de manière que l'étude soit réalisable. Ensuite, une revue de la littérature fournira au chercheur une compréhension des écrits existants, tout en situant son domaine de recherche dans le contexte des connaissances actuelles. La connaissance des écrits antérieurs se rapportant au domaine suggère le type de question à poser et la méthode appropriée pour répondre à la question. La lecture des travaux antérieurs permet également de délimiter un cadre conceptuel ou théorique qui fournit une perspective à l'étude. Ces activités conduisent progressivement à l'énoncé du but, des questions de recherche ou des hypothèses.

L'importance de la phase conceptuelle est souvent sous-estimée dans le processus de la recherche. Pourtant, elle s'avère une phase cruciale puisque l'analyse d'une situation problématique nécessite une question de recherche bien épurée. En plus des observations sur le terrain, cette question de recherche devra s'alimenter des travaux antérieurs et de théories qui viendront justifier sa pertinence dans le cadre des connaissances actuelles. Cette phase de conceptualisation revêt donc une grande importance puisqu'elle fournit à la recherche ses assises, sa perspective et sa portée. Ses quatre principales étapes sont décrites dans les paragraphes qui suivent.

1) CHOISIR ET FORMULER UN PROBLÈME DE RECHERCHE

L'étape initiale du processus de la recherche consiste à trouver un domaine de recherche qui intéresse ou préoccupe le chercheur et revêt de l'importance pour la discipline. Ce domaine peut être associé à des préoccupations cliniques ou sociales et représenter des comportements, des observations, des croyances, etc. Une revue initiale des écrits pertinents est essentielle à cette étape pour situer le domaine dans le contexte des connaissances actuelles.

De façon générale, le chercheur choisit un domaine général, qu'il raffine afin d'en arriver à une question de recherche qui peut être étudiée empiriquement. Au cours du processus de formulation d'une question de recherche précise, il est important de s'interroger sur sa pertinence, sa portée théorique et pratique, ainsi que sur ses dimensions méthodologiques et éthiques.

Enfin, la formulation d'un problème de recherche consiste à développer une idée à travers une progression logique d'opinions, d'arguments et de faits relatifs à l'étude que l'on désire entreprendre. Le problème de recherche s'articule à la question précise énoncée en rapport avec le domaine d'intérêt. Pour formuler un problème de recherche, il est essentiel de consulter les travaux antérieurs, de l'appuyer par un cadre de référence approprié et d'ordonner tous les éléments qui font partie du problème. La consultation des travaux antérieurs relatifs au sujet étudié permettra de délimiter un cadre de référence théorique ou conceptuel approprié.

2) RECENSER LES ÉCRITS PERTINENTS

Une recension des écrits est un texte qui en résume plusieurs autres sur un sujet précis en établissant des liens entre eux et en exposant leur problématique commune (Tremblay, 1994). Une recension des écrits théoriques et empiriques pertinents à un domaine d'intérêt permet de déterminer le niveau actuel des connaissances relativement au problème de recherche à l'étude. La recension des écrits permet de déterminer les concepts ou la théorie qui serviront de cadre de référence. Elle permet aussi de mettre en relief les forces et les faiblesses des études examinées.

3) ÉLABORER UN CADRE DE RÉFÉRENCE

De façon générale, le cadre de référence définit la perspective selon laquelle le problème de recherche sera abordé et place l'étude dans un contexte significatif. C'est une structure qui lie toutes les composantes d'une étude. On distingue le cadre conceptuel et le cadre théorique. La référence aux concepts provenant de théories, d'expériences ou de recherches permet de développer le cadre conceptuel dans une situation particulière. Quant au cadre théorique, il explique les relations qui existent entre les concepts étudiés : c'est l'expression d'une théorie existante. Ainsi, le cadre de référence, qu'il soit théorique ou conceptuel, oriente la formulation des questions de recherche ou des hypothèses et détermine la perspective de l'étude.

4) ÉNONCER LE BUT, LES QUESTIONS DE RECHERCHE OU LES HYPOTHÈSES

Dans le cadre d'une recherche, les termes « but », « questions » et « hypothèses » s'équivalent plus ou moins du fait qu'ils introduisent le pourquoi de l'étude, bien qu'ils soient formulés de façon différente. Le but est plus général et les questions ou les hypothèses viennent préciser le but. Selon l'état des connaissances dans le domaine à l'étude, on utilisera soit des questions de recherche, soit des hypothèses.

Le but est un énoncé qui indique clairement ce que le chercheur a l'intention de faire au cours de l'étude. Il peut s'agir d'explorer, d'identifier, de décrire, ou encore d'expliquer, ou de prédire tel ou tel phénomène. Selon le type de recherche, on formulera des questions ou des hypothèses. S'il s'agit d'une étude exploratoire ou descriptive, on énoncera des questions de recherche. Les questions de recherche sont des énoncés interrogatifs précis, écrits au présent, et qui incluent la ou les variables à l'étude. Dans le cas d'études corrélationnelles et expérimentales, on formulera des hypothèses. Les hypothèses sont des énoncés formels des relations présumées entre deux variables ou plus, des énoncés de prédiction des effets attendus de l'étude.

Phase méthodologique

Au cours de cette phase, le chercheur détermine les méthodes qu'il utilisera pour obtenir les réponses aux questions de recherche posées ou aux hypothèses formulées. Il fait le choix d'un devis approprié selon qu'il s'agisse d'explorer, de décrire un phénomène, d'examiner des associations et des différences ou de vérifier des hypothèses. Le chercheur définit la population et choisit les instruments de mesure les plus appropriés pour effectuer la collecte des données. Il s'assure aussi que les instruments sont fidèles et valides. Ces diverses décisions méthodologiques sont importantes pour assurer la fiabilité et la qualité des résultats de recherche. Cette phase consiste en quatre étapes, que nous décrivons ci-après.

1) CHOISIR UN DEVIS DE RECHERCHE

Cette étape dépend de la nature du problème de recherche. Le devis de recherche est le plan logique élaboré et utilisé par le chercheur pour obtenir des réponses aux questions de recher-

che. Le devis spécifie lequel des différents types de recherche sera utilisé et comment le chercheur planifie le contrôle des variables. Le choix du devis dépend du problème en cause et de l'état des connaissances entourant ce problème. Les éléments du devis de recherche sont : l'échantillon, les conditions selon lesquelles les données seront recueillies, les méthodes de collecte des données et le choix de la méthode d'analyse.

2) Définir la population et l'échantillon

Une fois que la question à l'étude a été précisée, documentée par les écrits et insérée dans un devis approprié, le chercheur caractérise la population en établissant des critères de sélection pour l'étude, précise l'échantillon et en détermine la taille. La population comprend tous les éléments (personnes, groupes, objets) qui partagent des caractéristiques communes, lesquelles sont définies par des critères établis pour l'étude. À ce sujet, il faut distinguer entre la population cible et la population accessible. La population cible réfère à la population que le chercheur veut étudier et pour laquelle il désire faire des généralisations. La population accessible, c'est la portion de la population cible qui est à la portée du chercheur. Elle peut être limitée à une région, à une ville, à un établissement, etc. Un échantillon est un sous-ensemble d'éléments ou de sujets tirés de la population, qui sont invités à participer à l'étude. C'est une réplique, en miniature, de la population cible.

3) Définir les variables

Les définitions conceptuelles des variables fournies par le cadre de référence servent de guide à la définition opérationnelle des variables. Cette opération permet d'observer et de mesurer des concepts. Les définitions opérationnelles assignent une signification à un concept ou à une variable en précisant les activités ou opérations nécessaires à sa mesure.

4) Choisir les méthodes de collecte et d'analyse des données

À cette étape, le chercheur décrit les méthodes de collecte des données qui seront utilisées. Divers instruments peuvent servir à mesurer les variables d'une étude. Les instruments de mesure peuvent être des entrevues, des questionnaires, des guides d'observation, des échelles de mesure, etc. Le chercheur décrit les caractéristiques des instruments et traite des aspects de fidélité et de validité. Il prévoit, autant que possible, les problèmes que pourrait soulever le processus de collecte des données. Le chercheur précise également les types d'analyses statistiques qui seront utiles au traitement des données.

Phase empirique

Le plan de recherche, élaboré à la phase précédente, est mis en application. Cette phase inclut la collecte des données sur le terrain, suivie de l'organisation et du traitement des données. Pour ce faire, on utilise des techniques statistiques descriptives et inférentielles ou, selon le cas, des analyses de contenu. Ensuite, on passe à l'interprétation, puis à la communication des résultats. À partir de ces résultats, on peut proposer de nouvelles avenues de recherche et formuler des recommandations. Les quatre principales étapes sont expliquées ci-après.

1) Collecter les données

La collecte des données s'effectue selon un plan établi. C'est la collecte systématique d'informations auprès des participants, à l'aide des instruments de mesure choisis. À cette étape, on doit préciser le déroulement de la collecte des données ainsi que les étapes préliminaires qui ont conduit à l'obtention des autorisations requises pour effectuer l'étude dans l'établissement choisi s'il y a lieu. Nous verrons plus loin l'importance de présenter un formulaire de consentement aux participants qui inclut des explications sur la nature du projet et de leur participation.

2) Analyser les données

L'analyse des données permet de produire des résultats qui peuvent être interprétés par le chercheur. Les données sont analysées en fonction du but de l'étude, selon qu'il s'agit d'explorer ou de décrire des phénomènes, ou de vérifier des relations entre des variables. Une grande variété d'analyses statistiques est disponible à cette fin. L'analyse qualitative réunit et résume, sous forme narrative, les données non numériques. Quelle que soit la nature du traitement des données, il est nécessaire de préparer un plan d'analyse au préalable.

3) Interpréter les résultats

Une fois que les données ont été analysées et les résultats présentés à l'aide de tableaux et de figures, le chercheur les explique dans le contexte de l'étude et à la lumière de travaux antérieurs. En partant de ces résultats, il peut tirer des conclusions en relation avec la théorie, la pratique et la recherche, et proposer des recommandations, non seulement pour la pratique, mais aussi pour des recherches futures.

4) Communiquer les résultats

Les résultats d'une recherche ont peu d'utilité s'ils ne sont pas communiqués sur le plan national et international. Afin de faire connaître les résultats de son étude, le chercheur doit produire un rapport de recherche, un mémoire ou une thèse dans lequel il décrit chacune des étapes suivies. Les résultats sont aussi communiqués à l'occasion de conférences scientifiques ou professionnelles et publiés dans des revues à caractère scientifique ou professionnel.

3.3

ÉTAPES DE LA RECHERCHE QUALITATIVE

Dans le cas d'une approche qualitative, certaines étapes du processus de la recherche s'effec-

tuent simultanément ou de façon itérative. Les principales étapes sont :

1) la formulation d'un problème général de recherche à partir d'une situation concrète comportant un phénomène qui peut être décrit et compris selon les significations accordées aux événements par les participants (McMillan et Schumaker, 1989), ou encore en partant d'un concept; 2) l'énoncé de questions précises en vue d'explorer les éléments structuraux, les interactions et les processus permettant de décrire le phénomène, d'élaborer le concept; 3) le choix des méthodes de collecte des données (observations, entrevues, enregistrements); 4) le choix d'un contexte social et d'une population (échantillonnage théorique); 5) la collecte de données et l'analyse d'où est tirée une description détaillée des événements rapportés par les participants ayant vécu telle situation ou expérience; 6) l'élaboration d'hypothèses interprétatives à partir des connaissances obtenues, en vue de donner une signification à la situation; 7) la reformulation itérative du problème, des questions ou modifications et l'intégration du concept au fur et à mesure de l'ajout de nouvelles données (Gauthier, 1992).

Les étapes du processus de la recherche décrites dans les paragraphes précédents représentent une conception idéale de ce que le chercheur espère réaliser. Cependant, le processus suit rarement un modèle séquentiel fixe. La réalisation d'une étape, en l'occurrence la formulation du problème, requiert le recensement des écrits, lequel se fait simultanément avec le raffinement du thème à l'étude.

3.4

RÉSUMÉ

Avant d'entreprendre une recherche, il est approprié de connaître les termes liés au domaine de la recherche scientifique, comme « observation », « concept », « variable », « définition conceptuelle », « définition opérationnelle ». L'observation, élément central du processus de la recherche, est étroitement liée à la théorie, laquelle explique les relations entre les faits observés. Les concepts sont des images mentales formées à partir de la réalité. Parce qu'ils résument et définissent les observations, les concepts servent à lier la pensée abstraite et l'expérience sensorielle. Les variables sont des qualités, propriétés ou caractéristiques des personnes ou des situations qui sont étudiées dans une recherche.

Une variable peut prendre différentes valeurs : c'est un paramètre auquel des valeurs numériques sont assignées. Les types de variables incluent les variables indépendantes, dépendantes, attributs et étrangères. La variable indépendante est celle que le chercheur manipule pour en mesurer l'effet sur la variable dépendante. Les changements obtenus en ce qui a trait à la variable dépendante sont présumés être causés par la variable indépendante. Les variables attributs sont les caractéristiques des sujets qui servent à décrire l'échantillon. Les variables étrangères sont celles de l'environnement physique et social qui risquent de brouiller les résultats de l'étude.

Les concepts peuvent être définis de deux façons, soit par des définitions conceptuelles, soit par des définitions opérationnelles. Une définition conceptuelle définit le concept au moyen d'autres mots. Une définition opérationnelle précise les actions à entreprendre pour mesurer une variable.

Le processus de la recherche comprend une série d'étapes progressives permettant la réalisation d'un projet de recherche : les phases conceptuelle, méthodologique et empirique, et les étapes correspondantes. Dans un paradigme qualitatif, les étapes du processus de la recherche s'effectuent le plus souvent de façon simultanée.

RÉFÉRENCES BIBLIOGRAPHIQUES

BURNS, N., GROVE, S. K. (1993). *The Practice of nursing research : Conduct, critique and utilization*, 3ᵉ éd. Toronto, W. B. Saunders.

CONTANDRIOPOULOS, A. P., CHAMPAGNE, F., POTVIN, L., DENIS, J. L., BOYLE, P. (1990). *Savoir préparer une recherche : la définir, la structurer, la financer.* Montréal : PUM.

GAUTHIER, B. (1992). *Recherche sociale : De la problématique à la collecte des données*, 2e éd. Ste-Foy : Presses de l'Université du Québec.

KERLINGER, F. N. (1973). *Foundations of behavioral research*, 2ᵉ éd. New York : Holt, Rinehart et Winston, Inc.

MCMILLAN, J. H., SCHUMACHER, S. (1989). *Research in education : A conceptual introduction.* Glenview, Il. : Scott, Foresman.

POLIT, D. F., HUNGLER, B. P. (1995). *Nursing research : Principles and methods*, 5ᵉ éd. Philladelphia : J. B. Lippincott Co.

SEAMAN, C. H. C. (1987). *Research methods : Principles, practice and theory for nursing*, 3ᵉ éd. Norwalk : Appleton & Lange.

TREMBLAY, R. (1994). *Savoir faire : précis de méthodologie pratique*, 2ᵉ éd. Montréal : McGraw-Hill, Éditeurs.

MODULE

I

PHASE CONCEPTUELLE

CHAPITRE 4

CHOISIR
UN PROBLÈME
DE RECHERCHE

Marie-Fabienne Fortin, Bilkis Vissandjée et José Côté

Objectifs d'apprentissage

À la fin de ce chapitre, l'étudiant(e) devrait être capable de :

✔ Choisir un domaine de recherche.

✔ Définir les composantes d'une question de recherche.

✔ Préciser les éléments à considérer dans l'énoncé d'une
question de recherche.

✔ Décrire les types de questions et les niveaux de recherche.

✔ Énoncer une question de recherche en relation avec le
domaine choisi.

**CE CHAPITRE EST
ACCOMPAGNÉ D'UNE
LEÇON INFORMATISÉE
FACULTATIVE.**

Les deux grands volets de la conceptualisation d'un problème de recherche sont le choix du domaine de recherche et des éléments nécessaires à la formulation du problème. Le contenu de ce chapitre porte sur l'étape du choix d'un domaine de recherche et de l'énonciation d'une question qui concerne ce domaine. Bien que cette étape soit considérée comme préliminaire à la formulation du problème, elle est, néanmoins, précédée d'un certain nombre d'activités. Par exemple, il semble difficile d'imaginer qu'un thème de recherche clair et précis se présente soudainement à l'esprit du chercheur; il est plus probable que, grâce à son expérience et à ses activités professionnelles, un domaine de recherche émerge lentement comme recelant un sujet de recherche. Ce domaine, toutefois, devra être délimité, raffiné et accompagné d'une question qui dictera l'orientation du projet de recherche.

Ce chapitre présente donc le domaine de recherche et les types de questions qui situent le problème à l'étude dans le contexte des connaissances actuelles. Les types de questions de recherche y sont décrits en fonction des divers niveaux de connaissances et on y précise les éléments à considérer dans l'énoncé de la question de recherche. Mais d'abord, qu'est-ce qu'un problème de recherche ?

4.1

QU'EST-CE QU'UN
PROBLÈME DE RECHERCHE ?

Toute recherche a pour point de départ une situation considérée comme problématique, c'est-à-dire qui cause un malaise, une irritation, une inquiétude, et qui, par conséquent, exige une explication ou, du moins, une meilleure compréhension du phénomène observé. Un problème de recherche, c'est une situation qui nécessite une solution, une amélioration ou une modification (Adebo, 1974), ou encore c'est un écart entre la situation actuelle et la situation telle qu'elle devrait être (Diers, 1979). Comme l'illustre la figure 4.1, cette situation problématique surgit lorsqu'un écart est constaté entre une situation jugée insatisfaisante et la situation désirable (Mace, 1988), et qu'on ressent la nécessité de combler cet écart. Le processus de la recherche est mis en marche afin de tenter de combler cet écart et consiste à fournir des connaissances utiles à la compréhension et à l'amélioration de la situation problématique. Pour être en mesure de formuler un problème de recherche, il faut au préalable choisir un domaine ou un thème de recherche qui se rapporte à une situation problématique et structurer une question qui orientera le type de recherche à mener et lui don-

nera une signification. La question de recherche s'exprime sous la forme d'une interrogation explicite relative au problème à examiner et à analyser dans le but d'obtenir de nouvelles informations.

4.2

LES PRÉALABLES AU CHOIX
D'UN PROBLÈME DE RECHERCHE

Les démarches préalables au choix d'un problème de recherche sont :

1) choisir un domaine ou un thème qui suscite de l'intérêt chez le chercheur;

2) énoncer une question de recherche préliminaire qui représente l'interrogation vis-à-vis du domaine à l'étude;

3) considérer les types de questions pivots;

4) déterminer le type de question de recherche par rapport à l'état des connaissances dans le domaine choisi;

5) procéder à une analyse critique de la question qui conduira à son énoncé final.

C'est à l'étape du choix du problème de recherche que se précise le domaine à explorer, c'est-à-dire la situation considérée comme problématique et à laquelle on rattache une question de recherche. Cette question sert de point de départ à une revue initiale de la littérature, qui permet de situer le domaine dans le contexte des connaissances actuelles et dicte le choix d'un cadre théorique ou conceptuel. Cette démarche permet de raffiner la question et d'en produire un énoncé final qui servira de toile de fond à la formulation du problème. Cette formulation du problème doit tenir compte d'un ensemble d'éléments, qui seront décrits au chapitre suivant.

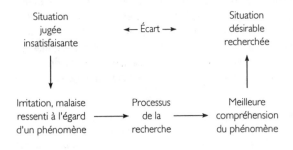

FIGURE 4.1

Le problème de recherche.

Le choix d'un domaine de recherche

Toute personne qui veut entreprendre une recherche commence par trouver ou délimiter un champ d'intérêt précis. Ce champ d'intérêt est habituellement associé aux études entreprises, à des préoccupations cliniques, professionnelles, communautaires ou sociales. Par exemple, une étudiante peut s'intéresser à la santé maternelle et infantile. Dans ce vaste champ d'intérêt, elle peut délimiter un domaine de recherche, soit le massage périnéal en période prénatale, l'éducation postnatale des jeunes mères, le type de position utilisée par les parturientes lors de la deuxième phase du travail, etc. Par ailleurs, la chute du taux de participation aux cours de conditionnement physique, la violence dans les sports de contact ou de combat, le fait que l'adolescente sexuellement active n'utilise pas de moyens contraceptifs, sont d'autres exemples de domaines de recherche possibles.

Un exemple tiré de la criminologie pourrait s'énoncer comme suit : un étudiant en criminologie peut s'intéresser aux politiques en matière de sanctions criminelles. Il pourra délimiter un domaine, comme celui des récidives des jeunes délinquants qui ont commis des infractions au code de la route. L'interrogation pourrait découler de l'influence sur le taux de récidive du recours aux travaux communautaires plutôt qu'à l'emprisonnement. Ces domaines de recherche n'appellent pas de réponses immédiates, mais doivent être circonscrits de manière à susciter une question se rapportant au domaine. Les domaines peuvent provenir de différentes sources, dont nous donnons quelques exemples ci-après (Artinian et Anderson, 1980).

OBSERVATIONS ET EXPÉRIENCES PROFESSIONNELLES

Les champs de pratique peuvent soulever beaucoup d'interrogations et constituer à cet égard une source importante de domaines à explorer (Fuller, 1982). La question peut provenir d'observations en milieu de travail ou de comportements observés, par exemple les comportements de patients et de leur famille en situation de crise, l'entraînement et les blessures sportives, les facteurs qui facilitent la réinsertion sociale des détenus, le taux d'absentéisme au travail et les conditions de travail, le mode de vie familial des enfants inadaptés socioaffectifs. Combien de fois s'est-t-on interrogé sur une situation, les facteurs qui l'engendrent, les répercussions sur l'efficacité et les coûts d'un traitement, les effets d'une méthode d'intervention, en se demandant ce qui s'est passé, pourquoi telle situation s'est-elle produite ou pourquoi n'a-t-on pas obtenu les résultats escomptés ?

LES TRAVAUX ANTÉRIEURS

L'examen de travaux et de publications de recherche permet le repérage de problèmes qui ont déjà été soumis à l'étude, mais dont certaines dimensions pourraient faire l'objet d'autres études. Il est souvent utile de répéter une étude en utilisant un milieu différent et d'autres types de populations. De plus, des résultats contradictoires peuvent générer de nouvelles idées de recherche et un besoin de pousser plus loin l'examen ou la vérification.

LES CONFÉRENCES SUR LES RÉSULTATS DE LA RECHERCHE

Les conférences professionnelles, les présentations sur affiches offrent une tribune intéressante pour la discussion des résultats de la recherche, et leur application permet de générer de nouvelles idées.

LES CADRES THÉORIQUES ET CONCEPTUELS

De façon plus abstraite, le domaine d'étude peut être suggéré par les théories. Celles-ci peuvent constituer une source importante d'idées sur les éléments du monde empirique qu'il serait bon d'étudier. Une théorie renferme plusieurs propositions, chacune étant l'énoncé d'une relation entre deux ou plusieurs concepts. L'exploration ou la description d'un concept extrait d'une théorie (« autosoin », « stress », « adaptation », etc.) peut être à l'origine d'un problème de recherche. De même, la vérification d'une hypothèse formulée à partir d'une théorie peut mener à une autre forme de problème de recherche. Plusieurs cadres théoriques ou conceptuels ont été développés dans différentes disciplines. Le modèle d'adaptation de Roy (1991), le modèle unifié de Rogers (1970), le modèle d'autosoins d'Orem (1985) sont des exemples de modèles associés au domaine des sciences infirmières. Parmi d'autres modèles souvent utilisés dans les disciplines sociales et de la santé, on retrouve le modèle des croyances en matière de santé, de Rosentock (1974), le modèle biopsychosocial, la théorie du comportement planifié, de Azjen et Fishbein (1980), la théorie de l'efficacité perçue, de Bandura (1977), et le modèle de similarité géométrique en biologie animale, de Peters (1983). Ces modèles peuvent servir de base à l'élaboration d'une question de recherche.

LES PRIORITÉS

Divers groupes scientifiques et professionnels, tels les associations professionnelles, les organismes subventionnaires, établissent de temps à autre des priorités en ce qui concerne les domaines dans lesquels il serait nécessaire de pousser la recherche. Une revue de ces priorités peut être à la source d'une question de recherche. Par exemple, le *National Center for Nursing Research* proposait en 1992 des priorités de recherche à long terme pour l'an 2000. Ces priorités recouvrent les thèmes suivants : les nouveau-nés de petit poids; la prévention et le traitement de l'infection à VIH (virus de l'immunodéficience humaine); les soins à long terme pour les aînés; la maîtrise des symptômes; l'informatique au service des

soins; la promotion de la santé des enfants et des adolescents; la dépendance à de l'équipement technique tout au long de la vie.

Au moment du choix d'un domaine de recherche, on doit considérer aussi d'autres facteurs comme la signification théorique ou pratique de la recherche à entreprendre, la pertinence d'étudier ce phénomène dans telle discipline et l'état actuel des connaissances.

L'énoncé d'une question préliminaire

Une fois que le domaine de recherche a été précisé, il faut s'interroger sur la question à poser. On considère d'abord les questions qui viennent à l'esprit et qui concernent les concepts. Est-il nécessaire de les explorer, de les décrire, de connaître comment ils peuvent être reliés les uns aux autres ou est-on en mesure d'expliquer leurs relations, ou encore de prédire ou de contrôler quelque événement que ce soit dans la situation ? Quels sont les facteurs dont on doit tenir compte en premier ? Il appartient au chercheur lui-même de cerner, de préciser et de définir les questions selon ses préoccupations.

Toute question n'exige pas le recours à l'investigation empirique. Certaines questions possèdent déjà en elles leurs réponses. D'autres, par leur nature même, font appel à des opinions et il est possible d'y répondre en adoptant d'autres moyens que la recherche. Les questions « Qu'est-ce que je devrais faire ? » « Où devrais-je aller ? » se rapportent à des opinions et ne font pas appel au processus de la recherche. Les questions philosophiques, qui touchent des valeurs ou des opinions, ou sont à caractère moral ou éthique, ne conduisent pas directement à la recherche. Par exemple, prenons la question « L'avortement sur demande est-il préférable à la pilule contraceptive pour éviter une grossesse ? » Ici, qu'entend-on par « préférable » ? À quel système de valeurs se réfère-t-on ? Si la question fait référence à un fait, elle peut être explorée de façon empirique. Ainsi, on peut s'interroger sur les attitudes des personnes vis-à-vis des différentes méthodes de contraception. En fait, les questions de recherche sont celles qui nécessitent le recours à la démarche scientifique et qui produisent de l'information susceptible d'être généralisée. Les questions doivent contenir des concepts pouvant être définis et mesurés.

TABLEAU 4.1
Questions qui ne relèvent pas de la recherche scientifique.

> → Questions ayant trait à des jugements.
>
> → Questions éthiques et morales.
>
> → Questions touchant des valeurs.
>
> → Questions courantes quotidiennes.

QU'EST-CE QU'UNE QUESTION DE RECHERCHE ?

Une question de recherche est une interrogation explicite relative à un domaine que l'on désire explorer en vue d'obtenir de nouvelles informations. C'est un énoncé interrogatif clair et non équivoque qui précise les concepts clés, spécifie la nature de la population que l'on veut étudier et suggère une investigation empirique.

> Une question de recherche, c'est un énoncé interrogatif clair et non équivoque qui précise les concepts clés, spécifie la population cible et suggère une investigation empirique.

Brink et Wood (1994) reconnaissent deux composantes à une question de recherche : le domaine et la question pivot.

Le domaine, c'est l'aspect général du problème que l'on veut étudier. Il peut représenter des attitudes, des comportements, des croyances, des populations, des problèmes cliniques particuliers, des observations, des concepts, etc., et provenir de diverses sources.

La question pivot, c'est l'interrogation qui précède le domaine dans l'énoncé de la question et qui précise la direction qui sera donnée à la recherche. Elle situe le problème dans le contexte des connaissances actuelles.

TYPES DE QUESTIONS PIVOTS

Les questions pivots correspondent à des niveaux ou paliers différents, chacun étant le reflet de l'état des connaissances ou de la théorie existante dans le domaine à l'étude. Les questions pivots sont des interrogations simples qui incluent la notion de mesure. Les principales questions pivots sont : Qui, quoi, quel, (existe-t-il), pourquoi ? Quels sont les facteurs ? Existe-t-il une relation entre des facteurs ? Quelle est la nature de la relation entre les facteurs ? Pourquoi tel événement se produit-il ? Avant de décider de la question pivot appropriée à tel domaine, il faut pouvoir différencier les types de questions selon quatre niveaux de connaissances.

Les questions pivots QUI, QUOI, QUEL relèvent du niveau I dans la hiérarchie des niveaux de connaissances et correspondent à l'exploration de phénomènes; elles sont des interrogations simples, qui nécessitent une classification ou une description des facteurs susceptibles d'apporter une réponse à la question. « Quels sont les facteurs ? » La réponse est descriptive.

Dans le cas des questions-pivots de niveau II, QUEL, EXISTE-T-IL, la réponse descriptive est plus complexe puisqu'elle entraîne la découverte de relations entre les facteurs étudiés. Existe-t-il une relation ? Quels sont les facteurs associés ? La question de niveau II comporte deux concepts ou plus, alors que la question de niveau I, ne comporte habituellement qu'un seul concept.

Les questions pivots POURQUOI, QU'ARRIVE-T-IL SI ? relèvent des niveaux III et IV, qui correspondent respectivement à l'explication et à la prédiction de phénomènes : elles se construisent à partir de résultats de recherche et d'une base théorique. On présume qu'une relation existe entre des variables. À ces niveaux III et IV, on se demande POURQUOI cette relation existe et le chercheur doit pouvoir être en mesure de répondre à cette question. Les questions de niveau III, donnent lieu à des études en milieu naturel, contrairement aux questions de niveau IV, qui nécessitent la création de conditions propres à une expérimentation. Dans ce dernier cas, le chercheur introduit dans la situation de recherche une intervention ou traitement (variable indépendante) et évalue les effets de cette intervention sur des variables dépendantes. Le degré de contrôle exercé par le chercheur est la différence fondamentale entre les questions de niveau III et les questions de niveau IV.

Il est à noter que la différence entre ces types de questions se reflète sur la recherche qui sera menée. Quand la question pivot liée à un domaine change, l'orientation de la recherche s'en trouve modifiée. La question portant sur un domaine constitue la base du devis de recherche. La question de recherche est orientée vers l'action, ce qui suppose une activité de la part du chercheur pour trouver une réponse. Les niveaux des questions établissent les relations entre la théorie et l'état actuel des travaux de recherche. La façon de poser la question correspond à des niveaux de connaissances qui existent en regard d'un phénomène.

La détermination des types de question d'après les niveaux de connaissances

Les questions pivots de type I, II, III et IV correspondent à des niveaux différents de connaissances existant dans un domaine particulier (Diers, 1979 ; Moody, 1990). Le niveau des connaissances se mesure par les aspects quantitatifs et qualitatifs des recherches effectuées dans un domaine. Lorsque la connaissance s'accroît dans un domaine donné, une question de recherche de niveau plus élevé est utilisée. Les questions SI, ALORS et POURQUOI s'appuient sur une plus grande connaissance que les questions QUOI et QU'EST-CE QUE C'EST (Brink et Wood, 1994 ; Wilson, 1985).

Cette hiérarchie des niveaux peut être utilisée pour orienter la recherche vers les types de questions qui correspondent à l'ampleur des connaissances dans un domaine donné et orienter ainsi le choix du devis, de la méthode et des analyses appropriés (Diers, 1979). Le tableau 4.2 présente les niveaux de recherche en parallèle avec les questions pivots, les buts et les types d'étude correspondants.

NIVEAU I
LA DÉCOUVERTE ET L'EXPLORATION DE FACTEURS

Au niveau I, la découverte de facteurs consiste à décrire, nommer ou caractériser un phénomène, une situation ou un événement, de manière à le rendre familier : cela correspond à la recherche exploratoire-descriptive.

À ce niveau, on met l'accent sur la définition et la classification des concepts. La théorie est descriptive ; on décrit des facteurs après les avoir isolés pour les nommer. Quand il existe peu ou pas de connaissances sur un phénomène, le but de la recherche est de répondre à la question « Qu'est-ce- que c'est ? » en utilisant un devis exploratoire-descriptif. À titre d'exemple, une infirmière œuvrant à l'unité des soins intensifs observe que certains patients adoptent un comportement inhabituel, incompréhensible, sans comprendre les raisons qui engendrent ce phénomène. La première étape pour comprendre le phénomène est de décrire ou de caractériser la situation, de fournir un profil des événements

TABLEAU 4.2

Hiérarchie des niveaux de recherche.

NIVEAU	QUESTION PIVOT	BASE DES CONNAISSANCES CADRE DE RÉFÉRENCE	BUT	TYPES D'ÉTUDE
I	Quoi ? Qui ? Quel(le) est ? Quels(les) sont les facteurs ?	Peu ou pas d'écrits dans le domaine. Domaine ayant une mince base théorique ou conceptuelle.	Reconnaître Nommer Décrire Découvrir	Découverte et exploration de facteurs • Exploratoire • De formulation • Descriptif
II	Existe-t-il des relations entre les facteurs ? Quels facteurs sont reliés à... ?	Écrits existant dans le domaine choisi. Variables définies. Cadre conceptuel.	Décrire les variables et les relations découvertes	Découverte de relations possibles entre les facteurs ou variables • Descriptif • Enquête • Étude de cas • Descriptif-corrélationnel
III	Qu'arrive-t-il si telle relation existe ? Pourquoi ?	Écrits existant qui laissent supposer qu'une association existe entre des variables. Cadre conceptuel ou théorique.	Expliquer la force et la direction des relations	Vérification d'hypothèses, d'associations entre des variables • Corrélationnel • Explicatif
IV	Pourquoi ? Qu'arrive-t-il si tel traitement est appliqué ?	Écrits nombreux dans le domaine. Cadre théorique.	Prédire une relation causale Expliquer Contrôler	Vérification d'hypothèses causales • Expérimental • Quasi-expérimental

et des situations qui se produisent dans l'unité des soins intensifs. La « clarification de concepts » est un autre terme souvent associé à cette démarche. La question de recherche de niveau I ne comporte qu'un concept. Par exemple, « Que signifie pour telle personne le concept de souffrance ? » ou « Comment tel handicap est-il vécu par des individus ? »

Dans la recherche de niveau I, une approche générale est utilisée pour la collecte des données : des observations non structurées, des entrevues structurées ou non structurées ou des questionnaires. Les données sont analysées et les résultats sont rapportés de façon descriptive, afin de mettre en relief les concepts définis (Brink et Wood, 1994; Diers, 1979; Wilson, 1985; Woods et Catanzaro, 1988).

NIVEAU II
LA DÉCOUVERTE DE RELATIONS ENTRE LES FACTEURS

Au niveau II, la découverte de relations entre les facteurs vise à déceler des liens entre des concepts et à décrire ces relations une fois que le phénomène a été exploré, décrit et nommé. Il s'agit de recherche descriptive ou de recherche descriptive-corrélationnelle et descriptive.

À ce niveau, la recherche va plus loin qu'au niveau précédent, car elle consiste à décrire comment les concepts interagissent et comment ils peuvent être associés. La théorie suggère des relations mutuelles entre les facteurs ou concepts. Le chercheur se demande « Qu'est ce qui se passe dans cette situation ? ». Ici, la théorie peut fournir quelques explications sur la façon dont les concepts sont associés les uns aux autres. Tou-

TABLEAU 4.3

Exemples de questions de niveau I.

QUESTION DE RECHERCHE	VARIABLE	POPULATION
Quelles sont les attitudes des adolescentes envers l'avortement ?	Attitudes	Adolescentes
Quelle est l'expérience de l'avortement thérapeutique vécue par des adolescentes du secondaire ?	Expérience de l'avortement	Adolescentes du secondaire

tefois, la description demeure le but de l'étude. À ce niveau, la description porte sur les relations entre les concepts et n'en vise pas l'explication. Il existe souvent une confusion dans les écrits entre ce type d'étude et l'étude de corrélation, dite de vérification d'associations. Les études descriptives (découverte de relations entre les facteurs) n'ont pas d'hypothèses au départ, alors que les études corrélationnelles (vérification d'associations) commencent avec des hypothèses. Les résultats d'études descriptives devraient fournir des suggestions pour d'autres études en vue d'analyser des relations entre des variables.

Pour reprendre l'exemple précédent (niveau I) sur le comportement ou les réactions des patients à l'unité des soins intensifs, une fois que la nature du comportement des patients a été pleinement explorée et décrite, la deuxième étape consiste à déterminer quelles variables semblent les plus importantes pour comprendre ce qui s'est passé. Est-ce que l'âge, le sexe, le diagnostic, les variations dans l'intensité de la lumière ou la présence de visiteurs ont fait une différence ? La découverte de relations entre les facteurs est une démarche d'exploration de relations possibles pour voir s'il existe, en effet, des relations.

Dans la recherche de niveau II, l'étude est descriptive mais comporte plus de maîtrise de la situation que l'étude de niveau I. Les observations sont en général plus structurées et les questions plus précises. Des analyses statistiques sont utili-

sées pour déterminer l'existence de relations possibles entre les concepts (Brink et Wood, 1994; Diers, 1979; Wilson, 1985; Woods et Catanzaro, 1988). L'étude peut aussi être descriptive-corrélationnelle, selon la nature des questions posées. Elle est descriptive-corrélationnelle si plusieurs variables mesurées à un moment donné sont étudiées en relation les unes avec les autres. Par exemple : « Quels sont les facteurs associés au rétablissement postchirurgical d'un patient à la suite du remplacement de valves cardiaques ? » « Les facteurs du rétablissement sont-ils reliés les uns aux autres ? »

Des études de niveau II peuvent aussi être entreprises pour décrire l'incidence ou la prévalence d'un phénomène dans une population donnée. On pose alors des questions relatives à la fréquence du phénomène et à son ampleur dans la population. Ces questions requièrent la quantification du phénomène ou une estimation de sa fréquence. Souvent, cette approche prend le nom d'enquête.

NIVEAU III
LA VÉRIFICATION D'ASSOCIATIONS ENTRE LES FACTEURS

Au niveau III, la vérification d'associations entre les facteurs consiste à déterminer quels facteurs agissent ou varient en même temps, mais aucune tentative n'est faite pour contrôler ou manipuler l'environnement. Les recherches corrélationnelles-explicatives correspondent à ce niveau.

Les études de vérification d'associations sont appropriées quand les facteurs ont déjà été décrits à un niveau précédent et qu'il existe une bonne raison de croire qu'ils sont associés. Dans ce contexte, on présuppose que le phénomène a été décrit et défini. Le chercheur pose la question, « Qu'arrivera-t-il si... ? » ou « Pourquoi ? » en vue de prédire une ou des relations. L'association est une forme particulière de relation entre les facteurs. Association et corrélation signifient que les facteurs varient ensemble. Dans les études de niveau III, aucune tentative n'est faite pour dire qu'une variable cause l'autre. Dans la situation mentionnée précédemment , dans laquelle des patients ont manifesté un comportement inhabituel au cours de leur séjour à l'unité des soins intensifs, une relation est présumée exister entre les variations dans l'intensité de la lumière et le comportement du patient. Ici, on doit vérifier à l'aide d'une hypothèse la nature, c'est-à-dire la force et la direction de la relation entre la lumière et le comportement du patient.

Dans la recherche de niveau III, le devis est corrélationnel et comporte plus de contrôle des variables que l'étude descriptive simple. Les associations peuvent être positives, c'est-à-dire que les facteurs varient dans la même direction, ou bien négatives, c'est-à-dire que les facteurs varient ensemble mais dans des directions opposées. Les observations sont structurées et on formule des hypothèses. L'étude corrélationnelle proprement dite peut contribuer à l'explication et à la prédiction. L'explication se rapporte à la détermination du comment et du pourquoi telles variables sont reliées les unes aux autres. La prédiction spécifie les variables qui vont produire tel résultat. Par exemple, il est possible de prédire que des personnes exposées à de multiples stresseurs, mais sans soutien social adéquat, pourront manifester des troubles de santé.

NIVEAU IV
LA PRÉDICTION D'UNE RELATION DE CAUSALITÉ

Au niveau IV, la prédiction d'une relation de causalité sert à vérifier des relations de cause à effet entre des variables en vue de prédire ce qui arrivera si...; on introduit une condition extérieure au sujet et on mesure les effets de cette condition. Les recherches de type expérimental se font à ce niveau.

Dans les études de niveau IV, on parle de théorie explicative ou prédictive. « Qu'arrive-t-il si... ? » ou « Pourquoi ? » On vérifie des hypothèses de relation de causalité entre des variables à l'aide d'analyses statistiques. Dans le contexte de telles études, il est important que la nature de la relation (direction, force) ait été établie au préalable. Dans l'exemple décrit antérieurement portant sur le comportement inhabituel de patients séjournant à l'unité des soins intensifs, des étu-

TABLEAU 4.4

Exemples de questions de niveau II.

QUESTION DE RECHERCHE	VARIABLE	POPULATION
Quels sont les facteurs personnels associés à l'autoprise en charge de soins par les patients diabétiques ?	1) Facteurs personnels 2) Autoprise en charge	Patients diabétiques
Existe-t-il une relation entre les capacités d'apprentissage des élèves du primaire et la compétence parentale ?	1) Capacités d'apprentissage 2) Compétence parentale	Élèves du primaire

des ont montré que l'intensité de la lumière modifiait le comportement du patient. Le chercheur peut se demander : « Qu'arrive-t-il si on modifie l'environnement pour faire en sorte de fournir une lumière tamisée en vue de réduire l'incidence du comportement ? » Ici, le chercheur manipule une situation, c'est-à-dire qu'il introduit une autre variable, la lumière tamisée, et exerce le maximum de contrôle sur les variables. Il devra utiliser des analyses statistiques inférentielles pour vérifier ses hypothèses. Toutefois, l'utilisation d'une étude de type expérimental dans un environnement comme celui des soins intensifs peut comporter des difficultés méthodologiques puisque l'on est en présence d'un grand nombre de facteurs, qui peuvent échapper au contrôle du chercheur.

EXEMPLES

Pour résumer, voici quelques exemples de l'évolution d'une question selon le niveau des connaissances :

Si un chercheur en sciences infirmières choisit comme domaine de recherche les changements qui surviennent chez les femmes à la suite d'une hystérectomie, la question pourrait s'énoncer différemment selon ce qui est connu dans le domaine. S'il existe peu ou pas d'écrits, la question pourrait s'énoncer comme suit : « Quels sont les changements physiques et psychologiques qui surviennent à la suite d'une hystérectomie ? »

Si, après une revue initiale des écrits, le chercheur se rend compte que les changements phy-

TABLEAU 4.5

Exemples de questions de niveau III.

QUESTION DE RECHERCHE	VARIABLE	POPULATION
Quelle est l'influence des rechutes chez les personnes atteintes d'une maladie mentale sur le fardeau subjectif des aidants naturels ? (Pourquoi les rechutes... augmentent-elles le fardeau... ?)	1) Rechutes 2) Fardeau	Aidants naturels
Quelle est l'influence de l'utilisation d'un cahier d'exercices et le degré d'intégration des concepts chez les étudiants qui suivent le cours d'introduction à la recherche ?	1) Cahier d'exercices 2) Degré d'intégration des concepts	Élèves qui suivent le cours d'introduction à la recherche

TABLEAU 4.6

Exemples de questions de niveau IV.

QUESTION DE RECHERCHE	VARIABLE	POPULATION
Quels sont les effets d'un programme de répit sur le fardeau des aidants naturels de malades atteints de la maladie d'Alzheimer ? (Pourquoi un programme... diminue-t-il le fardeau ?)	1) Programme de répit 2) Fardeau	Aidants naturels de malades atteints de la maladie d'Alzheimer
Quels sont les effets d'un régime alimentaire particulier sur la performance des coureurs du 800 m ?	1) Régime alimentaire 2) Performance des coureurs	Coureurs

siques et psychosociaux ont déjà été déterminés par d'autres auteurs, il lui faudra poser une autre question, par exemple « Quels sont les facteurs biopsychosociaux associés à la perception de l'état de santé et à la dépression après une hystérectomie ? » ou « Existe-t-il des relations entre les changements biopsychosociaux et la perception de l'état de santé, la dépression et les connaissances anatomiques après une hystérectomie ? Pour poursuivre le même raisonnement, si les écrits avaient révélé l'existence de relations entre certaines de ces variables, la question serait énoncée de manière à prédire l'action d'une variable sur l'autre en vue d'en expliquer les résultats : Quels sont les effets d'une intervention de soutien sur la perception de l'état de santé et la dépression après une hystérectomie ?

Dans d'autres disciplines, par exemple si le chercheur en éducation physique choisit comme domaine de recherche les effets d'un programme de conditionnement physique sur la condition cardiovasculaire chez les hommes de 30 à 50 ans, la question sera formulée en fonction de l'état des connaissances, suivant les mêmes étapes que celles décrites ci-dessus.

Ces exemples illustrent bien l'importance de vérifier l'état des connaissances dans un domaine avant d'énoncer la question de recherche finale. La plupart des recherches s'appuient sur des recherches antérieures, ou en découlent, et chacune d'elle apporte une contribution à l'avancement des connaissances dans un domaine précis.

L'analyse critique de la question de recherche

Lindeman et Schantz (1982) proposent une approche susceptible de guider la démarche de l'étudiant dans l'élaboration de la question de recherche. Elle consiste en deux étapes : l'énoncé préliminaire de la question et le raffinement de la question, qui produit l'énoncé final pour la formulation du problème (Valiga et Mermel, 1985).

L'ÉNONCÉ PRÉLIMINAIRE

Le chercheur, n'ayant pas encore consulté les écrits lui permettant d'établir l'état actuel des connaissances dans le domaine qu'il se propose d'étudier, pose une question en partant de ses observations et de son expérience. Cette question doit toutefois répondre à deux critères : 1) il doit être possible d'y répondre au moyen d'observations ou de données empiriques et 2) elle doit contenir des concepts qui peuvent être mis en relation. Dans l'exemple « Quelle est la relation entre un certain facteur psychologique et l'utilisation de méthodes contraceptives à l'adolescence ? », la question répond au premier critère puisque l'utilisation de la contraception peut être observable et vérifiable. Cette question renferme également des concepts qui seront mesurés et entre lesquels on tentera d'établir des relations : elle répond ainsi au deuxième critère.

Afin de conceptualiser le domaine à l'étude, les auteurs Lindeman et Schantz suggèrent d'écrire des définitions opérationnelles des variables. Cette activité est un premier pas vers le raffinement de la question et amène le chercheur à la recension des écrits.

L'ÉNONCÉ FINAL

Poser la question de recherche selon le niveau des connaissances qui existent sur le sujet présuppose un chevauchement de deux étapes subséquentes du processus de la recherche, soit la formulation du problème et la recension des écrits. À l'aide de la question préliminaire, il s'agit de consulter les travaux de recherche antérieurs pour découvrir ce qui a été écrit sur le sujet. La question préliminaire étant basée sur une présomption à partir de l'expérience du chercheur, il est essentiel de l'appuyer par des écrits théoriques et empiriques. C'est l'analyse critique de la question, l'étape de raffinement. À ce stade, le chercheur établit un pont entre les connaissances qui existent dans le domaine et les étapes à franchir pour finaliser la question à poser. L'organisation des écrits et l'intégration des connaissances serviront de guide pour déterminer le niveau approprié de la question selon qu'il est possible d'explorer, de décrire, d'expliquer ou de contrôler un phénomène. Cette intrusion dans les écrits peut conduire à réécrire la question à un niveau différent. La figure 4.2, adaptée de Cormack (1991), illustre cette relation.

Pour se convaincre que le niveau de la question est approprié, Brink et Wood (1994) suggèrent d'écrire la question à tous les niveaux de recherche et d'évaluer ce qui est connu ou inconnu à chacun d'eux. Si la question ne peut être écrite au niveau III, par exemple, c'est sans doute que la réponse n'est pas connue au niveau précédent. Pour s'assurer de couvrir l'ensemble, il est nécessaire de bien connaître à quelle catégorie appartient la question. En outre, il est important de formuler la question de recherche en tenant compte de certains éléments, que nous énumérons ci-après.

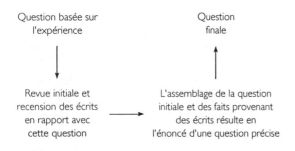

FIGURE 4.2

Relations entre la question de recherche et la recension des écrits.

4.3
ÉLÉMENTS À CONSIDÉRER DANS L'ÉNONCÉ

Le chercheur doit considérer certains points en énonçant sa question de recherche : l'actualisation de la question, la faisabilité du projet, la signification et l'importance de la question pour la discipline, et l'opérationnalisation de la question.

1) LA QUESTION EST-ELLE D'ACTUALITÉ ?

La question doit être actuelle, c'est-à-dire appropriée aux interrogations de l'heure, pertinente pour la pratique professionnelle, et avoir le potentiel de contribuer à l'acquisition de nouvelles connaissances. De plus, elle doit présenter un intérêt pour le chercheur et son milieu.

2) LE PROJET EST-IL RÉALISABLE ?

La faisabilité d'un projet de recherche repose sur un ensemble de ressources, telles que la disponibilité des sujets, leur consentement, le temps requis pour faire l'étude, les fonds nécessaires, l'équipement et l'espace, la collaboration d'autres chercheurs, l'expérience du chercheur et les considérations éthiques.

3) LA QUESTION EST-ELLE SIGNIFICATIVE, A-T-ELLE DE L'IMPORTANCE POUR LA DISCIPLINE ?

En plus de la pertinence sociale, tout problème de recherche doit avoir le potentiel de contribuer à l'avancement des connaissances dans une discipline donnée ou d'influencer de quelque façon la pratique professionnelle. La question de recherche doit s'articuler sur un système conceptuel qui facilite sa compréhension dans la communauté scientifique. La signification des problèmes de recherche varie selon les besoins de la société et les préoccupations de l'heure. Pour s'assurer de l'importance d'une question de recherche, il faut se poser certaines questions : par exemple, les personnes ou, dans un sens plus large, la communauté pourront-ils bénéficier de ces connaissances ou des retombées de l'étude ? Les résultats sont-ils applicables dans la pratique ?

4) LA QUESTION EST-ELLE OPÉRATIONNELLE ?

La question doit être exprimée en des termes observables et mesurables en plus d'être claire et précise. Les questions qui font appel à des réponses permettant d'identifier, de décrire, d'expliquer et de prédire des phénomènes dans un domaine donné sont des questions susceptibles de faire l'objet d'une recherche. La question de recherche doit suggérer la direction à prendre pour réaliser la recherche, c'est-à-dire orienter vers la méthode à utiliser. Les questions pivots induisent un mouvement ou une direction nécessaire à la collecte de faits observables et mesurables.

4.4

ÉTAPES CONDUISANT À L'ÉNONCÉ DE LA QUESTION DE RECHERCHE

Résumons ce qui précède, en rappelant les étapes qui conduisent à l'énoncé final d'une question de recherche :

1) choisir le domaine de recherche et le lier à une question pivot;

2) écrire des idées sur la situation problématique et poser les questions relatives à ce domaine;

3) discuter avec des collègues afin d'aider à clarifier sa pensée;

4) consulter les écrits pour déterminer l'état des connaissances dans le domaine choisi et élaborer des idées sur la façon d'écrire la question;

5) évaluer la faisabilité du projet et la pertinence d'étudier ce problème dans la discipline, et en établir la signification pour la discipline;

6) écrire la question de recherche en rapport avec le niveau des connaissances du phénomène à l'étude.

4.5

RÉSUMÉ

Le point de départ de toute recherche consiste à choisir un domaine d'intérêt et à le transposer en une question qui pourra être étudiée. Les sources d'inspiration incluent les travaux de recherche antérieurs, les observations et expériences professionnelles, les cadres théoriques, les conférences sur les résultats de la recherche et les priorités pour la recherche. Pour faire l'objet d'une étude, la question doit être exprimée en des termes observables et mesurables et donner la possibilité de contribuer à l'acquisition des connaissances. Les questions de recherche correspondent à des niveaux de connaissances en ce qui concerne un phénomène. On note quatre types de questions de recherche relatifs à : la découverte de facteurs, la découverte de relations entre les facteurs, la vérification de relations entre les facteurs et la vérification d'hypothèses de causalité.

La démarche servant à énoncer une question de recherche finale peut être facilitée par le choix d'un domaine d'intérêt lié à une question directrice. Celle-ci détermine l'orientation de la recherche à entreprendre selon qu'il s'agit de décrire, d'expliquer ou de prédire des phénomènes. Le chercheur considérera aussi les éléments nécessaires dans l'énoncé d'une question de recherche.

RÉFÉRENCES BIBLIOGRAPHIQUES

ADEBO, E. O. (1974). Identifying problems for nursing research. *International Nursing Review*, n° 21 (2), p. 53, 54, 59.

AJZEN, I., FISHBEIN, M. (1980). *Understanding attitudes and predicting social behavior*. Englewood Cliffs, NJ : Prentice Hall.

ARTINIAN, B. M., ANDERSON, N. (1980). Guidelines for the identification of researchable problems. *Journal of Nursing Education*, n° 19 (4), p. 54-58.

BANDURA, A. (1977). *Social learning theory*. Englewood Cliffs : Prentice-Hall.

BRINK, P. J., WOOD, M. J. (1994). *Basic steps in planning nursing research : From Question to Proposal*, 4e éd. Boston : Jones and Bartlett Publ.

CORMACK, D. F. S. (1991). *The research process in nursing*, 2e éd. Orford : Blackwell Scientific Publications.

DIERS, D. (1979). *Research in nursing practice*. Philadelphia : J. B. Lippincott.

FULLER, E. O. (1982). Selecting a clinical nursing problem for research. *Image : The Journal of Nursing Scholarship*, n° 14, p. 60-61.

LINDEMAN, C. A., SCHANTZ, D. (1982). The research question. *The Journal of Nursing Administration*, n° 12 (1), p. 6-10.

MACE, G. (1988). *Guide d'élaboration d'un projet de recherche*. Québec : Les Presses de l'Université Laval.

MOODY, L. E. (1990). *Advancing nursing science through research*, vol. 1. Newbury Park : Sage Publications.

NATIONAL CENTER FOR NURSING RESEARCH (1992). *Special Conference Edition*.

OREM, D. E. (1985). *Nursing concepts of practice*, 3e éd. New York : McGraw-Hill.

PETERS, R. H. (1983). *The ecological implications of body size*. Cambridge : Cambridge University Press.

ROY, C., ANDREWS, H. A. (1991). *The adaptation model : The definitive statement*. Norwalk, Co. : Appleton and Lange.

ROGERS, M. E. (1970). *The theoretical basis of nursing*. Philadelphia : F. A. Davis.

ROSENTOCK, I. M. (1974). Historical origins of the health belief model. *Health Education Monograph*, n° 2, p. 328-335.

VALIGA, T. M., MERMEL, V. M. (1985). Formulating the researchable question. *Topics in Clinical Nursing*, n° 7 (2), p. 1-14.

WILSON, H. S. (1985). *Research in Nursing*. Menlo Park, CA : Addison-Wesley Publ.

WOODS., N. F., CATANZATO, M. (1988). *Nursing research theory and practice*. Toronto : The C. V. Mosby Co.

CHAPITRE

5

FORMULATION D'UN PROBLÈME DE RECHERCHE

Marie-Fabienne Fortin et Françoise Filion

CE CHAPITRE EST ACCOMPAGNÉ D'UNE LEÇON INFORMATISÉE FACULTATIVE.

Objectifs d'apprentissage

À la fin de ce chapitre, l'étudiant(e) devrait être capable de :

✔ Énoncer une question de recherche de niveau approprié.

✔ Différencier les éléments d'un problème de recherche.

✔ Intégrer ces éléments dans la formulation d'un problème de recherche.

La formulation d'un problème de recherche constitue une des étapes clés du processus de la recherche et se situe au cœur de la phase conceptuelle. Amorcer la phase conceptuelle d'une recherche, c'est fondamentalement justifier, à l'aide d'éléments à l'appui, la nécessité de réaliser le projet de recherche envisagé et d'en énoncer les résultats escomptés. Une préoccupation, un malaise par rapport à une situation concrète n'a de sens qu'à l'intérieur d'une problématique bien définie et bien structurée. La formulation d'un problème de recherche constitue en quelque sorte l'étape la plus importante du processus de la recherche.

À l'étape préliminaire, le chercheur est parvenu à énoncer une question de recherche en rapport avec un domaine dont l'importance pour l'avancement des connaissances et la pertinence pour la discipline ont été précisées. Cette question servira maintenant de toile de fond à l'élaboration du problème de recherche. Sans une question de recherche précise, qui définit les concepts à l'étude et spécifie la population visée, il serait vain d'entreprendre la formulation d'un problème de recherche.

Ce chapitre propose une approche basée sur une série d'éléments qui, reliés les uns aux autres, serviront à guider la formulation du problème de recherche. Chaque élément est précisé et illustré par un exemple pour montrer l'intégration progressive des éléments dans la formulation du problème de recherche. On présente par la suite les aspects intégrateurs du problème.

5.1

QU'EST-CE QUE FORMULER UN PROBLÈME DE RECHERCHE ?

Formuler un problème de recherche, c'est définir le phénomène à l'étude à travers une progression logique d'éléments, de relations, d'arguments et de faits. Le problème présente le domaine, explique son importance, condense les données factuelles et les théories existant dans le domaine et justifie le choix de l'objet d'étude (Fortin, 1994).

La formulation du problème doit démontrer, à l'aide d'une argumentation serrée, que l'exploration empirique de la question est pertinente et qu'elle est susceptible de contribuer à l'avancement des connaissances. Cette argumentation doit être cohérente, complète et parcimonieuse (Gauthier, 1992). Le domaine d'intérêt doit être précisé, ainsi que les variables clés et la population cible. Toutefois, la formulation adéquate d'un problème de recherche requiert une certaine démarche pour réduire un domaine d'intérêt général en un problème particulier. À cette étape, le niveau de la question a été précisé et les variables sont suffisamment définies pour fournir une bonne idée des mesures à utiliser. Il faut maintenant réunir ces parties et les organiser en un tout cohérent, c'est-à-dire les introduire au bon endroit dans le problème.

5.2

ÉLÉMENTS DE FORMULATION D'UN PROBLÈME DE RECHERCHE

Il existe plusieurs façons de formuler un problème de recherche. La démarche proposée ici fait appel à un ensemble d'éléments constitutifs d'un problème. Les éléments présentés ci-dessous s'inspirent de la démarche proposée par Wandelt (1970), qui conçoit le problème de recherche comme une entité complexe à composantes multiples. Ces éléments sont :

1) une préoccupation personnelle, une irritation, comme point de départ du problème de recherche;

2) les éléments de la situation, soit les facteurs qui causent, influencent ou maintiennent le problème;

3) l'univers plus vaste dans lequel le problème est situé : ce que d'autres ont appris, pensé du problème;

4) la situation désirable, c'est-à-dire la projection d'une situation idéale, en l'absence du problème;

5) la ou les suggestions proposées pour atteindre cette situation désirable et les résultats possibles par rapport à chacune des suggestions;

6) le cadre de référence pour la formulation du problème et son opérationnalisation.

Pour formuler un problème, le chercheur a besoin de rassembler tous les éléments de la situation problématique. Cette description progressive des éléments passe du concret à l'abstrait. On commence par décrire de façon concrète une anecdote qui traduit une préoccupation précise dans une situation donnée. Ensuite, on décrit les particularités dont on est témoin : par exemple, on note qui est impliqué dans la situation et comment.

D'une manière plus abstraite, à l'aide des écrits pertinents au domaine étudié, les concepts théoriques ressortent, ainsi qu'une situation désirable. Enfin, on précise la démarche de solution que l'on propose d'après ce qui est connu sur le domaine.

5.3

INTÉGRATION DES ÉLÉMENTS DANS LA FORMULATION D'UN PROBLÈME DE RECHERCHE

Nous décrivons ci-après les éléments à considérer dans la formulation d'un problème de recherche et donnons des exemples d'application pour chacun d'eux. Avant d'examiner en détail les éléments contenus dans l'exemple présenté ci-après, il est nécessaire de considérer d'abord la question qui a servi de toile de fond à la formulation du problème en cause et à orienter le choix du type d'étude à mener. Cet exemple est tiré du mémoire de maîtrise de Durocher (1994), dont le titre est : *Facteurs associés à l'utilisation du condom chez des adolescentes en centre de réadaptation.*

Question de recherche

« Quels sont les facteurs du modèle de Rochon associés à l'intention d'utiliser le condom comme méthode prophylactique et à son utilisation effective chez des adolescentes en difficulté vivant en centre de réadaptation ? »

PREMIER ÉLÉMENT

Le premier élément est la préoccupation, l'irritation, le malaise ressenti par le chercheur par rapport à un domaine de recherche en particulier. C'est le moment au cours duquel il se pose des questions sur une situation réelle de la vie courante ou encore vis-à-vis des lectures rattachées à un univers particulier qui ont suscité cette préoccupation :

- Quel est ou quels sont les phénomènes qui me préoccupent ?
- Qu'est-ce que je ressens vis-à-vis de cet état de choses ?
- Quels sont les faits immédiats qui s'y rattachent ?
- De quelle façon y sont-ils rattachés ?

Application du premier élément

Dans notre exemple, l'auteure est préoccupée par le taux peu élevé d'utilisation du condom par les partenaires sexuels des adolescentes en difficulté et des risques de maladies transmises sexuellement. D'emblée, l'auteure présente le domaine, précise l'objet de sa préoccupation et les faits qui s'y rattachent :

« La transmission des maladies sexuelles est un problème à la fois individuel et collectif, qui touche un grand nombre d'adolescentes et d'adolescents. Sur l'ensemble des comportements sexuels observés à cette période, celui des adolescentes en difficulté hébergées en centre de réadaptation est particulièrement inquiétant. En effet, leurs conduites sexuelles à risque et leur faible tendance à utiliser le condom comme méthode prophylactique en font un groupe vulnérable. L'absence ou l'utilisation irrégulière de protection sexuelle entraîne souvent des problèmes de maladies transmises sexuellement (MTS) et de dysfonctions sexuelles (Adler et Irwin, 1989; Cates, 1991; Emans et coll, 1985; Kegeler, 1991). »

DEUXIÈME ÉLÉMENT

Le deuxième élément se concentre sur la situation concrète en décrivant ce qui compose le problème, par exemple :

- Qui fait partie du problème ? les personnes, les milieux, les politiques, les demandes, l'environnement global de l'institution ou de la communauté ?
- Qu'est-ce qui cause, influence, maintient le problème ?
- Quelles sont les personnes impliquées dans le problème et de quelle façon le sont- elles ?

Le chercheur peut introduire ici la perspective de sa discipline en évoquant de quelle façon il est intéressé au problème.

Application du deuxième élément

L'auteure va plus loin et décrit ce qui cause et maintient le problème du peu d'utilisation de la contraception, du condom en particulier, par les adolescentes en difficulté vivant en centre de réadaptation.

« Un nombre considérable d'adolescentes en difficulté adoptent des comportements sexuels à risque. Cette constatation est corroborée par d'autres auteurs (Frappier et coll., 1992; Otis, 1992). Bien qu'elles possèdent les mêmes caractéristiques de développement que les adolescentes dites normales, il n'en demeure pas moins que les adolescentes en difficulté présentent un profil différent. Sur le plan de la sexualité, cette différence se manifeste principalement par une plus grande susceptibilité aux activités sexuelles et une vulnérabilité accrue envers les sollicitations (Dubois et Dulude, 1978; Vandal, 1982). Il est aussi troublant de constater que c'est généralement dans des conditions d'exploitation que ces jeunes filles vivent leur sexualité. Que ce soit sous la forme de relations sexuelles, de promiscuité, de relations incestueuses ou de prostitution, elles s'engagent dans des relations où la génitalité est, la plupart du temps, non protégée. Ces conduites sexuelles à risque s'inscrivent parmi les diverses formes d'expression que les adolescentes en difficulté utilisent pour signaler leurs malaises.

Ce portrait peu encourageant met en évidence d'importantes carences sur le plan de la personnalité. Dans l'ensemble, leurs lacunes se traduisent par une faible estime de soi, un manque affectif, une grande difficulté à s'affirmer et à résoudre des problèmes. À cela s'ajoute l'existence de sentiments de crainte et de dévalorisation ressentis par certaines lors de leurs agissements sexuels. Pour ces raisons, leurs expériences sexuelles sont malheureusement plus souvent destructives que gratifiantes (Gijseghem, 1978; St-Jean, 1978). »

TROISIÈME ÉLÉMENT

Le troisième élément situe le problème dans un univers plus large. Il précise ce que d'autres chercheurs, d'une même discipline ou d'autres disciplines, ont expérimenté, pensé, appris et fait en rapport avec ce problème ou avec des problèmes semblables.

Cette information s'obtient par la recension des écrits et des discussions qui devraient amener le chercheur à distinguer des théories et des concepts pertinents en ce qui concerne le problème. Le chercheur spécule sur les relations possibles entre les principes scientifiques et le problème, c'est-à-dire sur la façon dont les théories et les concepts peuvent servir à comprendre et expliquer ce problème.

- Qu'ont fait d'autres chercheurs et quelles étaient les démarches des solutions proposées quant à ce problème ou à des problèmes similaires ?

- Existe-t-il des théories ou des modèles qui suggèrent les raisons de l'émergence de ce problème ?

- Existe-t-il des théories ou des modèles qui suggèrent des actions à entreprendre pour résoudre ce problème ou pour l'expliquer ?

En résumé, le chercheur décrit à la fois les éléments observés dans la réalité et ceux qui sont pertinents et déjà notés dans les écrits recensés. La détermination de relations possibles entre divers éléments spéculatifs du problème et les suggestions à ce propos constituent une base conceptuelle. Cette partie de la définition du problème inclut la recension des écrits et le cadre de référence proposé. Le cadre de référence peut être théorique ou conceptuel. *(Le lecteur est prié de consulter le chapitre 7 qui traite du cadre de référence pour une explication plus complète.)*

Application du troisième élément

L'auteure envisage le problème dans un univers plus large; elle rapporte ce que d'autres ont appris ou pensé en ce qui a trait aux comportements des adolescentes en difficulté vivant en centre de réadaptation, en plus de présenter le cadre de référence propre à l'étude.

« L'adoption volontaire d'un comportement, selon Rochon (1988), se produit par l'apprentissage de déterminants du comportement sur les plans cognitif, affectif et psychomoteur. Ces déterminants se composent de facteurs personnels, tels que les facteurs physiologiques, physiques, psychologiques ou sociodémographiques, et de facteurs environnementaux, tels que les relations interpersonnelles, les services, les ressources et les environnements physiques et sociaux. Or, si l'on considère l'ensemble des facteurs personnels et environnementaux qui caractérisent les adolescentes en difficulté, il appert qu'ils entraînent l'apparition de troubles du caractère ou du comportement (Rassekh-Ardjomand, 1962). Quoi qu'il en soit, ces facteurs diffèrent chez ces adolescents comparativement à ce qui se passe chez des adolescentes dites « normales » et cette variation perturbe leur processus d'apprentissage. Ce sont généralement des conflits d'ordre personnel, familial et interpersonnel qui entourent ces adolescentes et c'est sous différentes formes que ces perturbations se manifestent. Il peut s'agir de difficultés d'ordre scolaire ou d'intégration dans un milieu, d'attitudes oppositionnelles ou agressives avec les adultes ou les pairs, de déficits sur le plan de la personnalité, de problèmes d'abus physiques et sexuels, de toxicomanies ou encore de criminalité (Foucault, 1990; Ressekh-Ardjomand, 1962).

L'apprentissage d'un comportement de santé consiste en une approche de changement destinée à améliorer la santé individuelle et collective (Rochon, 1988). L'apprentissage en soi constitue un changement dans les capacités de l'individu qui persiste durant une certaine période de temps (Gagné, 1970). Il y a apprentissage lorsque des changements sont observés sur le plan des comportements des individus. Par conséquent, il devient intéressant de chercher à connaître les facteurs qui pourraient influencer les adolescentes en difficulté à utiliser le condom comme méthode prophylactique. Rochon (1988) propose un modèle d'apprentissage du comportement inspiré de divers modèles de déterminants du comportement utilisés en éducation de la santé.

Le modèle d'apprentissage de Rochon (1988) permet d'étudier un nombre considérable de déterminants du comportement. Cette étude s'effectue à l'aide de différents facteurs, lesquels correspondent au diagnostic éducationnel contenu dans le modèle de planification PRECEDE de Green et ses collaborateurs (1980). Le diagnostic éducationnel regroupe en trois catégories des facteurs personnels et environnementaux. La première catégorie comprend les facteurs motivant l'adoption d'un comportement : il s'agit des facteurs prédisposants. Deuxièmement, on y trouve les facteurs facilitant l'actualisation d'une « intention de réaliser » un comportement. Ce sont les facteurs facilitateurs. Enfin, il y a les facteurs permettant le maintien d'un comportement, soit les facteurs de renforcement. Outre le fait que l'application complète du modèle de Rochon (1988) s'avérait pertinente à la problématique, seules ces trois catégories de facteurs sont retenues dans cette étude. »

QUATRIÈME ÉLÉMENT

Le quatrième élément consiste à décrire une situation désirable qui pourrait se substituer à la situation problématique. Afin d'atteindre cet idéal, le chercheur reprend l'anecdote et envisage une approche permettant de parvenir à une situation souhaitable. Il décrit ce que l'environnement devrait être et ce que les personnes impliquées devraient faire et quelles seraient les réactions des personnes directement visées par le problème en vue d'accéder à cette situation où le problème n'existerait pas :

- Quelle serait la situation parfaite ?
- Quel serait l'environnement idéal ?
- Quels seraient les comportements désirables des personnes impliquées ?
- Quels seraient les agissements adéquats des personnes directement touchées par le problème ?

À cette étape, le chercheur ne suggère ou ne propose pas de solutions qui pourraient éliminer ou amenuiser le problème. Il ne décrit que la situation souhaitable, sans plus.

Application du quatrième élément

Comme nous venons de le dire, cette étape se réfère à une situation désirable, par exemple à un environnement approprié à l'utilisation du condom :

« Comme il est mentionné plus haut, les conduites sexuelles à risque et la faible tendance à utiliser le condom rendent les adolescentes en difficulté hébergées en centre de réadaptation très vulnérables. On pourrait rêver d'une situation où les centres de réadaptation offriraient à ces adolescentes une approche exemplaire, où celles-ci pourraient s'épanouir et exprimer de façon saine leurs différents problèmes. Alors, ces adolescentes en difficulté deviendraient semblables aux adolescentes dites « normales ». De plus, leurs expériences sexuelles seraient gratifiantes, étant donné qu'elles ne seraient pas exposées aux problèmes de grossesses non désirées ou de MTS, car elles utiliseraient toutes le condom comme méthode prophylactique.

L'utilisation du condom comme méthode prophylactique constitue pour les adolescentes en difficulté un apprentissage important d'un comportement de santé. Cet apprentissage stimule le développement d'un processus mental, d'habiletés cognitives, affectives et psychomotrices liées à l'utilisation du condom. Il vise également le développement, l'adoption et surtout l'intériorisation de ce comportement. Ainsi, cette acquisition, à elle seule, peut freiner la propagation des MTS et éliminer les complications subséquentes tant sur les plans physique, psychologique que social. »

CINQUIÈME ÉLÉMENT

Le cinquième élément consiste à suggérer une ou des solutions et à donner une idée du résultat auquel on pourrait s'attendre pour la ou les solutions proposées en vue d'atteindre la situation désirable. À cette étape de la formulation du problème, le chercheur circonscrit son approche, car une recherche ne peut s'attaquer au problème global : l'étude doit porter sur un segment du problème.

De plus, les suggestions de solutions et de résultats s'y rattachant devront être pertinentes par rapport à la discipline du chercheur. Il est possible de croire cependant que plusieurs actions pouvant éliminer ou diminuer le problème ne pourront être présentées ici. Il est toutefois évident qu'un problème ne saurait être formulé sans que le chercheur propose au moins une solution :

- Que faudrait-il faire pour améliorer la situation décrite précédemment ?
- Quelles seraient les actions à entreprendre, les changements à apporter au milieu, aux méthodes, aux politiques pour y parvenir ?
- Quels seraient les comportements ou les habitudes à modifier chez les personnes concernées pour éliminer ou amenuiser le problème ?
- Quels seraient les résultats possibles de la mise en œuvre des suggestions mentionnées précédemment ?

Ces interrogations traduisent le but de l'étude à entreprendre.

Application du cinquième élément

Des solutions possibles sont proposées par l'auteure en vue de mieux comprendre le problème. La perspective disciplinaire est soulignée :

« Devant l'ampleur des nouvelles MTS et de leurs conséquences plutôt désastreuses, il importe de mettre en évidence les habitudes d'utilisation du condom par des adolescentes vivant en centre de réadaptation et d'identifier, à l'aide du modèle d'apprentissage de Rochon (1988), les facteurs susceptibles d'influer sur l'utilisation du condom.

De plus, il est du ressort du personnel infirmier œuvrant en centre de réadaptation de dépister les adolescentes aux conduites sexuelles à risque. Dans cette perspective, le rôle de l'infirmière à titre de promoteur de la santé apparaît privilégié. En effet, elle s'avère être l'intervenante de première ligne en ce qui a trait à la sexualité de ces adolescentes. À cette fin, elle doit avoir une meilleure compréhension de ce phénomène. Cette constatation tient probablement au fait que l'infirmière a un rôle peu menaçant auprès de ces jeunes, ce qui leur permet de s'exprimer en toute confiance. L'établissement de ce climat rend favorable la promotion de l'apprentissage d'habiletés cognitives et psychomotrices à l'égard de l'utilisation du condom. »

SIXIÈME ÉLÉMENT

Le sixième et dernier élément de la formulation d'un problème de recherche concerne la façon d'appliquer le cadre de référence. Après avoir examiné les relations qui existent entre les différentes composantes du problème, le chercheur, se basant sur un cadre théorique ou conceptuel, propose l'approche qu'il désire emprunter afin d'apporter une solution au problème. Il mentionne comment il prévoit utiliser son cadre de référence pour opérationnaliser son étude, tout en fournissant un contexte à l'interprétation des résultats.

Le cadre de référence doit inspirer toute la démarche de formulation du problème : il est relié à l'ensemble des éléments du problème et de leurs relations mutuelles qui motivent l'intérêt du chercheur envers ce problème. Le cadre de référence ne constitue pas en soi le dernier élément puisqu'il sous-tend toute la démarche de formulation. Cette dernière étape apporte une justification à l'étude et permet de démontrer que celle-ci rend possible l'avancement des connaissances propres à la discipline.

- De quelle manière les aspects du cadre de référence sont-ils pertinents en ce qui concerne l'étude ?
- De quelle façon le cadre de référence peut-il expliquer le problème et soutenir la solution proposée ?

Application du sixième élément

Cette dernière section est en fait un résumé de ce qui a été présenté et proposé précédemment pour résoudre le problème, résumé qui intègre et justifie le cadre théorique ou conceptuel :

« Malgré l'utilisation du modèle d'apprentissage de Rochon (1988) dans la réalisation de projets en santé communautaire, il y a lieu de souligner l'absence de son application auprès des adolescentes en difficulté. En fait, à notre connaissance, aucune étude ne s'est intéressée à la dimension d'apprentissage de comportements de santé chez ces jeunes filles vivant en centre de réadaptation.

Si l'on considère que les adolescentes en difficulté s'exposent à des risques de contracter des MTS et que l'utilisation du condom s'avère la méthode de choix en matière de prophylaxie, il importe de connaître les facteurs personnels et environnementaux susceptibles d'influer sur l'usage du condom. Par conséquent, le modèle d'apprentissage d'un comportement de santé de Rochon (1988) semble tout indiqué, car l'un de ses principaux rôles consiste justement à découvrir le processus d'apprentissage qui mène à l'adoption d'un comportement. »

5.4

L'ARGUMENTATION DANS LE PROBLÈME DE RECHERCHE

L'intégration des éléments au cours de la formulation d'un problème de recherche suit une séquence itérative de façon à enchaîner les éléments les uns aux autres et à les exprimer sous la forme d'une argumentation. L'argumentation vise à persuader le lecteur que le problème est vrai, réel, ou probable (Truscott, 1995). Les éléments constituent la trame de l'argumentation. Chaque élément du problème de recherche est absolument nécessaire pour persuader le lecteur que le projet de recherche est bien fondé, pensé et documenté à partir d'observations et de la lecture de travaux antérieurs. C'est l'essence même de l'argumentation, selon Brink et Wood (1994), de convaincre le lecteur que notre logique est correcte et que notre position est réfléchie et indéniable.

Le raisonnement sous-jacent à l'énoncé de la question utilise le style de l'argumentation; les diverses idées ou situations qui pourraient être explorées par la recherche, et les raisons pour entreprendre un tel projet sont expliquées, discutées et documentées par les écrits. Le cadre théorique ou conceptuel peut suivre la même logique que l'argumentation : en effet, le chercheur fait des concessions vis-à-vis des théories ou concepts pertinents et choisit la théorie ou

le concept qui s'applique le mieux à son étude, puis il justifie le choix (Brink et Wood, 1994).

L'argumentation doit reposer sur une structure logique, renforcée par l'évidence du problème. On commence par présenter le domaine général du problème à l'étude, puis on explique les faits, contraste les divers points de vue pour en arriver à concéder que tout n'est pas connu sur le problème et qu'il est justifié de proposer une solution pour tenter d'obtenir des réponses à nos questions. Les aspects centraux, les concessions et les points en faveur de la position prise par le chercheur sont les trois éléments qui caractérisent la force de l'argumentation (Brink et Wood, 1994).

C'est dans la partie centrale de l'exposé de la situation problématique qu'il faut discuter, aussi précisément que possible, de la nature de l'écart entre le modèle idéal et la réalité. Cette discussion doit inclure une présentation détaillée de l'origine de l'écart ainsi que certains aspects de son histoire. Quand ou dans quelles circonstances et par qui cet écart a-t-il été remarqué et défini comme étant un écart, et est-ce que cet écart continue d'être défini comme tel ? D'autres auteurs définissent-ils une situation identique de façons différentes ?

Il faut énumérer les principales explications qui ont été données en ce qui à trait à la situation problématique. Ces explications doivent s'appuyer, au moins en partie, sur les fondements théoriques qui existent. Les arguments les plus importants à l'appui de chacune des explications doivent être présentés, ainsi que la documentation correspondante.

Le chercheur doit sélectionner l'explication qui semble la plus probable dans cette situation et discuter les raisons de ce choix. Le but de l'étude est de démontrer jusqu'à quel point cette explication paraît plausible. De plus, le problème de recherche doit déboucher sur une réponse qui pourrait contribuer à l'avancement des connaissances dans la discipline. Il faut indiquer à qui les résultats de l'étude seront bénéfiques, applicables et inclure leur pertinence théorique.

5.5

ASPECTS INTÉGRATEURS DU PROBLÈME

Les aspects d'intégration dans un problème que soulignent Brink et Wood (1994) sont la recension des écrits, la justification de la question de recherche et le cadre théorique ou conceptuel.

La recension des écrits

Les écrits servent à documenter la source de nos idées et à étoffer la justification qui sous-tend la question de recherche. Les écrits sont incorporés au problème pour appuyer ce que l'on cherche à démontrer. Sont inclus seulement les écrits ayant servi à documenter et à justifier le problème. Toutefois, au cours de la formulation du problème, les trois éléments, écrits, justification de la question et cadre théorique, sont intégrés de manière à constituer un tout et non trois parties distinctes.

La justification de la question de recherche

Justifier la question de recherche, c'est expliquer pourquoi on veut étudier cette question et pourquoi elle a de l'importance pour nous. L'ampleur de l'explication variera selon le niveau de la question de recherche. S'il s'agit d'une étude exploratoire-descriptive, où l'on découvre et clarifie des concepts, et pour laquelle il existe peu d'écrits dans le domaine, cet élément devra être davantage élaboré que s'il s'agit d'une question posée à un autre niveau. Comme il a été mentionné précédemment, plus il y a eu de recherches dans un domaine, plus le chercheur est susceptible de trouver des travaux qui situent l'état actuel des connaissances dans ce domaine.

En précisant ce qui a amené le chercheur à poser cette question, il faut préciser pourquoi on cherche à obtenir une réponse et qu'est-ce que cette réponse va apporter à lui, à d'autres, à la profession. En d'autres termes, quelles sont les connaissances qui ressortiront de cette étude et de quelle utilité seront-elles pour la pratique ?

Le cadre de référence

Le cadre de référence d'une étude, qu'il soit théorique ou conceptuel, est la structure logique, l'agencement des idées ou des concepts entre eux. Comme chaque idée ou concept dépend d'un autre concept, il faut établir leurs relations mutuelles. Une explication appuyée sur des écrits pertinents, qui précisent comment les variables de l'étude semblent être reliées entre elles et pourquoi, constitue le cadre d'une étude. Il se construit au moment de la formulation du problème, pour asseoir théoriquement le problème avant son analyse ultérieure au cours de l'étude.

Le cadre de référence amorce véritablement l'opérationnalisation, puisqu'il forme le lien nécessaire entre la question de recherche ou l'hypothèse et le travail empirique. Il précise ce qu'il faut faire pour répondre aux questions de recherche ou vérifier les hypothèses. Certains auteurs (Brink et Wood, 1994; Burns et Grove, 1993) établissent la distinction entre le cadre conceptuel et le cadre théorique.

Le cadre de référence d'une étude est appelé « cadre conceptuel » quand l'explication qui est faite repose sur les écrits et la recherche concernant les concepts à l'étude plutôt que sur une théorie spécifique qui expliquerait la relation entre les concepts concernés. L'explication prendra la forme d'une description des prévisions du chercheur par rapport à l'action des variables étudiées. Même si la question de recherche ne suggère pas le recours à une théorie, elle contient au moins un concept, et ce concept doit être décrit ou expliqué en relation avec la question. Le cadre de référence est appelé « cadre théorique » quand les variables ont été étudiées auparavant et démontrent des relations mutuelles. Dans ce cas, on est en présence soit d'une théorie spécifique qui fournit une explication par rapport à l'action des variables, soit d'un auteur qui propose une explication sur l'action des mêmes variables à partir des résultats de son étude. Dans ces deux situations, il s'agit d'un cadre théorique. C'est ce cadre théorique qui fera l'objet d'une vérification empirique, et les résultats obtenus pourront corroborer ou non les résultats de travaux antérieurs. Dans un cas comme dans l'autre, il y aura une contribution à la théorie en cours.

5.6

ÉTAPES DE LA FORMULATION D'UN PROBLÈME DE RECHERCHE

En résumé, et comme l'illustre la figure 5.1, la formulation d'un problème de recherche comporte les étapes suivantes :

1) à partir d'observations, d'expériences personnelles, choisir un thème ou domaine de recherche, c'est-à-dire une préoccupation qui incite à étudier tel phénomène en particulier;

2) écrire la question de recherche préliminaire;

3) consulter les écrits afin de connaître l'état de la question; vérifier les observations cliniques et les résultats de recherche en rapport avec la préoccupation;

4) préciser le domaine de recherche et réécrire la question à la lumière des connaissances actuelles sur le sujet, en l'appuyant sur un cadre conceptuel ou théorique;

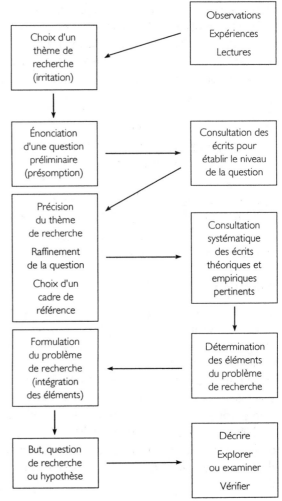

FIGURE 5.1
Étapes de la formulation d'un problème de recherche.

5) procéder à une recension systématique des écrits pour déterminer comment le problème a été étudié; noter les informations théoriques qui tentent de lier les concepts et d'apporter une explication sur l'action des concepts;

6) formuler le problème à l'aide des éléments de la situation, déterminer l'importance et la pertinence de mener l'étude en mettant en évidence les faits qui démontrent l'existence du problème;

7) décrire la solution proposée dans l'énoncé du but de l'étude, laquelle conduit à la méthodologie.

5.7
RÉSUMÉ

Formuler un problème de recherche consiste à élaborer une question à travers une progression logique d'arguments et de faits relatifs à la situation problématique. Six éléments sont nécessaires à la formulation d'un problème. Au cours de la formulation du problème, ces éléments sont assemblés, puis liés les uns aux autres et introduits à la bonne place dans le problème en adoptant le style de l'argumentation. Il faut aussi tenir compte des aspects intégrateurs que sont la recension des écrits, la justification de la question de recherche et le cadre théorique ou conceptuel. En résumé, les principales étapes de la formulation d'un problème de recherche sont décrites et illustrées à la figure 5.1.

RÉFÉRENCES BIBLIOGRAPHIQUES

BRINK, P. J., WOOD, M. J. (1994). *Basis steps in planning nursing research : From question to proposal*, 4ᵉ éd. Boston : Jones and Bartlett Publ.

BURNS, N., GROVE, S. K. (1993). *The practice of nursing research : Conduct, critique and utilization*, 2ᵉ éd. Toronto : W. B. Saunders

DUROCHER, H. (1994). *Facteurs associés à l'utilisation du condom chez des adolescentes en centre de réadaptation* Mémoire de maîtrise non publié. Montréal : Université de Montréal, Faculté des sciences infirmières.

FORTIN, M. F. (1994). *Cahier d'accompagnement au cours « Méthodologie de la recherche »*. Montréal : Université de Montréal, Faculté des sciences infirmières.

GAUTHIER, B. (1992). *Recherche sociale : De la problématique à la collecte des données*, 2ᵉ éd. Québec : Presses de l'Université du Québec.

TRUSCOTT, R. B. (1995). *The essentials of college and university writing*. Piscataway, N. J. : Research and Education Association.

WANDELT, M. (1970). *Guide for the beginning researchers*. New York : Appleton-Century-Crofts.

CHAPITRE

6

LA RECENSION DES ÉCRITS

Marie-Fabienne Fortin et Bilkis Vissandjée

Objectifs d'apprentissage

À la fin de ce chapitre, l'étudiant(e) devrait être capable de :

✔ Préciser les buts de la recension des écrits.

✔ Reconnaître et localiser les sources appropriées à son thème de recherche.

✔ Déterminer les principaux outils de recherche documentaire.

✔ Utiliser les bases de données bibliographiques informatisées.

✔ Constituer une liste des références reliées à son domaine de recherche.

Leçon informatisée

CE CHAPITRE EST ACCOMPAGNÉ D'UNE LEÇON INFORMATISÉE FACULTATIVE.

Recenser les écrits équivaut à faire le bilan de ce qui a été écrit dans le domaine de recherche à l'étude. Aussi intéressantes soient-elles, les questions de recherche ne sauraient être abordées sans tenir compte des connaissances acquises dans le domaine de recherche choisi. La recherche documentaire est donc une étape essentielle à l'exploration d'un domaine de recherche. Non seulement la consultation de diverses sources documentaires fournit-elle au chercheur l'occasion de vérifier l'état des connaissances dans le domaine de recherche à l'étude, mais cet exercice lui permet également d'élargir son champ de connaissances, de structurer son problème de recherche et d'établir des liens entre son projet et les travaux de recherche effectués par d'autres chercheurs. En se situant ainsi dans l'ensemble des études antérieures sur un sujet donné, le chercheur parviendra à mieux délimiter son problème de recherche et à mieux cerner les concepts à l'étude.

En plus de présenter l'état des connaissances dans un domaine, la recension des écrits aide à saisir toute la portée des concepts en jeu. Elle permet de reconnaître la théorie qui explique le mieux les faits observés, de cerner les concepts auxquels ils font appel et les liens qui les caractérisent. Elle fait ressortir certains aspects de la question qui nécessiteraient une étude plus poussée.

Ce chapitre a pour but d'aider le lecteur à comprendre ce qu'est une recension des écrits, à se familiariser avec les divers types d'ouvrages de référence, à trouver le matériel publié qui se rapporte au domaine de recherche et à situer celui-ci dans le contexte d'études antérieures.

6.1

DÉFINITION ET BUTS DE LA RECENSION DES ÉCRITS

La recension des écrits est une démarche qui consiste à faire l'inventaire et l'examen critique de l'ensemble des publications pertinentes qui portent sur un domaine de recherche. Au cours de cette recension, le chercheur apprécie, pour chacun des écrits examinés, les concepts à l'étude, les liens théoriques établis, les méthodes utilisées et les résultats obtenus. La synthèse et le résumé de ces écrits fournissent au chercheur la matière première essentielle à la conceptualisation de la recherche.

Le chercheur a plusieurs raisons d'effectuer une recension des écrits. D'abord il peut le faire afin de délimiter un domaine de recherche. La lecture d'articles sur divers thèmes peut contribuer à générer des questions de recherche; elle peut permettre de connaître les traditions conceptuelles et théoriques ainsi que les méthodes d'investigation utilisées dans le cadre des travaux antérieurs.

Un autre but peut être de distinguer ce qui est connu et ce qui reste à connaître dans un domaine de recherche précis. Un chercheur peut ainsi déterminer le degré d'avancement des travaux de recherche dans un domaine précis d'investigation et déterminer les avenues nouvelles à explorer. En outre, mieux une recherche est assise sur des connaissances empiriques pertinentes, plus ses résultats sont susceptibles d'enrichir le champ des connaissances du domaine en question.

L'examen des écrits vise également à explorer les méthodes et les devis utilisés par d'autres chercheurs pour étudier un phénomène similaire. Enfin, recenser les écrits permet aussi d'examiner les instruments de mesure et les techniques d'analyse qui peuvent être appropriés dans le cas de la recherche que l'on souhaite entreprendre.

Une recension des écrits exhibe donc un regroupement de travaux sur un même thème d'où ressortent les éléments communs et les divergences. La recension des écrits s'impose à toutes les étapes de la conceptualisation de la recherche en ce sens qu'elle précède, accompagne ou suit la formulation des questions de recherche ou des hypothèses. Elle peut être plus ou moins abondante et faire appel à différents niveaux de lecture. Elle évolue vers une synthèse de la contribution des écrits ayant un lien avec le problème à l'origine de la recherche. On peut dire que la recension des écrits s'impose dans tout le processus de la recherche puisqu'un chercheur doit aussi y avoir recours lors de l'interprétation des résultats.

6.2

PLAN DE LA RECENSION DES ÉCRITS

Le plan d'une recension des écrits comporte une introduction, un développement et une conclusion. L'introduction expose les thèmes à l'étude ayant un lien avec le problème de recherche qui unit les textes choisis. Le développement est constitué du résumé critique de chacun des textes. Ceux-ci sont généralement regroupés selon les sujets traités. Une recension des écrits comporte habituellement un élément critique. Des phrases ou des paragraphes de transition sont utilisés entre les résumés pour mieux mettre en relief les éléments communs et les éléments divergents. La conclusion met les textes étudiés en perspective les uns par rapport aux autres et les situe dans la problématique générale.

6.3

AMPLEUR DE LA
RECENSION DES ÉCRITS

Jusqu'où faut-il aller dans la recension des écrits portant sur un domaine de recherche ? Combien d'auteurs faut-il consulter ? Quels types d'écrits ? À combien d'années antérieures faut-il remonter ? Il n'existe pas de formule magique pour déterminer l'ampleur que doit prendre une recension des écrits. De façon générale, il ne manque pas d'écrits quand le domaine est précis. La précision du champ de connaissances à explorer et la nature de la question de recherche offrent des indications quant à l'ampleur de la recension à effectuer. On peut penser qu'une question de recherche dont l'état des connaissances relève du niveau exploratoire ou descriptif (niveaux I et II) suppose un nombre plus limité d'ouvrages à répertorier. À l'opposé, il y aura sans doute un plus grand nombre de références dans un domaine pour une question se référant à une étude corrélationnelle ou expérimentale (niveaux III et IV) .

Dans l'établissement des limites d'une recension des écrits, certains auteurs (Polit et Hungler, 1992 ; Burns et Grove, 1993) suggèrent de considérer les trois éléments suivants : 1) les types d'information nécessaires et les sources bibliographiques disponibles, 2) l'approfondissement et l'étendue de la recension, et 3) le temps à la disposition du chercheur.

Types d'information recherchée

Trois types d'information prédominent dans les écrits : l'information théorique, l'information empirique et l'information méthodologique. Les écrits théoriques portent sur les modèles, théories et cadres conceptuels qui sont à la base du problème de recherche. Les écrits empiriques font état des résultats de travaux antérieurs et sont publiés dans des périodiques, ouvrages, mémoires et thèses. Ils sont le produit de l'observation en laboratoire et sur le terrain. Le troisième type d'information que l'on trouve dans les écrits concerne les diverses méthodes ou approches utilisées pour effectuer une recherche dans un domaine donné. Le niveau de la question posée peut déterminer le type d'information qui sera disponible. Si la question est exploratoire ou descriptive, le peu d'études empiriques existantes peuvent céder le pas à des écrits plus théoriques. Si la question est posée à un niveau explicatif ou prédictif, les écrits empiriques seront nombreux, ce qui est un signe de l'avancement des connaissances en ce domaine.

Sources bibliographiques

Les sources bibliographiques peuvent être classées selon trois ordres : primaire, secondaire ou tertiaire. Les sources primaires, dites « de première main », représentent des documents dont le contenu est original, c'est-à-dire qui proviennent directement de l'auteur. Il s'agit d'un contenu n'ayant pas été interprété, ni résumé par d'autres auteurs. Les documents officiels, les mémoires et les thèses, les monographies à contenu original qui regroupent les articles de recherche publiés dans les périodiques scientifiques sont des exemples de sources primaires.

Les sources secondaires facilitent l'accès aux sources de type primaire en les regroupant sous un même thème. Ces outils de travail sur support papier, informatique ou microfilm rassemblent, classifient, interprètent les textes de source primaire déjà publiés sur un sujet. Les catalogues collectifs, les index informatisés ou non et les bibliographies annotées constituent de bons exemples de sources secondaires.

Les sources tertiaires sont des ouvrages spécialisés qui recouvrent un ensemble de connaissances ou d'explications concises en rapport avec des termes, des auteurs, des travaux, des associations, des ressources, etc. Les sources tertiaires répertorient, sélectionnent, organisent des informations de source primaire ou secondaire. Les monographies de référence, les encyclopédies, les dictionnaires, les répertoires sont considérés comme des sources tertiaires.

Approfondissement et étendue de la recension des écrits

L'approfondissement de la recension concerne la qualité des sources bibliographiques servant à étudier un thème de recherche. On évalue la qualité d'une source à sa pertinence pour le problème étudié et à la rigueur avec laquelle les travaux y sont présentés. L'étendue de la recension est déterminée par le nombre de publications consultées. L'approfondissement et l'étendue de la recension dépendent de l'expérience du chercheur, de la complexité du projet de recherche, des ressources disponibles et du sujet. Il est ainsi fort probable que le chercheur peu expérimenté, ou plus ou moins familier avec un domaine de recherche, devra recenser un plus grand nombre de travaux afin de s'assurer d'une compréhension suffisante des connaissances acquises dans ce domaine.

Le temps disponible

Le temps requis pour la recension des écrits dépend du problème à l'étude, des sources d'information disponibles et des buts poursuivis (Burns et Grove, 1993). Il n'y a pas de critère précis permettant de déterminer le temps nécessaire pour recenser les écrits portant sur un domaine donné. Ainsi, il est possible, mais non essentiel, que le problème de recherche qui comprend une ou deux variables exige moins de temps que celui qui comprend un ensemble de plusieurs variables.

C'est plutôt le nombre et la localisation des sources bibliographiques de même que les difficultés pour y accéder qui contribuent à prolonger la période nécessaire à la recension. Enfin, un autre facteur qui détermine la durée de la recension des écrits est l'échéancier fixé pour la recherche. Si l'on doit déposer le mémoire de recherche, la thèse ou le projet de recherche à une date précise, la durée de la recension correspondra à une étape de l'échéancier. Burns et Grove (1993) suggèrent une période de un à trois mois pour effectuer une recension raisonnable des écrits si l'étude doit se faire en un an.

6.4

LA RECHERCHE DOCUMENTAIRE

La recherche a pour but l'avancement d'une discipline par l'ébauche de théories et l'élaboration de nouvelles pratiques. À cette fin, il est requis que le chercheur prenne connaissance des travaux antérieurs qui ont mené à des conclusions établies. Une des étapes à l'exploration d'un sujet de recherche comporte une recension qui fournit l'état des connaissances sur le sujet (Gauthier, 1992). La recherche documentaire s'inscrit dans ce contexte et propose une démarche logique pour la consultation des références générales. Les principales étapes de la stratégie de recherche sont décrites ci-après.

La clarification de l'énoncé du problème ou du sujet de recherche

Il importe de délimiter clairement le problème de recherche par une question qui précise les concepts à étudier. La question de recherche permet ainsi de faire ressortir les divers aspects du domaine à l'étude et la relation entre ces aspects. Pour chacun des concepts retenus, une liste de synonymes ou sous-concepts, appelés mots clés, est établie.

La pertinence des mots clés

Pour trouver les mots clés, on utilise le thésaurus (vocabulaire normalisé) de l'index de périodiques le plus approprié au sujet de recherche. La liste des synonymes constitue l'outil de travail permettant de trouver l'information portant sur le domaine. Par exemple, le domaine peut être « l'épuisement professionnel » des infirmières œuvrant en soins intensifs.

En plus du concept d'épuisement professionnel, d'autres termes sont inclus : stress, traitement du stress, détresse, mécanismes d'adaptation, satisfaction au travail, horaire de travail, mode de prestation des soins, etc. Mis à part l'information propre aux soins intensifs, des articles sur l'épuisement professionnel provenant d'autres disciplines seront consultés.

Le choix et la localisation des sources

Une fois que les mots clés ont été déterminés, il faut localiser l'information pertinente. Plusieurs sources documentaires peuvent être consultées. Afin de se familiariser avec le domaine à l'étude, le chercheur peut choisir de consulter deux ou trois index pour trouver les sources primaires. Il consultera aussi des sources secondaires et tertiaires.

Plusieurs de ces sources fournissent une vue d'ensemble du problème à l'étude et aident à mieux le définir. Par exemple, les bibliographies contiennent des listes de publications sur des thèmes précis. Ces listes ont été produites pour servir de guides à la recension sur un sujet. Trouver une bibliographie sur un sujet de recherche précis peut alors permettre d'épargner du temps. La plupart des auteurs suggèrent de commencer par les publications les plus récentes et de procéder de façon rétrograde, à moins que la recension concerne les ouvrages sur les théories.

La sélection des principaux outils de la recherche documentaire

Pour guider la recherche documentaire, on dispose de nombreux outils : 1) le catalogue d'une bibliothèque, 2) les index, 3) les abstracts, 4) les bibliographies et 5) les bases de données automatisées en ligne ou sur CD-ROM.

1) LE CATALOGUE D'UNE BIBLIOTHÈQUE

Les bibliothèques tiennent un inventaire de leurs documents dans un catalogue. Les catalogues sur fiches et microfiches sont en voie de disparition. Le support informatique est maintenant l'outil privilégié, car il offre beaucoup de flexibilité en ce qui concerne l'accès à l'information et la capacité d'emmagasinage. Il permet également le fonctionnement en réseau. La tendance actuelle des universités est d'utiliser le catalogue informatisé en ligne (base de données à accès direct) qui regroupe toute la documentation conservée dans une université. Ce catalogue collectif donne accès aux ressources de toutes les bibliothèques d'une université et fournit la description bibliographique de monographies, de thèses, de périodiques et de documents audiovisuels. Le catalogue est généralement facile à utiliser et offre différentes options de recherche : auteur, titre, vedette-matière, collection ou éditeur. À partir du menu d'accueil, l'usager peut choisir le mode désiré et la clé de recherche appropriée selon qu'il s'agit d'une recherche par auteur, titre, sujet, maison d'édition ou par mot clé.

À titre d'illustration, dans le cas des bibliothèques du réseau de l'Université du Québec, le catalogue collectif se nomme BADADUQ, (1991) pour « Banque de données à accès direct de l'Université du Québec ». Ce catalogue collectif comporte une description des monographies, des brochures, des périodiques et des documents audiovisuels. À l'Université de Montréal, le catalogue collectif informatisé se nomme ATRIUM. Il répertorie et localise plus de 3 000 000 de documents, disponibles dans les 20 bibliothèques de son réseau. Les usagers peuvent consulter ATRIUM en utilisant les terminaux et les micro-ordinateurs mis à leur disposition dans les bibliothèques, ou y accéder de l'extérieur au moyen d'un ordinateur ayant un lien avec le réseau informatique de l'université (UNMET). On peut aussi y accéder par l'Internet. En outre, les universités offrent de plus en plus, à des usagers ayant des déficiences physiques, visuelles ou auditives, une documentation accessible dans les meilleurs délais et ce grâce à une technologie adaptée

2) LES INDEX

Un index recense par sujet ou par auteur les articles de périodiques, de revues et d'autres publications pertinentes. Comme l'information contenue dans les monographies ne répond souvent qu'en partie aux besoins du chercheur, il peut ainsi accéder à l'information pertinente publiée dans les périodiques ou les revues spécialisés.

Les périodiques ou les revues spécialisés demeurent le véhicule le plus rapide pour diffuser l'information dans une discipline donnée. Le domaine de recherche, les termes synonymes et les sous-concepts servent à guider l'usager vers la section appropriée.

L'utilisation d'un index est assez facile mais nécessite une certaine organisation. Il est nécessaire d'enregistrer la référence entière de chaque source sur des fiches (encadré 6.1).

ENCADRÉ 6.1

Exemple de l'index CINAHL (*Cumulative Index to Nursing and Allied Health Literature*).

```
Database : CINAHL <1982 to March 1995>

<1>
Accession Number
   1994197820 NLM Unique Identifier : 94323257.
Authors
   Stevens BJ. Johnson CC.
Institution
   Mount Sinai Hosp, Toronto, Ontario, Canada.
Title
   Physiological responses of premature infants to a painful stimulus.
Source
   Nursing Research. 43 (4) : 226-31, 1994 Jul-Aug. (38 ref)
Abstract
   The purpose of this study was to describe the physiological responses
   of premature infants to an acute tissue-damaging stimulus and to
   determine how severity of illness and behavioral state influenced these
   responses. The physiological responses (heart rate, oxygen saturation,
   and intracranial pressure) of a convenience sample of 124 premature
   infants between 32 and 34 weeks gestational age were described during
   four phases of a routine heel stick procedure. Analysis of the results
   showed a significant multivariate main effect of phase on the group of
   physiological responses. Behavioral state was found to influence the
   physiological responses, but severity of illness did not. (38 ref)
```

Les principaux index utilisés en recherche infirmière et dans certaines disciplines connexes sont :

Cumulative Index to Nursing and Allied Health Literature (CINAHL)

La banque bibliographique CINAHL a été publiée pour la première fois en 1956 et est publiée en cinq numéros bimensuels avec une refonte annuelle. Elle donne accès actuellement à presque tous les périodiques de sciences infirmières en langue anglaise, aux publications de l'*American Nurses Association* et de la *National League for Nursing*. Le CINAHL indexe près de 300 périodiques de sciences infirmières. De plus, comme son nom l'indique, des périodiques de source primaire portant sur une vingtaine de sciences connexes y sont recensés. Cette banque inclut également un choix d'articles tirés d'environ 3200 revues biomédicales déjà indexées dans l'*Index Medicus* ou d'autres périodiques se rapportant aux domaines de l'administration, de la psychologie, etc. Il est à noter que le CINHAL ne contient pas de résumés.

International Nursing Index (INI)

La banque *International Nursing Index* a été publiée pour la première fois en 1966 par l'*American Journal of Nursing Company*, en collaboration avec la *National Library of Medicine*. Elle est publiée quatre fois par année. Cette banque donne accès à plus de 200 revues de sciences infirmières en plusieurs langues et à des articles ayant trait aux sciences infirmières, parus dans d'autres revues indexées dans l'*Index Medicus*. L'INI inclut aussi le *Nursing Citation Index*.

Index Medicus (IM)

C'est la banque la plus ancienne (1879) dans le domaine de la santé. Elle cite à chaque numéro approximativement 3500 articles nationaux et internationaux. L'IM est publié mensuellement et couvre tous les aspects de la biomédecine et de la santé, incluant les sciences infirmières, les sciences biologiques, la médecine vétérinaire et les sciences sociales.

Nursing Studies Index

Cette banque créée par Virginia Henderson, donne accès aux écrits relatifs aux sciences infirmières qui ont été publiés de 1900 à 1959. Elle comporte aussi des publications de divers domaines, incluant les sciences infirmières, la médecine, la santé publique, l'éducation, la sociologie, la psychologie et l'anthropologie.

Hospital Literature Index (HLI)

Cette banque est publiée quatre fois par année. Elle inclut les références de plus de 1000 périodiques en langue anglaise portant sur l'administration et la conduite des soins de santé dans les hôpitaux et les organismes reliés à la santé.

Current Index to Journals in Education (CIJE)

Depuis 1969, cette banque couvre des articles de plus de 700 revues. Elle est publiée mensuellement et se rapporte à des domaines spécialisés : éducation des adultes, administration, éducation spécialisée pour les handicapés, éducation en sciences infirmières.

3) LES RÉPERTOIRES ANALYTIQUES D'ARTICLES (ABSTRACTS)

Les répertoires analytiques d'articles (*abstracts*) incluent les mêmes données bibliographiques que les index avec, en plus, un résumé objectif du contenu de la publication. Les répertoires analytiques d'articles sont utiles pour établir la pertinence des sources par rapport au problème à l'étude. Les répertoires les plus connus sont :

Dissertation Abstracts International (1861-), mensuel.

Dans cet ouvrage, on retrouve des thèses de doctorat issues de nombreuses institutions situées tant au Canada qu'aux États-Unis. Chacune de ces thèses est illustrée d'un résumé objectif.

Nursing Abstracts (1979-), trimestriel

Cet ouvrage présente des résumés d'articles de 65 périodiques de sciences infirmières. *Nursing Abstracts* est indexé par sujet, auteur et périodique.

Psychological Abstracts

Publié mensuellement depuis 1929 par l'*American Psychological Association*, cet ouvrage indexe et résume plus de 95 revues, rapports techniques, monographies et autres documents scientifiques en psychologie et dans les domaines connexes.

Sociological Abstracts

Similaire à *Psychological Abstracts*, ce résumé est publié cinq fois par année depuis 1954 et couvre plus de 1000 publications dans le domaine de la sociologie et des sciences sociales connexes.

Master's Abstracts (MA)

Cet ouvrage rassemble les résumés objectifs des mémoires de maîtrise issus d'une variété de disciplines.

Eric

ERIC (*Educational Resources Information Center*). Cet index a été établi en 1964 par le *U.S. Office of Education*. Il est utile aux chercheurs qui sont intéressés par des aspects éducatifs. On peut accéder à ERIC à l'aide d'un thésaurus *The Thesaurus of ERIC Descriptors*.

Repères

Index multidisciplinaire de périodiques qui recense des articles scientifiques et d'information en langue française.

Index analytique d'intérêt général

Deux répertoires, *Radar* et *Periodex*, couvrent depuis 1972 des articles en français parus dans les revues du Québec et dans le monde. Ces deux répertoires ont été remplacés en 1984 par *Point de repère*, qui indexe et résume les articles de quelque 300 périodiques de langue française (Marcil et Chiasson, 1992).

4) LES BIBLIOGRAPHIES

Une bibliographie est un répertoire compilant un certain nombre de documents portant sur un domaine particulier, par exemple, la recherche sur le traitement de la douleur, ou sur une spécialité telle que les soins infirmiers en oncologie. Cette liste contient une variété de sources incluant articles, livres, actes de colloques, monographies, lettres à l'éditeur, éditoriaux, documents gouvernementaux et dissertations. Les bibliographies permettent au chercheur de faire le bilan des autres études effectuées sur un même thème à un moment donné. Elles regroupent les données essentielles et un inventaire assez étendu de ce qui a été écrit. À titre d'exemple, notons : *Nursing Bibliography, Bibliography on Smoking and Health, Bibliography on Health Indexes.*

5) LES BANQUES DE DONNÉES INFORMATISÉES

L'informatique a changé profondément le monde de l'information. La plupart des documents ont leur équivalent électronique sur banque de données. L'interrogation de milliers de banques de données en direct s'effectue au moyen de la recherche automatisée. Quelque 40 banques sont disponibles sur disque optique compact (DOC) et peuvent généralement être consultées par l'usager lui-même. L'interrogation en direct peut aussi s'effectuer par auteur, par titre, par sujet, par collection, par éditeur, par cote, etc. À titre d'exemple, voici quelques systèmes fréquemment utilisés : le système MEDLARS (*The Medical Literature Analysis and Retrieval System of the US National Library of Medecine*), qui assure la liaison des banques de données en médecine, en art dentaire et en sciences infirmières, le système DIALOG, et le système ERIC (*Education Research Center Information*), qui répertorie les documents en éducation.

MEDLINE (Medical Literature Analysis and Retrieval System on LINE). C'est une base de données internationales en sciences de la santé. On y fait l'indexation au moyen d'un thésaurus, le MeSH (Medical *Subject Headings*). Les descripteurs de ce thésaurus sont regroupés de façon hiérarchique par catégories générales. Les fichiers rétrospectifs de MEDLINE englobent les références conservées depuis 1966. Il comprend aussi les index imprimés sur papier tels que l'*Index Medicus* et l'*International Nursing Index*.

AIDSLINE. Le fichier AIDSLINE contient les références concernant le syndrome d'immuno-déficience acquise ainsi que l'infection au virus causant cette immunodéficience humaine. Plusieurs références sont tirées, entres autres, du fichier MEDLINE et remontent à 1980.

AVLINE. Le fichier *Audiovisuals Online* comprend quelque 18 000 références de documents audiovisuels utilisés dans l'enseignement des sciences de la santé.

BIOETHICSLINE. C'est un fichier dont les références renvoient à des documents sur des sujets comme l'euthanasie, les expériences sur l'homme et l'avortement. La presse recensée se rapporte aux sciences de la santé, à la philosophie, au droit, à la religion, à la psychologie, et englobe les documents de vulgarisation.

CANCERLIT. Le fichier *Cancer Literature*, préparé par le *National Cancer Institute* (NCI), contient quelque 615 000 références de documents publiés depuis 1963 et traitant de divers aspects du cancer. Toutes les références comportent un résumé en anglais. Les documents répertoriés incluent plus de 3000 revues américaines et étrangères, de même que des monographies, des comptes rendus et des rapports.

HEALTH PLANNING AND ADMINISTRATION. Ce fichier compte plus de 400 000 références de documents publiés depuis 1975, sur la planification, l'organisation, la dotation et la gestion dans le domaine de la santé. Les références proviennent des revues indexées dans MEDLINE, de l'*Hospital Literature Index* et d'autres revues choisies pour l'importance qu'elles accordent aux soins de santé.

POPLINE. Le fichier POPLINE contient les références de documents traitant de la situation des populations dans le monde, incluant les maladies affectant les populations, les divers aspects reliés aux programmes de planification familiale ainsi que les projections démographiques.

NURSING AND ALLIED HEALTH (NAHL). Cette base de données est dédiée à la discipline infirmière et aux disciplines connexes dans les sciences de la santé. Il représente la version informatisée de l'index imprimé *Cumulative Index to Nursing and Allied Health Literature*. Le NAHL inclut environs 300 titres couramment indexés dans CINAHL qui, depuis 1994, inclut des articles dans d'autres langues que l'anglais. La base est disponible depuis 1983 et est mise à jour bimensuellement. On indexe les documents dans CINAHL au moyen d'un thésaurus, le *CINAHL Subject Headings*. Les descripteurs y sont regroupés de façon hiérarchique par catégories générales.

PSYCHINFO (*Psychological Abstracts Information Service*) est une banque bibliographique qui inclut la littérature mondiale dans les domaines de la psychologie des sciences du comportement et des sciences sociales.

Current Contents est une base internationale de données multidisciplinaires qui indexe les tables des matières de plus de 3800 périodiques. La mise à jour hebdomadaire rend la base intéressante pour les usagers à la recherche de documentation récente.

6) LES BASES DE DONNÉES AUTOMATISÉES SUR DISQUE OPTIQUE COMPACT (DOC OU CD-ROM)

Un autre outil précieux pour effectuer une recherche documentaire informatisée est le disque optique compact D.O.C. sur microordinateur, mieux connu sous le nom de CD-ROM (*Compact Disk-Read Only Memory*). Ce disque, lu par un laser, peut stocker environ 660 méga-octets (660 millions de caractères) de données informatiques, soit l'équivalent de 250 000 pages de texte imprimé ou de 1500 disquettes. À l'aube du troisième millénaire, on assiste à l'arrivée des lecteurs à double vitesse, puis à triple et quadruple vitesse, et des CD-ROM XA, qui permettent d'en faire un outil multimédia précieux pour les recherches bibliographiques. Dans le domaine de la documentation, cette technologie est principalement utilisée comme support d'information pour les bases de données. C'est un outil complémentaire au catalogue d'une bibliothèque, puisque ce dernier ne recense pas les articles parus dans les périodiques. Le CD-ROM contient des bases de données correspondant aux index sur papier imprimé : ce sont des répertoires d'information thématiques.

Le CD-ROM est utilisé pour stocker de l'information sous forme de textes ou à caractère bibliographique qu'il est possible de consulter avec l'aide d'un microordinateur équipé d'un lecteur de disques optiques compacts et d'un logiciel d'interrogation.

6.5

STRATÉGIE DE LA RECHERCHE INFORMATISÉE

Conduire une recherche informatisée consiste d'abord à déterminer quelles bases de données sont susceptibles de fournir les références sur un domaine de recherche. Les bases de données bibliographiques informatisées permettent en-suite de faire des liens entre les mots clés prédéterminés et les mots clés tirés de l'analyse des documents répertoriés et stockés dans la base informatisée.

Afin de procéder efficacement à l'interrogation des bases de données, un exemple d'étapes à suivre est présenté ci-après :

1) Choisir et définir clairement son domaine ou sa question de recherche.

   Exemple : Existe-t-il une relation entre l'augmentation des maladies transmises sexuellement (MTS) et l'éloignement de la famille immédiate chez les jeunes universitaires de première année ?

2) Dégager les concepts ou mots clés sur lesquels portera la recherche et dresser la liste des termes pertinents et des synonymes.

   Concepts ou mots clés :
   - MTS
   - Augmentation des MTS
   - Infections génitales répétées
   - Éloignement de la famille immédiate
   - Jeunes universitaires

3) Utiliser les annotations et les permutations pour trouver les titres correspondant aux termes choisis. Si la base de données interrogée est CINAHL, on utilisera le thésaurus CINAHL Subject Heading. Pour interroger la base de données MEDLINE, la recherche par sujet se fait au moyen du thésaurus MeSH. La structure arborescente permet de chercher le code alphanumérique dans le *Tree Structures* afin de trouver d'autres descripteurs.

4) Construire la stratégie de recherche au moyen des opérateurs booléens. Entrer les termes dans les cases en groupant les termes reliés au même concept par *or* et lier les concepts différents par *and*. Faire une vérification des écrits en groupant les thèmes ou mots clés par *or*, si ces derniers appartiennent à un

même groupe. Ensuite, lier différents mots clés par *and*. La relation entre les mots clés de la figure 6.1 sera exprimée comme suit : (augmentation des MTS *or* infections génitales répétées) *and* (éloignement de la famille immédiate *or* jeunes universitaires).

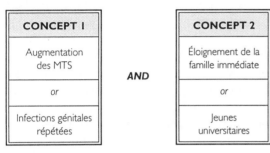

CONCEPT 1		CONCEPT 2
Augmentation des MTS		Éloignement de la famille immédiate
or	**AND**	*or*
Infections génitales répétées		Jeunes universitaires

FIGURE 6.1

Selon la logique bouléenne, « et » précise la question, « ou » élargit et « sauf » restreint.

5) Effectuer la recherche.

6) Raffiner ou restreindre les recherches si l'on estime avoir obtenu trop de références, et élargir ou accroître la recherche si l'on estime ne pas avoir trouvé assez de références. Selon la logique bouléenne, « et » précise la question, « ou » élargit et « sauf » restreint.

6.6

LIEUX DE CONSERVATION DES PUBLICATIONS

La recension des écrits étant au cœur de la conceptualisation et de l'organisation systématique de toute recherche, il est essentiel de procéder de façon méthodique à la localisation des ouvrages de référence, de manière à en retirer le plus de bénéfices possible. Pour effectuer une recherche documentaire de façon efficace, il est de l'intérêt du chercheur novice de se familiariser avec les bibliothèques, les centres de documentation, et de bien connaître les services offerts par les bibliothèques et par certains centres connexes.

Les bibliothèques

Les bibliothèques constituent la principale ressource en matière de conservation des documents. Il peut s'agir des bibliothèques publiques (ex. : réseau des bibliothèques de la Ville de Montréal), des bibliothèques nationales (ex. : Bibliothèque Nationale du Québec), des bibliothèques universitaires (ex. : bibliothèque de la santé et bibliothèque des lettres et des sciences humaines de l'Université de Montréal), des centres de documentation rattachés aux milieux de travail (ex. : centres de documentation rattachés aux centres hospitaliers universitaires), des centres de documentation de corporations professionnelles, des centres de documentation rattachés à des centres de recherche (ex : groupe de recherche sur les aspects sociaux de la santé et de la prévention [GRASP].

Une bibliothèque universitaire regroupe en général un ensemble de bibliothèques relativement aux diverses disciplines réparties dans des pavillons. L'ensemble du réseau de l'Université de Montréal comprend vingt bibliothèques, celui de l'Université McGill en compte vingt-cinq. En plus des secteurs communs, les universités possèdent leurs centres de recherche particuliers.

Deux systèmes de classification sont utilisés dans la plupart des bibliothèques : la classification décimale de Dewey et celle de la Bibliothèque du Congrès (Library of Congress) des États-Unis. Si la première ligne de la cote inclut les nombres entre 0 et 1000, le système utilisé est celui de Dewey ; si la cote débute par des lettres majuscules de A à Z, il s'agit du système du Congrès.

SERVICES OFFERTS PAR LES BIBLIOTHÈQUES

Le rôle d'une bibliothèque ne consiste pas uniquement à classer de l'information. Elle offre plusieurs services, dont :

Le prêt

Selon la politique administrative de chaque bibliothèque et sur présentation d'une carte autorisée, il est possible d'emprunter des livres, des documents audiovisuels, des revues qui ne sont pas de l'année courante.

Le prêt entre bibliothèques

Si le document demandé ne se trouve pas à la bibliothèque d'usage, le service du prêt fait, à la demande de l'usager, les démarches nécessaires pour se le procurer. On peut alors l'obtenir dans sa forme originale, en photocopie ou encore en microdocument. Des frais sont prévus.

L'aide à l'usager

En général, chaque bibliothèque offre le service d'un ou de plusieurs bibliothécaires de référence. Dès que l'on rencontre des difficultés dans la constitution d'une bibliographie ou dans la recherche de documents, il est important de consulter cette personne. Des sessions de formation sont offerts aux étudiants au début de l'année scolaire. Ces cours visent, entre autres, à préparer l'étudiant à interroger les bases de données sur CD-ROM.

La médiathèque

Pour accéder à la collection de documents audiovisuels, il faut consulter le catalogue collectif de la bibliothèque ou le catalogue imprimé des documents audiovisuels. Des appareils de visionnement sont généralement disponibles pour consultation sur place.

6.7

PRÉSENTATION DES ARTICLES DE REVUE ET DES RAPPORTS DE RECHERCHE

Les articles de revue et les rapports de recherche ont tous à peu près la même présentation; le format usuel que l'on retrouve dans la plupart des publications de recherche est décrit ci-après.

1) TITRE

Le titre doit clairement indiquer le contenu de l'article ou du rapport de recherche. C'est habituellement à partir du titre que le lecteur peut déterminer de quel type d'étude traite le document. Si le titre indique « Description de... », c'est que l'article décrit un phénomène quelconque. Une étude dont le titre est « Relations entre... » explore des relations entre des phénomènes. Les études dont le titre commence par « Effets de... » rapportent généralement des études expérimentales. Le titre contient habituellement les phénomènes en cause. Parfois, le lecteur peut aussi nommer la population étudiée.

2) RÉSUMÉ OU ABRÉGÉ

La plupart des articles commencent par un abrégé. Le résumé contient l'énoncé du but de l'étude, une brève description des participants, la façon dont les données ont été obtenues et analysées, et les résultats les plus importants. On peut utiliser les résumés pour détecter rapidement les articles à retenir.

3) PREMIÈRE PARTIE DU CORPS DE L'ARTICLE

Le corps de l'article peut ou non commencer par une introduction. Quatre types d'information sont ensuite présentés : la formulation du problème, la recension des écrits, le cadre conceptuel et le but de l'étude.

La formulation du problème

L'énoncé du problème décrit ce que le chercheur étudie; il précise la problématique et la justification de l'étude. L'énoncé du problème décrit l'ampleur du problème, les sujets affectés par le problème et depuis combien de temps cette situation persiste. Souvent, les grandes lignes de la justification théorique et pratique sous-jacentes au problème à l'étude sont mentionnées.

La recension des écrits

La section de la recension des écrits contient un résumé des travaux antérieurs effectués sur le même sujet. Elle précise ce qui est connu et ce qui reste à explorer sur le sujet.

Le cadre conceptuel ou théorique

Le cadre conceptuel indique la perspective dans laquelle l'étude a été menée. Les concepts sont souvent expliqués dans la perspective de l'étude. Le cadre théorique peut contenir des propositions, des énoncés qui indiquent comment les concepts sont reliés entre eux. Souvent, la recension des écrits et le cadre conceptuel peuvent être combinés en un tout, bien qu'il soit préférable de les traiter séparément.

Le but

Cette section se termine par l'énoncé du but de l'étude. Le but précise exactement ce que le chercheur a l'intention d'accomplir dans son étude.

4) DEUXIÈME PARTIE DU CORPS DE L'ARTICLE : LA MÉTHODOLOGIE

La division suivante concerne les méthodes utilisées pour réaliser la recherche. On peut y trouver des sections portant sur le devis, l'échantillon, les instruments de mesure et les procédés.

Le devis

Cette section fait état du plan d'organisation de l'étude. L'auteur précise s'il s'agit de décrire des phénomènes, d'explorer des relations, de vérifier des relations ou des effets entre des variables.

L'échantillon

On trouve ici le nombre et le type de sujets qui ont fait partie de l'étude. Les critères de sé-lection sont habituellement indiqués. La taille de l'échantillon est précisée.

Les instruments de mesure

Cette section contient une description des instruments de mesure utilisés pour obtenir l'information auprès des sujets. Il peut s'agir de questionnaires, d'échelles, de guides d'entrevue, etc.

Les procédés

Dans cette section, on décrit le déroulement de l'étude. Les considérations éthiques sont habituellement indiquées ici.

5) TROISIÈME PARTIE DU CORPS DE L'ARTICLE : LES RÉSULTATS

La section des résultats décrit l'information que le chercheur a obtenue à la suite de l'analyse des données. On y trouve souvent des tableaux et des figures. Le chercheur y précise habituellement les types d'analyse utilisés.

6) AVANT-DERNIÈRE PARTIE : LA DISCUSSION ET LES RECOMMANDATIONS

Le chercheur discute des résultats de son étude à la lumière des travaux antérieurs, du cadre conceptuel ou théorique et des méthodes de recherche utilisées dans l'étude. Les résultats relatifs à l'échantillon et aux mesures sont discutés en relation avec le but de l'étude. Les limites de l'étude sont indiquées dans cette section, ainsi que les recommandations pour des travaux futurs.

7) DERNIÈRE PARTIE DE L'ARTICLE : LES RÉFÉRENCES BIBLIOGRAPHIQUES

L'article se termine habituellement par la liste des références. Celle-ci contient les renseignements sur les articles de revue, les livres et autres ressources utilisés dans l'étude. Parfois, certains articles incluent des annexes dont le propos n'intéresse pas tous les lecteurs.

6.8

ORGANISATION ET RÉDACTION DE L'INFORMATION

Une fois que tous les documents pertinents ont été revus, le chercheur peut procéder à l'organisation, à l'analyse et à l'intégration de l'information. À ce sujet, il est important d'établir un plan ou une structure de présentation qui a un sens logique. Une recension des écrits ne doit pas consister en une série de résumés ou de citations. La recension doit faire valoir les constantes et les contradictions que l'on observe dans les travaux de recherche. Ces constantes et contradictions apparaîtront à la suite d'une analyse critique. Les études qui sont particulièrement pertinentes doivent être décrites avec plus de détails. Les écrits qui montrent des résultats comparables peuvent être regroupés et résumés. Un exercice intéressant consiste à paraphraser, ou à résumer les publications dans ses propres mots.

La recension des écrits incorporée dans les mémoires et les thèses de doctorat est souvent organisée en deux parties : l'une renferme les écrits empiriques, l'autre précise les aspects théoriques. Dans un paragraphe d'introduction, on précise le but de la recension et on indique les thèmes qui seront traités. Selon la nature de la recherche, on peut commencer par présenter soit les écrits théoriques, soit les écrits empiriques. La partie théorique présente le cadre théorique ou, selon le cas, le cadre conceptuel qui soutient le but de l'étude. Sont ensuite présentés et analysés les concepts et les relations entre les concepts qui ont servi à l'élaboration de la base théorique de l'étude. Les écrits empiriques incluent les études qui s'appliquent au but de la recherche. Pour chacun des travaux retenus pour la recension, le chercheur spécifie le but, l'échantillon, le type d'étude et les résultats obtenus. La

recension doit comporter une critique qui met en relief les forces et les faiblesses des études rapportées.

La recension des écrits doit être la plus objective possible. Il est fréquent de trouver des travaux qui contredisent les résultats de travaux similaires. Il devient donc important de rapporter les inconsistances avec le plus d'objectivité possible. Enfin, la recension des écrits doit se terminer par un sommaire de l'état des connaissances relatives au problème étudié. Le sommaire doit faire état non seulement de ce qui a été étudié mais aussi de la façon dont les recherches ont été menées. Le sommaire exige un jugement critique sur l'étendue de l'information existant sur le sujet.

6.9

RÉSUMÉ

La recension des écrits permet de présenter l'état des connaissances relatives à un problème de recherche. Les écrits doivent être pertinents relativement au problème à l'étude. Un des buts d'une recension des écrits consiste à distinguer ce qui est connu sur un sujet et ce qui reste à explorer. Cette connaissance permet au chercheur de s'appuyer sur les travaux d'autres chercheurs pour poursuivre sa démarche.

L'ampleur d'une recension des écrits dépend de plusieurs facteurs, tels que les types d'information nécessaires et les sources disponibles, la profondeur et l'étendue que l'on veut donner à la recension et le temps qu'on est prêt à y consacrer.

Les types d'information visés par la recension sont d'ordre théorique, empirique et méthodologique. Les sources documentaires peuvent être de type primaire, secondaire ou tertiaire. On fera appel davantage à des sources de type primaire pour documenter un projet de recherche, puisque ces publications proviennent directement de l'auteur.

Les principaux outils de recherche documentaire sont le catalogue d'une bibliothèque, les index, les abstracts, les bibliographies et les bases informatisées en ligne et sur CD-ROM. L'utilisation de bases de données bibliographiques informatisées offrent plus de facilité au chercheur pour réaliser sa recherche des écrits pertinents.

Les lieux de conservation des publications sont les bibliothèques, les centres de documentation, les centres de recherche, dont plusieurs sont associés à des centres hospitaliers universitaires. Les principaux services offerts par les bibliothèques sont les prêts personnels, les prêts entre bibliothèques et l'aide des bibliothécaires de référence. Écrire une recension des écrits implique la sélection des sources pertinentes, leur organisation et l'analyse des travaux rapportés.

RÉFÉRENCES BIBLIOGRAPHIQUES

BURNS, N., GROVE, S. K. (1993). *The practice of nursing research : Conduct, critique and utilisation*, 2e éd. Toronto : W. B. Saunders.

GAUTHIER, B. (1992). *Recherche sociale : de la problématique à la collecte des données*, 2e éd. Québec : Presses de l'Université du Québec.

POLIT, D. F., HUNGLER, B. P. (1992). *Nursing research : Principles and methods*, 4e éd. Philadelphia : J. B. Lippincott.

UNIVERSITÉ DE MONTRÉAL (1995). Service des bibliothèques. Montréal : auteur.

UNIVERSITÉ DU QUÉBEC à Montréal (1991). *Guide BADADUQ*. Biblioclip, no 1, p. 3-4.

CHAPITRE 7

LE CADRE DE RÉFÉRENCE

Marie-Fabienne Fortin et José Côté

Objectifs d'apprentissage

À la fin de ce chapitre, l'étudiant(e) devrait être capable de :

✔ Définir ce qu'est une théorie.

✔ Expliquer la fonction d'un cadre de référence dans une recherche.

✔ Définir les composantes d'un cadre de référence.

✔ Discuter des relations entre les variables d'une recherche.

✔ Élaborer les grandes lignes d'un cadre de référence.

Le cadre de référence représente les assises théoriques ou conceptuelles de la recherche, lesquelles permettent d'agencer les concepts entre eux de manière à décrire, expliquer ou prédire des relations entre les concepts. Toute recherche possède ses propres assises théoriques, qui doivent être bien structurées et intégrées à l'ensemble de l'étude.

Un cadre de référence peut provenir de diverses sources et comporter différentes significations selon le contexte dans lequel il est appliqué. Si le cadre de référence est élaboré à partir de théories établies, c'est un cadre théorique; s'il émane de simples concepts non encore structurés, la notion de cadre conceptuel est plus appropriée. On appelle le cadre de référence « cadre théorique » ou « cadre conceptuel » selon le niveau des connaissances établies dans un domaine et selon le niveau de développement de la théorie.

Ce chapitre tente de démontrer l'importance de la théorie comme point central du processus de la recherche, sur lequel s'articulent la découverte et la vérification des connaissances. On y trouvera également les grandes lignes de l'élaboration d'un cadre de référence.

7.1

QU'EST-CE QU'UNE THÉORIE ?

Il existe plusieurs définitions du mot « théorie », les unes étant plus restrictives que d'autres dans leur application. Les scientifiques, en général, utilisent le terme « théorie » pour désigner une généralisation abstraite qui présente une explication systématique sur la manière dont les phénomènes sont reliés entre eux. D'autres conçoivent la théorie comme un ensemble de concepts reliés mutuellement pour former des propositions qui, en retour, sont utiles à la prédiction et à l'explication des phénomènes (Chinn et Jacob, 1987; Jacox, 1974; Kerlinger, 1973; Newman, 1979; Silva, 1981).

Selon Gauthier (1992), la théorie est avant tout un moyen de donner une signification à nos connaissances; elle est définie par l'auteur en ces termes : « ...ensemble de propositions logiquement reliées, encadrant un plus ou moins grand nombre de faits observés et formant un réseau de généralisations dont on peut dériver des explications pour un certain nombre de phénomènes... » (p. 115). La théorie recouvre deux cheminements complémentaires dans le processus de la recherche, soit celui de la découverte par l'approche inductive, et celui de la vérification empirique par l'approche déductive, les deux cheminements étant liés à l'avancement des connaissances scientifiques.

Dans la plupart des disciplines appliquées, toute théorie part d'un intérêt pour certains phénomènes reliés à la pratique et de la reconnaissance de problèmes cliniques qui demandent une explication. La théorie organise en un tout cohérent et de façon systématique l'information reçue en vue d'une utilisation dans des situations appropriées. C'est à partir d'une théorie que les hypothèses sont formulées et éprouvées empi-

riquement et que les concepts sont définis. La théorie sert à orienter la recherche en proposant des connaissances généralement établies, lesquelles fournissent une perspective dans la façon d'aborder un problème de recherche.

Les théories sont abstraites du fait qu'elles sont l'expression d'une idée et, que par conséquent, elles présentent les choses de façon générale. Les idées abstraites peuvent être éprouvées par la recherche et on peut démontrer ainsi comment elles agissent dans une situation concrète. Par exemple, le concept de deuil représente une idée abstraite; cependant, en présence de la perte d'un conjoint, la personne éprouvée vit une situation concrète de deuil, pour laquelle l'idée abstraite ou la théorie du deuil peut servir d'explication. Les théories servent à trois fins : 1) élaborer des propositions de recherche, 2) expliquer des observations ou prédire des résultats, et 3) donner une signification aux résultats de recherche et les rendre généralisables.

Niveaux de développement de la théorie

Les théories ne sont pas toutes développées à un même niveau : les unes servent à décrire des phénomènes, d'autres à les expliquer, alors que certaines d'entre elles offrent plutôt une perspective philosophique. Walker et Avant (1988) ont classifié les théories d'après leur niveau d'avancement et leur capacité à être éprouvées par la recherche. Ces niveaux de théorie sont les métathéories, les macrothéories, les théories intermédiaires et les théories prescriptives.

Les métathéories mettent l'accent sur des questions philosophiques et méthodologiques qui sont des préalables au développement d'une base théorique dans une discipline donnée.

Les macrothéories sont des cadres ou modèles conceptuels généraux définissant de larges perspectives pour la recherche et la pratique. Elles peuvent êtres élaborées à divers niveaux d'abstraction. Bien que les macrothéories fournissent des perspectives globales pour la pratique et la recherche, elles ne sont pas assez limitées pour être empiriquement vérifiables.

Les théories intermédiaires incluent un nombre restreint de variables, ce qui les rend plus précises et plus limitées dans leur expansion. À cause de ces caractéristiques, elles peuvent être éprouvées de façon empirique. À titre d'exemple, mentionnons le modèle des croyances en matière de santé de Rosentock (1974), la théorie portant sur les mécanismes d'adaptation de Lazarus et Folkman (1984), la théorie de l'attachement mère-enfant de Walker (1992).

Enfin, les théories prescriptives fournissent des indications pour l'action visant à atteindre un but désiré.

Étant donné la classification des théories selon leur niveau de développement, il semble approprié de faire une distinction entre les théories plus complètes, d'où des hypothèses peuvent être extraites et éprouvées par la recherche, et les théories qui sont plus fluides, comme les orientations philosophiques, les modèles et les cadres conceptuels, qui se prêtent peu à la vérification empirique. Ainsi, on pourra parler de cadre théorique dans les recherches s'il s'agit d'une théorie établie ou d'un ensemble de résultats explicatifs de propositions théoriques. En revanche, le cadre conceptuel convient mieux dans les autres situations, lorsque les relations entre les concepts sont plus floues ou ne sont pas soutenues par des travaux antérieurs. D'ailleurs, il faut se rappeler que le développement de la théorie va de pair avec le développement des connaissances et que la question de recherche s'énonce en fonction du niveau de développement de la recherche et de la théorie.

Les modèles conceptuels

Les modèles conceptuels ressemblent aux théories, mais ils sont plus abstraits. Un modèle conceptuel fournit une perspective générale d'un phénomène qu'il cherche à expliquer. Il inclut des postulats et reflète une position philosophique. Cependant, les modèles conceptuels ne sont pas considérés comme vérifiables par la recherche (Burns et Grove, 1993). Ce qu'il manque aux modèles conceptuels pour qu'on puisse les éprouver de façon empirique, c'est le système déductif de propositions qui affirme qu'une relation existe entre les concepts (Polit et Hungler, 1995). Néanmoins, les modèles qui sont associés à une théorie ou alimentés par elle peuvent être éprouvés empiriquement.

Plusieurs disciplines comportent des cadres conceptuels. En sciences infirmières, un certain nombre de modèles conceptuels ont été développés, tels que le modèle de Roy (1984), qui décrit l'adaptation comme un phénomène important pour la discipline. Le modèle décrit les éléments essentiels à l'adaptation et à leur interaction mutuelle qui est nécessaire pour atteindre cet objectif. Le modèle d'Orem (1991) est un autre exemple. Cette auteure considère l'autosoin comme l'élément central de la discipline infirmière. Le modèle explique comment les professionnels de la santé peuvent faciliter les comportements d'autosoin chez les clients. Les modèles conceptuels peuvent servir de cadre de référence à une étude, tout comme les théories. Cependant, c'est le niveau des connaissances du domaine étudié qui détermine le choix.

7.2

COMPOSANTES D'UNE THÉORIE

La théorie est un outil de recherche : on doit définir ses composantes, que sont les concepts et les énoncés de relations.

CONCEPT

Un concept est une idée générale, une abstraction, un terme que l'on crée à partir d'événements particuliers observables, et auquel une signification est attachée. Il est formé à partir d'un ensemble de caractéristiques ou de faits réels qui en constituent la représentation mentale. On doit lier mutuellement les concepts d'une étude, que ce soit pour établir des relations possibles ou pour examiner la nature des relations présumées. Les concepts établissent le lien entre un phénomène à l'étude et la théorie, qui est une tentative d'explication d'un phénomène. Un concept doit être clairement défini si l'on désire en faire l'étude de manière observable et mesurable. Cette définition peut s'effectuer sur le plan abstrait, plus conceptuel, ou sur le plan concret ou empirique par l'opérationnalisation.

Un dérivé de la notion de concept est ce qu'on appelle le « construit », qui peut être soit un ensemble de concepts, soit un nouveau concept créé pour représenter un indicateur des comportements, des événements ou des phénomènes (« rôle de malade », « attachement mère-enfant », « épuisement professionnel »).

Notons qu'une définition dite conceptuelle a rapport au concept en soi dans son contexte théorique pur, alors qu'une définition dite opérationnelle délimite et décrit le concept tel qu'il peut être mesuré en situation empirique.

ÉNONCÉ DE RELATIONS

Un énoncé de relations est l'affirmation qu'une relation existe entre deux ou plusieurs concepts ou variables; ces relations prennent racine dans les propositions (Walker et Avent, 1988). L'énoncé clarifie le type de relations qui existe entre deux variables ou plus. On distingue deux types d'énoncés : les énoncés d'associations et les énoncés de relations causales. L'énoncé d'associations s'applique aux études de type corrélationnel et exprime une corrélation entre les variables; l'énoncé de relations causales s'applique aux études de type expérimental et exprime l'effet du traitement. Les caractéristiques des énoncés de relations sont la direction, la forme, la force, la symétrie (Fawcett et Downs, 1992).

La direction

Lorsque l'énoncé de relations indique la direction d'un changement, cela signifie que si la valeur empirique du concept change (s'accroît ou décroît), la valeur de l'autre concept change dans la même direction ou dans la direction opposée. Ainsi, une relation peut être positive, négative ou neutre. Une relation est dite positive quand un changement dans un concept entraîne le changement dans la même direction de l'autre concept. Par exemple, une association positive est démontrée par l'énoncé suivant : « Quand la détresse psychologique s'accroît, les demandes d'aide augmentent »; $X \xrightarrow{\quad + \quad} Y$.

Une association négative indique qu'un changement dans un concept entraîne le changement dans l'autre concept dans une direction opposée. Par exemple, l'énoncé suivant : « À mesure que la relaxation augmente, la douleur postopératoire diminue » est une association négative; $X \xrightarrow{\quad - \quad} Y$.

Lorsque l'énoncé d'associations n'indique pas la direction, comme dans les études d'exploration de relations, l'association est dite neutre, comme dans l'énoncé suivant : « L'épuisement professionnel est relié au stress »; $X \xrightarrow{\quad ? \quad} Y$.

La forme

Les relations peuvent être linéaires ou curvilignes. Dans la relation linéaire, la relation entre deux concepts demeure la même, indépendamment de la valeur des concepts. Dans la relation curviligne, la relation varie selon la valeur relative des concepts.

La force

La force d'une relation, c'est l'importance de la variation expliquée par la relation. La question reliée à la force de la relation est : « Quelle est la proportion de la variation dans un concept qui est associée à la variation dans l'autre concept ? » Il reste toujours une partie de la variation qui ne peut être expliquée. La force de la relation est déterminée à l'aide d'analyses de corrélation et est exprimée par un coefficient de détermination qui est, de fait, le carré du coefficient de corrélation, appelé *r*.

La symétrie

Les relations peuvent être symétriques ou asymétriques. Quand la valeur de la variable A change et que la valeur de la variable B change, et inversement, on a une relation symétrique. Deux énoncés sont utilisés à cet effet : si A change, B changera aussi, mais s'il n'y a pas d'indication que si B change A va changer, c'est la relation asymétrique (Fawcett et Downs, 1992).

7.3

QU'EST-CE QU'UN CADRE DE RÉFÉRENCE ?

Le cadre de référence est le terme général utilisé pour désigner le cadre conceptuel ou le cadre théorique qui tient lieu d'appui et de logique au problème de recherche. De façon générale, le cadre de référence est une généralisation abstraite qui situe l'étude à l'intérieur d'un contexte et lui donne une signification particulière, c'est-à-dire une façon de percevoir le phénomène à l'étude. Il représente l'agencement des concepts et des sous-concepts déterminés au moment de la formulation du problème pour soutenir théoriquement l'analyse ultérieure de l'objet d'étude (Mace, 1988). Le cadre de référence peut représenter une brève explication

d'une théorie ou des parties de celle-ci qui peuvent être examinées dans une recherche. La théorie comme cadre de référence fournit une orientation particulière à une étude, vers laquelle le chercheur se tourne pour faire le choix des variables pertinentes et pour élaborer la méthodologie appropriée (Pedhazur et Schmelken, 1991). Une variété de définitions ont été proposées par divers auteurs pour préciser la nature ou la fonction d'un cadre de référence. Quelques-unes de ces définitions sont présentées ci-après.

Le cadre de référence est une structure abstraite, logique, qui permet au chercheur de lier l'ensemble des écrits dans un domaine ou un champ de connaissances. Son but consiste à structurer les éléments d'une étude et à fournir un contexte pour l'interprétation des résultats (Burns et Grove, 1993).

Élaborer un cadre conceptuel, selon Woods et Catanzaro (1988), est à l'image de la construction d'une maison. L'architecte étudie les matériaux de construction qui seront utilisés, détermine comment les parties de la maison seront assemblées, et se fait une vision de la maison une fois que celle-ci sera achevée. Par analogie, le chercheur établit les concepts à l'étude, les relations entre les concepts et le but de l'étude. L'élaboration d'un cadre de référence est une démarche interactive qui porte sur les concepts et la façon dont les concepts sont reliés entre eux.

LoBiondo-Woods et Haber (1994) soutiennent que le cadre théorique – ainsi nommé par les auteurs – fournit un contexte pour examiner un problème, c'est-à-dire l'argument théorique qui permet la formulation d'hypothèses. Le cadre théorique sert de base aux observations, aux définitions de variables, au devis de recherche, aux interprétations et aux généralisations.

Ainsi, un cadre de référence, selon ces définitions, fournit des paramètres à une étude, dans laquelle les concepts d'importance et leurs relations mutuelles seront définis. Le cadre de référence guide la collecte de données et fournit une perspective pour l'interprétation des résultats, puisqu'il permet au chercheur de lier les faits ensemble dans un système ordonné (Moody, 1990). Les auteurs ne font pas tous la distinction entre le cadre théorique et le cadre conceptuel ou utilisent les deux termes de façon interchangeable (Silva, 1981). Certains auteurs, en revanche, établissent une distinction (LoBiondo-Wood et Haber, 1994). Dans cet ouvrage, les éléments retenus pour distinguer le cadre théorique du cadre conceptuel reposent sur l'état des connaissances qui existent dans un domaine de recherche en particulier et sur le niveau de développement de la théorie.

Le cadre conceptuel est l'explication qui est donnée, appuyée par les écrits et la recherche, concernant les concepts à l'étude, plutôt qu'une théorie précise qui explique la relation entre les concepts. La formulation de propositions qui indique une relation entre des concepts est absente dans les cadres conceptuels, ce qui signifie qu'il n'y a pas de base à la prédiction et à l'explication des phénomènes. L'explication, dans le cadre conceptuel, prend la forme d'une description des prévisions du chercheur par rapport à l'action des variables étudiées.

Le cadre théorique suppose que les variables ont été étudiées auparavant et que ces études démontrent l'existence de relations mutuelles. Dans ce cas, on est en présence soit d'une théorie intermédiaire ou des parties de celles-ci, qui fournissent une explication sur l'action des variables, soit des conclusions d'auteurs qui proposent une explication sur l'action des mêmes variables à partir des résultats de leurs études. Dans ces deux cas, il s'agit d'un cadre théorique, et c'est ce dernier qui fera l'objet d'une vérification par

la recherche; les résultats pourront corroborer ou non les travaux antérieurs. Le cadre théorique fait donc appel à la théorie, quel que soit son niveau de développement et de généralité.

7.4

ÉTAPES DE L'ÉLABORATION D'UN CADRE DE RÉFÉRENCE

Élaborer un cadre de référence, qu'il soit théorique ou conceptuel, est une démarche interactive qui consiste à définir les concepts à l'étude et, à l'aide de propositions, à préciser leurs relations, s'il y a lieu, en fonction du but de l'étude. Il y a deux étapes principales à l'élaboration d'un cadre de référence.

La première étape consiste à définir les concepts qui seront examinés dans l'étude. Il faut se rappeler qu'un concept est une généralisation abstraite d'une catégorie ou d'une classe d'objets. Les concepts peuvent être définis de différentes façons et il est nécessaire, à cette étape, de noter dans les écrits les diverses significations attachées à un concept. Les concepts émergent du problème et servent de tremplin aux variables spécifiques qui s'en dégagent pour établir les relations à examiner par la recherche. Un cadre théorique ou conceptuel a pour fonction d'organiser les phénomènes, de manière qu'ils puissent être soit décrits, soit expliqués, ou encore prédits. L'intégration d'un cadre théorique est plus explicite puisqu'il facilite l'application et la généralisation des résultats de recherche tout en leur donnant une signification.

La deuxième étape consiste à préciser les relations entre les concepts et à les illustrer. Une des façons d'y arriver est de tracer, à l'aide d'un diagramme, les relations entre les concepts qui seront examinés par la recherche. Un diagramme résume et intègre ce qui est connu sur un phénomène de façon souvent plus évidente qu'une explication écrite. Tracer un diagramme permet d'expliquer les concepts qui sont mis en relation ou ceux qui contribuent à l'explication. Dans l'étude descriptive, des relations sont décelées entre des variables; dans l'étude descriptive-corrélationnelle, on explore les relations à l'aide d'estimations statistiques comme la corrélation; dans les études corrélationnelles, on vérifie des relations à l'aide d'hypothèses.

Dans l'élaboration d'un diagramme, il est important de prendre en compte certains éléments tels que la formulation du problème, les concepts et leurs définitions, les aspects théoriques et empiriques de la recension des écrits, les énoncés de relations entre les concepts et les aspects théoriques qui sous-tendent les relations présumées. L'ouvrage de Burns et Grove (1993) fournit une explication détaillée de l'élaboration d'un diagramme montrant les relations entre les concepts d'une recherche.

Dans une étude effectuée par Cronenwett (1985), visant à examiner l'influence de la structure du réseau social et du soutien social perçu sur l'issue de la grossesse (c'est-à-dire les réactions psychologiques de la mère), les variables ont été définies de façon conceptuelle et opérationnelle. La figure 7.1 montre les relations entre la structure du réseau social, le soutien social et les réactions psychologiques.

Le cadre de référence de cette étude, que nous appellerons « cadre théorique », porte sur les relations entre les caractéristiques individuelles, comme la santé et le soutien social perçus, ainsi que sur les relations entre la structure du réseau, le soutien social et le fait d'être parent. L'auteure considère tout ce qui peut influencer le résultat, c'est-à-dire la réaction psychologique au fait d'être parent. Elle a choisi des variables précises pour son étude et prédit lesquelles étaient reliées mutuellement. Les flèches dans les

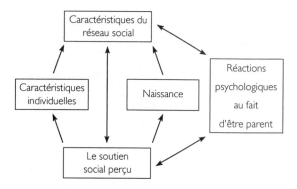

FIGURE 7.1

Relations entre la structure du réseau social, le soutien social et les réactions psychologiques. (Cronenwett, 1985)

deux directions indiquent l'influence réciproque des variables. Quand elle précise les relations, l'auteure postule que les réactions psychologiques associées au fait de devenir parent seront différentes selon la qualité et la quantité de soutien social reçu à cette phase de transition. Elle justifie cette hypothèse en précisant que les caractéristiques individuelles influencent la formation d'un réseau social et le besoin ou la capacité d'obtenir du soutien social dans son entourage.

En résumé, les concepts faisant partie d'un cadre de référence doivent être définis de manière à clarifier la signification du concept en se basant sur la théorie étudiée. Tous les concepts utilisés dans une étude doivent être liés entre eux, afin de pouvoir proposer des relations. Même si la question de recherche ne fait pas appel à une théorie, elle contient au moins un concept, et ce concept doit être expliqué ou décrit en relation avec la question de recherche.

7.5
CADRE DE RÉFÉRENCE ET NIVEAU DE LA RECHERCHE

Le niveau de la recherche détermine l'orientation du cadre de référence et sa désignation comme cadre conceptuel ou théorique. L'énoncé de la question oriente la formulation du problème de recherche selon le niveau des connaissances dans le domaine et pose les jalons du cadre de référence. La détermination de la nature du cadre de référence s'établit selon les niveaux de la recherche explicitée ci-après.

Au niveau I – l'exploration des facteurs –, il est probable qu'il n'existe pas de conceptions organisées pouvant servir de cadre conceptuel pour justifier la question de recherche, puisque le domaine a été peu ou pas étudié. Dans ce cas, une justification de l'étude est requise pour démontrer le besoin de conduire une telle recherche dans ce domaine et pour discuter de l'utilité potentielle des résultats. Il peut arriver cependant que des recherches de niveau I soient basées sur des théories ou des concepts qui ont déjà été étudiés auprès d'autres populations, tels que les mécanismes d'adaptation, l'espoir, les croyances en matière de santé, etc. Étant donné que l'applicabilité de ces théories à d'autres cultures n'est pas connue, on peut explorer le concept à partir de la théorie existante, tout en ayant à l'esprit la possibilité qu'elle puisse ne pas convenir à une autre culture.

Dans une étude visant à déterminer les modalités de fonctionnement de la famille incluant un parent atteint d'une maladie chronique, Stuifbergen (1990) a situé son étude dans le contexte de la famille pris comme concept multidimensionnel. À l'aide des écrits, elle a découvert plusieurs concepts, tels que l'adaptation, le stress, les stratégies d'adaptation, le soutien social. L'auteure a élaboré son cadre conceptuel autour de ces concepts en relation avec la situation concrète, celle de la famille vivant avec un parent atteint d'une maladie chronique. Le cadre conceptuel ainsi conçu a permis à la chercheure de déterminer et de décrire les modalités de fonctionnement des familles et d'énoncer

les questions de recherche selon cette perspective.

Au niveau II – la découverte de relations entre les facteurs –, un cadre conceptuel est proposé. Bien que les concepts soient définis, l'état de développement de la théorie est tel qu'il n'est pas possible de faire des prédictions formelles sur des relations. Partant des écrits sur les variables à étudier, une explication probable est développée sur l'action qui pourrait se produire entre les variables. Par exemple, afin d'établir des relations entre divers types de soutien provenant de sources différentes et l'ajustement psychosocial à la maladie chronique chez des femmes, Primono, Yates et Woods (1990) ont tenté d'expliquer les relations possibles entre ces trois variables en utilisant le soutien social comme élément protecteur contre les effets nocifs du stress. Ces auteurs ont ainsi développé un cadre conceptuel en situant le domaine de l'ajustement psychosocial à la maladie chronique chez la femme dans la perspective où le soutien social agit comme élément tampon.

Au niveau III – la vérification d'associations entre les facteurs –, il est important ici que les études aient un cadre théorique pour expliquer les résultats obtenus. Puisque ces études sont basées sur les résultats provenant d'études effectuées au niveau précédent, l'existence de relations entre les variables est connue et il est maintenant possible de prédire et d'expliquer la direction de la relation. La prédiction doit prendre appui sur un cadre théorique pour expliquer pourquoi les variables agissent l'une sur l'autre de la façon dont elles le font. Par exemple, dans une étude corrélationnelle, Fortin, Taggart et Kérouac (1988) ont examiné l'influence de trois différents types de facteurs sur l'utilisation de la contraception par des adolescents et des adolescentes. Des recherches antérieures avaient déjà établi l'existence de relations entre les facteurs psychologiques, sociaux et cognitifs et l'utilisation de la contraception. Cette étude a permis de vérifier la nature de la relation entre les variables étudiées. L'explication théorique sur la direction de la relation des variables dans cette étude s'appuyait sur une démarche de résolution de problème basée sur la théorie du développement cognitif de Piaget (Urberg, 1982).

Au niveau IV — la vérification d'hypothèses causales —, les études s'inspirent, tout comme au niveau précédent, d'un cadre théorique pour expliquer les résultats prévus. La prédiction qui est faite doit être appuyée par un cadre théorique qui explique pourquoi la variable indépendante X, qui est le traitement ou l'intervention, est présumée produire tel effet sur la variable dépendante Y. Par exemple, au cours d'une étude de type expérimental, Nault (1992) a étudié l'efficacité d'un programme d'enseignement préventif incluant la famille sur la maîtrise de l'asthme chez l'adulte. Elle a utilisé la théorie de l'efficacité perçue de Bandura (1977), qui découle elle-même de la théorie de l'apprentissage social, pour expliquer le changement de comportement chez des adultes par rapport à la maîtrise de l'asthme. L'auteure a pu ainsi formuler des hypothèses et vérifier empiriquement dans quelle mesure l'efficacité perçue quant à la capacité de maîtriser l'environnement était plus élevée chez les groupes qui avaient suivi le programme d'enseignement que chez le groupe de contrôle.

7.6
RÉSUMÉ

Il existe plusieurs définitions de la théorie. Bien qu'elles diffèrent, les théories partagent en commun certains termes, tels que « concepts », « propositions », « énoncés de relations ». Les théories sont formées d'un ensemble de concepts, de définitions et de propositions qui pro-

jettent une vision systématique d'un phénomène et qui peuvent être utilisés pour décrire, expliquer, prédire ou contrôler des phénomènes.

Le cadre de référence est une structure logique abstraite qui guide le développement et la conduite d'une étude et permet au chercheur de lier les résultats à l'ensemble des connaissances dans une discipline. Toute recherche a un cadre de référence. Le cadre de référence, qu'il soit théorique ou conceptuel, doit être bien structuré et intégré au problème et à la méthode. Si l'étude vise à vérifier une théorie, ou des parties de celle-ci, le cadre théorique est tiré de façon déductive de la théorie. Toutefois, plusieurs conceptions dans certaines disciplines sont moins organisées et moins précises que les théories : on parle alors de cadres conceptuels. Les concepts à l'intérieur des cadres conceptuels sont reliés de façon plus générale que dans les théories.

Une des étapes importantes pour comprendre le rôle des théories et des cadres conceptuels en recherche est de se familiariser avec les termes liés aux notions théoriques. Un concept est une idée générale, une abstraction créée à partir d'événements particuliers observables. Un énoncé de relations soutient qu'il existe une relation entre deux ou plusieurs variables : on distingue les énoncés d'associations et les énoncés de relations causales.

Pour élaborer un cadre théorique ou conceptuel, il faut d'abord définir les concepts, les clarifier et préciser leurs relations mutuelles. Une des façons de préciser les relations est de les illustrer à l'aide d'un diagramme qui montre les concepts mis en relation ou ceux qui contribuent à l'explication. L'élaboration du cadre de référence est faite à la lumière des niveaux de recherche selon qu'il s'agit de définir des facteurs, de découvrir des relations entre les facteurs, de vérifier des associations entre les facteurs ou de vérifier des hypothèses causales.

RÉFÉRENCES BIBLIOGRAPHIQUES

BURNS, N., GROVE, S. K. (1993). *The practice of nursing : Research, conduct, critique and utilisation*, 2e éd. Toronto : W. B. Saunders.

CHINN, P. L., JACOBS, M. K. (1987). *Theory and nursing : A systematic approach*, 2e éd. St. Louis : The C.V. Mosby Co.

CRONENWETT, L. R. (1985). Network structure, social support, and psychological outcomes of pregnancy. *Nursing Research*, no 34 (2), p. 93-99.

FAWCETT, J., DOWNS, F. (1992). *The relationship of theory and research*, 2e éd. Norwalk, CT : Appleton-Century-Crofts.

FORTIN, M.F., KÉROUAC, S. ET TAGGART, M. E. (1988). Sexualité et contraception à l'adolescence. *Apprentissage et socialisation*, no 11 (1), p. 15-127.

GAUTHIER, B. (1992). *Recherche sociale : De la problématique à la collecte des données*, 2e éd. Sainte-Foy : Les Presses de l'Université du Québec.

JACOX, A. (1974). Theory construction in nursing : an overview. *Nursing Research*, no 23, p. 8.

KERLINGER, F. N. (1973). *Foundations of behavioral research*, 2e éd. New York : Holt, Rinehart et Winston Inc.

LAZARUS, R. S., FOLKMAN, S. (1984). *Stress, appraisal and coping*. New York : Springer Publ. Co.

LOBIONDO-WOOD, G., HABER, J. (1994). *Nursing research : Methods, critical appraisal and utilization*, 2e éd. Toronto : The C.V. Mosby Co.

MACE, G. (1988). *Guide d'élaboration d'un projet de recherche*. Québec : Les Presses de l'Université Laval.

MOODY, L. E. (1990). *Advancing nursing science through research*, vol. I. Newbury Park : Sage Publications.

NAULT, D. (1992). *Effets d'un enseignement préventif incluant la famille sur le contrôle de l'asthme chez l'adulte*. Mémoire de maîtrise non publié. Montréal : Université de Montréal, Faculté des sciences infirmières.

NEWMAN, M. (1979). *Theory development in nursing*. Philadelphia : F. A. Davis

OREM, D. E. (1991). *Nursing : Concepts of practice*, 4e éd. New York : McGraw-Hill Book Co.

PEDHAUZUR, E. J., SCHMELKIN, L. P. (1991). *Measurement, design, and analyses : An integrated approach*. Hillsdale, N. J. : Lawrence Erebaum Association.

POLIT, D. F., HUNGLER, B. P. (1995). *Nursing research : Principles and methods*, 5e éd. Philadelphia : J. B. Lippincott Co.

PRIMONO, J., YATES, B. C., WOODS, N. F.(1990). Social support for women during chronic illness : The relationship among sources and types to adjustment. *Research in Nursing and Health*, no 13, p. 153-161.

ROSENTOCK, I. M. (1974). Historical origins of the health belief model. *Health Education Monographs*, no 2 (4), p. 328-335.

ROY, C. (1984). *Introduction to nursing : An adaptation model*, 2e éd. Englewood Cliffs, New Jersey : Prentice-Hall.

SILVA, M. C. (1981). Selection of a theoretical framework. Dans S. D. Krampitz et N. Pavlovich (Éd.), *Readings for nursing research*. Toronto : The C.V. Mosby.

STUIBERGEN, A. K. (1990). Patterns of Functioning in Families with a Chronically Ill Parent : An exploraty study. *Research in Nursing and Health*, no 13, p. 35-44.

URBERG, K. A. (1982). Theoretical framework for studying adolescent contraceptive use. *Adolescence*, no 67 (17), p. 527-540.

WALKER, L. O., AVENT, K. C. (1988). *Strategies for theory construction in nursing*, 2e éd. Norwalk, Ct. : Appleton and Lange.

WALKER, L. O. (1992). *Parent-infant nursing science : Paradigms, phenomena,methods*. Philadelphia : Davis.

WOODS, N. F., CANTAZARO, M. (1988). *Nursing research theory and practice*. Toronto : The C.V. Mosby Co.

CHAPITRE 8

LES BUTS DE LA RECHERCHE ET SES QUESTIONS OU HYPOTHÈSES

Marie-Fabienne Fortin

Objectifs d'apprentissage

À la fin de ce chapitre, l'étudiant(e) devrait être capable de :

✔ Distinguer entre but, question de recherche et hypothèse.

✔ Énoncer le but d'une étude selon le niveau des connaissances.

✔ Formuler des questions de recherche et des hypothèses.

✔ Décrire les facteurs à considérer dans la formulation des hypothèses.

✔ Différencier les types d'hypothèses (simples/complexes, directionnelles/non directionnelles, d'association/de causalité, statistiques/de recherche.

Le but de l'étude dans un projet de recherche énonce de façon précise ce que le chercheur a l'intention de faire pour obtenir des réponses à ses questions de recherche. Les questions de recherche et les hypothèses précisent le but, délimitent les variables de recherche et leurs relations mutuelles ainsi que la population étudiée. Dans ce chapitre, il sera question de ces trois notions : but, questions de recherche et hypothèses. Leur énoncé sera établi en fonction de l'orientation du problème de recherche, c'est-à-dire selon le niveau des connaissances.

8.1

BUT DE L'ÉTUDE ET NIVEAUX DE CONNAISSANCES

Le but d'une étude indique le pourquoi de la recherche. C'est un énoncé déclaratif qui précise l'orientation de la recherche selon le niveau des connaissances établies dans le domaine en question. Il spécifie les variables clés, la population cible et le contexte de l'étude. Le but de l'étude s'harmonise avec le degré d'avancement des connaissances et s'écrit en des termes qui indiquent le type de recherche à entreprendre, soit : nommer, décrire des facteurs; explorer ou examiner des relations; prédire, évaluer les effets...

Le but d'une étude est un énoncé déclaratif qui précise les variables clés, la population cible et l'orientation de la recherche.

Au niveau I, si le but est de nommer ou de décrire, cela signifie qu'il existe au départ peu de connaissances dans le domaine. L'approche utilisée pour obtenir l'information et décrire le phénomène pourra être de nature qualitative ou quantitative. Par exemple, « Quelles sont les pensées et les sentiments éprouvés par une personne à la suite d'une dépression post-partum ? », ou encore « Quels sont les facteurs de récupération chez le coureur après un marathon ? »

De par leur énoncé, ces deux questions postulent qu'il y a peu de connaissances sur le sujet ou qu'il n'y a pas de théorie ou de travaux antérieurs pouvant appuyer la question de recherche. Le but de l'étude sera d'explorer le domaine en profondeur et de décortiquer le concept pour en extraire toutes les manifestations en vue de décrire le phénomène. Les questions énoncées sont de niveau I et visent à explorer et à décrire un phénomène avant de progresser vers le dé-

veloppement de la théorie. Les buts de l'étude pourront s'énoncer respectivement comme suit :

« Décrire les pensées et les sentiments éprouvés par les femmes lors d'une dépression post-partum. »

« Explorer et décrire les facteurs de récupération chez des femmes et des hommes de 45 à 65 ans après un marathon. »

Au niveau II, les études visent à découvrir des relations et à les décrire. Les questions débutent avec des concepts qui sont plus familiers au chercheur parce qu'il existe déjà des connaissances dans le domaine. Par exemple, la question pourrait s'énoncer comme suit : « Quelles sont les croyances en matière de santé associées à l'utilisation de la contraception par des adolescents et adolescentes du secondaire ? »

Les concepts qui émergent sont les croyances en matière de santé et l'utilisation de la contraception chez les jeunes. Il existe une théorie sur les croyances relatives à la santé (Becker, 1974) qui pourrait servir d'appui à l'étude. Il existe également des bases conceptuelles (travaux antérieurs) reliées à l'utilisation de la contraception, en particulier chez les jeunes. C'est par la connaissance du domaine et la revue des écrits que le chercheur découvrira l'état de la question. Le but ici sera de découvrir des relations entre les deux variables et de les décrire, comme l'exprime l'énoncé suivant :

« Décrire les relations entre les croyances en matière de santé et l'utilisation de la contraception par des adolescents et des adolescentes. »

Une fois que les relations ont été découvertes et décrites, le chercheur désire souvent explorer la nature des relations entre les variables. Le but, dans ce cas, sera d'explorer des relations entre les deux variables. Ici, le chercheur ne sait pas s'il existe des relations, c'est pourquoi la recherche descriptive simple vise à découvrir les relations pouvant exister entre des variables.

Au niveau III, les connaissances étant plus avancées, l'étude visera à examiner la force et la direction des relations. En somme, il s'agira de déterminer le degré d'influence d'une variable sur une autre et comment cette influence contribue à expliquer la variation de cette variable. Par exemple, si la question décrite précédemment avait démontré l'existence d'une relation entre les croyances en matière de santé et l'utilisation de la contraception, la question serait posée à un niveau plus élevé, par exemple : « Quelle est l'influence des croyances en matière de santé sur l'adoption d'une méthode de contraception par les adolescents et adolescentes du secondaire ? »

Étant donné qu'à ce niveau l'état des connaissances est assez avancé pour formuler des hypothèses, le but sera de vérifier la nature de la relation entre les variables de manière à pouvoir expliquer cette relation. On notera qu'à ce niveau le chercheur fait le choix délibéré et raisonné d'examiner l'influence d'une variable sur une autre et non de les explorer au hasard, comme au niveau précédent. Le but sera de :

« Déterminer ou examiner l'influence des croyances en matière de santé sur l'adoption d'une méthode de contraception par les adolescents et adolescentes du secondaire. »

Au niveau IV, les connaissances établies dans le domaine permettent de prédire les résultats d'une étude. On formule une hypothèse, laquelle présume qu'il existe des relations entre des variables, de sorte qu'une variable indépendante X, introduite dans une situation de recherche, produira un effet sur la variable Y, qui est la variable dépendante[L'hypothèse suivante présume qu'un programme d'enseignement structuré préopératoire réduit la douleur et l'anxiété chez les sujets qui ont bénéficié de ce programme :

« Les sujets qui suivent un programme d'enseignement structuré préopératoire ont moins de douleur et d'anxiété après l'opération que les patients qui n'ont pas bénéficié d'un tel programme ». Le but de l'étude sera :

« Évaluer les effets ou l'efficacité d'un programme d'enseignement structuré sur la diminution de la douleur et de l'anxiété pendant la période postopératoire immédiate chez des patients opérés. »

Le but de l'étude est aussi affecté par la nature de la recherche, qui vise soit le développement, soit la vérification de la théorie. Si l'étude vise à développer la théorie, le chercheur énonce une question par rapport à un phénomène et évolue dans sa démarche vers la vérification des concepts et des liens qui mèneront éventuellement à ce développement. Si le but de l'étude vise la vérification de la théorie, le chercheur formule une hypothèse à partir d'une proposition théorique, qu'il vérifiera à l'aide de tests statistiques afin de rejeter ou de confirmer son hypothèse.

8.2

QUESTIONS DE RECHERCHE

Les questions de recherche sont les prémisses sur lesquelles s'appuient les résultats de recherche (Talbot, 1995). Elles sont des énoncés interrogatifs précis, écrits au présent, et qui incluent habituellement une ou deux variables ainsi que la population étudiée. Les questions de recherche précisent les variables qui seront décrites et les relations qui peuvent exister entre elles. Elles découlent directement du but et spécifient les aspects à étudier. La façon de poser les questions détermine les méthodes qui seront utilisées pour obtenir une réponse.

> La question de recherche est un énoncé interrogatif écrit au présent qui inclut habituellement une ou deux variables et la population étudiée.

Les questions de recherche sont utilisées dans les études exploratoires-descriptives, et parfois aussi dans les études corrélationnelles. Elles sont plus précises que le but d'où elles découlent.

S'il n'existe pas ou peu d'études scientifiques ni de théories pouvant appuyer l'étude, le chercheur énonce alors des questions générales au lieu de traiter de relations entre les variables. Par exemple, des questions plus générales conviennent à l'approche qualitative.

8.3

Hypothèses

Une hypothèse est un énoncé formel des relations prévues entre deux ou plusieurs variables. C'est une prédiction basée sur la théorie ou une portion de celle-ci (proposition). L'hypothèse combine le problème et le but en une explication ou prédiction claire des résultats attendus d'une étude. La formulation d'une hypothèse implique la vérification d'une théorie ou plus précisément de ses propositions. Les hypothèses sont à la base de l'expansion des connaissances quand il s'agit de réfuter une théorie ou de l'appuyer. Dans un rapport de recherche, elles s'écrivent à la fin du cadre théorique.

> L'hypothèse est un énoncé formel de relations prévues entre deux variables ou plus.

Comme la question de recherche, l'hypothèse inclut les variables à l'étude, la population cible et le type de recherche à mener. Elle se différencie de la question de recherche du fait qu'elle prédit les résultats de l'étude, qui indiquent si l'hypothèse est confirmée ou infirmée.

Sources et élaboration des hypothèses

Les hypothèses proviennent soit de l'observation de phénomènes dans la réalité, soit de la théorie, soit de travaux empiriques. L'élaboration d'hypothèses requiert les formes de pensée inductive et déductive. Par l'observation, le chercheur peut établir des liens entre les phénomènes et ainsi constituer une base à la formulation d'hypothèses. Par exemple, une infirmière peut observer dans une unité de pédiatrie que les garçons réagissent différemment des filles au phénomène de la douleur. La relation décelée est une prédiction qui pourrait faire l'objet d'une vérification empirique. Afin d'appuyer cette idée, une revue des études publiées devrait permettre de trouver les assises théoriques nécessaires à la formulation d'hypothèses. Cette approche relève de la pensée ou MÉTHODE INDUCTIVE, qui est une généralisation à partir de liens précis observés dans la réalité. Ainsi, le chercheur observe des tendances, des patterns ou des associations entre les phénomènes et utilise ces observations comme base à une tentative d'explication ou de prédiction. De plus, il doit lier l'énoncé à un cadre théorique, afin d'accroître l'utilité des résultats de son étude.

Les hypothèses sont générées à partir de la théorie quand le chercheur désire vérifier des propositions théoriques susceptibles d'avoir une influence ou un effet sur la pratique (Burns et Grove, 1993; Chinn et Kramer, 1991). Les relations exprimées dans la théorie servent à générer des hypothèses (Polit et Hungler, 1995). Cette approche relève de la MÉTHODE DÉDUCTIVE. À l'aide du raisonnement déductif, le chercheur élabore des suppositions théoriques ou hypothèses basées sur des principes scientifiques généraux. Les hypothèses inductives partent d'observations précises et progressent vers des généralisations; les hypothèses déductives émanent de la théorie, qui sert de point de départ, et sont appliquées à des situations particulières (Polit et Hungler, 1995).

Les hypothèses peuvent aussi provenir de travaux de recherche antérieurs. Par la recension des écrits, le chercheur analyse et résume les résultats de différentes études. Il peut ainsi reformuler une hypothèse ayant déjà été vérifiée par un autre chercheur, mais en choisissant d'examiner une autre variable.

Facteurs à considérer dans la formulation des hypothèses

Les éléments essentiels de la formulation d'une hypothèse sont l'énoncé de relations, le sens de la relation, la vérifiabilité, la consistance théorique et la plausibilité.

L'ÉNONCÉ DE RELATIONS.

Les hypothèses s'énoncent au présent, sous la forme déclarative, et décrivent la relation prédite entre deux variables ou plus. La relation décrite dans une hypothèse peut être causale ou d'association. Une relation de causalité est celle dans laquelle le chercheur prédit que la variable indépendante X cause un changement de la variable dépendante Y. Exemple : « Le soutien préopératoire structuré est plus efficace pour réduire les perceptions de la douleur postopératoire et la demande d'analgésiques que le soutien postopératoire structuré ». Par ailleurs, une relation d'association inclut les variables et indique la covariation de ces variables. Par exemple, la variable X_1 est reliée à la variable X_2 dans une population particulière.

LE SENS DE LA RELATION

Le sens de la prédiction est incorporé dans les phrases par les termes suivants : « plus que »,

« moins que », « plus grand que », « différent de », « relié à », ou quelque chose de semblable. Si une hypothèse ne comporte pas cette précision, elle ne peut être vérifiée de façon scientifique (Polit et Hungler, 1995).

LA VÉRIFIABILITÉ

Une hypothèse doit être vérifiable, c'est-à-dire qu'elle doit contenir des variables qui sont observables, mesurables dans la réalité et qui peuvent être analysées statistiquement.

LA CONSISTANCE THÉORIQUE

Une hypothèse doit être consistante avec un corps théorique établi et les résultats de recherche. Il peut arriver que des résultats contradictoires soient rapportés par différents auteurs, ce qui rend difficile la conciliation des résultats de recherche. Un examen approfondi des méthodes utilisées dans ces études devrait orienter le chercheur dans sa démarche.

LA PLAUSIBILITÉ

Une hypothèse doit être plausible, c'est-à-dire qu'elle doit être pertinente par rapport au phénomène étudié. Cette pertinence est démontrée par la connaissance qu'a le chercheur de son domaine d'étude.

Catégories d'hypothèses

Les hypothèses peuvent être classifiées selon quatre catégories : bien que celles-ci ne soient pas mutuellement exclusives on peut parler d'une hypothèse : 1) simple ou complexe, 2) directionnelle ou non directionnelle, 3) d'association ou de causalité, 4) statistique (nulle) ou de recherche.

1) HYPOTHÈSE SIMPLE OU COMPLEXE

Une hypothèse simple énonce une relation d'association ou de causalité entre deux varia-

...pothèse simple d'association peut ...oncer comme suit : la variable X_1 est associée à la variable X_2 dans une population. L'hypothèse simple de causalité exprime la relation entre une variable indépendante X et une variable dépendante Y. La variable indépendante est supposée être la cause du changement de la valeur de la variable dépendante.

L'hypothèse complexe ou multivariée prédit la relation d'association ou de causalité entre trois variables ou plus, qu'elles soient indépendantes ou dépendantes. Il arrive souvent que plusieurs variables puissent être à l'origine du changement de la valeur d'autres variables. Par exemple, une hypothèse complexe de causalité peut se formuler comme suit (Nault, 1992) : « Parmi les groupes participant au programme d'enseignement, c'est dans celui où il y a la présence d'un proche que le nombre de facteurs environnementaux associés à l'asthme est le plus élevé ». On étudie la présence d'un proche comme deuxième variable indépendante pour vérifier le changement dans la variable dépendante.

2) Hypothèse directionnelle ou non directionnelle

L'hypothèse directionnelle spécifie la direction attendue de la relation entre les variables. Elle prédit non seulement l'existence de la relation mais aussi sa nature. Elle s'exprime par les termes : « moins » ou « plus » ou par « positive » ou « négative ». Par exemple, Dagenais (1989) a étudié l'utilisation des stratégies d'évitement chez des femmes ayant un récent diagnostic de cancer du sein. L'auteur a formulé l'hypothèse de recherche ainsi : « Il y a une corrélation positive entre l'utilisation de stratégies adaptatives d'évitement et une augmentation de la détresse émotionnelle chez les femmes ayant un diagnostic récent de cancer du sein ». À mesure que le niveau des connaissances s'accroît, le chercheur est plus à même de donner une direction à son hypothèse. Le cadre théorique détermine la direction de la relation entre les variables. Si l'hypothèse s'appuie sur une proposition de recherche, elle doit avoir une direction.

L'hypothèse directionnelle permet l'emploi de tests statistiques unilatéraux. Le test unilatéral est un test d'hypothèse directionnelle dans lequel la région critique est située à une extrémité de la distribution théorique de l'échantillon. Le test statistique unilatéral est plus sensible pour détecter l'effet d'une intervention (Talbot, 1995).

L'hypothèse non directionnelle énonce qu'une relation existe entre des variables, mais ne prédit pas la nature de la relation. Si la relation n'est pas claire ou si elle est inconnue d'après les observations cliniques, les écrits théoriques et empiriques, on ne peut donner de direction à une hypothèse. Le test statistique bilatéral est utilisé pour vérifier les hypothèses non directionnelles. La région critique est située aux deux extrémités de la distribution théorique de l'échantillon. L'énoncé suivant est un exemple d'hypothèse non directionnelle : « Il y a une relation entre l'efficacité perçue par les sujets se remettant d'un infarctus du myocarde et le retour aux activités normales. » L'absence de direction ne renseigne pas sur la nature de la relation.

3) Hypothèse d'association ou de causalité

L'hypothèse d'association porte sur les variables qui existent ou covarient en même temps. Une hypothèse d'association directionnelle entre des variables peut être positive ou négative : les variables croissent en même temps, $\uparrow X_1 \xrightarrow{\ +\ } \uparrow X_2$, ou l'une croît quand l'autre décroît, $\uparrow X_1 \xrightarrow{\ -\ } \uparrow X_2$, « Il y a une corrélation négative entre l'estime de soi et l'usage de la drogue chez des adolescents » est un exemple d'hypothèse d'association négative.

L'hypothèse de causalité concerne une relation de cause à effet, c'est-à-dire que la variable indépendante doit créer un effet sur la variable dépendante, ce qui indique une direction. Ainsi toutes les hypothèses causales sont directionnelles. Par exemple : « L'enseignement préopératoire structuré est plus efficace pour réduire l'anxiété et la perception de la douleur que l'enseignement postopératoire structuré. »

4) HYPOTHÈSE STATISTIQUE (H_0) OU DE RECHERCHE (H_1)

L'hypothèse statistique est l'hypothèse nulle désignée par H_0. Elle est utilisée dans l'application de tests statistiques. L'hypothèse nulle peut être simple ou complexe, d'association ou de causalité. L'hypothèse nulle d'association énonce qu'il n'y a pas de relation entre les variables. L'hypothèse nulle causale énonce qu'il n'y a pas d'effet de la variable indépendante sur la variable dépendante ou qu'il n'y a pas de différence entre les groupes étudiés. La variable indépendante est manipulée par le chercheur de manière à produire un changement dans la valeur de la variable dépendante. Une hypothèse causale nulle peut s'énoncer comme suit : « Il n'y a pas de différence entre les scores d'anxiété du groupe qui bénéficie de l'intervention de soutien et ceux du groupe qui n'en bénéficie pas. » À des fins statistiques, le rejet de H_0 permet d'accepter H_1.

L'hypothèse de recherche (H_1) est l'inverse de l'hypothèse nulle (H_0). Elle prédit que la variable indépendante a un effet sur la valeur de la variable dépendante, c'est-à-dire qu'elle indique les résultats attendus. Elle peut être simple ou complexe, directionnelle ou non directionnelle, d'association ou de causalité. Parent (1995) a formulé l'hypothèse de recherche suivante dans son étude auprès de patients en chirurgie cardiaque : « Les patients qui font l'objet de l'intervention de soutien de la part d'un ancien patient-modèle

obtiennent des scores plus élevés dans les échelles d'exécution des activités physiques que les patients qui ne font pas l'objet de l'intervention. »

Le tableau 8.1 présente un exemple de chacune des catégories d'hypothèses. Dans les études d'associations, les variables covarient et s'expriment par X_1 ou X_2, comme on l'illustre. En ce qui a trait aux études à caractère expérimental, dans lesquelles le chercheur vérifie une relation causale, les variables indépendantes s'expriment par X_1, X_2, etc., et les variables dépendantes par Y_1, Y_2, etc.

8.4

VÉRIFICATION D'HYPOTHÈSES

La vérification d'hypothèses constitue le nœud central d'un grand nombre d'investigations empiriques à caractère quantitatif. Une hypothèse est vérifiée à l'aide d'analyses statistiques. Les résultats ne sont jamais considérés comme absolus. On ne prouve pas des hypothèses; les résultats ne prouvent pas la validité des hypothèses. La confirmation d'une hypothèse, selon Gauthier (1992), accroît la vraisemblance d'une théorie, mais ne la prouve pas, parce que d'autres éléments, sans lien avec la théorie, peuvent faire en sorte que l'hypothèse soit juste. Une hypothèse est confirmée ou infirmée. Il n'est pas approprié de conclure que les résultats d'une étude prouvent la validité d'une hypothèse ou la valeur d'une théorie. Selon Polit et Hungler (1995), de tels énoncés sont inappropriés non seulement parce qu'ils ne coïncident pas avec les limites de l'approche scientifique, mais aussi à cause du caractère sceptique des scientifiques, qui recherchent constamment l'objectivité, la reproductibilité comme base à la compréhension des phénomènes. Si les mêmes résultats sont obtenus de façon constante à travers plusieurs recherches, il

TABLEAU 8.1

Catégories d'hypothèses.

HYPOTHÈSE	CATÉGORIE	VARIABLES $(X_1, Y_1,...)$
Les sujets qui pratiquent la technique de relaxation manifestent moins d'anxiété que les sujets qui ne la pratiquent pas.	Simple directionnelle	Technique de relaxation (X_1) Anxiété (Y_1)
L'intervention de soutien préopératoire est plus efficace que le soutien postopératoire pour réduire la perception de la douleur et la demande d'analgésiques par les patients.	Complexe directionnelle	Moments de l'intervention de soutien (X_1, X_2) Perception de la douleur (Y_1) Demande d'analgésiques (Y_2)
Il existe une différence entre les styles de leadership et la satisfaction au travail.	Non directionnelle	Styles de leadership (X_1) Satisfaction au travail (X_2)
Il existe une corrélation positive entre les croyances des sujets et l'importance accordée par les conjoints à l'assiduité au traitement.	D'association	Croyances (X_1) Assiduité (X_2)
Il n'existe pas de différence dans la période de récupération entre le groupe qui suit un programme d'éducation physique et le groupe qui ne le suit pas.	Statistique (nulle)	Programme d'éducation physique (X_1) Période de récupération (Y_1)

existe une plus grande probabilité que les conclusions soient plausibles.

Si l'hypothèse énonce une relation d'association, des analyses de corrélation et de régression seront effectuées pour déterminer l'existence, le type et le degré de la relation entre les variables étudiées. Si l'hypothèse énonce une relation de causalité, des analyses inférentielles, telles que des tests de t, des analyses de variance et de covariance, seront utilisées. C'est l'hypothèse statistique ou nulle qui est vérifiée, qu'elle soit énoncée ou implicite. Le but est de déterminer si la variable indépendante a eu un effet statistiquement significatif sur la valeur de la variable dépendante. Le chercheur établit au préalable le seuil de signification selon lequel l'hypothèse sera rejetée ou non, avec la plus faible possibilité d'erreur. Le seuil de signification s'exprime habituellement par des valeurs alpha (α), 0,05, 0,01, 0,001, selon des considérations méthodologiques qui seront discutées au chapitre des analyses.

8.5

DE LA PHASE CONCEPTUELLE À LA PHASE MÉTHODOLOGIQUE

Le tableau 8.2 illustre un exemple d'application des étapes de la phase conceptuelle et des phases méthodologique et empirique de la recherche. L'exemple est tiré de l'étude de Caron (1993), dont le but visait à décrire les divergences et les convergences entre les croyances à l'intérieur des couples vis-à-vis du diabète et de son traitement, et à explorer l'existence de relations entre les variables en cause. L'auteure est partie d'une question de recherche et elle l'a développée au cours de la formulation du problème, qu'elle a étoffée à l'aide d'une recension des écrits pertinente. Le modèle de prédiction des comportements de santé associés au modèle des croyances en matière de santé a servi de cadre de référence à l'étude; les questions de recherche précises découlent du modèle.

La phase méthodologique opérationnalise l'étude en précisant le type d'étude, les définitions opérationnelles des variables, le milieu où s'est déroulée l'étude et la population. Dans la phase empirique les méthodes de collecte des données sont précisées ainsi que les analyses statistiques utilisées. Enfin, les résultats sont résumés en mettant en relief l'influence des croyances en matière de santé dans l'adoption de comportements de santé par les personnes diabétiques.

8.6

RÉSUMÉ

La formulation du but, des questions de recherche et des hypothèses établit le pont entre le problème de recherche d'une part et le devis, les méthodes de collecte des données et les analyses d'autre part. Le but est un énoncé déclaratif qui précise les variables clés, la population cible et l'orientation à donner à la recherche. Il s'énonce selon le niveau des connaissances qui existe dans un domaine précis. Les questions de recherche sont plus précises puisqu'elles spécifient les différents aspects à étudier. Les questions de recherche s'énoncent au présent; elles incluent habituellement une ou deux variables et précisent la population cible.

L'hypothèse est un énoncé formel (écrit au présent) des relations prévues entre deux ou plusieurs variables. Comme les questions de recherche, les hypothèses incluent les éléments suivants : les variables à l'étude, la population et le type de recherche. Les hypothèses peuvent provenir de différentes sources : de l'observation professionnelle, de la théorie ou de travaux empiriques. Elles sont élaborées par l'emploi des formes de pensée inductive et déductive. Pour être vérifiée de façon empirique, l'hypothèse doit être formulée en respectant un certain nombre de facteurs : l'énoncé de relations, l'aspect relationnel de la prédiction, la capacité de vérification, la base théorique et la plausibilité. On distingue quatre catégories d'hypothèses : 1) simple ou complexe, 2) directionnelle ou non directionnelle, 3) d'association ou causale, 4) statistique ou de recherche. L'hypothèse est vérifiée à l'aide d'analyses statistiques et les résultats indiquent si l'hypothèse nulle est confirmée ou infirmée.

TABLEAU 8.2

Exemple d'application des étapes du processus de la recherche.

PHASE CONCEPTUELLE

QUESTION DE RECHERCHE INITIALE	RECENSION DES ÉCRITS	CADRE DE RÉFÉRENCE	QUESTIONS DE RECHERCHE PRÉCISES
Quelle est la relation entre les croyances des couples et l'assiduité aux autosoins du conjoint diabétique insulinodépendant ?	• Nature et étiologie du diabète insulinodépendant. • Exigences de soins rattachées au diabète insulinodépendant. • Assiduité aux autosoins, croyances en matière de santé/maladie et leur importance dans l'assiduité aux autosoins.	Modèle de prédiction des comportements de santé (MPCS) à la base du *Health Belief Model* (HBM). Interaction de trois catégories de croyances qui sont à la base du modèle de prédiction des comportements de santé, décrites en rapport avec la participation des diabétiques insulinodépendants à la gestion de leurs soins. L'auteure met en évidence la perception de la gravité du diabète, la croyance dans les bénéfices à adopter des comportements destinés à prévenir les complications du diabète et la croyance en la capacité de surmonter les barrières dans l'adoption des comportements destinés à prévenir les complications du diabète.	Croyances des couples Divergences Convergences  Assiduité aux autosoins
FORMULATION DU PROBLÈME En tenant compte des éléments du problème et en adoptant le style de l'argumentation, l'auteure nous convainc de l'importance d'étudier l'effet des différentes croyances du couple dont un des membres est atteint de diabète insulinodépendant sur l'assiduité de celui-ci à ses autosoins. L'auteure conclut qu'une meilleure compréhension des croyances du couple qui déterminent les comportements d'autosoins de l'adulte diabétique permettra à l'infirmière d'orienter ses interventions en conséquence lors de son travail avec cette population.	**BUT** Décrire les divergences et les convergences entre les croyances à l'intérieur des couples face au diabète et à son traitement, et explorer l'existence d'une relation entre l'interaction de leurs croyances et l'assiduité aux autosoins des conjoints diabétiques.		Q1. Quelles sont les divergences entre les croyances des couples en ce qui a trait au diabète et à son traitement ? Q2. Quelles sont les convergences entre les croyances des couples en ce qui a trait au diabète et à son traitement ? Q3. Existe-t-il une relation entre les divergences dans les croyances des couples et l'assiduité aux autosoins des conjoints atteints de diabète ? Q4. Existe-t-il une relation entre les convergences dans les croyances des couples et l'assiduité aux autosoins des conjoints atteints de diabète ?

PHASE MÉTHODOLOGIQUE			PHASE EMPIRIQUE
TYPE D'ÉTUDE	DÉFINITIONS OPÉRATIONNELLES	MILIEU	COLLECTE DES DONNÉES

PHASE MÉTHODOLOGIQUE

TYPE D'ÉTUDE

• Descriptif-corrélationnel

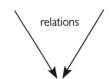

Variable A   Variable B

(divergences   (convergences
dans les   dans les
croyances   croyances
des couples)   des couples)

relations

Variable C
(assiduité aux autosoins)

DÉFINITIONS OPÉRATIONNELLES

• Croyances

Ensemble des perceptions individuelles reliées à certains aspects du diabète tels que : (a) la gravité de la maladie, (b) les bénéfices dus aux comportements préventifs, (c) les barrières aux comportements préventifs.

(a) Perception de la gravité de la maladie : Conséquences que peut entraîner le diabète sur la santé et les activités de la vie quotidienne de la personne diabétique.

(b) Perception des bénéfices aux comportements préventifs : L'efficacité et les avantages de suivre le traitement médical prescrit et les recommandations préventives suggérées, en ce qui concerne la réduction de la gravité du diabète.

(c) Perception des barrières aux comportements préventifs : Obstacles ou aspects négatifs concernant le traitement prescrit et les recommandations préventives suggérées, pouvant entraver l'assiduité aux autosoins.

• Assiduité aux autosoins

Comportements exécutés par la personne diabétique, en ce qui concerne le traitement médical prescrit et les recommandations préventives suggérées, afin de prévenir les complications du diabète.

MILIEU

Centre de recherche « X » d'un centre hospitalier universitaire.

POPULATION ET ÉCHANTILLON

Couples âgés entre 25 et 65 ans dont un conjoint est atteint de diabète insulino-dépendant.

TAILLE

n = 40 couples

PHASE EMPIRIQUE

COLLECTE DES DONNÉES

• Échelle *Health Belief Model II* (croyances de la personne diabétique).
• Échelle de croyances des conjoints de personnes diabétiques.
• Échelle *Diabetes Self Care* (autosoins de la personne diabétique).
• Questionnaire des données sociodémographiques.

ANALYSES

• Descriptives
Mesures de tendance centrale et de dispersion. Décrire les croyances des couples.
• Comparatives
Tests *t* de Student. Comparer les croyances des couples.
• De corrélation
Tests de corrélation de Pearson. Corréler les croyances des couples et les autosoins.

RÉSULTATS

Cette étude met en relief l'influence des croyances des conjoints sur l'adoption de comportements de santé des personnes diabétiques.

L'auteure invite la poursuite des recherches en ce sens afin de mieux saisir les liens entre ces variables et de contribuer ainsi à l'adoption de comportements de santé préventifs chez l'adulte diabétique.

Références bibliographiques

Becker, M. H. (1974). *The health belief model and personal health behavior.* New Jersey : Charles B. Slack.

Brink, P. J., Wood, M. J. (1994). *Basic ateps in planning nursing research : From question to proposal, 4e* éd. Boston : Jones and Bartlett Publ.

Burns, N., Grove, S. K. (1993). *The practice of nursing research : Conduct, critique and utilization, 2e* éd. Philadelphia : W. B. Saunders Company.

Caron, C. (1993). *Relation entre les croyances de couples et l'assiduité aux autosoins du conjoint diabétique insulinodépendant.* Mémoire de maîtrise non publié. Montréal : Université de Montréal.

Chinn, P. L., Kramer, M. K. (1991). *Theory and nursing : A systematic approach, 3e* éd. St. Louis : Mosby-Year Book.

Dagenais, J. (1989). *Dépistage de la détresse émotionnelle auprès de femmes nouvellement informées d'un diagnostic d'un cancer du sein.* Mémoire de maîtrise, manuscrit non publié. Montréal : Université de Montréal, Faculté des sciences infirmières.

Gauthier, B. (1992). *Recherche sociale : De la problématique à la collecte des données.* Québec : Presses de l'Université du Québec.

Nault, D. (1992). *Effets d'un enseignement préventif incluant la famille sur le contrôle de l'asthme chez l'adulte.* Mémoire de maîtrise, manuscrit non publié. Montréal : Université de Montréal, Faculté des sciences infirmières.

Parent, N. (1995). *Efficacité d'une intervention de soutien offerte par un ancien patient-modèle auprès de personnes devant subir une chirurgie cardiaque.* Mémoire de maîtrise, manuscrit non publié. Montréal : Université de Montréal, Faculté des sciences infirmières.

Polit, D. F., Hungler, B. P. (1995). *Nursing research : Principles and methods, 5e* éd. Philadelphia : J. B. Lippincott Company.

Talbot, L. A. (1995). *Principles and practice of nursing research.* St. Louis : Mosby.

MODULE

II

PHASE
MÉTHODOLOGIQUE

CHAPITRE

9

NOTIONS D'ÉTHIQUE EN RECHERCHE

Marie-Fabienne Fortin, Diane Prud'homme-Brisson et Ginette Coutu-Wakulczyk

Objectifs d'apprentissage

À la fin de ce chapitre, l'étudiant(e) devrait être capable de :

✔ Décrire les droits fondamentaux des personnes qui participent à une recherche.

✔ Définir consentement libre et éclairé.

✔ Apprécier le rapport bénéfices-risques pour les sujets.

✔ Discuter du rôle des comités d'éthique de la recherche.

Toute recherche effectuée auprès d'êtres humains soulève des questions morales et éthiques. Le choix même du type de recherche détermine directement la nature des problèmes qui peuvent se poser. Dans la description des phénomènes naturels, ceux-ci pouvant être la cause d'effets favorables ou défavorables, la responsabilité du chercheur en ce qui concerne le bien-être des sujets est plutôt réduite (Reynolds, 1979). Cependant, pour les autres aspects de la recherche, incluant la manière de susciter la participation des sujets, les problèmes éthiques sont tout aussi présents que dans les études expérimentales. Les concepts à l'étude, la méthode de collecte des données et la diffusion de certains résultats de recherche peuvent, bien sûr, contribuer à l'avancement des connaissances scientifiques, mais aussi léser les droits fondamentaux des personnes.

L'éthique pose des problèmes particuliers aux chercheurs en raison des exigences morales qui, dans certaines situations, peuvent entrer en conflit avec la rigueur de la recherche. Dans la poursuite de l'acquisition des connaissances, il existe une limite qui ne doit pas être franchie : cette limite concerne le respect de la personne et la protection de son droit de vivre librement et dignement en tant qu'être humain. Si une étude, par ses méthodes d'expérimentation ou de collecte des données, les concepts étudiés ou la publication de résultats, viole ce droit ou est susceptible d'y porter atteinte, elle est moralement inacceptable, autant pour les sujets que pour les chercheurs eux-mêmes, que pour la communauté tout entière.

Ce chapitre discute de l'éthique dans la recherche scientifique. Il présente les événements historiques à l'origine des codes d'éthique, les droits fondamentaux des êtres humains, l'évaluation du rapport risques-bénéfices de la participation des sujets aux recherches, la nature du consentement éclairé, la vulnérabilité des personnes dans la participation aux recherches et les comités d'éthique de la recherche dans les divers établissements de santé.

9.1

L'ÉTHIQUE ET LA RECHERCHE

L'éthique, dans son sens le plus large, est la science de la morale et l'art de diriger la conduite. De façon générale, l'éthique est l'ensemble des permissions et des interdictions qui ont une très grande valeur dans la vie des individus et dont ceux-ci s'inspirent pour guider leur conduite. Pour les spécialistes, l'éthique signifie l'évaluation critique et la reconstitution des ensembles de préceptes et de lois qui régissent les jugements, les actions et les attitudes dans le contexte d'une théorie d'ensemble de la moralité. Cette théorie est élaborée à partir de normes qui servent de guide pour distinguer les comportements humains bons ou mauvais et d'un système de valeurs selon lequel les effets de ces comportements sont aussi jugés bons ou mauvais. Ainsi, sous-jacents à la conduite humaine, se sont développés des préceptes et des lois issus des normes et d'un système de valeurs pour diriger les jugements, les attitudes et les comportements des personnes, des groupes et des sociétés. La nécessité de se conformer à l'éthique concerne chacun des groupes de la société, y compris les scientifiques.

9.2

ÉVÉNEMENTS HISTORIQUES À L'ORIGINE DES CODES D'ÉTHIQUE

Dans le domaine de la recherche, les considérations morales et éthiques n'ont reçu d'attention qu'après la Deuxième Guerre mondiale. Elles se sont d'abord manifestées dans les sciences biomédicales, en réaction aux atrocités commises au nom de la « science » durant le régime nazi. Le procès des criminels de guerre nazis à Nuremberg, en 1947, a révélé toute l'atrocité et les horreurs auxquelles furent soumis des êtres humains durant la période de 1933 à 1945. Des expérimentations immorales sur les prisonniers de guerre ont été faites afin de vérifier, entre autres, les limites de l'endurance humaine ainsi que les réactions aux maladies et aux drogues non éprouvées. Stérilisation et euthanasie répondaient aussi à l'objectif mythique d'obtenir une race pure. Les sujets prisonniers étaient sélectionnés en fonction de leur race ou de leur groupe ethnique et personne ne pouvait refuser de participer à ces expérimentations qui, souvent, conduisaient à la mort ou créaient des dommages permanents sur les plans physique, mental et social.

En réponse à la violation des droits humains et à l'évolution accélérée de la science et de la technologie, des codes d'éthique d'envergure nationale et internationale sont nés, afin de régir la recherche auprès des êtres humains. C'est au cours du procès de Nuremberg en 1947, que le Code de Nuremberg (1978, 1986) a vu le jour. Ce code d'éthique définit les règles essentielles à respecter pour mener des expérimentations sur l'être humain tout en respectant sa dignité. Les dix articles du Code de Nuremberg ont été revus, dans un contexte différent, en 1964 à Helsinki et en 1975 à Tokyo, à la lumière des procédés et des méthodes d'investigation plus actuels. Les recommandations qui sont sorties de cette réunion, entérinées par l'Association médicale mondiale dans la Déclaration d'Helsinki-Tokyo (1964-1975), servent de guide en matière de recherche biomédicale portant sur des êtres humains. La Déclaration modifiée (Association médicale mondiale 1975) exige, en plus d'une série de règles d'éthique, la mise sur pied, dans les établissements de santé, de comités d'éthique de la recherche pour l'évaluation des projets de recherche engageant des êtres humains. Les éléments essentiels de cette déclaration reposent sur l'ensemble des principes de base, traitant des méthodes scientifiques à la publication des résultats, et de la différenciation entre la recherche thérapeutique (recherche biomédicale clinique) et la recherche non thérapeutique. Les articles du Code de Nuremberg sont présentés à l'encadré 9.1.

L'Association médicale américaine a rédigé un code d'éthique basé sur l'obtention du consentement des sujets lorsqu'une étude est entreprise auprès des êtres humains. En 1982, à Genève, l'Organisation mondiale de la Santé et le Conseil des organisations internationales des sciences médicales (WHO/CIOMS) ont mis au point un projet de lignes directrices internationales traitant de problèmes spéciaux posés par la recherche dans plusieurs pays. Ce document stipule que la recherche engageant des êtres humains se définit non seulement selon des éléments de gestion clinique et de pratique de santé publique, mais aussi dans le cadre de toute recherche visant l'avancement des connaissances.

Au Canada, les efforts du Conseil de recherches médicales (CRM; 1987, 1990) s'inscrivent dans le cadre de la tradition instituée par les codes de déontologie. Les normes et règles établies pour les sciences biomédicales ont progressivement été révisées et appliquées dans d'autres

ENCADRÉ 9.1

Articles du Code de Nuremberg.
Extrait du jugement du Tribunal militaire américain, Nuremberg, 1947. Traduction française dans : F. Bayle (1950). *Les expériences humaines en Allemagne pendant la Deuxième Guerre mondiale*, Neustadt, Commission scientifique des crimes de guerre.

1. Le consentement volontaire du sujet humain est essentiel.

2. L'expérience doit avoir des résultats pratiques pour le bien de la société et impossibles à obtenir par d'autres moyens; elle ne doit pas être pratiquée au hasard et sans nécessité.

3. Les fondements de l'expérience doivent résider dans des résultats d'expériences antérieures faites sur des animaux, et dans la connaissance de la genèse de la maladie ou des questions à l'étude, de façon à justifier par les résultats attendus l'exécution de l'expérience.

4. L'expérience doit être pratiquée de façon à éviter toute souffrance et tout dommage physique ou mental non nécessaires.

5. L'expérience ne doit pas être tentée lorsqu'il y a une raison a priori de croire qu'elle entraînera la mort ou l'invalidité du sujet, à l'exception des cas où les médecins qui font les recherches servent eux-mêmes de sujets à l'expérience.

6. Les risques encourus ne devront jamais excéder l'importance humanitaire du problème que doit résoudre l'expérience envisagée.

7. Des précautions doivent être prises afin d'écarter du sujet expérimental toute éventualité, si mince soit-elle, susceptible de provoquer des blessures, l'invalidité ou la mort.

8. Les expériences ne doivent être pratiquées que par des personnes qualifiées.

9. Le sujet humain doit être libre, pendant l'expérience, de faire interrompre l'expérience, s'il estime avoir atteint le seuil de résistance, mental ou physique, au delà duquel il ne peut aller.

10. Le scientifique chargé de l'expérience doit être prêt à l'interrompre à tout moment, s'il a une raison de croire que sa continuation pourrait entraîner des blessures, l'invalidité ou la mort pour le sujet expérimental.

contextes, en particulier dans celui des sciences du comportement (Crête, 1992). En outre, les organismes subventionnaires ont également établi des règles d'éthique auxquelles les chercheurs doivent se soumettre pour accéder à des fonds de recherche. Les lignes directrices du CRM servent de critères d'évaluation de l'aspect éthique des projets de recherche biomédicale portant sur des êtres humains. Des lignes directrices ont été établies pour le Canada par plusieurs organismes ou associations professionnelles, dont entre autres : le Conseil des arts du Canada (1977); l'Association des infirmières et infirmiers du Canada (1983); la Société canadienne de psychologie (1986); le Conseil de recherche en sciences humaines du Canada (1986). Tout chercheur est tenu aux responsabilités pénale, civile et déontologique en ce qui concerne les lois et les règles internes qui régissent les associations professionnelles. Le chercheur a aussi des obligations et des responsabilités morales envers la société, la communauté scientifique et les participants aux projets de recherche. Il existe un ensemble de principes ou droits fondamentaux, décrits ci-après, que l'on s'attend à voir respecter par le chercheur.

9.3

DROITS FONDAMENTAUX
DES PERSONNES

La recherche appliquée à des êtres humains peut parfois porter atteinte aux droits et libertés de la personne. Il est donc important de prendre toutes les dispositions nécessaires pour protéger les droits et libertés des personnes qui participent aux recherches. Cinq principes ou droits fondamentaux applicables aux êtres humains ont été déterminés par les codes d'éthique : le droit à l'autodétermination, le droit à l'intimité, le droit à l'anonymat et à la confidentialité, le droit à la

protection contre l'inconfort et le préjudice, et enfin le droit à un traitement juste et loyal.

Le droit à l'autodétermination

Le droit à l'autodétermination repose sur le principe éthique du respect des personnes selon lequel toute personne est capable de décider par elle-même et de prendre en main sa propre destinée. Il découle de ce principe que le sujet potentiel a le droit de décider librement de sa participation ou non à une recherche. Ainsi, en tant que personne autonome, il est invité à participer à l'étude et choisit volontairement d'y participer ou non (Levine, 1986). Aucun moyen coercitif technique ou psychologique ne doit être utilisé par le chercheur pour influencer la décision du sujet de participer ou non à une recherche. Selon l'article 9 du Code de Nuremberg, le sujet doit être informé de son droit de se retirer à tout moment de l'étude à laquelle il a préalablement consenti. Ce retrait potentiel est un droit dont le sujet peut se prévaloir sans avoir à se justifier. La personne doit aussi savoir que ce droit de retrait, lorsqu'il est exercé, ne lui causera ni préjudice, ni pénalité.

VIOLATION DU DROIT À L'AUTODÉTERMINATION

Le droit à l'autodétermination se trouve violé lorsqu'une personne est contrainte de participer, ou lorsque l'autonomie du sujet est réduite en raison d'une incompétence légale (âge) ou morale, comme celle de malades en phase terminale, de personnes confinées et isolées ou de personnes ayant des problèmes de discernement. Il y a également violation de ce droit lorsque la personne devient sujet de recherche à son insu : la tromperie est une forme de violation. D'ailleurs, les lignes directrices du CRM (1987) concernant la recherche sur les sujets humains définissent la tromperie comme étant « ...le fait d'induire volontairement en erreur les sujets éventuels ou de leur cacher des renseignements de façon à les amener à croire que les objectifs de la recherche ou la méthode sont différents de ce qu'ils sont réellement » (p. 27). Constitue également une violation du droit à l'autodétermination toute utilisation du matériel à des fins autres que celles pour lesquelles le consentement fut accordé.

Le droit à l'intimité

Toute recherche auprès des êtres humains constitue une forme d'intrusion dans la vie personnelle des sujets. Le chercheur doit s'assurer que son étude est la moins envahissante possible et que l'intimité des sujets est protégée. Le droit à l'intimité fait référence à la liberté de la personne à décider de l'étendue de l'information à donner en participant à une recherche et à déterminer dans quelle mesure elle accepte de partager des informations intimes et privées. Les informations considérées comme intimes et privées se rapportent aux attitudes, aux valeurs, aux opinions ou toutes autres informations personnelles que le participant accepte de partager avec le chercheur (Kovacs, 1985). Dans un contexte de recherche, le sujet consent à participer à l'étude et à dévoiler cette information intime au chercheur à certaines conditions connues. Le chercheur, en retour, s'engage envers la personne à protéger son anonymat tout au long de l'étude, y compris à l'étape de la dissémination des résultats. L'anonymat du sujet et la confidentialité des données doivent être sauvegardés.

VIOLATION DU DROIT À L'INTIMITÉ

La violation du droit à l'intimité survient quand l'information privée est donnée à des tiers sans le consentement de la personne ou à l'encontre de son consentement. Il peut alors survenir des conséquences néfastes, des dommages, tels que l'anxiété, l'embarras, la honte ou la culpabilité.

L'inviolabilité de la personne humaine, traitée à l'article 10 du Code civil du Québec (1994), porte sur ce principe de base à respecter. Une violation de l'intimité des sujets survient lorsqu'il y a obtention des données à leur insu, par : l'observation à la dérobée au moyen de dispositifs d'enregistrement, de caméras ou microphones cachés; la formulation au-delà des besoins, de questions à caractère personnel et privé au cours des entrevues ou dans des questionnaires; le recours à des tests indirects camouflés; l'obtention de renseignements par de tierces personnes (Cook, 1977; Kelman, 1977).

Le droit à l'anonymat et à la confidentialité

Le droit à l'anonymat et à la confidentialité est respecté si l'identité du sujet ne peut être reliée aux réponses individuelles, même par le chercheur. Les résultats doivent être présentés de façon telle qu'aucun des participants à une étude ne puisse être reconnu, ni par le chercheur, ni par le lecteur du rapport de recherche. Si l'anonymat peut être facilement respecté par l'agglomération suffisamment large des données au moment de la publication des résultats, les études de suivi, qui nécessitent l'identification des instruments de collecte des données, doivent utiliser des codes connus seulement des chercheurs et d'un nombre restreint de membres autorisés du personnel de recherche. Cette ligne directrice dans les cas de suivi a pour objet d'éviter que des personnes non autorisées puissent remonter à la source des données confidentielles et relier des variables ou réponses à des personnes qui pourraient identifier les sujets. De plus, la confidentialité se rapporte à l'organisation de l'information intime et privée. Ce droit renseigne le chercheur sur le traitement qu'il se doit de réserver aux données intimes qui lui sont fournies dans le cadre de l'étude. De toute évidence, les données personnelles ne peuvent être divulguées ou partagées sans l'autorisation expresse du sujet.

LE BRIS DE CONFIDENTIALITÉ

Le bris de confidentialité survient lorsque le chercheur, par accident ou par action volontaire, permet à une personne non autorisée l'accès aux données brutes de l'étude menant à l'identification du répondant et à la violation du droit à l'anonymat. Le type de données recueillies établit l'importance de la faute. Les thèmes comme les préjugés raciaux, l'abus de drogues, les sévices sexuels, les attributs personnels relatifs au niveau d'intelligence, le courage, l'honnêteté, etc. sont autant d'éléments sérieux à considérer en raison du préjudice psychologique et social que les sujets pourraient éventuellement subir (rejet par des collègues, perte d'emploi, etc.) s'ils étaient identifiés. Le bris de confidentialité détruit non seulement la confiance du sujet vis-à-vis du chercheur, mais également la crédibilité des chercheurs en matière d'éthique (Burns et Grove, 1993).

LA PROTECTION DE L'ANONYMAT ET DE LA CONFIDENTIALITÉ DES DONNÉES

Les données recueillies, durant l'étude et après, demeurent sous la responsabilité du chercheur. Il est indiqué d'inscrire l'identité de la personne sur une page séparée du questionnaire et de substituer un numéro de sujet au nom sur le questionnaire lui-même, car le nom comme tel n'intéresse pas nécessairement le chercheur. Si une deuxième rencontre est prévue, les instruments de mesure doivent être conservés séparément, l'identité étant gardée en lieu sûr, à l'abri des regards et des personnes non autorisées. Cette règle s'applique également au formulaire de consentement, qu'il ne faut pas attacher à l'instrument de collecte des données. La rapidité de saisie des données sur informatique à l'aide de la codification prévue est un gage de sécurité.

L'instrument original sera conservé dans un endroit sûr ou sous clé durant la période prévue par l'organisme subventionnaire et le comité d'éthique de la recherche de l'établissement. Après cette période, les originaux seront détruits (brûlés ou déchiquetés), mais non envoyés au recyclage.

Le droit à la protection contre l'inconfort et le préjudice

Le droit à la protection contre l'inconfort et le préjudice correspond aux règles protégeant la personne contre des inconvénients susceptibles de lui faire du tort ou de lui nuire. Ce droit est basé sur le principe du « bénéfice » selon lequel les membres de la société jouent un rôle actif dans la prévention de l'inconfort et du préjudice et dans la promotion du plus grand bien de la personne et de son entourage (Frankena, 1973). Or, étant donné que la recherche vise le plus grand bénéfice sur le plan social, l'inconfort et le préjudice d'ordre physiologique, psychologique, légal et économique sont à proscrire. Néanmoins, bannir tout risque d'inconfort et de préjudice dans un contexte de soins infirmiers et de soins de santé n'est ni simple, ni évident. À ce titre, Reynolds (1972) regroupe les risques selon cinq différents niveaux, qui sont également discutés dans Burns et Grove, 1993. Nous expliquons la différence entre ces niveaux ci-après.

AUCUN RISQUE PRÉVU

L'expression « aucun risque prévu » signifie que la recherche ne produit aucun effet favorable ou défavorable sur les sujets, comme dans le cas de la revue de dossiers ou de rapports médicaux. Le chercheur n'interagit pas directement avec la personne. Cependant, un consentement formel des autorités compétentes est requis, car si aucun risque d'inconfort et de préjudice n'est prévu, il reste que le droit à l'anonymat et à la confidentialité demeure en cause.

RISQUE TEMPORAIRE

Le risque temporaire est un risque minime de ressentir de l'inconfort pendant la recherche, un inconfort similaire à ce qu'il aurait été dans la vie quotidienne de la personne. De plus, cet inconfort cesse dès la fin de l'expérimentation. Par exemple, répondre à un questionnaire ou participer à une entrevue amène un inconfort physique variant de la fatigue au mal de tête ou à la tension musculaire. L'inconfort psychologique et social peut inclure l'anxiété, l'embarras ou le stress associés au fait de devoir fournir une réponse selon le type de question posée. L'inconfort économique inclut le temps consacré à la participation à l'étude ou les coûts du déplacement jusqu'à l'endroit de collecte des données ou de l'expérimentation. Un autre exemple d'inconfort est l'anxiété, la peur et la douleur ressenties lors des prises de sang effectuées à la suite d'un exercice physique chez une personne souffrant de diabète.

NIVEAUX INSOLITES DE RISQUE TEMPORAIRE

Ces risques sont liés à l'inconfort perçu par le sujet durant et après l'étude et qui pourraient se traduire en sentiments d'échec, de faillite, de peur extrême, de menace à l'identité ou en impression d'agir de façon non naturelle. Un exemple d'expérimentation ayant provoqué des risques insolites est celui du repos au lit imposé pendant sept jours pour déterminer les effets de l'immobilité : dans ce cas précis, les risques se rapportent à l'expérience de la faiblesse musculaire, des douleurs aux articulations et des étourdissements. D'un point de vue psychologique, le rappel à une expérience de viol peut entraîner des conséquences plus profondes : dans ce type d'étude, les sujets devraient avoir la possibilité de recevoir un traitement postexpérimental, tel que l'aide psychologique ou une autre forme de suivi (Ford et Reutter, 1990).

RISQUE DE DOMMAGES PERMANENTS

Il s'agit du risque d'encourir un inconfort et un préjudice permanents. Le risque de dommage physique permanent est présent dans plusieurs études d'essai clinique, telles que celles sur de nouvelles drogues ou des méthodes chirurgicales. Des études sur le comportement sexuel, le SIDA, les mauvais traitements d'enfants ou l'utilisation de drogues illicites peuvent faire que l'on pourrait remonter à l'identité des personnes en cause et provoquer des dommages psychologiques ou sociaux permanents. Ces études comportent un risque de porter atteinte à la réputation d'une personne, d'entraîner une perte d'emploi ou une diminution du rendement au travail.

DOMMAGES PERMANENTS INÉVITABLES

Les recherches qui peuvent entraîner des dommages permanents sont à bannir. C'est une des lignes directrices du Code de Nuremberg. Rappelons-nous les expériences médicales nazies ainsi que certaines études américaines, conduites dans les années 1930, comme l'étude sur la syphilis menée auprès de 400 hommes noirs, à leur insu, dont 200 étaient porteurs de la maladie et non traités à la pénicilline, et 200 étaient des sujets sains. Cette étude de Tuskegee (Alabama) s'est poursuivie pendant 40 ans jusqu'à son arrêt en 1972 par les autorités compétentes. Souvent, les bénéfices prévus pour ces études profiteront à d'autres personnes que celles qui ont participé; on pourrait aussi parler des retombées de certaines études sur la carrière de chercheurs qui n'hésitent pas à sacrifier le principe de la dignité humaine à leur intérêt personnel.

Droit à un traitement juste et équitable

Les sujets ont le droit de recevoir un traitement juste et équitable avant, pendant et après leur participation à l'étude (Polit et Hungler, 1995). Le droit à un traitement juste et loyal se réfère au droit d'être informé sur la nature, le but et la durée de la recherche pour laquelle la participation de la personne est sollicitée, ainsi que sur les méthodes utilisées pendant l'étude. Ces informations sont essentielles à un consentement ou un refus éclairé quant à une participation éventuelle aux activités de recherche. Le droit à un traitement juste se rapporte à la sélection et au traitement équitable des sujets. Ce principe veut que le choix des sujets soit directement lié au problème de la recherche et non basé sur la convenance ou l'unique disponibilité des sujets. Ce principe commande également l'absence de préjudice pour les participants qui se désistent au cours de l'étude ainsi que l'accès en tout temps à l'information concernant leur participation au projet de recherche.

9.4

RAPPORT RISQUES/BÉNÉFICES

Le principe de la proportionnalité des risques et des bénéfices à participer aux recherches est sans doute l'aspect le plus difficile à appliquer. Il doit y avoir une proportion raisonnable entre le risque encouru par le sujet et le bénéfice qu'on peut légitimement espérer en retirer pour le sujet lui-même. Par exemple, un patient ne pourrait être soumis à un risque qui ne serait pas contrebalancé par un bénéfice à l'égard de sa propre thérapeutique (Malberbe, 1994). L'article 20 du Code civil du Québec (1994) discute du critère de proportionnalité utilisé pour évaluer le risque ainsi que la légalité du consentement.

Dans la préparation de son étude, le chercheur doit évaluer soigneusement les risques et les bénéfices auxquels il peut exposer les sujets de son étude. L'analyse risques-bénéfices d'un projet de recherche consiste à prendre en considération tous les bénéfices et toutes les pertes

qui en résulteraient (Crête, 1992). Cette interprétation revêt un caractère social et doit être discutée ouvertement avec les sujets, de sorte qu'ils puissent décider s'ils ont intérêt à participer ou non. Parmi les bénéfices potentiels pour le sujet figurent : l'accès à un traitement ou à une intervention dont il ne pourrait profiter sans sa participation au projet de recherche; l'acquisition de connaissances dans le domaine étudié; le fait de savoir que la recherche à laquelle il participe contribuera à l'avancement des connaissances et aidera d'autres personnes dans des conditions semblables. Certains coûts peuvent aussi être associés à la participation à une recherche : l'inconfort physique, la fatigue, l'ennui, l'anxiété et la détresse psychologique face à l'inconnu, aux types de questions posées, aux effets secondaires à un traitement, ainsi que l'intrusion dans la vie privée et la perte de temps.

9.5

LE CONSENTEMENT LIBRE ET ÉCLAIRÉ

Un consentement, pour être légal, doit être obtenu de façon libre et éclairée (Code civil du Québec, 1994, ch. 6.4, art. 10). Le consentement est libre s'il est donné sans qu'aucune menace, promesse ou pression ne soit exercée sur la personne et alors que celle-ci est en pleine possession de ses facultés mentales. Pour que le consentement soit éclairé, la loi établit un devoir d'information. L'information est la transmission des éléments essentiels à la participation des sujets. Savoir ce qui leur est demandé et à quelles fins cette information sera utilisée permet aux participants potentiels d'évaluer les conséquences de leur participation. Obtenir un consentement écrit, libre et éclairé de la part des sujets est essentiel au maintien de l'éthique dans la conduite de la recherche (Brent, 1990; Cassidy et Oddi, 1986). Dans la plupart des études à caractère descriptif, les participants ne courent pour ainsi dire aucun risque à participer. Le chercheur fournit une description de l'étude, précise les objectifs et l'information qu'il désire obtenir.

Avant la signature du formulaire de consentement, il faut offrir aux sujets éventuels, dans un langage qui soit compréhensible, suffisamment d'informations sur le projet de recherche et sur ce en quoi consiste leur participation, de manière qu'ils puissent décider de participer librement et en pleine connaissance de cause. Cette information accompagne le formulaire de consentement ou est écrite sur ce dernier, dont les sujets conservent une copie. De plus, les sujets ont le droit de se retirer en tout temps de la recherche à laquelle ils ont préalablement accepté de participer, sans devoir justifier leur retrait et sans être pénalisés. Le consentement éclairé signifie que le sujet a obtenu l'information essentielle, qu'il en connaît bien le contenu et qu'il a bien compris la nature du consentement volontaire qu'il donne.

Il est à noter que le consentement écrit ne constitue pas en soi la preuve que toute l'information a été transmise au sujet. Une explication verbale honnête transmise au sujet sur la description des méthodes, des risques et des bénéfices est aussi essentielle. Une période de temps suffisante doit également être accordée au sujet pour lui permettre, hors de toute contrainte, d'examiner les renseignements, de poser des questions et de demander conseil (CMESS, 1994). Le formulaire de consentement doit présenter une information claire et précise, dans un langage compréhensible, simple, vulgarisé.

Le contenu du formulaire de consentement

Le texte du formulaire de consentement, par lequel le sujet déclare qu'il a été bien renseigné sur le projet de recherche et qu'il accepte d'y participer, comporte les éléments suivants, tirés en partie du document préparé par le Comité multifacultaire d'éthique des sciences de la santé (CMESS) de l'Université de Montréal et adapté avec permission pour cet ouvrage :

1) INTRODUCTION

Dans une introduction, le chercheur présente la raison d'être de l'étude, appuyée par l'état des connaissances, ainsi que la problématique et les hypothèses (texte vulgarisé et concis).

2) BUT ET OBJECTIFS DE L'ÉTUDE

Le chercheur précise l'envergure de l'étude, présente le but visé, les objectifs précis poursuivis, le tout dans un texte vulgarisé et concis.

3) MODALITÉS DE PARTICIPATION À L'ÉTUDE

Les personnes susceptibles de participer à l'étude doivent être renseignées sur le devis de recherche, les techniques utilisées pour la collecte des données, les tâches à exécuter, le moment et la durée des épreuves et le nombre de prélèvements, s'il y a lieu, la période du suivi, le lieu où se déroulera la recherche et la qualification du personnel de recherche.

4) CHOIX DES SUJETS/PATIENTS

Le chercheur devrait expliquer comment les participants potentiels sont recrutés et quels sont les critères de sélection.

5) AVANTAGES À PARTICIPER À L'ÉTUDE

Les bienfaits potentiels escomptés pour les sujets/patients doivent être décrits (bienfaits pour la santé ou amélioration des connaissances dans un domaine) ainsi que les bienfaits potentiels pour la société en général ou pour un groupe particulier de sujets (ex.: individus affectés du même handicap). Si l'on ne prévoit aucun bienfait, il faut le mentionner.

6) RISQUES ET INCONFORTS

Les participants potentiels devraient être informés des risques connus ou éventuels (physiques, psychologiques, sociaux) durant et après les épreuves, de leur importance et de leur fréquence, ainsi que de leurs aspects réversibles et irréversibles. La description des inconforts, inconvénients ou désagréments connus ou éventuels risquant d'apparaître durant et après les épreuves (gêne, fatigue, etc.) doit être donnée. Les mesures de confort ou de sécurité susceptibles de réduire au minimum les risques et les inconvénients doivent être identifiées. Les mises en garde (conduite automobile, grossesse et allaitement, etc.) doivent aussi être précisées, de même que les mesures prévues en cas d'urgence.

7) CONSÉQUENCES DU CHOIX DES TRAITEMENTS

Il est important de mentionner au patient les torts qu'il pourrait subir, tels que l'inconfort dû à l'exécution du protocole de recherche, de même que la nature des soins, le pronostic avec et sans intervention, le tableau différentiel des risques et des bénéfices pour les interventions normales et celles de la recherche, ainsi que la nature des interventions dont feront l'objet ceux qui ne participeront pas au projet.

8) PARTICIPATION VOLONTAIRE, RETRAIT OU EXCLUSION DE L'ÉTUDE

Le chercheur doit clairement indiquer que la participation à l'étude est strictement volontaire et que le retrait n'entraîne aucune pénalité ou perte de bénéfice, quel qu'il soit. À titre d'exemple, la formulation pourrait être la suivante : « Votre participation est entièrement volontaire. Vous êtes libre de vous retirer sans préjudice, en tout temps, sans devoir justifier votre décision et sans que cela ne nuise à aucun traitement futur vous concernant. » Retrait : « Si vous décidez de vous retirer de l'étude, vous devez aviser verbalement...(choisir une démarche assurant au sujet un choix libre, sans influence indue). Avant de vous retirer de l'étude thérapeutique, vous devez vous informer des conséquences et des risques de votre retrait. » Exclusion : « Les chercheurs pourront vous exclure de l'étude, notamment si vous ne respectez pas les directives qui vous ont été données, ou si vous manifestez un effet secondaire grave dû aux épreuves/médicaments/... étudiés ou si, par suite d'un changement de votre état, la poursuite de votre participation vous exposerait à un risque particulier. Vous serez avisé, tout au long de l'étude, de toute nouvelle information susceptible de vous faire reconsidérer votre décision de participer à l'étude. »

9) CARACTÈRE CONFIDENTIEL DES INFORMATIONS

Il est important de garantir aux sujets potentiels la confidentialité des informations, en leur expliquant la méthode choisie pour l'assurer. À titre d'exemple, les formules suivantes pourraient être utilisées : « Votre nom et votre adresse ne seront pas inscrits dans la base de données informatisées » ou « Votre nom n'apparaîtra pas sur les instruments de mesure et sera remplacé par un numéro de code. » Il faut également informer les sujets du fait que les dossiers de l'étude ne seront en aucun cas mis à la disposition d'un tiers (à l'exception des représentants autorisés des organismes gouvernementaux en matière de santé : « ... ces derniers, ainsi que les chercheurs de l'étude, peuvent demander à examiner votre dossier d'hôpital pour obtenir des informations précises... »). La durée de conservation des données sous toutes ses formes, les bandes vidéo et l'utilisation qu'on compte en faire sont des éléments d'information additionnels à fournir.

10) DÉDOMMAGEMENT EN CAS DE PRÉJUDICE

Les sujets potentiels doivent savoir si le chercheur ou l'établissement sont protégés par des assurances.

11) INDEMNITÉ

Devraient être mentionnées, la nature et les conditions de l'indemnité offerte comme dédommagement pour les inconvénients, les déplacements, les dépenses imprévues...

12) PERSONNE-CONTACT

Le chercheur devrait indiquer la ou les personnes avec qui les sujets peuvent communiquer en tout temps, dans l'éventualité d'un besoin d'informations supplémentaires au sujet de l'étude ou d'une décision concernant leur droit de retrait de l'étude. Indiquer le ou les noms, les numéros de téléphone et les moments de disponibilité.

9.6

CONSENTEMENT ÉCLAIRÉ ET PERSONNES VULNÉRABLES

Les droits des personnes ou groupes vulnérables exigent une protection accrue et une sensibilité additionnelle de la part des chercheurs. Certaines personnes, en raison de leur vulnérabilité ou de leurs facultés réduites, peuvent être inaptes à fournir un consentement écrit, libre et éclairé, telles que les personnes mentalement incompétentes ou les personnes à haut risque (femmes enceintes). D'ailleurs, l'inclusion de ces personnes dans le devis échantillonnal exige une justification. Parmi les groupes considérés comme vulnérables, mentionnons les personnes mineures, les personnes mentalement ou psychologiquement incompétentes, les personnes vivant en établissement ou celles en phase terminale.

Les sujets mineurs

D'un point de vue légal et éthique, les sujets mineurs n'ont pas la compétence voulue pour donner leur consentement. Habituellement, le consentement éclairé des parents ou tuteurs est né-

cessaire. Si l'enfant est apte à comprendre les informations incluses dans le formulaire de consentement, il peut donner son consentement écrit qui s'ajoute à celui accordé par les parents. En raison de la législation particulière au Québec concernant la participation des sujets mineurs (âgés de moins de 18 ans), les lignes de conduite qui prévalent au CMESS sont celles élaborées par le Centre hospitalier Sainte-Justine (1993), à savoir : moins de 7 ans – consentement signé par le ou les parents ou par le gardien légal; 7 à 11 ans – approbation verbale de l'enfant et consentement signé par les parents ou le gardien légal; 12 à 14 ans – consentement signé par l'enfant; il est souhaitable d'avoir en plus un avis favorable des parents; 17 ans – consentement signé par l'enfant.

Sujets mentalement incompétents

Les personnes inconscientes ou celles qui présentent une difficulté intellectuelle sont incapables de donner leur consentement libre et éclairé, puisqu'elles ne sont pas en mesure de comprendre l'information sur la nature de leur participation. La participation de ces personnes dont l'autonomie est réduite devient acceptable si : 1) la recherche est thérapeutique et les bénéfices sont plus élevés pour les personnes que pour le processus expérimental lui-même; 2) le chercheur accepte des sujets vulnérables et non vulnérables dans son étude; 3) les risques sont minimes et le processus de consentement libre est suivi rigoureusement (Burns et Grove, 1995; Levine, 1986).

Sujets vivant en établissement

Certains sujets hospitalisés peuvent se sentir obligés de participer aux projets de recherche, soit pour assister les professionnels de la santé chercheurs qui sollicitent leur participation, soit par crainte que leurs soins soient affectés s'ils refusent. Dans la conduite de la recherche, les professionnels de la santé chercheurs doivent s'assurer que les participants potentiels ne se sentent contraints en aucune façon de participer ou non à des recherches.

En dehors de situations où l'incapacité mentale ou l'incompétence cognitive sont en cause, telles que dans le cas de sujets en phase terminale, le consentement écrit devrait être obtenu auprès d'une personne légalement mandatée. Il en va de même pour les personnes en prison ou dont le niveau de liberté est restreint et qui pourraient accepter de participer à la recherche par soumission, coercition ou désirabilité sociale, ce qui risque de brimer leur autonomie.

9.7

LES COMITÉS D'ÉTHIQUE DE LA RECHERCHE

Le Code de Nuremberg ne fait pas mention des comités d'éthique de la recherche. Il s'adresse à la conscience morale des chercheurs dans le contexte d'un procès international qui laisse présumer que les chercheurs ne se conformant pas aux principes définis par le Code risquent d'être poursuivis devant les tribunaux. La Déclaration d'Helsinki, cependant, stipule à l'article 2 que « ...le projet et l'exécution de chaque phase de l'expérimentation portant sur l'être humain doivent être clairement définis dans un protocole expérimental, qui doit être soumis à un comité indépendant, désigné spécialement à cet effet, pour avis et conseil » (Malherbe, 1994).

Un comité d'éthique de la recherche a pour mission d'évaluer des protocoles ou projets de recherche, non seulement en fonction d'une éthique codifiée faisant chaque année l'objet d'un consensus international plus large, mais également en fonction de la sensibilité et des particularités d'une communauté socioculturelle particulière, qui doit être reflétée par la composition du co-

mité. Il est également important que les comités d'éthique de la recherche soient composés de professionnels de la recherche et des soins cliniques, mais aussi de personnes extérieures à ces établissements. En outre, les comités d'éthique de la recherche doivent inclure des spécialistes des disciplines concernées. La présence d'un clinicien du domaine de la santé mentale, de représentants des professions paramédicales peut s'avérer indispensable. Enfin, un bioéthicien, un philosophe, un théologien ou un juriste familiarisés avec les questions d'éthique biomédicale et le milieu de la pratique des soins de santé devraient également faire partie de ces comités (Malberbe, 1994).

Au Québec, les comités d'éthique de la recherche sont des structures rodées, qui tendent à appliquer les recommandations du Conseil de recherches médicales (CRM). Les lignes directrices du CRM exigent que la recherche sur les êtres humains fasse l'objet de l'évaluation et de l'approbation du comité local d'éthique de la recherche avant que le projet débute. Afin de faciliter les délibérations du comité d'éthique de la recherche, le chercheur remplit habituellement un formulaire détaillé portant sur l'objet de la recherche et incluant tous les aspects relatifs à la dimension éthique. Habituellement, chaque établissement a ses propres exigences par rapport à la façon de présenter une demande d'évaluation éthique d'une proposition de recherche. Il faut retenir que, pour donner un avis sur la dimension éthique d'un projet, les arbitres doivent être informés sur les méthodes expérimentales, les caractéristiques de l'échantillonnage, les critères de sélection, les méthodes de collecte des données, etc. Si le projet comporte un questionnaire qui doit servir à la collecte de renseignements, celui-ci doit être inclus comme faisant partie du projet. On devra aussi faire état du processus de sélection des sujets, qui doit être équitable.

Sont inclus dans les pages suivantes des exemples d'application concernant : l'explication d'une étude aux participants et les modalités du consentement (encadré 9.2); un formulaire de consentement relié à la lettre d'explication, que le participant devra signer s'il consent à participer à l'étude (encadré 9.3); et un formulaire de consentement concernant l'utilisation des vidéos, photographies et enregistrements (encadré 9.4).

ENCADRÉ 9.2

Lettre d'explication d'une étude.

LETTRE D'EXPLICATION DE L'ÉTUDE ET DU CONSENTEMENT

Titre :   Procédure de traitement pharmacologique et non pharmacologique de la douleur chez les bébés prématurés.

Chercheurs : Céleste Johnston, inf. D. Ed. Tél.: _ _ _-_ _ _ _; Bonnie Stevens, inf. Ph. D. Tél.: _ _ _-_ _ _ _; Jacob V. Aranda, M. D.; Gideon, Koren, M. D.

OBJECTIF

L'objectif de cette étude est d'évaluer et de mieux maîtriser la douleur chez les nouveau-nés à l'occasion d'une procédure routinière appelée ponction capillaire au talon (*heelstick*). Une crème récemment conçue peut être appliquée directement sur la peau. La crème EMLA (*Eutetic Mixture of Local Anaesthetics*) est une combinaison de deux analgésiques communs (lidocaine et prilocaine). Cette crème a été soigneusement analysée et s'est avérée très efficace dans la réduction de la douleur chez les enfants et les adultes. Toutefois, l'utilisation de la crème EMLA n'a pas, jusqu'à présent, été étudiée chez les nouveau-nés et les nourrissons.

MÉTHODE

Cette étude veut déterminer si la crème EMLA est efficace dans la réduction de la douleur au moment de la ponction capillaire au talon chez les enfants prématurés. Pour ce faire, votre bébé pourra participer à un des deux groupes de recherche. Le premier groupe recevra une application de la crème EMLA au talon 30 minutes avant la ponction capillaire. Le second groupe recevra une crème placebo 30 minutes avant la ponction capillaire. Ces groupes seront choisis au hasard. Tous les bébés seront surveillés de près avant, pendant et après la ponction capillaire, selon les règlements en vigueur dans l'unité des soins intensifs en néonatalogie.

Si votre bébé participe à l'étude, il ou elle sera filmé, enregistré et ausculté (rythme cardiaque, saturation du sang en oxygène) avant, pendant et après la ponction capillaire. Les mesures du rythme cardiaque et de la saturation en oxygène sont faites à l'aide de moniteurs auxquels les bébés sont branchés. Aucune de ces mesures ne peut causer de la douleur chez le bébé. Finalement, le dossier du bébé fera l'objet d'une évaluation par une infirmière-chercheure afin de rassembler les renseignements pertinents sur l'histoire de la naissance du bébé, son état physiologique et le nombre d'interventions douloureuses auxquelles il aura été exposé.

RISQUES POTENTIELS

Il y a deux risques à l'utilisation de la crème EMLA : une réaction allergique et la méthémoglobinémie. Ces deux effets sont extrêmement rares : une personne sur 10 000 peut avoir une réaction allergique et nous n'avons connu qu'un seul cas de méthémoglobinémie pouvant être associé à la crème EMLA. Dans ce cas précis, la crème avait été laissée sur la peau du bébé pendant 5 heures. De plus, le bébé recevait un autre médicament pouvant contribuer à l'apparition de méthémoglobinémie. Les bébés qui reçoivent ce médicament seront exclus de l'étude.

Le taux de méthémoglobine des bébés recevant la crème EMLA sera vérifié environ 8 heures après son application. Ce test requiert 0,3 ml de sang (environ un quart de cuillère à thé), qui sera prélevé en même temps que le sang nécessaire pour d'autres tests sanguins, si possible. Il se pourrait que le bébé doive avoir une ponction capillaire supplémentaire si aucune autre prise de sang n'est nécessaire pour le bébé. Le bébé sera surveillé de très près afin de détecter toute réaction connue faisant l'objet d'un traitement, ainsi que pour tout autre effet secondaire imprévu. À cet effet, le médecin responsable sera immédiatement appelé et les problèmes seront traités. La crème EMLA est un produit qui peut s'acheter en pharmacie sans prescription médicale.

AVANTAGES POTENTIELS

Il n'y a aucun avantage potentiel pour les bébés qui participent à l'étude. Cependant, il se pourrait que les bébés ressentent une moins grande douleur durant la ponction capillaire au talon.

AUTRE POSSIBILITÉ

Si un bébé ne participe pas à cette étude, il sera soumis à la ponction capillaire de la façon normale, c'est-à-dire sans aucune médication contre la douleur.

CONFIDENTIALITÉ

Toutes les données recueillies durant cette étude seront traitées de façon confidentielle. Tout le matériel audiovisuel et écrit sera codifié, et une liste centrale contenant le nom du bébé et son code sera conservé dans un endroit sûr à _____. Les résultats de groupe pourront être présentés plus tard, mais les bébés ne seront jamais identifiés de façon individuelle. Les résultats de groupe seront disponibles sur demande.

PARTICIPATION

Le choix de participer ou non à l'étude se fait de façon volontaire. Si vous décidez de ne pas prendre part à l'étude, vous et votre famille recevrez les mêmes soins que si votre bébé participait à l'étude. Si vous décidez que votre bébé prend part à l'étude, vous pouvez le retirer en tout temps. Encore une fois, vous pouvez être assuré que vous et votre famille recevrez toujours les mêmes soins médicaux de qualité à l'hôpital X.

ENCADRÉ 9.3

Formulaire de consentement.

FORMULAIRE DE CONSENTEMENT

Chercheures : Céleste Johnston, inf. D. Ed., professeur agrégé, et Bonnie Stevens, inf. Ph. D., professeur adjoint.

Je reconnais que les procédures de recherche décrites dans la lettre ci-jointe m'ont été expliquées et que l'on a répondu de façon satisfaisante à toutes mes questions. On m'a averti des autres possibilités quant à la participation à cette étude. Je comprends également les avantages, s'il y en a, de la participation à cette étude. Les possibilités de risque et d'inconfort m'ont également été expliquées. Je comprends que j'ai le droit de poser, maintenant et dans le fur, toute question sur l'étude, la recherche ou les méthodes utilisées. On m'a assuré que les dossiers sur mon enfant seront gardés de façon confidentielle et qu'aucune information ne sera publiée ou communiquée, incluant l'identité personnelle de mon enfant, sans ma permission.

Je comprends que je suis libre à tout moment de retirer mon bébé de cette étude. Je comprends également que, si mon bébé ne participe pas à cette étude ou si je le retire à n'importe quel moment, la qualité des soins dont il peut bénéficier, de même que tout autre membre de ma famille, ne sera en rien affectée.

Je consens, par la présente, à ce que mon bébé _____ puisse participer pleinement à cette étude.

Je ne permets pas que mon bébé participe à cette étude, mais je donne la permission aux chercheurs de consulter les dossiers médicaux contenant l'information sur l'âge, le sexe, le poids et la naissance de mon bébé _____.

Nom : _____

Témoin : _____

Signature et qualité (parent, tuteur) : _____

Date : _____

Pour toute question, contacter les chercheurs dont les numéros de téléphone sont fournis sur la lettre d'explication.

ENCADRÉ 9.4

Formulaire de consentement (enregistrements et photographies).

FORMULAIRE DE CONSENTEMENT
VIDÉOS, PHOTOGRAPHIES ET ENREGISTREMENT

Chercheures : Céleste Johnston, inf. D. Ed., professeur agrégé, et Bonnie Stevens, inf. Ph., D., professeur adjoint.

Par la présente, je consens à ce que mon enfant _____ soit enregistré/photographié durant sa participation à ce projet de recherche. Je comprends que je suis libre de ne pas participer à cette partie de l'étude et que, si j'accepte de participer, je suis libre de retirer mon enfant de l'étude à n'importe quel moment sans compromettre la qualité des soins médicaux à l'hôpital X pour moi, mon enfant ou tout autre membre de ma famille.

Nom du parent : _____

Signature : _____

Nom et âge du patient : _____

Signature de la personne ayant obtenu le consentement :

_____

Date : _____

Aussi, je permets que ces vidéos/photos soient utilisés pour : (indiquer l'usage approprié)

1. _____ Autres projets de recherche.

2. _____ Enseignement et démonstration à l'Université et à l'hôpital X.

3. _____ Enseignement et démonstration lors de réunions professionnelles à l'extérieur de l'hôpital.

En donnant ma permission (pour mon enfant _____) pour l'utilisation de ces vidéos/photos en dehors de cette recherche, on m'a offert de les voir/écouter et je comprends que je peux retirer cette permission pour d'autres utilisations à n'importe quel moment.

Nom du parent : _____

Signature : _____

Signature de la personne ayant obtenu le consentement :

_____

Date : _____

Pour toute question, contacter les chercheurs dont les numéros de téléphone sont fournis sur la lettre d'explication.

Encadrés 9.2, 9.3, 9.4 : avec permission des auteurs.

9.8

RÉSUMÉ

En 1947, le procès de Nuremberg force la communauté internationale, et la communauté scientifique en particulier, à se pencher sur les impératifs de l'éthique dans la recherche appliquée aux êtres humains. Le Code de Nuremberg naît donc de la volonté d'établir des règles morales d'expérimentation sur les humains, afin que ne se reproduisent plus les horreurs commises dans les camps nazis au nom d'une science déshumanisée. Le Code, basé sur une déclaration des droits de la personne, institue un ensemble de règles de conduite auxquelles tout chercheur doit se soumettre lorsqu'il décide d'utiliser des personnes comme sujets de recherche. En 1975, une modification au Code de Nuremberg rendait obligatoire la mise sur pied, dans les établissements de santé, de comités d'éthique de la recherche, pour assurer une évaluation de l'aspect éthique des projets de recherche sur les humains. Au Canada, des lignes directrices nationales, ainsi que les codes déontologiques prônés par les associations professionnelles, consolident ces principes.

Les droits de la personne qui doivent être absolument protégés dans les protocoles de recherche engageant des êtres humains sont les droits à l'autodétermination, à l'intimité, à l'anonymat et la confidentialité, à la protection contre l'inconfort et le préjudice, ainsi que le droit à un traitement juste et équitable. Pour procéder à l'avancement des connaissances, que ce soit dans les sciences biomédicales ou dans les sciences du comportement humain, le chercheur doit obtenir de la part des sujets potentiels un consentement éclairé et libre. À cette fin, les participants doivent recevoir une information comprenant plusieurs éléments, parmi lesquels se trouvent les buts et objectifs de l'étude, les risques encourus, le rapport risques-bénéfices que le chercheur attribue à leur participation ainsi que les renseignements reliés au droit de se retirer de l'étude à tout moment. Le respect des droits des personnes se rapporte également à celui des personnes vulnérables, c'est-à-dire celles qui, en raison de certaines caractéristiques, sont inaptes à fournir un consentement parfaitement libre et éclairé.

Sauvegardant les principes éthiques d'une recherche auprès de personnes, les différents comités d'éthique rattachés aux établissements s'adressent à la conscience morale des chercheurs, en évaluant les protocoles de recherches selon leur valeur éthique. Afin de fonctionner conformément à leur mission, ces comités regroupent des professionnels de la recherche et des soins cliniques, ainsi que des personnes indépendantes des établissements directement impliqués dans les recherches évaluées.

RÉFÉRENCES BIBLIOGRAPHIQUES

ASSOCIATION MÉDICALE MONDIALE (1972; 1975). « Déclaration d'Helsinki (1964) ». *World Medical Journal*, n° 19 (2), p. 29. Révisé. *World Medical Journal*, 1982, n° 29 (6), p. 86-88.

ASSOCIATION MÉDICALE MONDIALE (1975). « Directives à l'intention des médecins en ce qui concerne la torture et les autres peines ou traitements cruels, inhumains ou dégradants en relation avec la détention et l'emprisonnement ». Déclaration de Tokyo. *World Medical Journal*, n° 22 (6), p. 87,

ASSOCIATION DES INFIRMIÈRES ET INFIRMIERS DU CANADA (1993). *Lignes directrices pour une déontologie de la recherche infirmière impliquant des sujets humains*. Ottawa : AIIC.

Brent, N. J. (1990). Legal issues in research : Informe and consent. *Journal of Neuroscience Nursing*, n° 22 (3), p. 189-191.

Burns N., Grove S. K. (1995). *Understanding nursing research*. Philadelphia, PA : W. B. Saunders Company.

Burns, N., Grove, S. K. (1993). *The practice of nursing research : Conduct, critique and utilization*. Philadelphia, PA : W. B. Saunders Company.

Cassidy, V. R., Oddi, L. F. (1986). Legal and ethical aspects of informed consent : A nursing research perspective. *Journal of Professional Nursing*, n° 2 (6), p. 343-349.

Centre hospitalier Sainte-Justine (1993). *La recherche sur les sujets humains. lignes directrices*. Montréal, Québec : Comité d'éthique à la recherche et le Comité d'évaluation des projets de recherche.

Code d'éthique de Nuremberg (1978). Dans : *La déontologie de l'expérimentation chez l'humain*. Ottawa : Conseil de recherches médicales du Canada, p. 59-60.

Comité Multifacultaire d'Éthique des Sciences de la santé (1994). *Esquisse d'un formulaire de consentement*. Université de Montréal, CMESS-1994.

Conseil de recherches médicales du Canada (1987). *Lignes directrices concernant la recherche sur des êtres humains*. Ottawa : CRM.

Conseil de recherches médicales du Canada (1990). *Lignes directrices concernant la recherche sur la thérapie génique somatique chez les humains*. Ottawa : CRM.

Conseil de recherches en sciences humaines du Canada (1986). Code déontologique de la recherche utilisant des sujets humains. Annexe H, dans : *Subventions de recherche. Guide des candidats*. Ottawa : CRSH.

Conseil des Arts du Canada (1977). *Rapport du Groupe consultatif de déontologie*. Ottawa : CRSHC.

Cook, S. W. Problèmes d'éthique se rapportant à la recherche sur les relations sociales. Dans Seltiz, C., Wrightsman, I. S., Cook, S. W. (éd). *Les méthodes de recherche en sciences sociales*. Montréal : HRW, 1977

Crête, J. (1992). L'éthique en recherche sociale. Dans *Recherche sociale : De la problématique à la collecte des données*, 2e éd. Québec : Les Presses de l'Université.

Ford, J. S., Reutter, L. I. Ethical dilemnas associated with small samples. *Journal of Advanced Nursing*, 1990, n° 15 (2), p. 187-191.

Frankena, W. K. (1973). *Ethics*, 2e éd. Engleswood Cliffs, NJ : Prentice Hall.

Gouvernement du Québec (1994). *Code civil du Québec*. Québec : Imprimeur du Gouvernement.

Kelman, H. C. (1977). Privacy and research with human beings. *Journal of Social Issues*, n° 33 (3), p. 169-195.

Kovacs, A. R. (1985). *The Research process : Essentials of skill development*. Philadelphia : F. A. Davis Company.

Levine, R. J. (1986). *Ethics and regulation of clinical research*, 2e éd. Baltimore-Munich : Urban and Schwarzenberg.

Malherbe, J. F. (1994). *La problématique éthique de l'expérimentation médicale impliquant des sujets humains*. Montréal. Document inédit.

Nuremberg Code (1986). In : R. J. Levine (Éd.). *Ethics and regulation of clinical research*, 2e éd. Baltimore-Munich : Urban and Schwarzenberg.

Organisation mondiale de la santé et Conseil des organisations internationales des sciences médicales (1982). *Proposed international guidelines for biomedical research involving human subjects*. Genève : Conseil des organisations internationales des sciences médicales.

Polit, D. F., Hungler, B. P. (1995). *Nursing research : Principles and methods*, 5e éd. Philadelphia : J. B. Lippincott.

Reynolds, P. D. (1972) On the protection of human subjects and social science. *International Social Science Journal*, n° 24 (4), p. 693-719.

Reynolds, P. D. (1979). *Ethical dilemnas and social science research*. San Francisco : Jossey-Bass.

Société canadienne de psychologie (1986). *Code canadien de déontologie professionnelle des psychologues*. Ottawa : ACP.

CHAPITRE 10

LE DEVIS DE RECHERCHE

Marie-Fabienne Fortin

Objectifs d'apprentissage

À la fin de ce chapitre, l'étudiant(e) devrait capable de :

✔ Préciser l'objectif d'un devis de recherche.

✔ Décrire les éléments d'un devis de recherche.

✔ Discuter les concepts de biais, de manipulation, de contrôle et de validité en relation avec le devis de recherche.

✔ Décrire l'importance de la validité dans le choix d'un devis de recherche.

À la phase conceptuelle tout a été mis en œuvre pour définir l'objet d'étude d'une démarche de recherche. Les chapitres suivants se rapportent à la phase méthodologique, qui consiste à préciser comment le phénomène à l'étude sera intégré dans un plan de travail qui dictera les activités conduisant à la réalisation de la recherche.

Plusieurs éléments concourent à l'établissement d'un plan ou devis approprié pour répondre aux questions soulevées par la problématique de recherche. Ce plan est destiné à agencer un ensemble d'activités de manière à permettre au chercheur la réalisation effective de son projet. Ce plan constitue en quelque sorte l'ossature sur laquelle viendront se greffer les résultats de la recherche.

10.1

DÉFINITION ET BUT
DU DEVIS DE RECHERCHE

Le devis de recherche est le plan logique créé par le chercheur en vue d'obtenir des réponses valables aux questions de recherche posées ou aux hypothèses formulées. Est considérée valable l'information qui donne du phénomène à l'étude une image claire, permettant de tirer des conclusions légitimes. En plus de viser à répondre aux questions de recherche, le devis a pour but de contrôler les sources potentielles de biais, qui risquent d'influencer les résultats de l'étude. En élaborant soigneusement son projet de recherche, le chercheur peut éliminer ou, au moins, réduire les sources d'erreur de manière qu'une seule explication raisonnable émerge des résultats obtenus.

Le devis est aussi un ensemble de directives associées au type d'étude choisi. Il précise la manière de collecter et d'analyser les données pour assurer un contrôle sur les variables à l'étude. Le devis permet d'isoler les variables importantes des autres variables et de les mesurer avec précision afin d'assurer la crédibilité des données.

Le contrôle est une caractéristique essentielle du devis de recherche. Toutes les sources potentielles d'erreur ne peuvent être parfaitement contrôlées. Comme nous l'expliquerons dans le chapitre sur les études expérimentales, il existe des approches qui permettent de réduire au minimum de telles influences. Le concept de « contrôle » fait souvent référence à la validité interne. Une étude possède une validité interne si les sources d'erreur ont été contrôlées avec succès (McMillan et Schumacher, 1989). Parce qu'il existe différents buts de recherche selon les niveaux de connaissances sur un phénomène, il existe également différents types de recherche, qui exigeront, à des degrés divers, le respect de certaines conditions pour assurer la validité des résultats recueillis.

Dans la conduite de chaque type de recherche, qui sera explicitée au cours des chapitres suivants, on doit tenter de s'approcher le plus possible de la perfection et tout mettre en œuvre pour réduire, voire même éliminer, le plus grand nombre possible d'atteintes à la validité. Le devis de recherche comporte donc des décisions importantes à cet égard.

10.2

ÉLÉMENTS
DU DEVIS DE RECHERCHE

Les principaux éléments qui concourent à l'établissement d'un devis de recherche sont : le ou les milieux où l'étude sera menée; la sélection des sujets et la taille de l'échantillon; le type d'étude; les stratégies utilisées pour contrôler les variables étrangères; les instruments de collecte des données; le traitement des données.

LE MILIEU

Les études conduites en dehors des laboratoires prennent le nom d'études en milieu naturel, ce qui signifie qu'elles s'effectuent quelque part en dehors des lieux hautement contrôlés que sont les laboratoires. Le chercheur précise le milieu où l'étude sera conduite et justifie son choix. Par exemple, si un chercheur veut étudier les effets d'un programme d'enseignement préopératoire dans le cas d'une chirurgie cardiaque, l'étude devra être menée dans un milieu où il trouvera ce type de chirurgie. Il faut s'assurer que le milieu est accessible et obtenir la collaboration et les autorisations nécessaires des comités de recherche et d'éthique.

POPULATION CIBLE ET ÉCHANTILLON

La description de la population et de l'échantillon fournit une bonne idée de la généralisation éventuelle des résultats. Les caractéristiques de la population définissent le groupe de sujets qui seront inclus dans l'étude et précisent les critères de sélection. Il faut aussi tenir compte des considérations éthiques ayant trait à la protection des droits des personnes.

En plus de choisir des sujets d'une population définie, le chercheur considère la méthode échantillonnale appropriée et la taille de l'échantillon. Celle-ci est un facteur important dans la détermination de résultats significatifs d'un point de vue statistique. Combien de sujets sont requis pour estimer une caractéristique d'une population à partir d'un échantillon ? La réponse dépend de plusieurs facteurs, qui seront examinés dans le chapitre sur les méthodes d'échantillonnage.

TYPE D'ÉTUDE

À chaque type d'étude correspond un devis précisant les activités qui permettront d'obtenir des réponses fiables aux questions de recherche ou aux hypothèses. Le type d'étude décrit la structure utilisée selon que la question de recherche vise à décrire des variables ou des groupes de sujets, à explorer ou examiner des relations entre des variables ou encore à vérifier des hypothèses de causalité. Dans une étude ayant pour but d'examiner des relations entre des variables, le devis devrait montrer comment la situation sera structurée afin que les données soient recueillies avec le moins de contamination possible par des facteurs externes pouvant fournir d'autres explications que celles prévues. Dans une étude visant à vérifier l'efficacité d'une intervention particulière (ex.: un programme de soutien auprès de personnes ayant reçu un diagnostic d'hypertension), la situation devra être décrite en fonction des comparaisons qui seront faites entre les groupes de sujets relativement aux variables. De là l'importance de préciser les variables à contrôler et d'expliciter comment elles le seront.

LE CONTRÔLE DES VARIABLES ÉTRANGÈRES

Les variables qui ne sont pas incluses dans l'étude, mais qui risquent d'exercer une influence sur la variation de la mesure des variables étudiées, doivent être clairement identifiées. Le chercheur doit être particulièrement vigilant en ce qui concerne un certain nombre de variables étrangères, telles que les données sociodémographiques : âge, scolarité, état de santé, attitudes, etc. Les principales stratégies utilisées pour contrôler les variables étrangères sont : 1) l'échantillonnage probabiliste; 2) la répartition aléatoire dans les groupes; 3) l'homogénéité des sujets; 4) l'appariement; 5) les blocs appariés; 6) le contrôle statistique.

1) L'échantillonnage probabiliste

La stratégie de l'échantillonnage probabiliste accroît la probabilité que les sujets présentant divers degrés d'une variable étrangère, soient distribués également parmi les groupes à l'étude. Cette stratégie est particulièrement importante pour le contrôle des variables étrangères qui sont inconnues.

2) La répartition aléatoire

La répartition aléatoire est une technique qui permet d'assurer que les sujets du groupe expérimental et du groupe de contrôle sont équivalents. La répartition aléatoire signifie que chaque sujet de l'étude a une probabilité égale d'être assigné à l'un ou l'autre groupe. Le chercheur utilise des techniques de répartition aléatoire afin de réduire les biais systématiques et d'augmenter ainsi la validité interne de l'étude. Bien que la répartition aléatoire aide à réduire les sources de biais, ce procédé ne réussit pas toujours à produire des groupes équivalents. Cela est particulièrement vrai si le nombre de sujets participant à l'étude est petit. L'efficacité de la répartition aléatoire s'accroît en fonction du nombre de sujets. Habituellement, on utilise une table de permutation des nombres pour affecter les sujets aux divers groupes.

3) L'homogénéité

L'homogénéité est une méthode qui consiste à n'utiliser que les sujets semblables quant aux variables étrangères déterminées. Le choix des variables à contrôler repose sur une connaissance approfondie du domaine à l'étude. Ainsi, le chercheur peut choisir d'inclure dans son échantillon seulement les sujets qui présentent un même degré de la variable étrangère. Par exemple, en choisissant des sujets d'un même groupe d'âge ou du même sexe, ou encore des sujets présentant un même diagnostic, ou une condition de santé récemment diagnostiquée. Cependant, cette méthode limite la généralisation des résultats à la seule catégorie de sujets qui ont participé à l'étude.

4) L'appariement

Une autre façon d'exercer un contrôle sur les variables étrangères de manière que les groupes expérimental et témoin soient comparables en tous points est l'appariement, c'est-à-dire la formation de groupes indépendants avec sujets appariés. Voici en quoi consiste ce procédé : quand un sujet du groupe expérimental est recruté, le chercheur, pour constituer le groupe de contrôle, apparie ce dernier avec un autre sujet présentant les mêmes caractéristiques par rapport aux variables déterminées. L'âge, l'expérience et le sexe sont des variables souvent utilisées pour l'appariement, de même que les catégories socioéconomiques.

5) Les blocs appariés

Une autre approche utilisée pour contrôler les variables étrangères est celle des blocs appariés. Cette méthode consiste à inclure les variables étrangères dans l'étude en tant que variables indépendantes, afin d'assurer la correspondance entre des blocs de sujets. Chaque bloc regroupe un ensemble de sujets semblables en ce qui concerne la caractéristique correspondant à la variable dépendante étudiée (Robert, 1988). L'âge, le sexe sont entre autres des variables qui peuvent être utilisées pour former des blocs de sujets. Le chercheur peut former des blocs de sujets en les répartissant selon une variation systématique de leurs caractéristiques (âge, sexe, programme d'activités). Par exemple, le chercheur peut répartir séparément les hommes et les femmes, selon différentes catégories d'âge, tout en plaçant les sujets de façon aléatoire soit dans des conditions expérimentales, soit dans des conditions témoins. Ainsi chaque groupe de sujets représente un niveau ou degré de la variable indépendante et constitue un bloc formé de sujets semblables par rapport aux caractéristiques choisies pour leur lien avec la variable dépendante (Polit et Hungler, 1995; Robert, 1988).

6) Les procédés statistiques

Dans l'impossibilité de recourir aux autres moyens d'assurer le contrôle des variables étrangères, on utilise une technique statistique, telle que l'analyse de covariance. Cette technique consiste à retrancher la variance expliquée par la variable étrangère avant d'effectuer des analyses de différences ou de relations entre les variables de l'étude (Burns et Grove, 1995).

LES INSTRUMENTS DE COLLECTE DES DONNÉES

Au cours de la phase méthodologique, les mesures et les observations utilisées pour recueillir les données sont décrites en détail. Comme les concepts à la base d'une étude ne peuvent être mesurés directement, ils doivent être traduits sous une forme opérationnelle, de manière à décrire les activités envisagées pour mesurer tel concept, ou à décrire les comportements à l'étude.

Puisque les instruments de mesure servent à collecter les données qui fourniront des réponses aux questions de recherche ou aux hypothèses, il est important de considérer les aspects de la fidélité et de la validité des instruments de mesure. Il est nécessaire d'indiquer les types de fidélité et de validité qui ont été vérifiés sur les instruments de mesure et de préciser la valeur des coefficients de corrélation. Si l'instrument utilisé a été traduit en langue française, il faudra préciser de plus ce qu'on entend faire pour assurer qu'il conserve des propriétés métrologiques suffisantes pour obtenir des données valables.

Dans certaines études, les données peuvent être recueillies en une seule période, ou encore à différents intervalles sur une période plus ou moins longue. Certaines études requièrent plus de contacts avec les sujets pour évaluer les changements qui surviennent dans le temps, comme dans le cas d'une étude portant sur une intervention ou dans le cas d'une étude longitudinale. Ces aspects doivent être précisés avec soin.

LE TRAITEMENT DES DONNÉES

La méthode d'analyse doit être congruente par rapport aux objectifs et au devis de l'étude selon que celle-ci vise à décrire des relations, vérifier des relations entre les variables ou comparer des groupes. Les analyses statistiques choisies doivent respecter les postulats concernant les modalités de distribution de la population (normale ou non). Les analyses statistiques doivent aussi être appropriées à la qualité des données, que celles-ci soient nominales, ordinales ou métriques.

10.3

CLASSIFICATION DES RECHERCHES ET NIVEAUX DES CONNAISSANCES

Les recherches s'insèrent dans deux grandes catégories : elles peuvent être soit exploratoires-descriptives, soit explicatives-prédictives, en passant par une gamme variée de types d'étude à l'intérieur de chacune des deux catégories. Le niveau des connaissances dans le domaine à l'étude détermine le choix du type de recherche. S'il existe peu ou pas de connaissances sur un phénomène, le chercheur orientera son étude vers la description d'un concept ou facteur plutôt que vers l'étude de relations entre des facteurs. Il peut s'avérer important d'étudier les caractéristiques d'une population particulière ou de décrire l'expérience d'un groupe de personnes avant d'élaborer une intervention susceptible d'améliorer une situation. Le choix du type d'étude se précise au cours de la formulation du problème, quand la question de recherche est finalisée.

C'est la question de recherche qui, en quelque sorte, dicte la méthode appropriée à l'étude d'un phénomène. Les études descriptives fournissent une description des données, que ce soit sous la forme de mots, de nombres ou d'énoncés descriptifs de relations entre des variables. Les études corrélationnelles servent à examiner la covariation des variables et l'association d'une variable avec d'autres variables. Les études expérimentales se caractérisent par l'explication de relations de cause à effet entre des variables vérifiées empiriquement auprès de groupes de sujets. Si la question de recherche se situe au niveau de connaissances I ou II, l'étude sera respectivement exploratoire-descriptive ou descriptive simple; si la question est énoncée au niveau III, l'étude sera soit descriptive-corrélationnelle, soit corrélationnelle; si la question relève du niveau IV, une étude de type expérimental, dans laquelle on évalue l'effet d'une intervention, sera utilisée.

Le tableau 10.1 présente une vue d'ensemble de la hiérarchie des niveaux de recherche et de la méthodologie proposée selon cette hiérarchie. Une variété de devis peuvent être désignés sous

TABLEAU 10.1
Plan des niveaux de recherche.

NIVEAU	QUESTION PIVOT	BASE DES CONNAISSANCES CADRE DE RÉFÉRENCE	BUT	CARACTÉRISTIQUES DU DEVIS	MÉTHODES	ANALYSES
I	Quoi ? Qui Quel(le) est ? Quels(les) sont les facteurs, les perceptions ?	Peu ou pas d'écrits dans le domaine. Domaine ayant une mince base théorique ou conceptuelle.	Reconnaître Nommer Décrire Découvrir	Exploration de facteurs • exploratoire • de formulation • descriptif	Méthodes qualitatives, et données non structurées ou méthodes quantitatives, ou mixtes	Analyse de contenu et comparaisons ou Analyses descriptives, tableaux et graphiques
II	Existe-t-il des relations entre les facteurs ?	Écrits variés dans le domaine choisi. Variables déterminées. Cadre conceptuel	Décrire les variables et les relations découvertes.	Découverte de relations possibles entre les variables • descriptif • descriptif-corrélationnel • enquête • étude de cas	Méthodes quantitatives et/ou qualitatives de collecte des données Instruments de mesure structurés ou non-structurés.	Analyses descriptives Énumérations Descriptions Comparaisons Recherche de liens entre les facteurs
III	Qu'arrive-t-il si telle relation existe ? Pourquoi ?	Écrits qui laissent supposer qu'une association existe entre des variables. Cadre théorique.	Expliquer la force et la direction des relations.	Vérification d'hypothèses d'association entre des variables • corrélationnel • prédictif	Méthodes quantitatives de collecte des données Fidélité et validité des instruments de mesure	Analyses de corrélation ou d'associations Différence entre les scores
IV	Pourquoi ? Qu'arrive-t-il si tel traitement est appliqué ?	Écrits nombreux dans le domaine. Cadre théorique.	Prédire une relation causale Expliquer Contrôler	Vérification d'hypothèses causales • expérimental • quasi-expérimental	Méthodes quantitatives de collecte des données Fidélité et validité des instruments de mesure	Différence entre les groupes, les ensembles de scores Vérification de la théorie

le vocable d'études exploratoires-descriptives, allant de l'exploration d'un concept à la description d'une population ou d'un phénomène, ou d'études explicatives-prédictives, dans lesquelles se classent à la fois les études corrélationnelles et les études expérimentales. Ainsi, les problèmes de recherche se présentent sous diverses formes, correspondent à différents niveaux de connaissances et exigent différentes méthodes pour les résoudre. Cette classification des types d'étude, présentée à la figure 10.1, n'est toutefois pas exhaustive : elle représente néanmoins une tendance retrouvée dans des d'ouvrages méthodologiques (Gehlbach, 1988; Fawcett et Downs, 1992). Toutefois, il est bon de rappeler qu'il n'existe pas de consensus dans la littérature sur la façon de classifier les recherches en général.

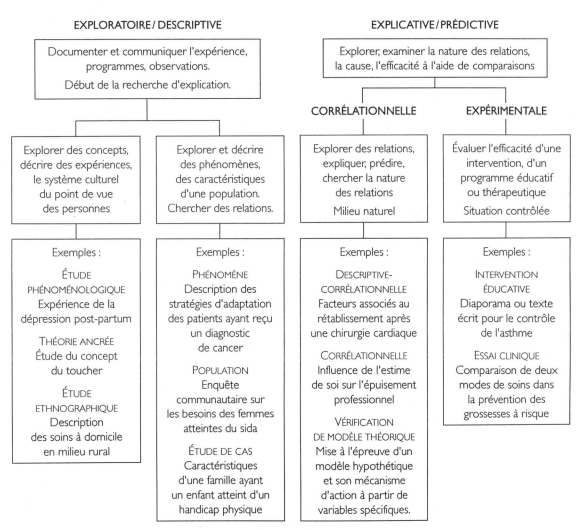

FIGURE 10.1

Classification des recherches en fonction du but visé.

Études d'exploration et de description des phénomènes (Niveau I)

L'exploration et la description de phénomènes peuvent être effectuées à l'aide de devis descriptifs. Les études de ce genre visent à nommer, classifier, décrire une population ou conceptualiser une situation. Par exemple, Battenfield (1984), dans son étude « *Suffering : a Conceptual Description and Content Analyses of an Operational Schema* », a formulé une définition de la souffrance à partir des écrits existants et a interrogé des personnes souffrantes afin de clarifier le concept. Elle voulait déterminer si l'information recueillie dans les écrits correspondait aux descriptions données par des personnes souffrantes. Avec ce type de devis, la chercheure visait à décrire les expériences de personnes choisies en fonction de leur expérience personnelle particulière. À l'aide de l'analyse d'entrevues non structurées, elle a conclu que les expériences des participantes variaient quant aux comportements et ressemblaient aux catégories désignées dans la littérature. L'utilisation d'un devis exploratoire-descriptif a permis de découvrir de multiples dimensions de la souffrance, qui coïncidaient avec les définitions répertoriées. Au lieu de partir d'un concept pour décrire une situation, l'auteure aurait pu procéder d'une manière inverse, en partant de la situation pour conceptualiser l'événement, de la même façon que Glaser et Strauss (1965) l'ont fait dans leur étude sur la mort à l'hôpital. Dans un autre exemple, il pourrait s'agir de décrire les caractéristiques sociodémographiques et les attitudes d'une population à l'aide de questionnaires structurés.

Les études de niveau I, au cours desquelles des méthodes d'entrevue sont utilisées, prennent généralement le nom d'études exploratoires-descriptives ou descriptives (Fawcette et Downs, 1992). Les entrevues non structurées conviennent aux approches qualitatives, telles que l'approche phénoménologique, la théorie ancrée et l'approche ethnographique (voir chapitre 11 : les approches qualitatives). Les entrevues structurées peuvent servir à décrire diverses caractéristiques d'une population ou d'un groupe de sujets. La décision d'utiliser soit une méthode qualitative, soit une méthode quantitative, relève de la question de recherche, selon que celle-ci suggère l'exploration de l'expérience humaine ou l'exploration et la vérification de relations.

Études de description de relations entre les phénomènes (Niveau II)

Au niveau II, le devis descriptif peut servir à décrire des phénomènes et à trouver des relations entre des variables. Ce type de devis est utilisé quand les variables ont déjà été déterminées au niveau précédent, mais n'ont pas été étudiées en rapport avec d'autres variables ou auprès d'autres populations. Les relations entre les variables sont établies afin de donner une image complète du phénomène étudié. Ces devis varient en complexité. On distingue l'étude d'un phénomène, l'étude d'une population et l'étude de cas.

Études d'exploration et d'explication de relations entre les phénomènes (Niveau III)

Le devis corrélationnel, de niveau III, est utilisé quand les concepts et leurs relations ont été déterminés. L'étape suivante consiste à examiner de façon systématique la relation qui existe entre deux variables ou plus, de manière à pouvoir fournir des explications. Les variables ne sont pas aléatoires comme dans l'étude descriptive simple, mais choisies de façon précise, en fonction du cadre théorique. On distingue : 1) l'étude descriptive-corrélationnelle, dans laquelle on décrit des relations entre des variables : « Quels sont les facteurs associés au rétablissement après un infarctus ? »; 2) l'étude corrélationnelle, dont le but est d'expliquer des changements dans une variable en se basant sur la connaissance que l'on a d'autres variables : « Quels sont les facteurs qui permettent de prédire quels patients ne seront pas assidus à leur traitement ? » Ces devis conduisant à la vérification d'hypothèses peuvent être transversaux, rétrospectifs ou prospectifs. On distingue, selon un ordre hiérarchique, l'étude descriptive-corrélationnelle, l'étude prédictive-corrélationnelle, l'étude de vérification de modèles théoriques.

Études de vérification de relations de causalité (Niveau IV)

Ce devis est aussi explicatif et prédictif. Il se caractérise essentiellement par l'établissement de relations de causalité entre les phénomènes. Il est utilisé quand le chercheur veut étudier si l'effet attendu d'une variable indépendante se produit dans une situation contrôlée. On parle ici d'études expérimentales et quasi-expérimentales, dans lesquelles une variable est manipulée et contrôlée selon des conditions précises. Le chercheur introduit un traitement ou une intervention de telle sorte qu'un groupe de sujets reçoit le traitement alors que l'autre groupe ne le reçoit pas. Comme nous le verrons plus loin, il existe plusieurs types de devis en ce qui concerne les études expérimentales et quasi-expérimentales. Ces études, ainsi que les études corrélationnelles, exigeront plus de contrôle sur les variables que les études descriptives.

10.4

CONCEPTS PROPRES AU DEVIS DE RECHERCHE

Les principaux concepts qui se rapportent au devis de recherche sont : le biais, la manipulation, le contrôle, la causalité, la probabilité et la validité expérimentale.

LE BIAIS

Le biais résulte de toute influence, toute condition ou tout ensemble de conditions susceptible de fausser les résultats d'une étude et de nuire ainsi à sa généralisation. Plusieurs facteurs liés à la recherche peuvent être biaisés : le chercheur, les sujets, l'échantillon, les instruments de mesure, les données. Le biais revêt une grande importance, puisqu'il peut affecter la signification des résultats d'une étude. Il est essentiel, dans l'élaboration d'un devis, de repérer les sources possibles de biais et de les éliminer ou de les éviter. Les devis sont élaborés en vue de réduire les sources potentielles de biais. (Burns et Grove, 1993; Fortin, Taggart, Kérouac et Normand, 1988.)

> Le biais, c'est toute condition ou tout ensemble de conditions qui risque de fausser les résultats.

LA MANIPULATION

Dans les études expérimentales, le chercheur manipule un phénomène d'une certaine façon, afin d'observer l'effet de cette manipulation sur une, ou plus d'une variable dépendante. Ce phénomène qui est manipulé ou introduit dans la situation de recherche est appelé la variable indépendante, le traitement, l'intervention ou encore la variable causale. Ce traitement est administré à un groupe de sujets appelé le groupe expérimental; le groupe de référence est appelé le groupe de contrôle. Ce groupe, aussi dit groupe témoin, ne reçoit pas le traitement, bien qu'il soit soumis aux mêmes mesures que le groupe expérimental. La variable mesurée en réponse à la variable indépendante est appelée la variable dépendante. Quand il introduit une variable indépendante dans une situation de recherche, le chercheur exerce un contrôle sur la situation en s'assurant que le traitement ne varie pas, c'est-à-dire qu'il est toujours donné de façon constante, par les mêmes personnes, dans les mêmes conditions et selon le plan établi.

La manipulation est l'introduction d'une variable indépendante (traitement, intervention, programme) dans une situation de recherche et la vérification de l'effet de cette variable sur une variable dépendante ou plus.

LE CONTRÔLE

Le contrôle vise à limiter autant que possible les sources d'erreur et les influences extérieures qui pourraient affecter la variable indépendante dans les études de type expérimental. Il s'agit de réduire au minimum, neutraliser ou isoler les effets de toutes les variables indépendantes qui sont étrangères au but de l'étude. Plus il est possible d'exercer un contrôle sur la situation de recherche, plus les résultats seront fiables. Les principaux moyens d'exercer le contrôle consistent à : choisir les sujets qui sont les plus semblables possible en ce qui à trait à la variable étrangère (dans une étude sur l'arrêt de fumer, choisir les sujets qui n'ont pas déjà arrêté de fumer); répartir chaque participant de façon aléatoire dans les groupes expérimental et de contrôle; apparier les sujets pour contrôler la variable étrangère; utiliser des mesures multiples afin de comparer les données avant et après le traitement. Ces moyens ont été décrits précédemment dans ce chapitre.

Le contrôle est un ensemble de moyens utilisés pour réduire au minimum, voire éliminer les sources d'erreur et les influences extérieures pouvant affecter les résultats d'une recherche.

LA CAUSALITÉ

Le concept de causalité renferme plusieurs notions suivant la nature des théories et des perspectives philosophiques soulevées. Selon la théorie de la causalité, les phénomènes ont des causes, et les causes produisent des effets. Le critère sous-jacent au principe de causalité est qu'une cause engendre un effet donné chaque fois que la cause survient. Bien que ces postulats peuvent s'avérer justes dans les sciences pures, il est loin d'être évident qu'ils s'appliquent aussi parfaitement dans le contexte de la recherche en sciences de la santé ou en sciences sociales. Cette position est décrite par Hume, un positiviste traditionnel, qui propose la rencontre de trois conditions pour qu'il y ait causalité : 1) la présence d'une forte corrélation entre la présumée cause et l'effet, 2) la présumée cause doit précéder l'effet et 3) la cause doit être présente chaque fois que l'effet se produit (Cook et Campbell, 1979).

Dans le cadre de cet ouvrage, il n'est pas approprié de traiter en profondeur du concept de cause à la lumière des différentes théories de la causalité et des grandes perspectives philosophiques qui en découlent. On y présente la causalité dans une perspective plus flexible, en ce sens que l'intérêt n'est pas de trouver ce qui cause un certain résultat de façon répétée, mais bien de s'interroger sur les phénomènes qui, la plupart du temps, conduisent à un certain résultat. C'est l'approche utilisée par Cook et Campbell (1979), qui s'écartent de l'approche plus traditionnelle de la causalité par laquelle on tente d'imposer une cause, un effet et un processus causal.

Les causes sont habituellement exprimées dans des propositions théoriques : en vérifiant la justesse de ces propositions théoriques, le chercheur justifie l'utilité de la théorie. Selon Burns et Grove (1993) et Talbot (1995), la compréhension théorique du principe de causalité est importante, parce qu'elle fournit au chercheur l'habileté à prédire et à contrôler des événements de la réalité. Le but d'un devis de type expérimental consiste à examiner une cause et un effet. La variable indépendante X est la cause présumée et la variable dépendante Y est l'effet attendu. Dans la perspective d'une plus grande flexibilité du principe de causalité dans les recherches en sciences de la santé et en sciences sociales, il semble plausible de penser que plusieurs variables reliées mutuellement peuvent être susceptibles de causer un effet particulier. La complexité des relations causales ne nous permet pas de désigner chaque variable comme la seule cause possible de l'apparition d'un phénomène particulier. D'ailleurs, peu de phénomènes dans la discipline infirmière relèvent strictement d'une seule cause ou produisent un seul effet. Selon Burns et Grove (1993), plus la proportion de facteurs de causalité pouvant être déterminés et explorés est grande, plus la compréhension du phénomène étudié est grande.

Selon la théorie de la causalité, les phénomènes ont des causes, et les causes produisent des effets; la complexité des relations causales ne nous permet pas toujours de désigner chaque variable comme la seule cause possible de l'apparition d'un phénomène particulier.

LA PROBABILITÉ

D'après la théorie de la probabilité, une cause ne produit pas nécessairement un effet donné chaque fois qu'elle intervient. Il s'agit d'un principe scientifique selon lequel il n'y a aucune certitude absolue, en particulier dans les relations de cause à effet, qu'un événement se produise (Gauthier, 1992). Le chercheur utilise une démarche probabiliste pour examiner la probabilité qu'un effet donné se produise dans des circonstances définies (Burns et Grove, 1995). Par exemple, dans le but de vérifier l'effet de plusieurs variables sur le contrôle de l'asthme, un chercheur peut examiner la probabilité qu'un groupe de facteurs déclenchants puissent être contrôlés par l'emploi d'un ensemble de conditions particulières. Parmi ces conditions, on peut trouver un enseignement structuré dispensé aux patients, des facteurs environnementaux particuliers, un état de santé ou des complications de l'asthme. On devrait s'attendre à la probabilité que le contrôle des facteurs déclenchant l'asthme variera en fonction de conditions associées à l'événement.

La probabilité est un principe scientifique selon lequel il n'y a aucune certitude absolue, en particulier dans les relations de cause à effet, qu'un événement se produise.

LA VALIDITÉ

La validité est un concept important, qui s'applique surtout aux études de type expérimental. En plus de se préoccuper de la manipulation, de la répartition aléatoire et du contrôle, le chercheur doit veiller à ce que ses résultats soient valides, c'est-à-dire véridiques, plausibles. Le concept de validité repose sur l'authenticité des faits démontrés dans une recherche. Les conditions réelles selon lesquelles se déroulent les activités de recherche ne permettent pas de réaliser des recherches parfaites, à l'abri des nombreux facteurs inhérents à toute recherche empirique. Aussi, le chercheur doit se préoccuper de deux aspects de validité quand il développe son devis : 1) la validité interne et 2) la validité externe.

1) Validité interne

La validité interne fait référence aux conclusions plausibles sur la relation de cause à effet reliant le facteur déclenchant, « variable indépendante », au changement dans l'état de la cible, « variable dépendante » (Gauthier, 1992). La question que l'on se pose est la suivante : « Jusqu'à quel point les effets décelés sur les variables dépendantes reflètent-ils la réalité, autrement dit proviennent-ils de la variable indépendante ou sont-ils causés par la modification d'autres variables ? » En d'autres termes, la variable indépendante est-elle vraiment à l'origine des changements observés dans la variable dépendante ? Une recherche est dite valide si on peut accorder crédit à ses conclusions avec un degré de confiance raisonnable. Pour obtenir un certain degré de validité interne, le chercheur doit pouvoir déterminer si les variables indépendantes et dépendantes ont pu être influencées par des « variables étrangères ».

2) La validité externe

La validité externe se réfère à la possibilité de généraliser des résultats à d'autres populations, à d'autres contextes que ceux considérés dans l'étude. Ce type de validité ne peut être estimé que si les conditions pour assurer la validité interne ont été jugées satisfaisantes (Cook et Campbell, 1979). Les atteintes à la validité externe peuvent provenir de lacunes dans la représentativité des sujets recrutés et des situations de collecte des données. Campbell et Stanley (1963) ont discuté des devis de recherche en fonction du risque de mettre en danger la validité interne et la validité externe d'une étude à cause de divers facteurs.

> La validité interne fait référence aux conclusions plausibles sur la relation de cause à effet reliant la variable indépendante au changement dans la variable dépendante. La validité externe fait référence à la possibilité de généraliser des résultats à d'autres populations.

Les facteurs d'invalidité interne couramment traités dans les ouvrages méthodologiques sont :

Les facteurs historiques (expérientiels)

Ce sont des événements particuliers, non directement reliés au déroulement de l'étude, qui surviennent dans la vie des sujets au cours de l'étude, concurremment avec la variable indépendante, et qui peuvent affecter la réaction du sujet au traitement. Les sujets peuvent se comporter de façon différente à la suite de certaines expériences survenues depuis leur entrée dans l'étude. Par exemple, si des sujets suivent une série d'émissions télévisées sur la réadaptation cardiaque, et que l'étude porte sur le même sujet, il est évident que le contenu de ces émissions peut aussi bien rendre compte des améliorations que l'intervention à l'étude elle-même.

La maturation

Aussi appelée « le passage du temps », ce sont les vénements individuels, biologiques ou psychologiques, qui surviennent chez les groupes cibles entre les temps de mesure d'une variable. Ces événements peuvent être liés au développement des participants, en fonction du passage du temps, et ils sont extérieurs aux événements de l'étude, comme le vieillissement, la croissance, la fatigue, etc.

La prise de plus d'une mesure

Le fait de prendre une mesure avant l'application de la variable indépendante peut aiguiller les participants et leur permettre d'améliorer leur score au post-test, ce qui entraîne un effet sur la variable indépendante. Cette situation peut entraîner un effet de sensibilisation aux mesures.

Les fluctuations de l'instrument de mesure

L'instrument fournit-il toujours les mêmes données ? Les effets observés sur les variables dépendantes peuvent être dus aux changements du calibrage, ou aux fluctuations des instruments de mesure, ou à la façon dont les personnes collectent les données plutôt qu'au traitement. Les observateurs ou les personnes qui font les entrevues peuvent améliorer leur rendement ou se au cours du déroulement de l'étude, ce qui produit un effet sur les résultats.

La régression statistique ou le retour vers la moyenne

Phénomène qui se manifeste surtout quand des groupes choisis se situent aux extrémités d'une échelle de mesure. C'est la tendance pour tout score d'une distribution donnée de régresser vers la moyenne. Le fait de compléter un test plusieurs fois pour un individu, fait en sorte que le score de cet individu peut varier d'une fois à l'autre. Quand le chercheur fait la sélection de ses sujets, il obtient de ces participants un score très élevé ou très bas à un moment précis. Ce résultat ne représente pas nécessairement la position habituelle de ces sujets, et c'est pourquoi, aux évaluations subséquentes, ils auront tendance, en tant que groupe, à se rapprocher de la moyenne de la distribution.

La sélection des sujets

Le mode de sélection des sujets pour former les groupes peut constituer une source d'invalidité interne, surtout dans les études sans répartition aléatoire. Par exemple, les sujets inclus dans un groupe de contrôle peuvent présenter des différences importantes par rapport aux sujets du groupe expérimental, ce qui donne des groupes non équivalents. Si les sujets ne sont pas comparables avant l'intervention, les conclusions sur l'effet observé peuvent s'avérer fausses.

La perte des sujets

La perte des sujets au cours de l'étude peut affecter la validité interne, en particulier si on perd plus de sujets dans un groupe que dans l'autre et que, de ce fait, les groupes ne sont plus équivalents. Si plusieurs sujets d'un même groupe abandonnent l'étude, il peut en résulter des effets sur l'autre groupe, qui ne dépendent pas nécessairement de la variable indépendante.

L'effet de contagion

Biais qui peut se produire quand le groupe expérimental et le groupe de contrôle ne sont pas étanches l'un par rapport à l'autre. Il s'ensuit des phénomènes de contagion, qui risquent d'affecter les résultats de l'étude.

Les principaux facteurs d'invalidité externe sont :

La relation causale ambiguë

Les résultats d'une étude ne sont pas toujours représentatifs de la situation réelle, parce que le modèle théorique ne permet pas toujours de reconnaître l'importance de certains facteurs explicatifs. Ce facteur d'invalidité interne agit surtout dans les études corrélationnelles qui examinent la causalité.

L'effet de réactivité

C'est la réaction des participants au fait d'être étudiés. L'exemple classique est appelé « l'effet Hawthorne ». L'effet Hawthorne se produit quand les sujets de l'étude sont conscients de leur participation et modifient leur comportement ou leurs réponses en conséquence.

L'interaction entre l'intervention et les conditions expérimentales

La situation expérimentale est souvent très différente des conditions que rencontrent les sujets dans les situations réelles. Un biais se produit quand il est difficile de séparer les effets de l'intervention proprement dite de ceux créés par les particularités de la situation expérimentale.

L'interaction entre les facteurs historiques et l'intervention

Les circonstances dans lesquelles se déroulent l'étude peuvent changer. Par exemple, les effets obtenus ne sont applicables qu'à une période donnée. On ne peut automatiquement appliquer les résultats à d'autres périodes de temps.

Les traitements multiples

Il se peut que plusieurs variables indépendantes soient appliquées en même temps, et cela produit des interactions qui rendent difficile ou impossible l'évaluation du poids relatif de chaque traitement dans un contexte donné.

L'interaction entre la sélection des sujets et l'intervention

Les effets obtenus ne sont applicables qu'aux sujets qui ont participé à l'étude. Quand plusieurs personnes refusent de participer, l'échantillon peut, à la limite, être constitué de volontaires et n'être pas représentatif de la population en général.

10.5
RÉSUMÉ

Le devis de recherche est le plan logique que crée le chercheur pour obtenir des réponses à ses questions de recherche ou à ses hypothèses. Plusieurs éléments président à l'élaboration d'un devis de recherche, dont le choix du milieu, la sélection des sujets qui formeront l'échantillon, le type d'étude, les stratégies utilisées pour contrôler les variables étrangères, les instruments de collecte des données et les analyses.

Le niveau des connaissances qui existent dans un domaine à l'étude oriente le chercheur vers le type de devis approprié pour répondre aux objectifs de son étude. On distingue deux grandes catégories de devis : exploratoires-descriptifs et explicatifs-prédictifs. Chaque catégorie inclut divers types d'étude. Les études d'exploration et de description des phénomènes visent la détermination de facteurs et leur description dans une situation donnée, alors que les études descriptives servent à décrire les facteurs ou variables et à trouver des relations entre ces facteurs ou variables. Les études d'exploration et d'explication des phénomènes sont utilisées quand les variables et leurs relations sont connues et que le chercheur désire examiner la nature des relations existantes. Les études de vérification de relations de causalité se caractérisent par l'examen de relations de causalité entre les phénomènes. Le chercheur introduit une intervention ou traitement, qui est la variable indépendante, et observe l'effet de l'intervention ou du traitement sur les variables dépendantes.

Certaines études requièrent des conditions particulières pour être réalisées. Le biais, c'est toute condition ou tout ensemble de conditions qui risque de fausser les résultats de recherche. Par la manipulation, le chercheur introduit une variable indépendante et vérifie l'effet de cette variable sur des variables dépendantes. Le contrôle vise à limiter autant que possible les sources d'erreur et les influences extérieures qui pourraient affecter les résultats d'une étude. La causalité est un concept qui renferme plusieurs notions et qui exige beaucoup de prudence dans son interprétation. Il est rare qu'une seule cause produise un seul effet. On parle plutôt de « multicausalité ». Le chercheur utilise une démarche probabiliste pour examiner la probabilité qu'un effet donné se produise dans des circonstances définies. Enfin, les concepts de validité interne et de validité externe se réfèrent respectivement aux conclusions plausibles sur la relation causale et à la généralisation des résultats à d'autres contextes ou populations.

Références bibliographiques

Battenfield, A. (1984). Suffering : A conceptual description and content analyses of an operational schema. *Image : The Journal of Nursing Scholarship*, n° 16 (2), p. 26-41.

Burns, N., Grove, S. K. (1993). *The practice of nursing research, Conduct, critique and utilization*, 2e éd. Philadelphia : W. B. Saunders.

Burns, N., Grove, S. K. (1995). *Understanding nursing research*. Philadelphia : W. B. Saunders.

Campbell, D. T., Stanley, J. C. (1963). *Experimental and quasi-experimental designs for research*. Chicago : David McNally.

Cook, T. D., Campbell, D. T. (1979). *Quasi-experimentation : Design and analysis issues for field settings*. Chicago : Rand McNally.

Fawcett, J., Downs, F. S. (1992). *The relationship of theory and research*, 2e éd. Philadelphia : F. A. Davis.

Fortin, M. F., Taggart, M. E., Kérouac, S., Normand, S. (1988). *Introduction à la recherche Auto-apprentissage assisté par ordinateur*. Montréal : Décarie Éditeur.

Gauthier, B. (1992). *Recherche sociale : De la problématique à la collecte des données*. Québec : Presses de l'Université du Québec.

Gehlbach, S. H. (1988). *Interpreting the medical literature : Practical epidemiology for clinicians*, 2e éd. New York : MacMillan Publ.

Glaser, B., Strauss, A. L. (1965). *Awareness of dying*. Chicago : Aldine.

McMillan, J. H., Schumacher, S. (1989). *Research in education : A conceptual introduction*. Boston : Little, Brown and Company.

Polit, D. F., Hungler, B. P. (1995). *Nursing research : Principles and methods*, 5e éd. Philadelphia : J. B. Lippincott.

Robert, M. (1988). *Fondements et étapes de la recherche scientifique en psychologie*, 3e éd. Saint-Hyacinthe : Edisem.

Talbot, L. A. (1995). *Principles and practice of nursing research*. St. Louis : Mosby.

CHAPITRE

11

APPROCHES DE RECHERCHE QUALITATIVE

Nicole Rousseau et Francine Saillant

Objectifs d'apprentissage

À la fin de ce chapitre, l'étudiant(e) devrait être capable de :

✔ Nommer les types de méthodes qualitatives.

✔ Définir trois types de méthodes qualitatives.

✔ Décrire les caractéristiques de la recherche qualitative.

✔ Discuter de la méthodologie de la recherche qualitative.

L'objectif de ce chapitre est de présenter les généralités concernant la recherche qualitative. Les différentes méthodes possibles ne seront pas toutes décrites, seuls les trois types d'approches suivants seront résumés : l'approche phénoménologique, la théorie ancrée et l'approche ethnographique. Il est plus approprié de parler de « types de méthodes » que de « méthodes qualitatives » en général, car la façon de réaliser une étude selon l'un ou l'autre de ces types varie suivant le modèle théorique ou méthodologique particulier auquel on se réfère (Munhall, 1989).

Nous verrons d'abord ce que ces études possèdent en commun et ce qui caractérise la recherche qualitative. Nous ne traiterons pas des diverses façons d'appliquer la phénoménologie ou l'ethnographie. Chaque type de méthode sera ensuite décrit brièvement, puis illustré à l'aide d'extraits d'études en soins infirmiers; l'accent sera mis sur les différences entre ces types de méthodes. Nous présenterons les critiques souvent formulées à l'égard de ces méthodes, de même que les réactions des chercheurs qui les emploient. Enfin, nous présenterons un bref aperçu des tendances qui se dessinent dans le domaine de la recherche qualitative.

11.1

CARACTÉRISTIQUES DES
MÉTHODES QUALITATIVES

Bien que les méthodes qualitatives partagent certaines caractéristiques communes, elles ne poursuivent pas toutes les mêmes objectifs. Par exemple, l'étude phénoménologique vise à comprendre un phénomène, à en saisir l'essence du point de vue de ceux et celles qui en font ou en ont fait l'expérience. La théorie ancrée, elle, a pour but de générer une théorie à partir des données recueillies sur le terrain et auprès des personnes possédant une expérience pertinente. L'approche ethnographique, enfin, consiste à décrire un système culturel du point de vue des personnes qui partagent la culture étudiée. Notons que l'étude phénoménologique prend l'individu comme unité de référence, l'étude ethnographique s'appuie sur la communauté, tandis que la théorie ancrée peut porter à la fois sur l'individu et sur la communauté.

Si leurs objectifs sont différents, les méthodes qualitatives partagent pourtant une caractéristique fondamentale : dans l'approche qualitative, le chercheur ne se pose pas en expert, puisque c'est d'un nouveau rapport sujet-objet qu'il s'agit. Le chercheur reconnaît que la relation sujet-objet est marquée par l'intersubjectivité. Le sujet producteur de connaissances est, en tant que sujet humain, lié à son objet et l'objet, également un sujet humain, est doté d'un savoir et d'une expérience que l'on reconnaît. Cette intersubjectivité inscrit une position novatrice quant au développement de la connaissance. Ainsi, les personnes (sujets) participant à l'étude ont fait ou font l'expérience d'un phénomène particulier (tentative de suicide, fausse-couche, accident grave, homosexualité, etc.), possèdent une expérience et un savoir pertinents (travailler dans un centre de soins prolongés pour handicapés

mentaux profonds, pratiquer la massothérapie en pratique privée, vivre avec une maladie chronique, etc.) ou partagent une même culture (les membres d'un club de mise en forme physique, les policiers, les prostituées, etc.) En termes plus simples, dans l'approche qualitative, il arrive fréquemment que l'on cherche « avec » et non « pour » les personnes à qui l'on s'intéresse; certains chercheurs vont jusqu'à désigner les sujets de leur étude comme des « cochercheurs ».

Une autre des caractéristiques de l'approche qualitative est qu'elle s'appuie sur le raisonnement inductif. L'expression de cette tendance est plus marquée chez les tenants de la méthode phénoménologique et de la théorie ancrée. Dans ce cas, au début du processus de recherche, le chercheur fait délibérément abstraction des connaissances qu'il possède dans le domaine étudié et s'abstient de recourir à une théorie existante pour tenter d'expliquer ce qu'il observe, comme c'est le cas dans l'approche quantitative, où on part d'une théorie et on vérifie comment cette théorie s'applique dans une situation donnée. Il approfondira la recension des écrits surtout vers la fin de sa recherche pour voir comment ses résultats se comparent à ceux obtenus par les autres chercheurs qui ont fait des études en rapport avec les siennes, de type quantitatif ou qualitatif. Cette manière de procéder n'est cependant pas appliquée de façon systématique dans toutes les disciplines.

L'étude phénoménologique

La phénoménologie est un mouvement qui provient des philosophes existentialistes allemands, français et hollandais de la deuxième moitié du XIXe siècle et du XXe siècle; elle vise à découvrir comment le monde est constitué et comment l'être humain en fait l'expérience à travers des actes conscients. Ce qui la caractérise par rapport aux autres méthodes qualitatives, c'est qu'elle cherche à découvrir l'essence des phénomènes, leur nature intrinsèque et le sens que les humains leur attribuent (Van Maanen, 1990). Ces auteurs sont ceux qui ont le plus contribué à la traduction de cette philosophie en méthode de recherche (Giorgi, 1971, 1975, 1979, 1983; Van Maanen, 1990).

Les études phénoménologiques abondent dans plusieurs disciplines. Parmi les différentes méthodes qualitatives, cette approche constitue celle qui semble la plus populaire auprès des infirmières. Ce phénomène n'est pas étranger à l'intérêt de plus en plus important que l'on porte au concept de « caring », développé par des théoriciennes s'inscrivant dans les divers courants de la phénoménologie européenne. La grande majorité des études effectuées sous l'angle de la phénoménologie consiste en l'explicitation de diverses expériences santé-maladie et de diverses expériences de soins. Le regard des chercheurs se porte sur la réalité telle qu'elle est perçue par les individus. L'étude des phénomènes consiste donc à décrire l'univers perceptuel de personnes vivant une expérience qui intéresse la pratique clinique, et le travail du chercheur consiste à se rapprocher de cette expérience, à la décrire dans les mots des participants à la recherche, à l'expliciter de la façon la plus fidèle possible et à la communiquer (Benner, 1994). L'objectif poursuivi consiste donc à connaître une réalité sous l'angle des personnes qui la vivent. Ce qui signifie que les participants à ce type d'étude sont ceux qui, justement, vivent l'expérience : l'analyse phénoménologique implique donc une description fine, dense et fidèle de l'expérience relatée.

MÉTHODE

Les données sont recueillies principalement au cours d'entrevues en profondeur, mais aussi par d'autres moyens tels que le journal, l'observation directe, l'observation participante. Lors de la première phase de la recherche, il est conseillé au chercheur de se rapprocher du phénomène par des entrevues exploratoires préliminaires auprès de personnes ayant vécu l'expérience que l'on cherche à décrire et expliciter, par la lecture de rapports de recherche portant sur le même sujet, par la participation à des événements pertinents. La collecte des données ne peut être amorcée que lorsque le chercheur a fortement aiguisé sa sensibilité au phénomène étudié. Le choix des participants se fait, comme on l'a déjà dit, au moyen de critères de sélection assurant une relation intime des participants à l'expérience que l'on veut décrire et analyser. Le nombre de participants varie selon la profondeur de la description recherchée et on note des variations allant de quelques sujets (moins de 10) à une trentaine. Le chercheur peut effectuer plus d'une entrevue auprès de chaque participant.

Une fois que les données sont recueillies puis transcrites, le chercheur procède aux différentes étapes de la réduction phénoménologique, qui consistent en ce qui suit (Deschamps, 1993) :

1) Tirer le sens général de l'ensemble de la description, c'est-à-dire effectuer une ou plusieurs lectures flottantes, de manière à se rapprocher à nouveau du phénomène et à s'en saisir de l'intérieur.

2) Reconnaître les unités de signification qui émergent de la description : le chercheur doit alors découper le contenu du verbatim en autant d'unités que l'on peut déceler à chaque transition thématique observée lors de la lecture, et cela dans la perspective de chaque participant. Les unités de signification dégagées permettent de remonter du vécu (expérience) vers le concept (structure typique du phénomène étudié). Les unités de signification principales représentent la structure du phénomène.

ENCADRÉ 11.1

Exemple d'une étude phénoménologique.
Beck, C. T. (1992). The lived experience of post-partum depression : A phenomenological study.

Beck (1992) a utilisé la méthode phénoménologique pour étudier l'expérience de la dépression post-partum. Pour participer à sa recherche, elle a choisi sept femmes qui fréquentaient toutes un groupe de soutien formé de femmes qui vivaient une dépression post-partum. Auprès de chacune de ces femmes, elle a formulé une demande très générale : « Décrivez, s'il vous plaît, une situation dans laquelle vous avez ressenti la dépression post-partum. Partagez toutes les pensées, toutes les perceptions et tous les sentiments dont vous pouvez vous rappeler jusqu'à ce que vous n'ayez plus rien à dire sur la situation » (Beck, 1992, p. 167). Elle a invité chaque mère à une rencontre individuelle et chaque entrevue a été enregistrée puis transcrite. Beck a ensuite procédé à l'analyse de ses entrevues en suivant la méthode phénoménologique recommandée par Colaizzi (1978), qui comprend six étapes. Cette méthode de même que les résultats qu'elle a générés sont résumés ci-après.

1) Lire attentivement chacune des descriptions obtenues, de façon à faire naître en soi une « impression » de ces données.

2) Dégager des entrevues tous les énoncés et expressions significatifs qui se rapportent directement à la dépression post-partum. Beck a retenu 45 énoncés, dont les deux suivants : « J'étais comme un bébé parce qu'il fallait qu'on prenne soin de moi et que je ne pouvais pas rester seule » et « La nuit, je restais étendue, éveillée, avec beaucoup de pensées obsessives » (Beck, 1992, p. 168).

3) On analyse la signification de chacun des énoncés ou expressions retenus et on la formule clairement. Ainsi, pour le premier énoncé que nous venons de mentionner, Beck a donné la signification suivante : « Elle percevait qu'elle avait régressé à un stade infantile dans lequel elle était incapable de prendre soin d'elle-même » et le second est devenu : « Elle était hantée par des pensées obsessives lorsqu'elle essayait de s'endormir » (Beck, 1992, p. 168).

4) Toutes les unités de signification sont regroupées en thèmes. Onze thèmes ont émergé des données de Beck; par exemple, le thème « Contempler la mort leur procurait une étincelle d'espoir de mettre fin à leur cauchemar » (Beck, 1992, p.168).

5) Les résultats de cette analyse sont rassemblés en une description exhaustive du phénomène.

6) Pour obtenir une dernière validation, le chercheur soumet sa description exhaustive à des participants. Beck a soumis sa description à trois des participantes à la recherche. Toutes les nouvelles données ainsi obtenues sont incorporées dans la structure fondamentale de l'expérience.

3) Développer le contenu des unités de signification de manière à approfondir le sens qui est contenu dans le matériel. À cette étape, le chercheur approfondit sa compréhension de l'expérience en traduisant les unités de signification en unités approfondies de signification, c'est-à-dire que le contenu du *verbatim* correspondant à une unité de signification est alors approfondi par le chercheur grâce à sa connaissance plus générale de la réalité explorée. Il explicite dans ses mots, et dans ceux du participant, ce qu'il en est de cette partie de l'expérience, dans une optique d'analyse qui permet l'appropriation du sens, sa compréhension, son explicitation et son élaboration. Par exemple, il est possible de séparer le texte analysé en deux colonnes : dans la première, on peut lire, dans l'ordre chronologique, les unités de signification des mots du participant et, dans la deuxième, les mêmes

unités de signification sont reprises en unités approfondies de signification, explicitées et élaborées. Les unités approfondies de signification représentent la rencontre active du chercheur avec l'expérience.

4) Réaliser la synthèse de tous les développements des unités de signification, dans le respect du phénomène considéré, et décrire la structure typique du phénomène. C'est la dernière phase de la démarche de réduction phénoménologique. Ici, le chercheur doit réunir les unités de signification et les unités de signification approfondies en une description consistante, cohérente, qui prend une forme synthétique. Chaque récit analysé entraîne une description systématique et fidèle des propos du participant, selon la structure qui lui est propre. Le chercheur procède aussi à la synthèse des différents récits par une description générale de la structure typique de l'expérience : on passe alors de la description vers le concept et un niveau de généralité supérieur. Dans sa démarche de réduction phénoménologique, le chercheur peut solliciter le point de vue des répondants, leur communiquer la description de l'expérience typique et obtenir d'eux une appréciation. Cette étape permet d'approfondir l'analyse.

La théorie ancrée

La théorie ancrée est une méthode de recherche inductive qui a pour but de générer une théorie à partir des données recueillies plutôt que d'analyser des données en fonction d'une théorie existante. La démarche du chercheur est donc ici l'inverse de sa démarche pour une recherche quantitative. Presque toutes les publications de recherche qui s'appuient sur cette méthode font référence à un ou plusieurs des nombreux ouvrages des sociologues Glaser et Strauss, qui ont élaboré, décrit et illustré de leurs propres travaux

cette démarche de recherche (Glaser et Strauss, 1967, 1971; Strauss, 1975; Strauss et Baszanger, 1992; Strauss et Corbin, 1990, pour n'en citer que quelques-uns). Un aspect important de cette méthode est de débuter la recherche sans idées préconçues, comme c'est d'ailleurs le cas avec la phénoménologie : la recension des écrits est donc minimale au début et le chercheur choisit délibérément de ne pas retenir de théorie ou de cadre conceptuel.

La théorie ancrée, que certains appellent « méthode d'analyse systématique », est fondée sur une idée de l'expérience humaine appréhendée sous l'angle de l'interaction. Pour les auteurs qui sont à l'origine de cette méthode, la réalité est le produit des interactions et elle se construit sur la base de l'interaction. Puisant aux sources de l'interactionnisme symbolique, cette méthode est particulièrement utile pour quiconque s'intéresse à l'étude des phénomènes mouvants et dynamiques impliquant l'interaction entre différents acteurs, et à l'observation fine de phénomènes caractéristiques de ces interactions. Ainsi l'analyse des interactions chercheurs-usagers se prête-t-elle très bien à cette forme de méthode, ainsi que celle des démarches de soins. La méthode de la théorisation ancrée a pour but de développer une théorie basée sur une analyse inductive en partant de la description systématique et progressive de phénomènes et en s'orientant vers une théorie rigoureusement vérifiée à chaque étape de l'analyse. La force de la théorie ancrée est justement d'être basée sur cette méthode d'analyse dont les fondements sont maintenant très bien explicités par les concepteurs.

MÉTHODE

Les participants à l'étude sont choisis d'après la méthode de l'échantillonnage théorique. Dans la première phase de l'étude, le chercheur doit se

ENCADRÉ 11.2

Exemple d'une étude de type théorie ancrée.
Estabrooks, C. A., Morse, J. M. (1992). Toward a theory of touch : The touching process and acquiring a touching style.

La démarche d'Estabrooks pour étudier le toucher en soins infirmiers constitue une belle illustration de la méthode de la théorie ancrée, bien qu'elle n'ait appliqué systématiquement cette méthode qu'à un stade avancé de ses travaux. Elle a d'abord examiné le concept de toucher à travers les publications en soins infirmiers, dans une perspective historique, pour découvrir que le toucher est un concept mal compris (Estabrooks, 1987). Percevant les infirmières en soins intensifs comme des membres d'une sous-culture de la profession infirmière, elle a fait appel à des méthodes de l'ethnoscience pour mieux cerner, auprès de ce groupe, le concept de toucher (Estabrooks, 1989). Au terme de ces deux premières études, elle avait franchi l'étape de formation du concept de toucher, puisqu'elle avait reconnu une structure du toucher de même que les normes qui régissent son utilisation par les infirmières d'une unité de soins intensifs. C'est au stade du développement du concept qu'elle a appliqué formellement la méthode de la théorie ancrée (Estabrooks et Morse, 1992).

Deux questions étaient à l'origine de cette troisième étude : 1) « Comment les infirmières en soins intensifs apprennent-elles à toucher, c'est-à-dire comment acquièrent-elles un style de toucher ? » et 2) « Comment les infirmières de soins intensifs perçoivent-elles le processus du toucher ? » (Estabrooks et Morse, 1992, p. 449). Sa principale source de données était des entrevues réalisées auprès de huit infirmières en soins intensifs qui se décrivaient toutes elles-mêmes comme des « personnes touchant les gens » et qui possédaient donc l'expérience recherchée par Estabrooks. Trois entrevues ont été réalisées avec chacune des huit infirmières, à l'exception d'une qui a déménagé après la deuxième entrevue. La première entrevue visait à favoriser l'expression des infirmières sur leur compréhension et leur utilisation du toucher. Les données ainsi générées ont permis de déterminer trois catégories, qui ont été approfondies dans des entrevues subséquentes : 1) l'apprentissage du toucher, 2) la réponse au toucher et 3) le toucher/parler. L'analyse de ces entrevues a fait émerger une variable centrale (*core variable*), la détection du signal (*cueing*), qu'Estabrooks définit comme « le processus par lequel, à travers une interaction symbolique avec les autres, une personne détermine le besoin et la pertinence du toucher, anticipe la réponse au toucher et évalue l'effet du toucher » (Estabrooks et Morse, 1992, p. 452). Une dernière entrevue de groupe avec trois des infirmières participantes a été réalisée vers la fin de l'étude. Bien qu'Estabrooks ne précise pas en quoi cette entrevue a consisté, tout porte à croire qu'elle a servi à vérifier auprès de ses informatrices l'interprétation globale qu'elle faisait de ses données, ou un début de théorie sur le toucher obtenu par la synthèse de l'ensemble de ses données.

donner les conditions nécessaires pour décrire le phénomène, en profondeur et dans toutes ses dimensions. Il recourra alors à des participants qui représentent autant de réalités que le phénomène en comprend. Par le moyen de l'entrevue et de l'observation, le chercheur sélectionnera des personnes et des situations caractéristiques d'expériences ou de situations typiques, de manière telle que les échantillons représenteront l'univers que l'on veut décrire. L'échantillon n'est pas représentatif au sens statistique, mais plutôt représentatif de chacune des expériences, des formes d'interaction ou des situations à l'étude. La saturation de l'échantillon, dite « saturation théorique », est atteinte lorsque le chercheur n'obtient plus de données nouvelles et ne peut relever de cas nouveaux représentant un aspect de la réalité à l'étude qui n'aurait pas été décrit.

Idéalement, l'analyse se fait au fur et à mesure de la collecte des données, notamment en raison de la procédure de l'échantillonnage théorique : il importe de saisir dans ses dimensions les plus subtiles les différentes facettes de la réalité à décrire pour favoriser la sensibilité théorique tout au long du processus de la recherche. Cette analyse consiste en un certain nombre de phases que nous résumerons ici.

Le chercheur doit d'abord procéder à la lecture flottante du matériel (entrevues, observations), puis à l'application de codes qualifiés de « codes *in vivo* ». Ces codes impliquent de décomposer le matériel qui a été transcrit en autant d'unités de sens qu'il comprend. Ces unités de sens sont déterminées à partir de la question de recherche (ce que l'on cherche à décrire et à comprendre); ces unités peuvent être retenues selon chaque ligne du texte, chaque paragraphe ou selon les transitions naturelles du narrateur. Les codes *in vivo* sont nommés à l'aide du langage du répondant, de façon qu'ils soient les plus proches possible des données brutes. Une fois cette étape accomplie, le chercheur procède ensuite à l'application de codes analytiques. Les codes analytiques sont dégagés des codes *in vivo*; ils représentent un niveau plus théorique de la description. Les codes analytiques sont aussi obtenus d'après la méthode de la comparaison constante : on choisira de retenir un code analytique parce qu'il aura été retrouvé de diverses façons ou sous divers aspects dans les codes *in vivo*.

La méthode de la comparaison constante consiste à interroger systématiquement les données brutes, à vérifier des hypothèses sur l'ensemble du matériel ou sur des échantillons, à documenter les questions posées positivement ou négativement. La dernière étape de l'analyse consiste à trouver les codes clés (*core categories*), c'est-à-dire ceux qui permettent d'atteindre le niveau théorique, qui reste le but ultime de la théorie ancrée. Les codes clés sont ceux qui permettront d'organiser le matériel en autant de thèmes significatifs et dont la découverte est fondée sur

des vérifications systématiques et rigoureuses du matériel, et ce tout au long du processus, de la collecte des données jusqu'à leur analyse.

L'étude ethnographique

L'ethnographie est la méthode descriptive de l'anthropologie. Elle sert principalement, du moins dans sa version classique, à expliciter les modes de vie et visions du monde des groupes ethnoculturels. Plusieurs disciplines s'inspirent de cette méthode et l'adaptent à leur contexte. En sciences infirmières, on l'utilise pour décrire des unités de soins ou des communautés en rapport avec une problématique de santé ou de maladie. Ce qui distingue l'étude ethnographique de l'étude phénoménologique ou de la théorie ancrée, c'est qu'elle s'appuie sur le concept de culture et qu'elle cherche à comprendre un système culturel du point de vue de ceux qui partagent cette culture (Aamodt, 1991).

La méthode ethnographique repose sur deux postulats : 1) la culture est conçue comme un système de connaissances utilisé par les êtres humains pour interpréter l'expérience et générer le comportement et 2) on peut arriver à pénétrer les systèmes de connaissances culturelles en découvrant et en analysant les expressions linguistiques que les membres d'un groupe culturel utilisent durant leurs interactions sociales.

La notion de « thèmes culturels » est centrale dans cette méthode : ce sont des expressions qui reviennent de manière récurrente dans le discours des membres d'un groupe culturel et qui représentent les principes organisateurs du système culturel. On tend cependant à délaisser cette approche de la culture, préférant souvent aborder une culture comme un système de significations (Geertz, 1973). Le décodage des unités de significations se fait alors selon la méthode interprétative héritée de l'herméneutique ou encore selon diverses méthodes empruntées à l'analyse des textes littéraires. Dans cette perspective, les connaissances sont appréhendées en relation avec l'expérience et non détachées de celle-ci (Saillant, 1988).

Plusieurs sources de données peuvent être mises à profit : l'observation, la photographie, la collection d'artefacts, les entrevues, ou n'importe quoi d'autre qui documente le système culturel étudié. Les entrevues doivent être réalisées auprès de personnes qui baignent dans la culture étudiée et qui en maîtrisent parfaitement le langage : ce sont ces personnes, plutôt que le chercheur, qui sont considérées comme les experts de la culture. Les données sont analysées au fur et à mesure qu'elles sont recueillies : cette analyse permet de déceler les informations manquantes pour découvrir les thèmes culturels et compléter la description de la culture. Chaque informateur ou informatrice sera donc interrogée plus d'une fois.

La méthode ethnographique est d'abord et avant tout celle de l'étude d'un groupe, de ses conduites et actions interprétées dans le contexte de la culture. La démarche vise généralement à reconstituer, du point de vue des acteurs, ce qu'il en est du sens de conduite et de leurs actions : la culture est ainsi conçue comme un filtre à travers lequel les personnes modèlent et interprètent leurs actions. C'est pourquoi l'objectif ultime de la méthode ethnographique est celui de décrire le système culturel qui explique les comportements des individus. La culture (dans son sens le plus large, mais aussi la sous-culture, la culture organisationnelle, la culture familiale, etc.) constitue le contexte des comportements, et c'est sa mise en évidence qui permet la compréhension et l'explication des comportements du groupe étudié. Ainsi, dans le domaine de la santé et des soins, un chercheur peut s'intéresser à la description d'un système de soins indi-

gène, à la compréhension contextuelle des comportements de soins qui le caractérisent, en envisageant ce système du point de vue des principaux acteurs qui définissent le sens et le contenu des pratiques.

Méthode

L'étude d'un groupe et de sa culture peut prendre des dimensions variables selon le temps que dure la collecte des données, selon les dimensions du groupe ou encore selon la profondeur de champ que l'on recherche pour l'étude de ce phénomène. Le temps de la cueillette des données (appelé généralement « temps de terrain ») peut être de deux ou trois mois à une ou plusieurs années. La notion de groupe culturel peut être prise au sens de la culture globale d'une communauté, de la culture organisationnelle d'un établissement, de la sous-culture propre à un groupe d'entraide, un groupe d'âge ou une famille. Ce qui intéresse alors le chercheur, c'est la communauté d'expériences vécues dans un groupe doté d'une culture. Une autre source de variation dans la méthode ethnographique est celle de l'angle sous lequel on examinera la vie du groupe à l'étude. Il demeure de moins en moins possible et de moins en moins accepté de prétendre étudier la totalité d'une culture, comme on le faisait au début du siècle. Le plus souvent, c'est un phénomène particulier qui est retenu ou un domaine précis de la vie sociale (par exemple, l'accouchement); le regard ethnographique sait capter ce phénomène ou ce domaine comme un fait social total, c'est-à-dire imbriqué dans la vie de la communauté. C'est là que réside toute la complexité, mais aussi la richesse, de cette approche.

Comme nous l'avons déjà mentionné, l'usage de la méthode ethnographique implique l'utilisation de plusieurs techniques combinées. Il implique surtout une très grande proximité entre le

ENCADRÉ 11.3

Exemple d'une étude ethnographique.
Magilvy, J. K., Congdon, J. G., Martinez, R. C. (1994). Circles of care : Home care and community support for rural older adults.

Partant de la conviction que les personnes vivant en milieu rural constituent un groupe culturel qui partage des caractéristiques et un système de valeurs distincts, Magilvy, Congdon et Martinez (1994) ont fait une étude ethnographique ayant pour but de décrire les soins à domicile, la continuité des soins et le soutien communautaire aux adultes âgés de soixante ans et plus dans un milieu rural. L'étude a été réalisée dans huit comtés du Colorado, situés dans deux régions culturellement et géographiquement différentes : le Sud, avec une population hispanique, et le Nord-Est, avec une population surtout caucasienne, de descendance européenne. Quatre chercheures ont recueilli les données sur une période de quatre ans, à raison de trois séjours de 3 à 5 jours par année dans chacune des régions. Elles ont conduit 250 entrevues d'une durée de 20 à 90 minutes auprès de 60 infirmières, de 66 personnes âgées, de médecins, d'autres professionnels d'un réseau formel ou informel et de membres de la communauté. L'observation participante a aussi été utilisée, plus de 400 photographies ont été prises et des artefacts culturels (politiques des agences de soins à domicile, dossiers de patients, journaux locaux, documents historiques) ont été examinés.

Une analyse ethnographique de toutes ces données a révélé que les soins à domicile en milieu rural comprenaient une vaste gamme d'activités et de ressources : planification de la sortie de l'hôpital, ressources communautaires, réseau de professionnels de la santé et services sociaux ou cercle d'amis et de voisins. Toutes ces activités et ressources ont pu être regroupées sous deux thèmes culturels : le cercle de la continuité des soins et le cercle du soutien familial et communautaire. Un thème culturel dominant a émergé de cette analyse : les cercles de soins. Les auteures concluent que ces résultats confirment ceux d'autres études qui avaient relevé l'importance du concept de « cercle » dans la culture des personnes âgées vivant en milieu rural. La place qu'occupe ce concept dans cette culture se traduit dans le langage des personnes en cause par les expressions « cercle d'amis », « cercle de jardinage », « cercle de courtepointe » (Magilvy, Congdon et Martinez, 1994, p. 30).

chercheur et les participants à la recherche, et des périodes, généralement assez longues, où le chercheur vit de près avec et dans la communauté étudiée. Il s'agit là d'une condition essentielle de cette méthode. Cela signifie que le chercheur, par l'observation participante, devra se faire progressivement accepter du groupe; il en observera aussi les événements, les actions, les interactions et les codes. Le degré de participation et d'observation varie selon les phases de la recherche, le chercheur se faisant d'abord plutôt observateur, puis plutôt participant. L'observation pourra être non structurée dans les premiers temps de l'immersion, puis de plus en plus structurée et centrée sur des phénomènes ou des aspects de phénomènes précis (Spradley, 1979; 1980).

Différentes catégories d'entrevues sont aussi utilisées : on commence par l'entrevue de type informel et non structuré dans les premières phases de l'étude sur le terrain, puis on favorise plutôt l'entrevue semi-structurée auprès d'informateurs clés ou auprès d'échantillons d'individus constitués de façon non probabiliste. Des entrevues de type biographique sont souvent effectuées de même que des entrevues de groupe. L'usage de la méthode ethnographique nécessite une très grande validité, qui est garantie par l'interaction prolongée du chercheur avec le milieu et les participants. On doit quand même être attentif aux sources de biais, notamment lors de la sélection des informateurs clés. Le chercheur doit considérer la possibilité de trouver des informateurs susceptibles d'éclairer une même question selon différents points de vue et il doit tenir compte de la position de l'informateur dans le groupe.

L'enregistrement des données se fait au moyen de différents outils d'observation (journal de bord, schémas d'observation, vidéo, photographie) et à l'aide de résumés d'entrevue. Le codage des données est effectuée selon les méthodes classiques de l'analyse de contenu, auxquelles peuvent être associées des techniques d'analyse beaucoup plus raffinées (par exemple, l'analyse de discours, l'analyse sémantique), selon la catégorie de données dont on dispose.

11.2
PRINCIPALES CRITIQUES
DE L'APPROCHE QUALITATIVE

L'article de Clarke (1992) constitue un bon exemple des critiques formulées à l'égard de l'approche qualitative. Comme bien d'autres, cette auteure reproche la petite taille et la non-représentativité des échantillons utilisés, le manque de fidélité et le peu de validité des méthodes. Cependant, elle ne tient pas compte de travaux récents qui témoignent d'un souci croissant de rigueur de la part des chercheurs qui ont recours aux méthodes qualitatives (Brink, 1991).

La petite taille et la non-représentativité des échantillons

À part l'étude de Magilvy, Congdon et Martinez (1994) rapportée précédemment, les études utilisées ici pour illustrer les types de méthodes qualitatives ont été faites à partir de très petits échantillons, ce qui est assez typique de l'approche qualitative. De plus, il ne s'agit pas d'échantillons représentatifs au sens probabiliste du terme : on ne pourrait donc pas effectuer des analyses statistiques sur les données ainsi recueillies. Cepen-

dant, comme le souligne Morse (1991b), il est plus pertinent en recherche qualitative d'avoir un échantillon non probabiliste mais approprié que d'avoir un échantillon probabiliste qui n'est pas approprié.

Considérant l'importance que les méthodes qualitatives accordent au savoir et à l'expérience des personnes sélectionnées pour l'étude, il vaut mieux se demander dans quelle mesure ces personnes sont susceptibles de fournir des données valides et complètes que de se demander si elles sont « représentatives de la population » d'où elles proviennent. Dans ces études, il est également important que les personnes sélectionnées soient capables de témoigner de leur expérience ou de décrire ce qui intéresse le chercheur, ce qui suppose une motivation à participer et une capacité de s'exprimer. Dans ce cas, comme dans les travaux de Glaser et Strauss, on parle plutôt d'échantillonnage théorique, c'est-à-dire cumulant des cas variés, représentant les diverses caractéristiques que peut prendre un phénomène ou une situation. Ici, la base de l'échantillonnage n'est pas statistique : on cherche plutôt à rassembler parmi les participants d'une étude les propriétés concrètes d'un groupe ou d'une situation.

Un échantillon de grande taille est à éviter en recherche qualitative, car il génère une masse de données encombrante, difficile à analyser. Comment déterminer la taille convenable d'un échantillon pour obtenir une quantité suffisante de données ? Une réponse fréquente à cette question est d'inclure autant de sujets que nécessaire pour atteindre la « saturation » des données. Ce concept de saturation est souvent mentionné dans les comptes rendus de recherches qualitatives et fait référence au moment de la collecte des données à partir duquel le chercheur n'apprend plus rien de neuf des participants ou des situations observées. Selon Bertaux (1983), cette saturation serait généralement atteinte avec une trentaine de cas. Morse (1991) met en garde contre cette fausse assurance d'avoir obtenu toute la variété et la richesse de données pertinentes dans une étude, car on peut vite atteindre la « saturation » avec un groupe homogène, même si ce groupe est de taille importante. Elle recommande plutôt de recourir aux « cas négatifs », c'est-à-dire aux personnes qui peuvent fournir un point de vue différent de celui qui prédomine parmi les personnes déjà mises à contribution. Par exemple, si un chercheur a recueilli plusieurs témoignages de femmes qui ont vécu une interruption volontaire de grossesse et qui présentent différents problèmes de santé à la suite de cet événement, il serait bon qu'il recherche aussi le témoignage de femmes qui n'ont pas eu de tels problèmes après une telle expérience, pour s'assurer que ses données seront complètes. Le recours aux cas négatifs s'inscrit dans la technique d'échantillonnage théorique décrite par Glaser (1978) et permet d'assurer la description (puis l'analyse) la plus riche et la plus complète possible.

Le manque de fidélité des méthodes

On reproche aux chercheurs qui utilisent les approches qualitatives de ne pas se soucier de la fidélité de leurs résultats. La fidélité des résultats découle en partie de la qualité de l'échantillon choisi, comme on a pu le voir précédemment, et en partie de la rigueur de l'analyse des données.

Normalement, si un autre chercheur procédait à l'analyse des mêmes données brutes, il pourrait aboutir à des conclusions semblables. Une façon d'augmenter la fidélité des résultats est de faire analyser une partie des données par une ou plus d'une autre personne pour s'assurer que la méthode aboutit aux mêmes résultats. Par exemple, Beck (1992) a demandé la contribution d'une infirmière possédant un diplôme de maîtrise et une expérience en analyse

phénoménologique pour vérifier la concordance de leurs interprétations des énoncés à chacune des phases de l'analyse. Cette stratégie se rapproche de la double vérification (double check) qu'on trouve dans l'analyse de contenu.

Le manque de validité des méthodes

La validité des résultats en approche qualitative peut être assurée de diverses façons, notamment en effectuant la « triangulation » et en obtenant la confirmation de l'interprétation des données par les participants à l'étude au fur et à mesure ou vers la fin de l'analyse. La triangulation est la combinaison de plusieurs sources de données et de méthodes d'analyse. Magilvy, Congdon et Martinez (1994), par exemple, ont utilisé une combinaison de méthodes et de sources de données : entrevues avec une variété de types d'informateurs, photographies, dossiers de patients, journaux locaux, etc. Beck (1992) a présenté à trois des participantes à sa recherche une version préliminaire de la description exhaustive de l'expérience de la dépression post-partum qu'elle avait préparée pour vérifier si cette description traduisait bien l'essence de l'expérience vécue par ces femmes. Estabrooks a réalisé une entrevue de groupe avec trois de ses informatrices vers la fin de sa collecte de données pour vérifier certaines interprétations (Estabrooks et Morse, 1992).

11.3

DÉVELOPPEMENT ACTUEL ET FUTUR

Ce bref tour d'horizon n'a porté que sur les types de méthodes qualitatives qu'on retrouve le plus fréquemment dans les publications de recherche. On ne saurait négliger cependant l'apport d'autres courants tels que la recherche-action, la recherche féministe, la recherche historique et bien d'autres. Plusieurs de ces méthodes sont souvent utilisées en association entre elles ou avec des méthodes quantitatives. Certains domaines sont particulièrement ouverts à l'introduction des méthodes qualitatives en sciences infirmières, notamment la santé des femmes, la recherche sur les groupes minoritaires, sur les personnes âgées et les malades chroniques, etc.

On remarquera aussi l'importance grandissante de ces approches dans la recherche évaluative. Par exemple, Lévesque-Crête (1995) a réalisé une recherche exploratoire de type phénoménologique dans le double but d'explorer les perceptions des personnes âgées face à la qualité des soins à domicile et de dégager des indicateurs de la qualité des soins, basés sur l'expérience des visites à domicile effectuées par les infirmières d'un Centre local de services communautaires (CLSC) de la région de Québec. Les données recueillies lors d'entrevues en profondeur auprès d'un échantillon de personnes âgées posthospitalisées ont été soumises à la technique d'analyse phénoménologique décrite par Deschamps (1993). Cette dernière tendance de recourir à une méthode qualitative dans le cadre d'une démarche d'évaluation de la qualité des soins est aussi présente dans les études de Irurita (1993), de Khalifa (1993) et de la National Citizens' Coalition for Nursing Home Reform (1985).

Une tendance qui connaît un développement surprenant est la recherche historique. La recherche historique a pris une ampleur considérable au cours des cinq dernières années. La parution d'un numéro de la revue Nursing Research (jan./fév. 1992) entièrement consacré à la recherche historique, celle des deux premiers volumineux numéros annuels (1993, 1994) de la *Nursing History Review*, publiés par l'*American Association for the History of Nursing*, et l'annonce d'un numéro de la *Revue canadienne de recherche en sciences infirmières/Canadian Journal of Nursing Research* aussi consacré à l'histoire des soins in-

firmiers traduisent l'essor de ce type de recherche. Une méthode qualitative souvent mise à contribution dans la recherche historique est le récit de vie. Plusieurs récits de vie ont été réalisés à l'occasion du centième anniversaire de l'*American Association of Public Health Nursing*. Une étude en cours, effectuée au Québec, fait aussi appel aux récits de vie pour décrire la contribution des infirmières œuvrant dans les colonies au développement des régions isolées (Daigle, Rousseau et Saillant, 1993).

L'intérêt pour la méthode historique n'est pas sans lien avec la préoccupation d'un bon nombre de théoriciennes en soins infirmiers de trouver ou de retrouver le cœur ou le sens des soins dans ses racines historiques et dans ses expressions actuelles. Il y a aussi plusieurs liens à établir entre les recherches, de plus en plus nombreuses, autour du concept de « caring » (Saillant, 1995) et le recours aux méthodes qualitatives, que l'on considère particulièrement appropriées à l'étude de ce concept apparaissant pour plusieurs comme paradigmatique dans la pensée infirmière (Kérouac, Pépin, Ducharme, Duquette et Major, 1994). Les travaux de Benner (Benner et Wrubel, 1989) illustrent bien ce fait.

En conclusion, on peut affirmer que l'approche qualitative est bien implantée en recherche infirmière et qu'elle est appelée à se développer. Nul doute qu'elle pourra contribuer au développement de connaissances pertinentes pour la pratique des soins.

11.4
RÉSUMÉ

Parmi les différents types de méthodes qualitatives utilisés dans plusieurs disciplines, y compris les sciences infirmières, on trouve l'étude phénoménologique, la théorie ancrée et l'étude ethnographique. Bien que ces trois types de méthodes partagent certaines caractéristiques communes, ils se distinguent de la façon suivante : l'étude phénoménologique cherche à comprendre un phénomène, à en saisir l'essence du point de vue de ceux et celles qui en font ou en ont fait l'expérience; la théorie ancrée a pour but de générer une théorie à partir des données recueillies sur le terrain et auprès des personnes possédant une expérience pertinente. L'étude ethnographique tente de décrire un système culturel du point de vue des personnes qui partagent la même culture. Les principales méthodes de collecte des données utilisées en recherche qualitative sont l'entrevue, l'observation participante, le journal, l'enregistrement, la vidéo. Différentes étapes sont prévues pour l'organisation des données provenant d'entrevues et obtenues à l'aide de la méthode phénoménologique. Dans la théorie ancrée, l'analyse se fait simultanément avec la collecte des données. Avec la méthode ethnographique, l'analyse se fait progressivement au fur et à mesure de la collecte des données et selon un certain nombre de phases. Différents outils d'observation sont utilisés pour l'enregistrement des données.

Les méthodes qualitatives font l'objet de certaines critiques, par exemple en ce qui concerne la petite taille des échantillons et leur non-représentativité, le manque de fidélité et le peu de validité des données. Par ailleurs, on observe à un souci croissant de rigueur de la part des chercheurs qui ont recours aux méthodes qualitatives. De par leur nature, les méthodes qualitatives ne peuvent utiliser de grands échantillons. D'autres méthodes qualitatives que celles présentées précédemment sont aussi utilisées, telles que la recherche historique, les récits de vie. Les nombreux écrits dans le domaine indiquent que la recherche qualitative est bien implantée et qu'elle est appelée à se développer davantage en vue d'une contribution au développement de connaissances pertinentes dans les disciplines.

RÉFÉRENCES BIBLIOGRAPHIQUES

AAMODT, A. M. (1991). Ethnography and Epistemology : Generating nursing knowledge. *Qualitative nursing nesearch. A contemporary dialogue*. Edited by J. Morse, Revised Edition, Newbury Park : Sage Publications, p. 40-53.

BECK, C. T.(1992). The lived experience of post-partum depression : A phenomenological study. *Nursing Research*, n° 41 (3), p. 166-170.

BENNER, P., WRUBEL, J. (1989). The primacy of caring : Stress and coping. *Health and illness*. Menlopark : Addison Wesley.

BENNER, P. (Éd.) (1994). Interpretive phenomenology : Embodiment, caring, and ethics. *Hhealth and illness*. Thousand Oaks : Sage.

BERTAUX, D. (1983). *Biography and Society*. California : Sage Publications.

BRINK, P. J. (1991). Issues of reliability and validity. *Qualitative nursing research. A contemporary dialogue*. Revised Edition, Edited by J. Morse, Newbury Park : Sage Publications, p. 164-187.

CLARKE, L. (1992). Qualitative research : Meaning and language. *Journal of Advanced Nursing*, n° 17, 243-252.

COLAIZZI, P. (1978). Psychological research as the phenomenologist views it. In R. VALLE AND M. KING (Éd.), *Existential Phenomenologiacal Alternative for Psychology*, p. 48-71. New York : Oxford University Press.

DAIGLE, J., ROUSSEAU, N., SAILLANT, F.(1993). Des traces sur la neige... La contribution des infirmières au développement des régions isolées du Québec au XXᵉ siècle, *Recherches féministes*, 6 (1), 93-103.

DESCHAMPS, C. (1993). *L'approche phénoménologique en recherche*, Éditions Guérin Universitaire, Montréal.

ESTABROOKS, C. A. (1987). Touch in nursing practice : A historical perspective. *Journal of Nursing History*, n° 2 (2), p. 33-49.

ESTABROOKS, C. A. (1989). Touch : A nursing strategy in the ICU, *Heart and Lung*, n° 18, p. 392-401.

ESTABROOKS, C. A., MORSE, J. M. (1992). Toward a theory of touch : The touching process and acquiring a touching style. *Journal of Advanced Nursing*, n° 17, p. 448-456.

GEERTZ, C. (1973). *The Interpretation of Culture*. New York : Basic Books.

GIORGI, A. (Éd.). Phenomenology and psychological pesearch. *Sketch in Phenomenological Method*. Pittsburgh, Pennsylvania, Duquesne University Press, 4 volumes, 1971, 1975, 1979 et 1983.

GLASER, B. G., STRAUSS, A. L. (1967). Thed iscovery of grounded theory. *Strategies for Qualitative Research*, Chicago : Aldine.

GLASER, B. G., STRAUSS, A. L.(1971). *Status passage*. Chicago : Aldine-Atherton Inc.

GLASER, B. G. (1978). *Advances in the methodology of grounded theory : Theoretical sensitivity*. Mill Valley : The Sociology Press.

IRURITA, V. F. (1993). *From person to patient : Nursing care from the patient's perspective*. Department of Nursing Research, Sir Charles Gairdner Hospital, Western Australia.

KÉROUAC, S., PÉPIN, J., DUCHARME, F., DUQUETTE, A., MAJOR, F. (1994). *La pensée infirmière*. Laval : Éditions Études Vivantes.

KHALIFA, M. (1993). Inducing the quality of home health care theory through the use of grounded theory methodology. *Journal of Nursing Studies*, n° 30, p. 269-286.

LÉVESQUE-CRÊTE, N. (1995). *La qualité des soins infirmiers : la perspective des personnes âgées soignées à domicile*. Communication au 63e Congrès de l'ACFAS, Chicoutimi, mai 1995.

MAGILVY, J. K., CONGDON, J. G., MARTINEZ, R. (1994). Circles of care : Home care and community support for rural older adults. *Advances in Nursing Science*, n° 16 (3), p. 22- 33.

MORSE, J. M. (Éd.) (1991). *Qualitative nursing research. A contemporary dialogue*, Revised Edition. Newbury Park : Sage Publications.

MORSE, J. M. (1991b). Strategies for Sampling. *Qualitative Nursing Research. A contemporary dialogue*, Revised Edition, Edited by J. Morse, Newbury Park : Sage Publications, p. 127-145.

MUNHALL, P. L. (1989). Qualitative designs. *Advanced design in nursing research*, Edited by P. Brink and M. Wood, Newbury Park : Sage Publications, p. 161- 179.

NATIONAL CITIZENS' COALITION FOR NURSING HOME REFORM (1985). *A Consumer perspective on quality care : The residents' point of view*. Washington, DC : Author.

SAILLANT, F. (1988). *Cancer et culture*. Montréal : Saint-Martin.

SAILLANT, F. (1995). *Recension des écrits sur le concept de caring. Rapport de recherche*. Centre de recherche sur les services communautaires, à paraître.

SPRADLEY, J. P. (1979). *The ethnographic interview*. New York : Holt, Rinehart et Winston.

SPRADLEY, J. P. (1980). *Participant observation*. New York : Holt, Rinehart et Winston.

STRAUSS, A. L. (1975). *Chronic illness and the quality of life*, St. Louis : Mosby.

STRAUSS, A. L., CORBIN, J. M. (1990). *Basics of qualitative research : Grounded theory procedures and techniques*. Newbury Park : Sage Publications.

STRAUSS, A. L., BASZANGER, I. (1992). *La trame de la négociation : sociologie qualitative et interactionisme*. Paris : L'Harmattan.

VAN MAANEN, M. (1990). Researching lived experience. *Human science for an action sensitive pedagogy*. London : The Althouse Press.

CHAPITRE 12

LES ÉTUDES DE TYPE DESCRIPTIF

Fabie Duhamel et Marie-Fabienne Fortin

CE CHAPITRE EST ACCOMPAGNÉ D'UNE LEÇON INFORMATISÉE FACULTATIVE.

Objectifs d'apprentissage

À la fin de ce chapitre, l'étudiant(e) devrait être capable de :

✔ Décrire le but des études descriptives.

✔ Préciser les caractéristiques des études descriptives.

✔ Définir l'étude de cas, l'étude descriptive simple.

✔ Discuter des différents types d'enquête.

Dans les études descriptives, les concepts à étudier sont mieux connus que dans les études exploratoires. Toutefois, l'état des connaissances étant encore limité à ce niveau de recherche, les études descriptives visent à obtenir plus d'informations soit sur les caractéristiques d'une population, soit sur les phénomènes pour lesquels il existe peu de travaux de recherche. Les chercheurs qui étudient de nouveaux domaines sont souvent confrontés au défi de reconnaître et de décrire ces phénomènes. Par exemple, l'augmentation du taux de suicide chez les jeunes amène à poser la question : « Que se passe-t-il dans cette situation ? » Répondre à cette question implique la reconnaissance et la description de plusieurs concepts, tels que : le désespoir, la fuite, les attentes, les aspirations non comblées, concepts qui reflètent le phénomène à l'étude. Sans une compréhension claire et la description de ces concepts, les recherches visant à caractériser et vérifier des interventions seraient basées sur une connaissance insuffisante (Woods et Catanzaro, 1988). Ce chapitre porte sur les principales caractéristiques des études descriptives et les principaux types d'études à caractère descriptif.

12.1

CARACTÉRISTIQUES DES ÉTUDES DESCRIPTIVES

La plupart des études descriptives se limitent à caractériser le phénomène auquel on s'intéresse. Les questions sont plus précises que dans l'étude exploratoire-descriptive : par exemple, « Quel est le style de leadership des entraîneurs au hockey sur glace ? », « Quelles sont les attitudes des adolescentes envers l'avortement ? », « Quelles sont les croyances en matière de santé de différents groupes ethniques récemment émigrés au Canada ? ».

Un grand nombre d'études qui suivent les principes de la description, qu'elles soient descriptives ou exploratoires-descriptives, sont menées dans diverses disciplines; elles peuvent prendre d'autres appellations et inclure une variété de méthodes de collecte des données (ethnographie, ethnoscience, phénoménologie, théorisation ancrée, enquête de population, enquête d'opinions, etc.). Dans la majorité des cas, l'étude descriptive satisfait au moins à deux principes, soit la description d'un concept relatif à une population (étude descriptive simple, étude de cas de type descriptif), soit la description des caractéristiques d'une population dans son ensemble (enquête).

Les devis descriptifs peuvent varier en complexité, allant de l'étude d'un concept à l'étude de plusieurs concepts. Le but de l'étude descriptive consiste à déterminer des facteurs déterminants ou des concepts pouvant être éventuellement associés au phénomène à l'étude. Les relations entre les concepts sont recherchées afin d'obtenir un profil général du phénomène, mais l'examen des types et des degrés de relations n'est pas le but de ce niveau de recherche. Les études descriptives qui aboutissent à la découverte de relations sont préalables aux études d'association qui visent l'exploration et l'explication de relations entre les phénomènes.

Méthodes et analyses

Dans les études descriptives, l'échantillon peut être la population totale ou un échantillon tiré de la population à l'aide de techniques échantillonales, de préférence probabilistes. Le contrôle des données est fluide dans ces études. Les méthodes de collecte des données sont variées : l'observation, l'entrevue, le questionnaire, l'échelle de mesure, l'évaluation physique et psychologique, etc. Les méthodes peuvent être structurées ou semi-structurées.

Les méthodes d'analyse des données varient selon le type d'étude, la technique échantillonale et le degré de complexité des méthodes de collecte des données utilisées. Si les méthodes de collecte des données sont qualitatives, soit semi-structurées, soit non structurées, on aura recours à l'analyse de contenu (Huberman et Miles, 1991). Si les données sont quantitatives, les statistiques descriptives, telles que les mesures de tendance centrale et de dispersion seront utilisées. Dans le cas de données nominales, les fréquences et le mode serviront à caractériser la population à l'étude; pour les données ordinales, on aura recours aux fréquences, à l'étendue et aux valeurs médianes; pour les données métriques, l'écart type, la variance et les moyennes seront les analyses privilégiées.

12.2

TYPES D'ÉTUDES DESCRIPTIVES

Pour les fins de cet ouvrage, nous nous limiterons à distinguer trois catégories d'études descriptives : les études descriptives simples, les études de cas et les enquêtes. Notons cependant que l'étude de cas peut aussi faire l'objet d'une expérimentation. Certains types d'études à caractère épidémiologique, telles que les études « selon le temps » ou « enquêtes épidémiologiques », sont souvent rapportés sous la rubrique des études descriptives : nous en reparlons à la fin de ce chapitre.

L'étude descriptive simple

L'étude descriptive simple consiste à décrire simplement un phénomène ou un concept relatifs à une population, de manière à établir les caractéristiques de cette population ou d'un échantillon de celle-ci. Par exemple, l'étude peut viser à répondre à la question : « Quelles sont les stratégies d'adaptation utilisées par les personnes obèses ridiculisées dans leur milieu de travail ? L'étude nécessite la description du phénomène à l'étude, la spécification des concepts découlant du phénomène et l'élaboration d'un cadre conceptuel qui, en plus d'établir la perspective de l'étude, sert de lien entre les concepts et leur description. La description des concepts ou variables conduit à une interprétation de la signification théorique des résultats de l'étude et à la découverte de relations entre les concepts, ce qui, en fait, est une étape préparatoire à l'élaboration d'hypothèses (Burns et Grove, 1993; Fortin, Taggart, Kérouac et Normand, 1988). La description complète d'un phénomène particulier à une population est importante pour le développement de la théorie et comme tremplin à la formulation d'hypothèses.

L'étude descriptive simple décrit simplement un phénomène ou un concept relatifs à une population, visant à établir les caractéristiques de cette population.

ENCADRÉ 12.1

Exemple d'une étude descriptive simple.
Cloutier, J. (1994). Réponses psychosociales d'adaptation à l'interruption volontaire de grossesse d'un groupe d'adolescentes.

Cette étude avait pour but de noter et de décrire les réactions psychosociales d'adaptation à l'interruption volontaire de grossesse (IVG) chez un groupe d'adolescentes âgées de 14 à 19 ans, lors de leur premier rendez-vous de contrôle post-IVG. L'étude a été réalisée auprès de 30 adolescentes recrutées dans les cliniques de planification familiale de cinq centres hospitaliers universitaires de Montréal. Le modèle conceptuel de l'adaptation de Roy (1984, 1991) a été utilisé pour orienter les questions de recherche et étudier les réactions d'adaptation des sujets selon trois aspects psychosociaux : l'estime de soi, mesurée par l'inventaire multidimensionnel de l'estime de soi, le rôle et l'interdépendance, mesurées par le questionnaire des réactions d'adaptation à l'IVG. Le schéma des variables est illustré à la figure 12.1. En plus des analyses descriptives, des analyses de corrélation ont été effectuées pour découvrir les liens entre les variables étudiées, l'âge et certains faits relatifs à l'IVG, ainsi qu'entre les variables elles-mêmes.

Les résultats de cette étude indiquent que la majorité des sujets démontrent la capacité d'assumer leurs rôles associés à leur santé, à l'expression de leur sexualité et à la contraception. Peu de changement sur les plans de l'assiduité scolaire, de l'intérêt aux loisirs et de l'expression comme membre de la famille, comme étudiante ou auprès de leurs pairs a été noté. De même, les résultats révèlent pour l'ensemble des sujets une capacité de comportements réceptifs et contributifs sur le plan des relations d'interdépendance. Une proportion peu négligeable de l'échantillon rapporte des perceptions témoignant d'un niveau d'estime de soi modérément faible sur les plans de l'estime de soi globale, du sentiment d'être aimée, de la maîtrise de soi, de l'approbation morale de soi et de la défense de soi.

Dans l'ensemble, les adolescentes se sont généralement bien adaptées relativement à leurs activités quotidiennes et à leurs relations avec l'entourage. Les résultats suggèrent que dans les semaines suivant l'IVG, plusieurs d'entre elles ont présenté des difficultés sur le plan de l'estime de soi, particulièrement en ce qui a trait à l'approbation morale de soi et au sentiment d'être aimée.

À la lumière des résultats obtenus, l'auteure discute des implications pour la pratique infirmière. L'importance d'une collecte de données pour l'évaluation des réactions psychosociales d'adaptation à l'IVG et des pistes d'intervention en relation d'aide sont soulevées. Enfin, bien que cette étude permette difficilement d'en généraliser les résultats, l'auteure recommande d'autres devis de recherche de nature quantitative et qualitative afin de mieux cerner les facteurs susceptibles d'influencer les réactions d'adaptation d'adolescentes à l'IVG.

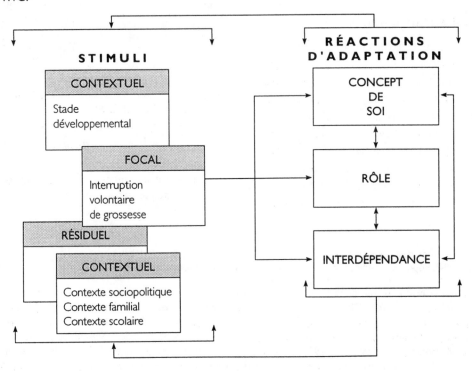

FIGURE 12.1

Schéma conceptuel des variables étudiées dans l'étude de Cloutier.

L'étude de cas

L'étude de cas consiste en une investigation approfondie d'un individu, d'une famille, d'un groupe ou d'une organisation. Elle est entreprise afin de répondre aux interrogations au sujet d'un événement ou d'un phénomène contemporain sur lequel il existe peu ou pas de contrôle (Yin, 1994). Ce type d'investigation est utile pour vérifier une théorie, étudier un cas qui est reconnu comme étant particulier et unique (maladie rare), expliquer des relations de causalité entre l'évolution d'un phénomène et une intervention. En fait, l'étude de cas connaît deux applications : elle peut servir à accroître la connaissance qu'on a d'un individu et avoir pour principal objectif l'élaboration d'hypothèses nouvelles, ou elle peut servir à étudier l'effet d'un changement chez un individu (Robert, 1988). Ce qui caractérise avant tout l'étude de cas, c'est la souplesse avec laquelle il est possible d'accumuler des données sur un cas particulier. L'étude en profondeur de différents phénomènes liés à la santé et de leurs relations avec d'autres phénomènes s'avère nécessaire à une meilleure compréhension. Dans ce contexte, le nombre limité de sujets facilite la réalisation de tels projets et incite à la répétition de ces études.

> L'étude des cas est une investigation approfondie d'un individu, d'une famille, d'un groupe ou d'une organisation.

L'unité d'analyse d'une étude de cas peut être un phénomène, un individu, une famille, un groupe, une organisation ou une unité sociale beaucoup plus importante. Dans un grand nombre d'études de cas réalisées en sciences infirmières, l'unité d'analyse a surtout porté sur les individus aux prises avec des problèmes de santé particuliers (Woods et Catanzaro, 1988). L'unité d'analyse peut être divisée en sous-unités afin d'approfondir l'investigation. Par exemple, la famille peut être considérée comme l'unité d'analyse et différentes dyades, telles que la relation conjugale ou la relation mère-enfant, peuvent en constituer les sous-unités. La distinction entre l'unité d'analyse et le contexte dans lequel se situe l'unité d'analyse est importante à faire afin d'éviter des erreurs au cours de la collecte des données.

Dans la conduite de l'étude de cas, Yin (1994) suggère de préciser les cinq composantes suivantes : 1) l'énoncé de questions qui justifient d'entreprendre une étude de cas, 2) la description la plus complète possible de l'unité d'analyse, 3) la formulation de propositions théoriques (hypothèses) sur les facteurs présents dans la situation et servant de guide à la méthode et à la collecte des données, 4) l'évaluation d'hypothèses suggérées par les données recueillies, et 5) la mise

à l'épreuve des hypothèses retenues à l'aide de critères établis pour l'interprétation des résultats. Cet auteur précise que, contrairement aux autres types d'études comportant un nombre limité de sujets, telles que l'étude phénoménologique, l'étude ethnographique et la théorie ancrée, les études de cas devraient toujours être basées sur un cadre théorique, même si le but de l'étude est de développer ou de vérifier une théorie.

MÉTHODES ET ANALYSES

La méthode peut prendre diverses formes selon la nature de la question posée. Elle peut être de type descriptif, exploratoire ou explicatif avec ou sans expérimentation. Une étude de cas sans expérimentation sert à décrire, explorer ou expliquer un phénomène complexe ou à vérifier des propositions théoriques à partir d'une analyse en profondeur des différents éléments du phénomène. L'étude se base sur des documents (dossiers médicaux), sur l'observation ou l'entrevue. Ainsi, les méthodes utilisées pour les études de cas sans expérimentation visent à en apprendre suffisamment sur le sujet pour transmettre toute sa complexité sous une forme narrative.

Dans une étude de cas avec expérimentation, le chercheur manipule systématiquement une partie du phénomène en introduisant une intervention. L'expérimentation se fait selon différents modèles (Barlow et Herson, 1984; Kazdin, 1982) : 1) le modèle A-B, 2) le modèle avec des données de base multiples, 3) le modèle avec des critères changeants, et 4) le modèle avec des interventions alternantes et interactives. Selon ces modèles, on examine une variable dépendante à différentes phases, c'est-à-dire avant, pendant et après l'application ou le retrait de l'intervention. La phase A représente la période pendant laquelle on recueille les données de base par des mesures multiples (avant l'intervention) et la phase B représente la période de l'intervention pendant laquelle les mêmes mesures sont effectuées. Les changements dans les variables étudiées à la phase B sont évalués en fonction des données de la phase A. Afin d'assurer une certaine validité interne, Kazdin (1982) suggère d'utiliser un minimum de trois mesures pour établir la tendance des données de base, et d'illustrer la stabilité des données par un graphique.

L'analyse des données varie selon les mesures utilisées. Pour les mesures qualitatives, une analyse de contenu permet de déterminer des comportements types, des thèmes et des relations, qui sont ensuite classés à l'aide d'un processus d'analyse synthèse selon les buts et les objectifs de l'étude. Les thèmes peuvent être rassemblés pour fournir une description du phénomène étudié. Ces thèmes peuvent être formulés sous forme d'hypothèses et utilisés dans des études ultérieures.

Les données quantitatives peuvent être présentées à l'aide de tableaux et de graphiques, afin de permettre un examen visuel des changements produits dans les variables à l'étude. L'analyse des changements illustrés sur un graphique se fait en fonction des critères établis avant le début de l'étude pour évaluer les changements cliniques. En plus de l'examen visuel, des analyses statistiques sont suggérées, telles que les tests de t, et de F, ainsi que des analyses de séries temporelles (Edgington, 1980a, 1980b; Kazdin, 1982).

VALEUR SCIENTIFIQUE DES ÉTUDES DE CAS

L'étude de cas est une approche souvent critiquée sur le plan de sa validité et de sa rigueur scientifique. Toutefois, il existe des balises qui assurent sa valeur et sa pertinence dans plusieurs situations.

La validité interne

La validité interne exige un contrôle sur les variables étrangères afin d'éliminer toute explication d'un phénomène différente de celle à laquelle on arrive. L'étude de cas démontre sa validité interne par l'intensité de son analyse du phénomène, ses multiples observations, la symétrie des comportements types, la construction des explications et, dans certains cas, la triangulation des sources de données (Yin, 1994).

Dans le cas d'une étude avec expérimentation, l'intervention est mise en œuvre plusieurs fois, retirée ou modifiée au cours d'une certaine période de temps, tout en maintenant de multiples observations de la variable dépendante. C'est une façon de contrôler les effets des variables externes. Des analyses statistiques (analyse des données séquentielles) peuvent aussi renforcer la validité des résultats. Aussi, le chercheur a intérêt à écarter toutes les autres hypothèses qui pourraient justifier les résultats.

La validité externe

La validité externe concerne la généralisation des résultats : dans l'étude de cas, cette généralisation ne peut se faire à toute une population mais à un cas ou plusieurs cas subséquents. Les résultats d'une étude servent à l'interprétation et à l'application de principes génériques dans des cas semblables (Meier et Pugh, 1986). Selon Yin (1994), les études de cas se basent sur des généralisations analytiques, qui s'opposent aux généralisations statistiques, c'est-à-dire que le chercheur utilise la théorie comme véhicule pour généraliser les résultats.

Avantages et limites

Un des avantages de l'étude de cas est l'information détaillée que l'on obtient sur un phénomène nouveau. Un autre avantage de l'étude de cas, c'est que l'analyse complète qu'elle produit permet de dégager des idées, des liens entre des variables et de vérifier des hypothèses. Cependant, cette méthode a des limites : les résultats ne peuvent être généralisés à d'autres populations ou situations; de plus, les données peuvent être incomplètes ou difficilement comparables.

Toutefois, ces inconvénients sont minimes si l'on considère la pertinence d'utiliser cette méthode dans l'exploration de nouveaux phénomènes.

ENCADRÉ 12.2

Exemple d'une étude de cas.
Duhamel, F. (1987). Essential Hypertension and Family Therapy.

La problématique à la base de cette étude est liée au phénomène de l'hypertension, le plus grand facteur de risque en ce qui concerne les problèmes cardiovasculaires. Les recherches confirment la complexité de l'hypertension artérielle et l'importance d'étudier ce phénomène dans une perspective systémique. Des facteurs psychosociaux, tels que la colère et l'hostilité réprimées, et les conflits familiaux ont été associés à une tension artérielle élevée, tandis que le soutien familial et social a été relié à une tension artérielle plus faible. Des concepts découlant de la théorie des systèmes soutiennent l'existence d'une relation entre les interactions sociales et le système biologique des individus. Ces concepts théoriques constituent les assises de modèles d'analyses et d'interventions systémiques (Wright et Leahey, 1994) en soins infirmiers donnés à la famille, qui sont utilisées pour assister les familles aux prises avec un problème de santé. Cependant, ces interventions familiales ont été peu utilisées auprès de familles dont un membre est atteint d'hypertension essentielle et ont fait l'objet de peu d'études de recherche.

L'étude visait à générer des hypothèses à partir des données obtenues pour répondre aux deux questions de recherche suivantes : 1) « Quelle est la relation entre l'hypertension essentielle d'un individu et le fonctionnement familial ? », 2) Quelle est l'influence des interventions familiales systémiques sur le fonctionnement de la famille et sur l'évolution de la tension artérielle de la personne atteinte ? ». La méthode utilisée a consisté en une étude de cas selon le modèle A-B. Quatre sujets hypertendus et leur famille ont participé à une série de rencontres avec une infirmière spécialisée en soins à la famille. Durant ces rencontres, l'infirmière a sondé l'expérience et le fonctionnement de la famille relativement à l'hypertension et a aidé la famille à faire face aux difficultés décelées. La collecte des données sur la tension artérielle a été effectuée quotidiennement auprès des sujets hypertendus, pendant une période de deux mois avant les rencontres (phase A), durant la période des rencontres, c'est-à-dire au moment de l'intervention (phase B), et pendant une période de trois mois après la dernière rencontre (phase de suivi). Des instruments de mesure du fonctionnement familial ont été administrés aux membres de la famille une fois par mois. Les données quantitatives ont été reportées sur un graphique pour un examen visuel, afin de déceler les changements dans les différentes variables mesurées, et ce d'une phase à l'autre. Pour la tension artérielle, on a établi au début de l'étude un critère de changement clinique significatif . De plus, étant donné le nombre suffisant de mesures, des analyses de séries temporelles (Box et Jenkins, 1976) ont permis d'établir les tendances des fluctuations de la tension artérielle au cours des trois phases de l'étude. Les données qualitatives, relatives aux rencontres avec les familles, ont été obtenues d'une bande vidéo et soumises à une analyse de contenu afin de distinguer des comportements types, des thèmes et des relations, pour ensuite les classer selon les questions de l'étude.

Les résultats obtenus ont suggéré un lien entre la tension artérielle, la répression des sentiments de colère et de frustration chez l'hypertendu et des conflits conjugaux. Il y a eu moins de fluctuation de la tension artérielle au cours de la période des interventions familiales. Il est à noter que plusieurs variables sont associées au maintien de l'hypertension et qu'il est difficile d'attribuer un changement dans le fonctionnement familial et dans les valeurs de la tension artérielle à la seule variable de l'intervention infirmière. Cependant, cette étude a servi à générer des hypothèses sur une perspective systémique de l'hypertension essentielle et sur l'influence d'une approche familiale infirmière pour ce problème de santé.

Les enquêtes

L'enquête désigne toute activité de recherche au cours de laquelle les données sont recueillies auprès d'une population ou de portions de celle-ci dans le but d'examiner les attitudes, opinions, croyances ou comportements de cette population. Elle peut porter sur des caractéristiques individuelles en déterminant, par exemple, ce que les personnes connaissent des services de santé. Le chercheur peut aussi être intéressé à connaître les relations entre l'utilisation des services de santé par les individus et leurs croyances en matière de santé.

> L'enquête représente toute activité de recherche au cours de laquelle des données sont recueillies auprès d'une population ou de portions de celle-ci afin d'examiner les attitudes, opinions, croyances ou comportements de cette population.

L'enquête sert à recueillir de l'information auprès de populations en ce qui concerne la prévalence et la distribution de problèmes psychosociaux et les liens que ces populations entretiennent entre elles (Kerlinger, 1986; Polit et Hungler, 1995). La population fait référence à un ensemble d'individus ou d'objets possédant certaines caractéristiques communes : par exemple, tous les éducateurs du Québec qui enseignent dans les collèges, tous les ménages canadiens. L'enquête peut être menée auprès d'un sous-ensemble de sujets formant un échantillon. Les enquêtes menées par divers organismes gouvernementaux pour connaître, entre autres, les habitudes de vie des individus, leurs besoins, leurs comportements dans telle situation sont des exemples d'enquêtes auprès de populations.

Les données de l'enquête peuvent être recueillies de trois façons : par une entrevue en face à face, par une entrevue téléphonique ou par un questionnaire expédié par la poste. L'entrevue par téléphone est la méthode la moins coûteuse, mais elle n'offre pas la possibilité d'établir des contacts aussi personnels avec les sujets que dans l'entrevue en personne. Le questionnaire diffère de l'entrevue puisque le participant lit la question lui-même et écrit sa réponse à l'endroit approprié sur le questionnaire. Le terme « enquête » peut aussi désigner toute autre technique de collecte des données.

L'enquête a l'avantage de permettre la collecte de données auprès d'un grand nombre de sujets ou auprès de groupes plus restreints, tout en s'assurant du caractère représentatif de la population étudiée. Par ailleurs, l'enquête ne fournit pas d'explications, ne fait pas ressortir de causes ou ne fournit pas l'évidence qu'une situation ou une intervention est meilleure qu'une autre.

ENQUÊTE COMPARATIVE

L'enquête peut aussi être comparative si la même information est recueillie auprès d'un échantillon représentatif constitué de deux groupes de sujets et plus. On cherche ainsi à établir des différences entre les groupes par rapport à certaines caractéristiques. Il n'y a pas de manipulation d'une variable indépendante. Ce type d'étude comparative est utilisée quand le chercheur ne peut manipuler la variable indépendante.

ENQUÊTES ÉPIDÉMIOLOGIQUES

L'épidémiologie, telle que la définissent Mac-Mahom, Pugh et Ipsen (1970), est l'étude de la distribution des maladies chez l'homme et des facteurs qui en déterminent la fréquence. La définition est reprise par Last (1983), dans son dictionnaire sur l'épidémiologie; elle se traduit par l'étude de la distribution des déterminants, des incidences et de la prévalence des problèmes de santé des populations ainsi que l'analyse des moyens liés à leur contrôle. L'Organisation mon-

Exemple d'une enquête.
Santé et Bien-être social Canada. (1988). Enquête Promotion Santé Canada. Rapport technique.

L'enquête *Promotion de la Santé*, dont le rapport a été publié en 1988, constitue un exemple d'enquête entreprise par Santé et Bien-être social Canada. L'enquête visait à recueillir des données pour faciliter la planification et la mise en œuvre d'un programme de la direction de la Promotion de la santé. Plusieurs objectifs ont été formulés, par exemple : aider à l'élaboration de mesures plus efficaces de promotion de la santé; faire le bilan des connaissances, des attitudes et des pratiques en matière de santé à l'échelle nationale. De façon plus précise, l'enquête portait sur l'amélioration de la santé des Canadiens, notamment sur l'alimentation, l'exercice physique, les habitudes en matière de sécurité et de prévention, le tabagisme, l'alcool, la drogue, les attitudes à l'égard de la santé et l'étendue des connaissances en cette matière.

Le cadre conceptuel utilisé pour l'enquête était une combinaison d'un certain nombre de cadres conceptuels, notamment le modèle *Precede de Green* (1980), le modèle *Information Processing* de Flay et coll. (1980), le modèle *Health Belief* de Rosentock (1974), le modèle *Problem Behavior* de Jessor et coll. (1980), le modèle de l'enquête Santé Canada (1981) et le modèle de l'*enquête Condition physique* de Stephens (1983). Le cadre conceptuel avait pour but d'établir des liens entre l'enquête et le programme de promotion de la santé, de circonscrire le domaine de l'enquête et d'organiser l'information recueillie (Santé et Bien-être social Canada, 1988).

L'enquête a été effectuée auprès de 11 000 Canadiens âgés de 15 ans et plus. Les sujets ont été interrogés au sujet de leur santé et de facteurs qui affectent leur santé. La méthode d'entrevue téléphonique aléatoire a été utilisée auprès des ménages. Le taux de réponse a été de 81 %.

Les résultats de l'enquête *Promotion de la santé* sont rapportés en détail dans le Rapport technique (Santé et Bien-être social Canada, 1988). Les faits saillants du rapport technique ont fait l'objet d'une publication dans la série de rapports *Action santé*, dont voici un extrait : « L'enquête révèle que 88 % des adultes canadiens évaluent leur santé comme étant de bonne à excellente, et plus des deux tiers ont des pratiques sanitaires favorables. De plus, 68 % admettent devoir effectuer un changement quelconque dans leur mode de vie afin d'améliorer leur santé. Cependant, les données de l'enquête concernant l'utilisation des ceintures de sécurité, les pratiques préventives chez la femme, l'alcool, le tabac et l'usage de drogues démontrent que des changements prometteurs se sont déjà produits au cours des dernières années. »

diale de la santé (Rumeau-Rouquette, Bréart et Padieux, 1985) proposait, en 1968, trois objectifs des études épidémiologiques : « 1) orienter le développement des services de santé en définissant l'ampleur de la distribution des phénomènes morbides dans la collectivité; 2) dégager les facteurs étiologiques de façon à permettre d'enrayer ou de modifier la maladie; 3) fournir une méthode de mesure de l'efficacité des services mis en œuvre pour lutter contre la maladie, et améliorer l'état de la collectivité. »

La classification des études épidémiologiques varie selon les auteurs. Jéniceck et Cléroux (1982) classent les études épidémiologiques en trois catégories : selon le temps, selon la fluctuation des sujets à l'intérieur des groupes et selon les objectifs. Étant donné que cet ouvrage ne veut fournir qu'un aperçu des études épidémiologiques, nous discuterons brièvement des enquêtes épidémiologiques qui se situent dans la catégorie « selon le temps » et qui incluent les enquêtes 1) prospectives, 2) rétrospectives et 3) transversales. Les enquêtes de la catégorie « selon le temps » visent à déterminer les facteurs de risque des problèmes de santé.

1) Enquêtes prospectives

L'enquête prospective consiste à suivre un groupe de sujets, appelé « cohorte », afin d'étudier les phénomènes qui les affectent au cours du passage du temps. Plusieurs examens périodiques sont effectués dans une cohorte au cours d'une période donnée (Jéniceck et Cléroux, 1982). Dans ce genre d'étude, un facteur est déterminé au départ, par exemple l'exposition au soleil, et la manifestation de la réaction attendue, qui est le cancer de la peau. Un échantillon de sujets présentant le facteur est habituellement choisi en même temps qu'un groupe témoin. Il existe plusieurs exemples connus : l'habitude de fumer et le cancer du poumon; les facteurs de risques et la maladie coronarienne. Dans l'étude prospective, les observations sont recueillies une fois que la recherche a débuté, alors que, dans les études rétrospectives, les observations ont déjà été enregistrées dans le passé (Friedman, 1974). Les enquêtes prospectives sont longues et onéreuses.

2) Enquêtes rétrospectives

Dans l'enquête rétrospective, appelée aussi « cas témoin », le chercheur tente de lier un phénomène présent au moment de l'enquête à un autre phénomène, qui lui est antérieur. Les faits sont recueillis *a posteriori*. Dès le début, on divise le groupe de sujets en deux : d'un côté, les sujets atteints de la maladie et de l'autre, ceux qui ne sont pas atteints – qui sont en bonne santé. Par exemple, on peut étudier l'efficacité de deux traitements différents sur des personnes, en comparant celles qui sont guéries et celles qui ne le sont pas. L'enquête rétrospective est aussi utilisée pour évaluer *a posteriori* l'activité des unités de soins ou de prévention au moyen des dossiers d'archives ou à l'aide d'entrevues (Rumeau-Rouquette, Bréart et Padieux, 1985). L'enquête rétrospective est plus courte que l'enquête prospective, et moins onéreuse.

Cependant, elle comporte des risques d'erreur liés surtout au choix de la population.

3) Enquêtes transversales

L'enquête transversale consiste à examiner une ou plusieurs cohortes en rapport avec des phénomènes présents à un moment donné de l'enquête. Ce type d'enquête vise surtout à recueillir de l'information concernant la fréquence de problèmes de santé au moment de l'enquête. Ainsi, pour évaluer les réactions de deuil des adolescentes après le décès d'un parent, trois groupes de jeunes d'âges différents pourraient être étudiés au cours d'une même année. Les enquêtes transversales peuvent être répétées de manière à fournir une vision plus longitudinale des phénomènes (Rumeau-Rouquette, Bréart et Padieux, 1985).

12.3
RÉSUMÉ

Les études descriptives visent à caractériser les phénomènes. Elles peuvent varier en complexité, allant de l'étude d'un concept à l'étude de plusieurs concepts. Les relations entre les concepts sont établies de manière à produire un profil général du phénomène à l'étude. Les méthodes de collecte des données sont variées dans l'étude descriptive : l'observation, l'entrevue, le questionnaire, l'échelle, l'évaluation physique et psychologique, etc. Le traitement des données varie selon le type d'étude, la technique échantillonnale et les instruments de mesure utilisés. Selon le caractère des données, des mesures de tendance centrale et de dispersion seront utilisées ainsi que des analyses de corrélation et de variance.

Les types d'études descriptives les plus courants sont l'étude descriptive simple, l'étude de cas et les enquêtes. L'étude descriptive simple consiste à décrire un phénomène ou un concept relatifs à une population, de manière à établir les caractéristiques de cette population ou d'un échantillon de celle-ci. L'étude de cas est une investigation approfondie d'un individu, d'une famille, d'un groupe de sujets ou d'une organisation. Elle est souvent utilisée pour l'étude d'un cas particulier et unique (maladie rare).

L'enquête désigne toute activité de recherche au cours de laquelle les données sont recueillies auprès d'une population ou des portions de celle-ci afin d'examiner les attitudes, les opinions, les croyances ou les comportements de cette population. Les enquêtes épidémiologiques sont souvent classées dans les études descriptives. Elles peuvent être prospectives, rétrospectives ou transversales. L'enquête prospective consiste à suivre un groupe de sujets afin d'étudier les phénomènes qui les affectent au cours du passage du temps. Dans l'enquête rétrospective, le chercheur tente de lier un phénomène présent au moment de l'enquête à un phénomène antérieur. L'enquête transversale consiste à examiner une ou plusieurs cohortes en rapport avec des phénomènes présents à un moment donné de l'enquête.

RÉFÉRENCES BIBLIOGRAPHIQUES

BARLOW, D. H., HERSON, M. (1984). *Single case experimental designs.* New York : Pergamon Press.

BOX , G. E. P., JENKINS, G. M. (1976). *Time series analysis : Forecasting and control* (rev. ed.). San Francisco : Holden Day.

BURNS, N., GROVE, S. K. (1993). *The practice of nursing,* 2e éd. Philadelphia : W. B. Saunders Company.

CLOUTIER, J. (1994). *Réponses psychosociales d'adaptation à l'interruption volontaire de grossesse d'un groupe d'adolescentes.* Mémoire non publié. Montréal : Université de Montréal, Faculté des sciences infirmières.

DUHAMEL, F. (1987). *Essential hypertension and family therapy.* Unpublished doctoral dissertation, University Of Calgary, Calgary, Alberta, Canada.

EDGINGTON, E. S. (1980a). Educational statistics, 5 randomization tests for one subject experiments. *Journal of Educational Statistics,* 5, 235-251.

EDGINGTON, E. S. (1980b). *Randomization tests.* New York : Marcel Dekker, Inc.

FLAY, B. R., ET COLL. (1980). Mass media in health promotion : An analysis using an extended information processing model. *Health Education Quarterly,* n° 7 (2), p. 127-147.

FORTIN, M. F., TAGGART, M. E., KÉROUAC, S. ET NORMAND, S. (1988). *Introduction à la recherche : auto-apprentissage assisté par ordinateur.* Montréal : Décarie Éditeur.

FRIEDMAN, G. D. (1974). *Primer of epidemiology.* New York : McGraw-Hill Book.

GREEN, L. W. (1980). *Health education planning : A diagnostic approach.* Baltimore : Mayfield Publishing Company.

HUBERMAN, A. M., MILES, M. B. Analyse *des données qualitatives : Recueil de nouvelles méthodes.* Traduit de l'anglais par Debacker et Lamongie (1991). Montréal : Édition du Renouveau Pédagogique; Bruxelles : Université DeBoeck.

JÉNICECK, M., CLÉROUX, R. (1982). *Épidémiologie : Principes techniques et applications.* Saint-Hyacinthe : Edisem

JESSOR, R. ET COLL. (1980). *Adolescent drinking behavior.* Boulder : Institute of Behavioral Science.

KAZDIN, A. E. (1982). *Single-case research designs.* New York : Oxford University Press.

KERLINGER, F. N. (1986). *Foundations of behavioral research*, 3e éd. New York : Holt, Renehart and Winston Inc.

LAST, J. M. (1983). *A dictionary of epidemiology*, Oxford Medical Publications.

MACMAHON, B., PUGH, T. F. (1970). *Epidemiology : Principles and methods*. Boston : Little Brown.

MEIER, P. ET PUGH, E. J. (1986). The case study : A viable approach to clinical research. *Research in Nursing and Health*, n° 9, p. 195-202.

POLIT, D. F., HUNGLER, B. P. (1995). *Nursing research : Principles and methods*. Philadelphia : J. B. Lippincott Company.

ROBERT, M. (1988). *Fondements et étapes de la recherche scientifique en psychologie*, 3e éd. Saint-Hyacinthe, Edisem.

ROSENTOCK, I. M. (1974). Historical origins of the health belief model. *Health Education Monographs*, n° 2 (4), p. 328-335.

ROY, C. (1984). *Introduction to nursing : An adaptation model*, 2e éd. Englewood Cliffs, NJ ; Prentice Hall.

ROY, C., ET ANDREWS, H. (1991). *The Roy adaptation model : The definitive statement*. Norwalk, CT : Appleton et Range.

RUMEAU-ROUQUETTE, C., BRÉART, C., PADIEUX, R. (1985). *Méthodes en épidémiologie*, 3e éd. Paris : Flammarion Médecine-sciences.

SANTÉ ET BIEN-ÊTRE SOCIAL CANADA ET STATISTIQUE CANADA (1981). *La santé des canadiens : rapport de l'Enquête Santé Canada*. Ottawa, Ministre des Approvisionnements et Services Canada.

SANTÉ ET BIEN-ÊTRE SOCIAL CANADA (1988). *Rapport technique : Enquête Promotion Santé Canada*. Ottawa : Ministre des Approvisionnements et Services Canada.

STEPHENS, T. (1983). *Condition physique et mode de vie au Canada*. Ottawa : Enquête Condition physique au Canada.

WOODS, N. F., CATANZARO, M. (1988). *Nursing research : Theory and practice*. Toronto : Mosby.

WRIGHT, L. M. ET LEAHEY, M. (1994). *Nurses and families : A guide to family assessment and intervention*. Philadelphia : F. A. Davies.

YIN, R. K. (1994). *Case study research*. Thousands Oaks, CA : Sage.

CHAPITRE

13

LES ÉTUDES DE TYPE CORRÉLATIONNEL

Marie-Fabienne Fortin et Francine Ducharme

CE CHAPITRE EST ACCOMPAGNÉ D'UNE LEÇON INFORMATISÉE FACULTATIVE.

Objectifs d'apprentissage

À la fin de ce chapitre, l'étudiant(e) devrait être capable de :

✔ Énumérer les principales caractéristiques des devis corrélationnels.

✔ Décrire les différents niveaux d'études corrélationnelles.

Contrairement aux études purement descriptives, dans lesquelles la découverte et la description sont l'intérêt principal, les études de type corrélationnel ont pour but d'examiner des relations entre des variables. Les études de ce type présupposent que le phénomène a déjà été identifié et décrit. Par exemple, les résultats d'études descriptives ont pu suggérer que certaines variables pouvaient être reliées à un phénomène donné. Une étude de type corrélationnel permettra d'aller plus loin, soit en explorant des relations entre ces variables, soit en établissant des relations plus définitives entre elles au moyen de la vérification d'hypothèses d'association ou de la vérification de modèles théoriques, de façon à mieux comprendre un phénomène ou à amorcer une explication de ce qui se passe dans une situation donnée.

Lorsque de nombreux travaux ont été publiés sur un sujet, il n'est pas toujours facile de distinguer entre les études de découverte de relations et les études de vérification de relations à l'aide d'hypothèses. Ce chapitre présente les divers devis de type corrélationnel ainsi que les principaux éléments qui les caractérisent. Il est à noter que certaines enquêtes dont la description a été présentée au chapitre précédent se classent parmi les études de type descriptif-corrélationnel.

13.1

CARACTÉRISTIQUES DES ÉTUDES DE TYPE CORRÉLATIONNEL

Les études de type corrélationnel consistent à examiner des relations entre des variables. L'examen de ces relations s'effectue à différents niveaux, selon qu'il s'agit : 1) d'explorer des relations entre des variables, 2) de vérifier la nature des relations existant entre des variables, ou 3) de vérifier des modèles théoriques. À chaque niveau d'examen déterminé correspondent des catégories d'études différentes. Ainsi, le premier niveau d'examen des relations, effectué à l'aide de l'étude descriptive-corrélationnelle, vise à explorer et à décrire des relations entre des variables. Au deuxième niveau d'examen, celui de l'étude corrélationnelle proprement dite, qui peut être explicative ou prédictive, on cherche à déterminer la nature des relations (force et direction) entre des variables. Enfin, pour ce qui est de la vérification de modèles théoriques, l'examen sert à déterminer l'adéquation entre un modèle théorique et des données empiriques.

13.2

TYPES D'ÉTUDES CORRÉLATIONNELLES

Les trois types d'études que nous venons de mentionner sont présentés dans les pages suivantes : l'étude descriptive-corrélationnelle, l'étude corrélationnelle proprement dite et l'étude de vérification d'un modèle théorique.

Étude descriptive-corrélationnelle

Dans l'étude descriptive-corrélationnelle, le chercheur tente d'explorer et de déterminer l'existence de relations entre des variables en vue de décrire ces relations. Il est souvent en présence de plusieurs variables dont il ne sait lesquelles peuvent être mutuellement reliées. Le but principal de l'étude descriptive-corrélationnelle est la découverte de facteurs reliés à un phénomène. Par exemple, un chercheur peut être intéressé à connaître les facteurs psychosociaux associés au décrochage scolaire chez les élèves des collèges. Ce devis permet d'explorer des relations entre des variables afin de connaître lesquelles sont associées au phénomène étudié. La définition et la description préalables des variables, établies à un niveau de recherche précédent, conduisent le chercheur à explorer l'existence de relations entre des variables pouvant donner lieu à la génération d'hypothèses, qui pourront faire l'objet de vérifications dans des études subséquentes.

Dans une étude descriptive-corrélationnelle, le chercheur explore et détermine l'existence de relations entre des variables en vue de décrire ces relations.

Des questions de recherche, et non des hypothèses, sont formulées à cette étape de l'examen des relations entre les variables, par exemple : « Quels sont les facteurs associés à l'utilisation du condom chez les adolescents de secondaire V ? » On élabore un cadre conceptuel pour intégrer l'agencement des variables et leurs relations mutuelles dans un contexte précis. Les données sont recueillies de façon quantitative, à l'aide d'échelles et de questionnaires. De préférence, l'échantillon doit être d'assez grande taille et représentatif de la population étudiée. On utilise des analyses de corrélation pour explorer l'existence de relations entre les variables.

L'avantage de l'étude descriptive-corrélationnelle est qu'elle permet, au cours d'une même démarche, de considérer simultanément plusieurs variables en vue d'explorer leurs relations mutuelles. Elle permet également de dé-

Encadré 13.1

Exemple d'une étude descriptive-corrélationnelle.

Sauvé, J. (1993). Facteurs biopsychosociaux et culturels associés au rétablissement de femmes à la suite d'un pontage aorto-coronarien.

L'étude avait pour but de décrire les facteurs biopsychosociaux, culturels et sociodémographiques associés au rétablissement d'un groupe de femmes à la suite d'un pontage aorto-coronarien, et d'explorer les relations entre ces facteurs, la perception de l'état de santé et le processus de rétablissement. Le modèle conceptuel de la figure 13.1, inspiré de Becker et coll. (1975), illustre les trois ensembles de variables (physiques, psychosociales et culturelles, sociodémographiques), qui ont été explorées en relation avec les perceptions de l'état de santé des femmes et leur rétablissement. Les 31 femmes constituant l'échantillon de l'étude ont été contactées à deux reprises, soit en période préopératoire et entre la neuvième et la douzième semaine après la chirurgie.

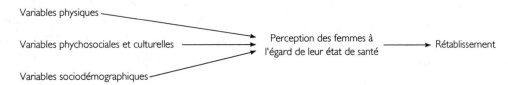

Figure 13.1

Modèle conceptuel des variables à l'étude. (Adapté de Becker et coll., 1975.)

Les résultats indiquent que des facteurs biopsychosociaux, culturels et sociodémographiques sont associés à la perception de l'état de santé préopératoire. Cette perception ne présente pas de relation avec le rétablissement. Par ailleurs, les résultats indiquent que des facteurs physiques sont associés à des composantes du rétablissement. Des résultats révèlent que les sujets qui présentaient une intensité moindre de la maladie cardiaque à la période préopératoire souffraient moins de dyspnée à la période postopératoire que les sujets qui avaient manifesté plus de symptômes de la maladie. Il ressort également que des facteurs psychosociaux et culturels sont associés de façon statistique à certaines variables du rétablissement. Des analyses complémentaires ont démontré que la perception de l'état de santé à la suite de la chirurgie cardiaque est meilleure que pendant la période préopératoire, et que certaines composantes du rétablissement sont associées entre elles de façon statistiquement significative.

crire les relations qui ont été décelées entre les variables. Il est à noter que l'usage des termes « variables indépendante » et « variable dépendante » ne s'applique pas dans le contexte des études descriptives-corrélationnelles.

Étude corrélationnelle

Tandis que dans l'étude descriptive-corrélationnelle le chercheur explore des relations entre des variables de manière à connaître lesquelles sont mutuellement associées, le devis purement corrélationnel permet d'aller plus loin en vérifiant la nature des relations qui existent entre des variables données. Ces relations présumées entre des variables s'appuient sur des travaux de recherche antérieurs ou sur des assises théoriques (Brink et Wood, 1989; Diers, 1979). L'élément additionnel que comporte l'étude corrélationnelle par rapport à celle fondée sur l'exploration de relations tient au fait qu'on se demande dans quelle mesure l'apparition d'un phénomène s'accompagne de l'apparition d'un autre phénomène (Robert, 1988). C'est ainsi, par exemple, qu'une corrélation a été établie entre l'habitude de fumer la cigarette et l'apparition du cancer du poumon. L'analyse consiste à déterminer, à l'aide de diverses estimations statistiques de la corrélation, la nature de cette relation, c'est-à-dire sa force et sa direction.

> Dans l'étude corrélationnelle proprement dite, le chercheur vérifie la nature (force et direction) des relations qui existent entre des variables données.

Les corrélations sont des expressions statistiques qui dénotent une forme particulière de relation ou d'association entre des facteurs ou variables. Elles signifient que les facteurs varient simultanément, mais sans permettre d'affirmer qu'un facteur ou une variable cause l'autre (Diers, 1979). Les variables sont examinées comme elles se présentent : il n'y a pas de manipulation comme dans l'étude expérimentale. Les corrélations peuvent être positives, si les variables ou facteurs varient simultanément dans la même direction, ou négatives, si les variables ou facteurs varient simultanément dans des directions opposées.

L'élément déterminant qui caractérise l'étude corrélationnelle proprement dite réside dans la spécificité des variables choisies par rapport au phénomène étudié. Les variables ne sont pas aléatoires, comme dans l'étude descriptive-corrélationnelle : elles sont choisies en fonction d'un cadre théorique et de la variation ou du changement qu'elles peuvent exercer l'une sur l'autre. Ce type d'étude comporte des hypothèses quant à la nature des relations prévues entre les variables.

L'étude corrélationnelle nécessite que l'échantillon soit de grande taille et représentatif de la population étudiée, de manière que les résultats soient généralisables à d'autres populations. Un

---

ENCADRÉ 13.2

Exemple d'une étude corrélationnelle.
Ricard, N., Fortin, F., Bonin, J. P. (1995). Fardeau subjectif et état de santé d'aidants naturels de personnes atteintes de troubles mentaux en situation de crise et de rémission.

Cette étude corrélationnelle à mesures répétées avait pour but d'évaluer l'importance relative des déterminants du fardeau et leurs effets sur la santé des aidants naturels lorsque les malades, atteints de troubles mentaux, sont en situation de crise (réhospitalisation) et en période de rémission. La figure 13.2 montre les liens entre les variables indépendantes de l'étude, choisies en fonction du cadre théorique du stress et de l'adaptation de Lazarus et Folkman (1984), et la variable dépendante, la santé des aidants naturels. Étant donné qu'on peut considérer la prise en charge d'une personne atteinte d'un trouble mental comme une situation de stress à la fois aiguë et chronique, qui nécessite l'emploi de stratégies d'adaptation par les aidants, la théorie du stress et de l'adaptation de Lazarus et Folkman a semblé appropriée au contexte de cette étude.

Un échantillon accidentel (de convenance) de 200 aidants naturels, composé majoritairement de femmes d'âge moyen, a été constitué à partir du registre des malades ayant séjourné dans trois centres hospitaliers de Montréal. Des instruments de mesure uniformisés ont été utilisés pour évaluer le fardeau subjectif, les stratégies d'adaptation, la santé physique et mentale des aidants naturels ainsi que le soutien social reçu. On a rencontré ces aidants à leur domicile à deux reprises, soit deux semaines après l'entrée du malade au centre hospitalier (T_1) et deux mois après sa sortie définitive (T_2). Trois séries d'hypothèses ont été formulées concernant : 1) l'effet de la situation de crise ou de rémission sur le fardeau subjectif et les indices de santé physique et mentale des aidants naturels; 2) la détermination des prédicteurs du fardeau des aidants

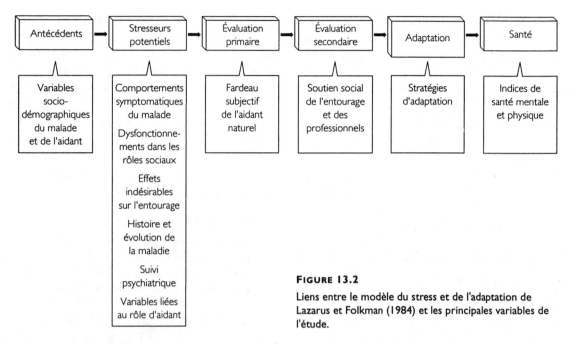

FIGURE 13.2

Liens entre le modèle du stress et de l'adaptation de Lazarus et Folkman (1984) et les principales variables de l'étude.

naturels en situation de crise et de rémission; et 3) l'identification des prédicteurs de la santé des aidants naturels en situation de crise et de rémission. L'analyse des données a été réalisée à l'aide de tests de *t* pour mesures appariées, de régression multiple et d'analyses de corrélation croisée.

Les résultats de l'étude confirment l'hypothèse d'une différence significative dans l'intensité du fardeau subjectif entre la situation de crise et la période de rémission. On observe donc que, concurremment à une amélioration de l'état de santé du malade, la période de rémission correspond à une baisse significative du fardeau subjectif de l'aidant. Les résultats confirment partiellement l'hypothèse concernant les changements dans l'état de santé perçu entre la période de crise et la période de rémission. Sur les sept indices de l'état de santé, seuls les problèmes de sommeil et la détresse psychologique montrent une diminution significative entre les deux périodes de mesure. Les hypothèses concernant les prédicteurs du fardeau subjectif n'ont été que partiellement confirmées, la contribution de certains groupes de prédicteurs étant non significative et différente selon les périodes de mesure.

Les analyses de régression hiérarchique révèlent que l'ensemble des prédicteurs du fardeau subjectif contribue à 75 % de la variance expliquée en situation de crise et à 69 % en période de rémission. Les conditions de vie des aidants qui présentent un fardeau subjectif plus élevé en situation de crise ont certaines caractéristiques communes : revenu moins élevé, cohabitation avec le malade, comportements symptomatiques et de dysfonctionnement social plus graves, effets nuisibles de la présence du malade sur l'entourage. La détermination des prédicteurs de l'état de santé offre des informations précieuses quant aux facteurs qui augmentent la vulnérabilité des aidants naturels aux problèmes de santé. Par exemple, 61 % de la variance de la détresse émotionnelle des aidants est expliquée par les divers prédicteurs. Les facteurs les plus significatifs, d'un point de vue statistique, sont le sexe féminin de l'aidant, le sexe masculin et le diagnostic de psychose du malade, la durée de la crise, un fardeau subjectif élevé, une faible proportion de stratégies d'adaptation actives et la recherche d'informations. En situation de crise, le fardeau subjectif s'est avéré le prédicteur le plus important de la détresse psychologique et des problèmes de sommeil présentés par les aidants naturels.

cadre théorique est nécessaire dans le but de fournir une perspective à l'étude dans le contexte des travaux de recherche antérieurs, et afin d'expliquer la covariation entre les variables. On emploie des méthodes de collecte des données quantitatives et des analyses multivariées comprenant diverses estimations statistiques de la corrélation. L'analyse de facteurs, l'analyse de corrélation canonique, l'analyse de régression multiple sont parmi les techniques statistiques qui permettent de vérifier les hypothèses formulées sur la force et la direction des relations entre les variables dites indépendantes ou dépendantes.

Études de vérification de modèles théoriques

Les études d'analyse d'un modèle théorique visent à vérifier un modèle hypothétique afin d'expliquer un phénomène et son mécanisme d'action à partir d'un ensemble de variables qui ont été, dans les études antérieures, associées à ce phénomène. Ces études permettent de déterminer l'impact d'une ou de plus d'une variable (variables indépendantes) sur d'autres variables (variables dépendantes) et de prédire, dans le temps, l'ordre d'apparition de ces variables. Dans ce type d'étude, toutes les variables pertinentes par rapport au modèle doivent être précisées et mesurées. Des techniques d'analyse telles l'« analyse de sentier » et l'« analyse d'équations structurales linéaires » sont souvent utilisées pour vérifier le modèle qui réunit un ensemble de variables, lesquelles peuvent avoir des liens à caractère exogène ou endogène entre elles. Ces analyses sont effectuées à l'aide de logiciels statistiques (LISREL, EQS, etc.).

> Dans l'étude de vérification d'un modèle théorique, le chercheur met à l'épreuve un modèle hypothétique afin d'expliquer un phénomène et son mécanisme d'action à partir d'un ensemble de variables définies.

Ces analyses permettent de vérifier une hiérarchie ou un ordre dans l'apparition des variables et de déterminer si les données empiriques donnent lieu de soutenir ou de rejeter le modèle théorique. L'adéquation des données avec le modèle ne prouve pas le modèle mais apporte des éléments de soutien ou de confirmation. Cette approche contribue au développement de la théorie.

ENCADRÉ 13.3

Exemple d'une étude de vérification d'un modèle hypothétique.
Ducharme, F. (1994). Soutien conjugal, stratégies adaptatives et satisfaction de vie des couples âgés.

Cette étude longitudinale avait pour but de vérifier un modèle hypothétique de relations entre le soutien conjugal, les aspects conflictuels de la relation conjugale, les stratégies adaptatives utilisées pour composer avec les difficultés quotidiennes (stratégies cognitives internes et stratégies externes de recherche d'aide) et la satisfaction de vie des conjoints âgés vivant dans leur domicile. Un échantillon de 135 couples âgés de plus de 65 ans a été sélectionné à l'aide d'une stratégie mixte. On a rencontré ces couples à leur domicile et on les a interrogés à l'aide de questionnaires uniformisés. Une nouvelle entrevue a eu lieu après un intervalle de 24 mois, avec 90 de ces mêmes couples, pendant laquelle on a utilisé les mêmes instruments de recherche. Le modèle hypothétique, basé sur les études empiriques et sur le modèle théorique de l'adaptation familiale de McCubbin et Patterson (1983), est illustré à la figure 13.3. Ce modèle inclut des variables dites exogènes, qui ont une influence, selon les écrits, sur les principales variables de cette étude, soit sur le soutien conjugal, les stratégies adaptatives et la satisfaction de vie des personnes âgées : il s'agit des incapacités fonctionnelles, du niveau de stress et du réseau social.

Des analyses d'équations structurales, effectuées à l'aide du logiciel de traitement de données EQS, ont permis de vérifier, en partie, le modèle hypothétique proposé et de démontrer des effets directs et indirects

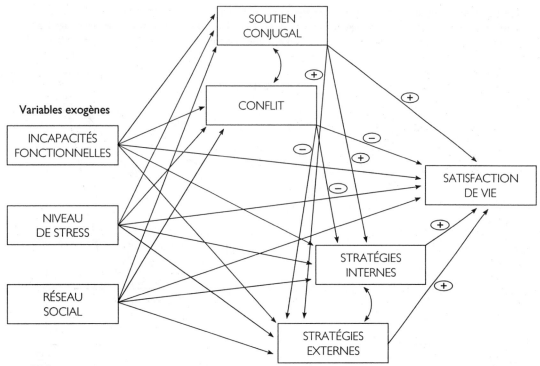

FIGURE 13.3

Modèle hypothétique.

des variables considérées sur la satisfaction de vie des conjoints aux deux temps de l'étude (figure 13.4). Les résultats ont notamment démontré qu'une seule stratégie adaptative interne d'ordre cognitif, soit le recadrage des situations problématiques ou l'habileté à reformuler les problèmes quotidiens de façon qu'ils apparaissent plus malléables, a un effet direct sur la satisfaction de vie des conjoints âgés. Par ailleurs, le soutien du conjoint semble influencer directement la satisfaction de vie des partenaires âgés; ce type de soutien semble aussi influencer indirectement la satisfaction de vie des personnes âgées dans le cas d'une utilisation accrue de la stratégie adaptative de recadrage. Le modèle longitudinal final explique 38 % de la variance de la satisfaction de vie des conjoints au T2 de l'étude et possède un indice d'ajustement de 0,94 : cet indice, variant entre 0 et 1,0, permet d'évaluer statistiquement le degré d'ajustement du modèle hypothétique aux données empiriques. Les tests de vérification du modèle ont aussi démontré un khi-carré (X^2) non significatif, n'indiquant aucune différence significative entre le modèle hypothétique et les données empiriques.

Il est intéressant de noter que l'avantage d'utiliser un devis longitudinal, dans le cadre d'une étude de vérification d'un modèle hypothétique, réside dans le fait que ce type de devis, malgré qu'il soit plus onéreux, peut permettre d'effectuer des prédictions dans le temps. Ainsi, il est possible d'observer (figure 13.4) que certaines variables mesurées au T2 de l'étude sont prédites par des variables mesurées au T1. Il s'avère néanmoins important de souligner que ce devis ne permet aucunement d'effectuer des inférences causales, malgré l'appellation qu'on lui donne souvent d'« estimation de modèle causal ». Comme aucune manipulation des variables indépendantes n'est effectuée par le chercheur, une des conditions *sine qua non* à la relation causale est absente de ce type d'étude. Ainsi, les résultats suggèrent principalement que le soutien conjugal prédit, avec le temps, l'utilisation du recadrage des situations problématiques ou une restructuration cognitive des problèmes, stratégie adaptative aux problèmes quotidiens elle-même prédictive de la satisfaction de vie des partenaires âgés. Le modèle suggère également que certaines variables exogènes (entre autres, le stress et la taille du réseau social) ont une influence sur les principales variables de l'étude.

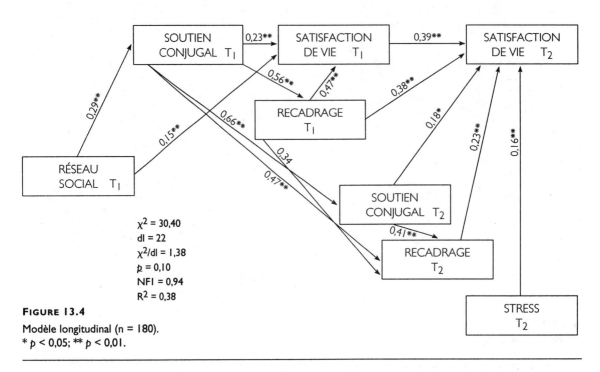

$\chi^2 = 30,40$
$dl = 22$
$\chi^2/dl = 1,38$
$p = 0,10$
NFI $= 0,94$
$R^2 = 0,38$

FIGURE 13.4
Modèle longitudinal (n = 180).
* $p < 0,05$; ** $p < 0,01$.

Ordre hiérarchique des devis corrélationnels

Dans la détermination du niveau des relations entre les variables, le chercheur est invité à se référer au but de l'étude, à savoir s'il s'agit : 1) d'explorer et de décrire des relations entre des variables (« Existe-t-il une relation entre les facteurs biopsychosociaux et le rétablissement après une chirurgie cardiaque ? ») ; 2) d'expliquer ou de prédire des relations entre les variables (« Quels sont les prédicteurs de la santé des aidants naturels de malades mentaux en période de crise et en période de rémission ? ») ; 3) de vérifier des modèles théoriques (« Quel est le mécanisme d'action des variables, soit le soutien conjugal, les stratégies adaptatives, etc. sur la satisfaction de vie des couples ? »). La figure 13.5 résume les buts

des différentes études de type corrélationnel et donne les devis correspondants.

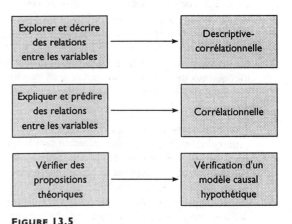

FIGURE 13.5
Niveaux des devis corrélationnels. (Inspirée de Burns et Grove, 1993.)

13.3

RÉSUMÉ

Les études de type corrélationnel consistent à examiner des relations entre des variables. L'examen de ces relations s'effectue à des niveaux différents, selon qu'il s'agit : 1) d'explorer et de décrire des relations entre les variables, comme dans l'étude descriptive-corrélationnelle; 2) de vérifier la nature des relations qui existent entre des variables, comme dans les études corrélationnelles, ou 3) de vérifier des modèles théoriques. L'étude descriptive-corrélationnelle permet d'explorer des relations entre les variables; elle permet également de considérer plusieurs variables au cours d'une même étude; elle ne permet toutefois pas de vérifier des propositions théoriques. L'étude corrélationnelle proprement dite permet d'aller plus loin en vérifiant la nature des relations entre des variables. Pour ce type d'étude, les variables sont choisies en fonction de leur covariation. L'étude de vérification d'un modèle théorique vise à vérifier un modèle causal hypothétique de relations entre des variables, de manière à prédire l'apparition d'un phénomène et son mécanisme d'action. Il s'agit d'une approche plus complexe, qui requiert des analyses statistiques sophistiquées en vue de vérifier la hiérarchie et l'ordre des variables. Des analyses d'équations structurales sont effectuées à l'aide de logiciels statistiques, afin de déterminer si les données empiriques donnent lieu de soutenir ou de rejeter le modèle théorique. Ce troisième niveau d'étude contribue au développement de la théorie.

RÉFÉRENCES BIBLIOGRAPHIQUES

BECKER, M., GARRITY, T., MCGILL, A., BLANCHARD, E. CREWS, J., CULLEN, J., HACKETT, T., TAYLOR, J. ET VALINS S. (1975). Report of the task group on cardiac rehabilitation. In S. Weiss (Éd.). *Proceedings of the Heart and Tung Institute*. Working Conference of Health Behavior, Bayse, Virginia. Bethesda, MD : National Institutes of Health.

BRINK, P.J., WOOD, M. J. (1989). *Advanced designs in nursing research*. Newbury, CA : Sage Publications.

BURNS, N., GROVE, S. K. (1993). *The practice of nursing : Conduct, critique and utilization*, 2e éd. Philadelphia : W. B. Saunders

DUCHARME, F. (1994). Conjugal support, coping behaviors, and psychological well-being of the elderly spouse, an empirical model. *Journal on Aging*, n° 16 (2), p. 167-190.

DIERS, D. (1979). *Research in nursing practice*. Philadelphia : J. B. Lippincott Company.

LAZARUS, R. S., FOLKMAN, S. (1984). *Stress, appraisal and coping*. New York : Springer Publishing.

LEVINE, M. S. (1977). *Canonical analysis and factor comparison*. Beverly Hills, CA : Sage.

MCCUBBIN, H., PATTERSON, J. (1983). The family stress process : The double ABCX model of adjustment and adaptation. *Marriage and Family Review*, n° 6, p. 7-37.

RICARD, N., FORTIN, F., BONIN, J.-P. (1995). *Fardeau subjectif et état de santé d'aidants naturels de personnes atteintes de troubles mentaux en situation de crise et de rémission*. Rapport méthodologique. Montréal : Université de Montréal, Faculté des sciences infirmières.

ROBERT, M. (1988). *Fondement et étapes de la recherche scientifique en psychologie*, 3e éd. Saint-Hyacinthe : Edisem.

SAUVÉ, J. (1994). *Facteurs biopsychosociaux et culturels associés au rétablissement de femmes suite à un pontage aorto-coronarien*. Mémoire de maîtrise non publié. Montréal : Université de Montréal, Faculté des sciences infirmières.

CHAPITRE

14

LES ÉTUDES DE TYPE EXPÉRIMENTAL

Marie-Fabienne Fortin et Sylvie Robichaud

Objectifs d'apprentissage

À la fin de ce chapitre, l'étudiant(e) devrait être capable de :

CE CHAPITRE EST ACCOMPAGNÉ D'UNE LEÇON INFORMATISÉE FACULTATIVE.

✔ Décrire les caractéristiques des relations de causalité.

✔ Distinguer l'étude expérimentale véritable de l'étude quasi-expérimentale.

✔ Définir des problèmes de validité interne et de validité externe propres à certains devis de type expérimental.

Nous avons discuté dans les chapitres précédents des devis de recherche visant l'exploration et la description des phénomènes ainsi que l'examen des relations entre des phénomènes. Nous étudierons dans ce chapitre les devis qui visent la vérification de relations causales ou la vérification de théorie. Dans ce type d'étude, le chercheur traduit, sous forme d'hypothèses, des relations théoriques abstraites, c'est-à-dire des propositions, qu'il vérifie de façon empirique. La vérification de propositions théoriques de relations causales présuppose la description des variables et l'étude des relations entre les variables. Bref, le but des études de type expérimental consiste à examiner la causalité. Une variable indépendante X, une intervention quelconque, est introduite dans une situation, et ses effets sont observés sur une ou plus d'une variable dépendante Y afin d'expliquer et de prédire tel résultat.

Ce chapitre présente les caractéristiques des études de type expérimental, les devis propres à chaque catégorie et les techniques utilisées pour contrôler les influences de variables étrangères.

14.1

LES VARIABLES EXPÉRIMENTALES

Au chapitre 3, différents types de variables ont été présentés, entre autres la variable indépendante, connue pour exercer un effet sur les variables dépendantes. La variable indépendante peut prendre différentes formes, telles que celle d'une variable « organismique » (variables socio-démographiques) ou de variables qui se rapportent à l'application de différents programmes ou traitements à des sujets d'une étude. On parlera alors de variables expérimentales. Une variable expérimentale est une variable indépendante, mais ce ne sont pas toutes les variables indépendantes qui sont des variables expérimentales. Un certain nombre de variables ne se prêtent pas, de par leur nature, à une manipulation expérimentale : le sexe, l'âge, la taille, la dépression, la douleur en sont des exemples.

La validité expérimentale

La validité expérimentale inclut la validité interne et la validité externe. Pour se conformer aux exigences de la validité interne, le chercheur doit construire son devis de manière à introduire une variable indépendante et à observer les effets de cette manipulation sur la variable dépendante. La validité interne est assurée si aucun autre facteur n'entre en jeu ou si les autres facteurs d'invalidité sont neutralisés (Robert, 1988). Dans toute recherche expérimentale, il est donc essentiel de s'assurer que les résultats sont attribuables à la seule variable expérimentale et non à l'effet de variables étrangères.

Les problèmes de validité interne concernent particulièrement les devis quasi-expérimentaux, puisque les devis expérimentaux véritables sont mieux protégés des facteurs d'invalidité et se prêtent mieux à l'étude de la causalité. La validité

externe d'une étude n'a de valeur que si la validité interne a d'abord été établie sans équivoque (Cook et Campbell, 1979). Si la validité externe est jugée adéquate, une fois la validité interne établie, les résultats ou les conclusions d'une étude peuvent être généralisées à d'autres personnes et à d'autres contextes que ceux considérés dans l'étude. Les facteurs de validité interne et de validité externe ont été définis au chapitre 10.

> La validité expérimentale comprend la validité interne et la validité externe. La validité interne concerne les conclusions tirées de la relation de causalité reliant la variable indépendante au changement dans la variable dépendante. La validité externe concerne l'étendue de la généralisation des résultats.

14.2

CARACTÉRISTIQUES DES DEVIS DE TYPE EXPÉRIMENTAL

Les recherches de type expérimental se caractérisent par l'étude de relations de causalité. Une intervention X, présumée produire un effet Y, est introduite dans une situation et contrôlée par le chercheur. Les devis de type expérimental prévoient habituellement deux groupes de sujets ou d'objets. Ces groupes sont appelés « groupe expérimental » et « groupe de contrôle », ou « groupe-témoin ». Ce qui différencie le groupe expérimental du groupe de contrôle, c'est l'intervention dont il fait l'objet alors que le groupe témoin n'y est pas soumis. Si les groupes sont issus d'une même population ou de populations équivalentes, ils sont appelés des groupes équivalents, comme dans l'étude expérimentale véritable. L'équivalence est assurée quand des sujets identiques composent les deux groupes (expérimental et témoin) : il est alors essentiel que les effets de la variable indépendante soient réversibles. Une telle stratégie de recherche permet de comparer ces groupes selon les variables dépendantes retenues et d'attribuer à l'intervention la différence observée entre les résultats obtenus dans les deux groupes.

Les devis expérimentaux véritables et les devis quasi-expérimentaux sont appropriés pour vérifier les hypothèses. Ces devis visent à expliquer pourquoi une relation existe et sont appuyés par un cadre théorique. L'accent est mis sur l'établissement d'une relation causale, la manipulation d'une variable indépendante X, la mesure de l'effet de la variable indépendante sur la variable dépendante Y, et sur la réduction de l'influence d'autres facteurs que la variable indépendante sur la variable dépendante.

14.3

CATÉGORIES DE DEVIS
DE TYPE EXPÉRIMENTAL

Trois classes de devis sont précisées par Campbell et Stanley (1963) : les devis expérimentaux véritables, les devis quasi-expérimentaux et les devis préexpérimentaux. Les caractéristiques des devis expérimentaux sont : 1) la manipulation (traitement X), 2) le contrôle (groupe) et 3) la randomisation (répartition aléatoire). Les devis préexpérimentaux se distinguent principalement des véritables devis expérimentaux et des devis quasi-expérimentaux par la présence de seulement une ou deux de ces caractéristiques.

Dans la discussion portant sur les devis de type expérimental, les termes « avant », correspondant au « prétest », et « après », correspondant au « post-test », sont utilisés pour désigner la collecte des données avant et après le traitement. Dans ce chapitre, le terme « avant » réfère à une mesure prise auprès des sujets avant que l'intervention ou le traitement soit appliqué; le terme « après » se réfère à la mesure prise après l'application de l'intervention ou du traitement. Les devis expérimentaux ne nécessitent pas tous le recours à des mesures *avant*, alors que les mesures *après* sont nécessaires pour déterminer les effets de la variable indépendante sur la variable dépendante. Par exemple, dans une étude qui viserait à évaluer les effets d'une intervention destinée à réduire la fréquence des chutes chez les personnes âgées, il ne serait pas approprié de prendre des mesures avant que commence le traitement.

Les devis expérimentaux véritables

Comme nous l'avons mentionné précédemment, les devis expérimentaux véritables se distinguent par trois caractéristiques essentielles : la randomisation, la manipulation et le contrôle. La randomisation fait référence au choix aléatoire des sujets et à leur répartition aléatoire dans les groupes expérimental et de contrôle de sorte que chaque sujet de l'étude ait une probabilité égale de faire partie de l'un ou l'autre groupe. La manipulation est le terme utilisé pour désigner l'application par le chercheur d'une variable indépendante (traitement, intervention, programme) à certains sujets (groupe expérimental) et non à d'autres (groupe de contrôle). Le contrôle est un concept clé des devis expérimentaux. Il vise à réduire au minimum les biais qui affectent la validité interne. Ce contrôle s'effectue par l'utilisation d'un groupe de contrôle et par le repérage des sources de variance. Ces termes ont été définis au chapitre 10.

Les devis expérimentaux véritables les plus courants sont : le devis *après seulement* avec groupe témoin, le devis *avant-après* avec groupe témoin, le devis à quatre groupes de Solomon, le devis factoriel, le devis équilibré et l'essai clinique randomisé. Il est à noter que, dans les pages qui suivent, les différents devis sont représentés schématiquement d'après leurs sources, soit Campbell et Stanley (1963) ou Cook et Campbell (1979). Les symboles appropriés aux études expérimentales sont représentés comme suit : R = randomisation; G = groupe; X = traitement; O = observation ou mesure.

1) LE DEVIS *APRÈS SEULEMENT* AVEC GROUPE TÉMOIN (POST-TEST SEULEMENT)

Les devis expérimentaux véritables incluent deux groupes de sujets ou plus : un groupe pour chaque intervention expérimentale et un groupe de contrôle. Le devis *après seulement* inclut au moins deux groupes de sujets : celui qui reçoit le traitement expérimental et celui qui ne le reçoit pas. Les sujets sont répartis de façon aléatoire dans les deux groupes avant l'introduction de la variable indépendante; seul le groupe expérimental reçoit le traitement. À la fin de l'expérimentation, les deux groupes sont évalués par rapport à la variable dépendante. Le devis *après seulement* peut être représenté comme suit :

$$R \quad X \quad O_1$$
$$R \quad - \quad O_2$$

Dans ce diagramme, R indique que les sujets de l'étude sont répartis aléatoirement dans chaque groupe. Le traitement expérimental est indiqué par un X et le trait horizontal signifie l'absence de traitement. Les O désignent une mesure ou une observation de la variable dépendante. L'alignement vertical des mesures sous-entend qu'elles sont prises en même temps : dans ce cas-ci, après le traitement.

Le devis *après seulement* ne nécessite pas de mesure de la variable dépendante avant le traitement. La répartition aléatoire est suffisante pour assurer l'équivalence initiale des groupes dans les limites de confiance déterminées par les analyses statistiques (Ladouceur et Bégin, 1980). Ce devis est efficace pour évaluer l'effet d'une intervention. Le devis *après seulement* peut inclure plus de deux groupes et plus d'un traitement expérimental.

Le devis *après seulement* contient autant de groupes qu'il y a d'interventions, et un groupe de contrôle. Les mesures sont prises après l'application de l'intervention.

---

2) LE DEVIS *AVANT-APRÈS* AVEC GROUPE TÉMOIN (PRÉTEST/POST-TEST)

L'ajout d'une mesure avant l'introduction du traitement expérimental est une extension du devis *après seulement* qui constitue le devis *avant-après* (Wiersma, 1991). Les sujets sont répartis de façon aléatoire dans les groupes et évalués deux fois, soit au début et à la fin de l'expérimentation. La mesure porte sur la variable dépendante ou sur une variable précédemment déterminée afin d'assurer un contrôle statistique lors des analyses. La comparaison des scores obtenus avant le traitement permet d'évaluer l'équivalence dans les groupes. Le devis *avant-après* avec groupe témoin contient deux groupes, dont un reçoit le traitement expérimental. Le devis est représenté par le diagramme suivant :

$$R \quad O_1 \quad X \quad O_2$$
$$R \quad O_3 \quad - \quad O_4$$

Le devis *avant-après* est couramment utilisé dans les études expérimentales. Il permet de démontrer l'efficacité du traitement en contrôlant plusieurs facteurs qui pourraient affecter la validité interne, entre autres les événements qui surviennent entre O_1 et O_2 et entre O_3 et O_4, comme la maturation, l'opération de mesure. Si ces variables exercent une influence, elle devrait se manifester de façon semblable dans les deux groupes. Les variables indépendante et dépendante seront liées conceptuellement et les instruments de mesure devront refléter cette conceptualisation.

Le devis *avant-après* contient autant de groupes qu'il y a d'interventions et un groupe de contrôle. Les mesures sont prises avant et après l'application de l'intervention.

---

3) LE DEVIS À QUATRE GROUPES DE SOLOMON

La combinaison des deux premiers devis fournit un devis à quatre groupes décrit par Solomon en 1949. C'est un des devis les plus rigoureux pour ce qui est du contrôle de la validité interne et de la validité externe. Les sujets sont répartis de façon aléatoire dans les quatre groupes. Ce devis inclut deux groupes de contrôle et deux groupes expérimentaux; les deux groupes expérimentaux (G_1 et G_3) reçoivent la même intervention expérimentale. Un des groupes de contrôle (G_2) est évalué avant l'application de l'intervention aux groupes expérimentaux; l'autre groupe de contrôle (G_4) n'est pas évalué au préalable. À la fin de l'expérimentation, les mesures sont prises auprès des quatre groupes. De façon schématique, ce devis se présente comme suit :

$$
\begin{array}{llllll}
R & (G_1) & O_1 & X & O_2 \\
R & (G_2) & O_3 & - & O_4 \\
R & (G_3) & - & X & O_5 \\
R & (G_4) & - & - & O_6 \\
\end{array}
$$

Il s'agit vraiment ici d'un devis à quatre groupes, dont un seul traitement est appliqué. Les groupes G_1 et G_3 sont soumis à la variable expérimentale, les groupes G_2 et G_4 ne le sont pas. Les effets de la variable indépendante sont déterminés en comparant les scores obtenus de la mesure des groupes expérimentaux et témoins. Ce devis est plus élaboré que les précédents. Il est particulièrement utile pour vérifier les effets

de la mesure avant le traitement, puisque deux groupes sont évalués et non les autres. Il permet de considérer un facteur de validité externe, soit les effets de l'interaction entre l'intervention et la mesure.

Les devis à quatre groupes de Solomon est une combinaison des devis a*vant-après* et *après seulement.*

---

4) LE DEVIS FACTORIEL

Le devis factoriel est utilisé quand le chercheur a recours à plus d'une variable indépendante pour vérifier l'action conjointe qu'exercent les variables indépendantes sur les variables dépendantes à l'intérieur d'une même étude. En principe, plusieurs variables indépendantes peuvent être utilisées dans ce genre de devis, mais leur nombre dépasse rarement trois ou quatre.

Dans l'exemple donné au tableau 14.1, on veut étudier l'effet de deux interventions sur l'intensité de la douleur. Celles-ci consistent en l'utilisation du toucher thérapeutique et de la relaxation comme moyens pour soulager la douleur. Chacune de ces deux variables indépendantes comportent respectivement deux niveaux : présence et absence; le devis sera un devis factoriel 2×2 à quatre groupes indépendants. Chaque groupe est soumis à un niveau de traitement. Ainsi, les groupes B et C subissent séparément une intervention différente; le groupe D ne fait l'objet d'aucune intervention et sert de groupe de contrôle; le groupe A permet de vérifier l'effet conjoint des deux variables indépendantes.

L'efficacité du devis factoriel repose sur deux de ses caractéristiques : celle de permettre de déterminer, dans une même étude, l'effet particulier de chacune des variables indépendantes et celle de permettre l'évaluation de l'effet conjoint ou de l'interaction de l'ensemble des variables

TABLEAU 14.1

Exemple d'un devis factoriel 2 x 2.

NIVEAU DE TOUCHER THÉRAPEUTIQUE	NIVEAU DE RELAXATION	
	Relaxation	Absence de relaxation
Toucher thérapeutique	A	B
Absence de toucher thérapeutique	C	D

(Robert, 1988; Wiersma, 1991). L'interaction produit un effet sur la variable dépendante de telle sorte que l'effet d'une variable indépendante change en fonction de l'application de l'autre variable indépendante. Ces effets sont vérifiés au cours du traitement des données. Ce devis peut aussi être utilisé pour contrôler les variables confondantes dans une étude : elles sont alors incluses dans l'étude comme variables indépendantes (Spector, 1981).

L'interaction dans une expérimentation affecte la variable dépendante de telle sorte que l'effet d'une variable indépendante change suivant l'application d'une autre variable indépendante.

---

5) LES ESSAIS CLINIQUES RANDOMISÉS

Les chercheurs en épidémiologie ont recours à l'essai clinique randomisé pour évaluer l'effet de traitements nouveaux à caractère clinique. Les devis *avant-après* ou *après seulement* sont parmi les devis utilisés dans l'essai clinique randomisé. Comme son nom l'indique, cet essai comprend la vérification d'une intervention ou d'un traitement cliniques et des résultats cliniques prévus : par exemple, « est-ce qu'une intervention donnée a pour effet de réduire les risques associés au développement d'un problème de santé ? » Les études cliniques randomisées nécessitent un grand nombre de sujets, de manière à vérifier

les effets des interventions et à comparer les résultats cliniques avec ceux obtenus avec un groupe de contrôle qui n'a pas subi l'intervention ou reçu un traitement usuel (Burns et Grove, 1993).

6) LE DEVIS ÉQUILIBRÉ

Dans les devis précédents, les sujets qui ont été soumis à des traitements différents formaient des groupes différents. Cependant, dans certaines études, les mêmes sujets peuvent être exposés à plus d'un traitement ou d'une intervention. C'est le cas du devis équilibré ou à mesures répétées. Quand un chercheur utilise des mesures multiples, il est souvent préférable d'équilibrer l'ordre d'application des traitements expérimentaux plutôt que de les appliquer dans le même ordre à tous les sujets. Par conséquent, si l'ordre d'application des traitements expérimentaux a un effet, ce dernier peut être, jusqu'à un certain point, équilibré ou contrebalancé (Wiersma, 1991). Le devis équilibré est représenté par le diagramme suivant :

	T_1	T_2	T_3	T_4
G_A	X_1O	X_2O	X_3O	X_4O
G_B	X_2O	X_4O	X_1O	X_3O
G_C	X_3O	X_1O	X_4O	X_2O
G_D	X_4O	X_3O	X_2O	X_1O

Il est à noter que chaque traitement (X) se produit une fois seulement dans chaque rangée et une fois seulement dans chaque colonne. Le devis renferme trois classifications : les groupes (G), les temps d'appréciation (T) et les traitements (X).

Ce type de devis comprend autant de groupes qu'il y a de traitements. Dans ce cas-ci, il y a quatre traitements : X_1, X_2, X_3, X_4. Tous les sujets reçoivent chacun des traitements dans un ordre aléatoire. L'effet de chaque traitement est observé à quatre reprises et dans un ordre différent. Un grand nombre de facteurs de validité interne sont ainsi contrôlés. La validité externe est plus difficile à garantir, étant donné les effets possibles des traitements cumulatifs. Ce devis s'inscrit davantage parmi les études quasi-expérimentales.

ENCADRÉ 14.1

Exemple d'un devis de recherche expérimental véritable.
Robichaud-Ekstrand, S. (1993). Effets d'un programme d'exercices à domicile après un infarctus du myocarde sur la capacité fonctionnelle, la capacité d'autosoin et l'efficacité perçue.

La recherche avait pour but d'évaluer l'efficacité d'un programme d'exercices à domicile auprès de patients ayant subi un infarctus du myocarde sans complications, sur la capacité fonctionnelle, la capacité d'autosoin et l'efficacité perçue. Le but de la réadaptation du patient cardiaque consistait à lui redonner un type de fonctionnement à domicile aussi proche que possible de la normale. L'étude a été conduite auprès de 83 sujets ayant subi un infarctus du myocarde sans complications. Le devis de recherche a consisté en un plan expérimental véritable « *avant-après avec groupe témoin* ». Les sujets ont été répartis aléatoirement (R) dans un des deux groupes de soins, soit celui assujetti au programme expérimental d'exercices et d'activités physiques (n=42), soit celui recevant les soins usuels (n=41). Les trois moments d'évaluation sont : T_1, mesure *avant* à l'hôpital (8+3 jours post-IM); T_2, mesure 8 semaines après le départ de l'hôpital; T_3, 14 semaines après le départ de l'hôpital. À chaque séance d'évaluation, les variables dépendantes suivantes ont été évaluées à l'aide de leurs instruments respectifs : 1) la capacité fonctionnelle (consommation d'oxygène [METs], fréquence cardiaque, pression sanguine, modification du segment ST, perception de l'effort selon l'échelle de Borg), évaluée à l'épreuve d'effort sur tapis roulant; 2) la capacité d'autosoin, évaluée par l'inventaire d'autosoin; et 3) l'efficacité perçue, évaluée à l'aide des échelles de l'efficacité perçue (marcher, courir, monter les escaliers).

$$R \quad O_1 \quad X \quad O_2 \quad O_3$$
$$R \quad O_1 \quad - \quad O_2 \quad O_3$$

Les résultats obtenus ont démontré que les patients ayant subi un infarctus du myocarde et ayant une capacité fonctionnelle supérieure à 7 METs au départ de l'hôpital démontraient un plafonnement et n'ont pas amélioré leur capacité fonctionnelle dans le temps, tandis que ceux qui ont montré une capacité fonctionnelle égale à 7 METs ou plus basse se sont améliorés entre l'évaluation précédant le départ et celle effectuée huit semaines seulement après le départ de l'hôpital. Les comparaisons des épreuves d'effort avant le départ et entre 8 et 14 semaines après le départ de l'hôpital ont reflété un rétablissement spontané relié à la guérison du myocarde. Ce programme d'exercices n'amène pas de différence entre les deux groupes, mais favorise une prise en charge plus rapide chez les sujets. Des énoncés plus spécifiques et pertinents relativement aux interventions ou une description des comportements et des habiletés d'autosoin actuels seraient plus représentatifs de la capacité d'autosoin. L'inventaire de l'efficacité perçue porte sur la marche dans ce programme. La perception d'autoefficacité de la marche a été plus élevée chez les patients qui s'entraînent, même si leur capacité fonctionnelle n'a pas augmenté. L'explication des implications des résultats des épreuves d'effort semble suffisante pour améliorer ces variables dans le temps chez les deux groupes.

TABLEAU 14.2

Types de devis de recherche expérimentaux véritables.

TYPE DE DEVIS	AVANTAGES	LIMITES
Devis *avant-après* avec groupe témoin $R\ \ O_1\ \ X\ \ O_2$ $R\ \ O_3\ \ -\ \ O_4$	Augmente la validité interne en diminuant les effets des facteurs historiques de la maturation, l'opération de mesure, la régression statistique, la sélection des sujets, l'interaction de divers facteurs.	Peut limiter la généralisation des résultats à cause de la perte d'un nombre de sujets dans les groupes.
Devis *après seulement* avec groupe témoin $R\ \ X\ \ O_1$ $R\ \ -\ \ O_2$	Mêmes avantages que le devis *avant-après* mais élimine l'effet de l'opération de mesure.	L'élimination des mesures *avant* peut restreindre l'utilisation de tests statistiques à des fins de comparaison.
Devis à quatre groupes de Solomon Groupe traitement$_1$:　$R\ \ O_1\ X\ O_2$ Groupe témoin$_1$:　　　$R\ \ O_3\ -\ O_4$ Groupe traitement$_2$:　$R\ \ -\ X\ O_5$ Groupe témoin$_2$:　　　$R\ \ -\ -\ O_6$	Un devis très puissant. Augmente la validité interne en contrôlant l'effet des facteurs historiques, de l'opération de mesure, des changements dus à la maturation.	Nécessite un plus grand nombre de sujets (4 groupes) et plusieurs ressources (plusieurs personnes pour la collecte des données) ce qui peut créer une tendance dans les observations.

R : randomisation, O : observation, X : traitement.

Les devis quasi-expérimentaux

Il existe des situations qui permettent au chercheur de mesurer l'effet de variables indépendantes sans toutefois pouvoir les contrôler ou les manipuler de façon systématique. D'ailleurs, il existe relativement peu de situations qui sont de véritables expérimentations avec une répartition aléatoire. Par exemple, s'il s'agissait d'évaluer l'efficacité d'un programme préopératoire structuré auprès des sujets opérés qui sont répartis dans les unités hospitalières, il serait assez difficile de tenter de distribuer aléatoirement les patients d'une même unité dans des groupes expérimental et de contrôle. De plus, une telle répartition créerait des biais à cause des contacts quotidiens entre les sujets appartenant aux deux groupes (Robert, 1988). Deux types de devis sont proposés par Campbell et Stanley (1963) et Cook et Campbell (1979) pour contourner ces difficultés qui relèvent de l'expérimentation : ce sont les devis avec groupes non équivalents et les devis à séries temporelles.

Les devis quasi-expérimentaux n'ont pas de groupes équivalents créés par la répartition aléatoire ou n'ont pas de groupes de contrôle pour comparer les changements dus au traitement. Étant donné le peu de contrôle expérimental qui caractérise ces devis, le chercheur doit être conscient de leurs limites. L'absence de répartition aléatoire réduit la validité interne et la validité externe de l'expérimentation, particulièrement à cause de l'agent d'invalidité que constitue la sélection des sujets. Afin d'accroître la validité interne, le chercheur doit tenter d'établir le degré d'équivalence entre les groupes en considérant d'autres variables qui peuvent être reliées aux variables à l'étude, en introduisant, par exemple, une variable indépendante de contrôle. L'absence de répartition aléatoire doit être soigneusement considérée dans l'interprétation des résultats.

Les devis avec groupe non équivalent

1) LE DEVIS *AVANT-APRÈS* AVEC GROUPE TÉMOIN NON ÉQUIVALENT (PRÉTEST/POST-TEST AVEC GROUPE TÉMOIN NON ÉQUIVALENT)

Ce type de devis est fréquemment utilisé. Les menaces à la validité proviennent surtout du fait que les groupes sont non équivalents. Le terme « non équivalent » se réfère à la non-équivalence dans le sens aléatoire du terme. Il ne signifie pas qu'il sera impossible d'étudier l'équivalence des groupes sur des variables pertinentes. Le devis est représenté par le diagramme suivant (la ligne pointillée indique l'absence de répartition aléatoire) :

$$O_1 \quad X \quad O_2$$
$$\text{-----------------------}$$
$$O_1 \quad - \quad O_2$$

Le fait de prendre une mesure *avant* permet de vérifier l'équivalence des groupes. Les scores obtenus des sujets avant l'application du traitement peuvent être utilisés pour le contrôle statistique.

Le devis *avant-après* avec groupe témoin non équivalent aide à vérifier l'étendue de l'équivalence des groupes; les mesures initiales peuvent servir au contrôle statistique.

2) LE DEVIS AVEC PLUS D'UNE MESURE INITIALE ET UN GROUPE TÉMOIN NON ÉQUIVALENT (PRÉTESTS/POST-TEST AVEC GROUPE TÉMOIN NON ÉQUIVALENT)

Ce devis est une variante du précédent devis comportant l'ajout d'une mesure avant l'application de la variable expérimentale. Il est représenté schématiquement comme suit :

$$O_1 \quad O_2 \quad X \quad O_3$$
$$\text{-----------------------}$$
$$O_1 \quad O_2 \quad - \quad O_3$$

Le fait d'ajouter une mesure initiale permet de vérifier comment les groupes non équivalents se comportent d'une mesure à l'autre avant que le traitement n'affecte le score des sujets. Il présente l'avantage d'atténuer les menaces à la validité interne par les facteurs historiques et la maturation. L'ajout d'une deuxième mesure initiale facilite l'interprétation de relations causales possibles (Talbot, 1995).

3) LE DEVIS *AVANT-APRÈS* AVEC RETRAIT DU TRAITEMENT (PRÉTEST/POST-TEST AVEC RETRAIT DU TRAITEMENT)

Il peut arriver que même l'accès à un groupe non équivalent soit impossible. Le devis *avant-après* avec retrait du traitement crée des conditions qui s'apparentent aux exigences conceptuelles d'un groupe de contrôle ne recevant pas le traitement. Il est représenté comme suit :

$$O_1 \quad X \quad O_2 \quad O_3 \quad \overline{X} \quad O_4$$

Ce devis est constitué d'un seul groupe avec mesures *avant-après*. Après un laps de temps, une troisième mesure est prise, suivie d'une certaine période avant le retrait du traitement. (Le $\overline{X}$ signifie le retrait du traitement.) La période de temps entre les mesures doit être équivalente. Certains problèmes ont été décelés en ce qui concerne les conclusions statistiques et la validité de construit de ce devis.

4) LE DEVIS AVEC EXPÉRIMENTATION RÉPÉTÉE

Quand le chercheur ne peut avoir accès à plus d'une population, il peut introduire un traitement, puis le retirer ($\overline{X}$) et le réintroduire plus tard (X). Le devis est schématisé comme suit :

$$O_1 \quad X \quad O_2 \quad \overline{X} \quad O_3 \quad X \quad O_4$$

C'est ce type de devis qui a été utilisé dans les études Hawthorne, bien connues à cause de l'effet Hawthorne, considéré comme une atteinte à la validité externe. Les résultats ainsi obtenus sont difficiles à interpréter. Pour obvier aux faiblesses de ce devis, Cook et Campbell (1979) recommandent d'utiliser de grands échantillons, des analyses statistiques appropriées et de laisser passer un certain temps avant de réintroduire le traitement.

5) LE DEVIS *AVANT-APRÈS* AVEC TRAITEMENT INVERSE ET GROUPE TÉMOIN NON ÉQUIVALENT (PRÉTEST/POST-TEST AVEC TRAITEMENT INVERSE)

Ce devis permet de vérifier les différences relatives aux réactions à deux traitements ou interventions. Le devis est représenté comme suit :

$$(G_1) \quad O_1 \quad X+ \quad O_2$$
$$\text{-----------------}$$
$$(G_2) \quad O_1 \quad X- \quad O_2$$

TABLEAU 14.3

Types de devis de recherche quasi-expérimentaux avec groupe témoin non équivalent.

TYPE DE DEVIS	AVANTAGES	LIMITES
Devis *avant-après* avec groupe témoin non équivalent $O_1 \quad X \quad O_2$ ----------------- $O_1 \quad - \quad O_2$	Permet de contrôler la majorité des menaces à la validité interne. Offre des résultats interprétables. Très utile dans les situations qui n'offrent pas la possibilité de « randomiser » les groupes.	Sans randomisation, il est impossible de contrôler la sélection des sujets, les problèmes de maturation, la régression statistique et l'interaction entre la sélection des sujets et les facteurs historiques.
Devis avec plus d'une mesure initiale et un groupe témoin non équivalent $O_1 \quad O_2 \quad X \quad O_3$ ------------------------ $O_1 \quad O_2 \quad - \quad O_3$	Permet d'examiner les tendances dans les résultats et aide à mieux les interpréter grâce aux mesures répétées. Efficace pour contrôler les facteurs historiques et la maturation des sujets.	Les mesures répétées sont onéreuses. La perte des sujets augmente avec le nombre de mesures.
Devis *avant-après* avec retrait du traitement et groupe témoin non équivalent $O_1 \quad X \quad O_2 \quad O_3 \quad \overline{X} \quad O_4$	Très utile quand il est impossible d'obtenir un groupe de contrôle; chaque sujet agit comme son propre contrôle.	Retirer un traitement peut être non éthique. Les observations doivent être faites aux mêmes intervalles de temps. Difficile à utiliser quand les effets du traitement durent longtemps.
Devis avec expérimentation répétée et groupe témoin non équivalent $O_1 \quad X \quad O_2 \quad \overline{X} \quad O_3 \quad X \quad O_4$	Les sujets sont leur propre contrôle : ainsi, un moins grand nombre de sujets est nécessaire.	La validité de construit est menacée. Ne peut éliminer les ressentiments des sujets quand le traitement est retiré. Menace à la validité reliée aux changements dus à la maturation.
Devis *avant-après* avec traitement inverse et groupe témoin non équivalent $O_1 \quad X+ \quad O_2$ ----------------- $O_1 \quad X- \quad O_2$	Augmente la validité de construit en réduisant les menaces à la validité reliées à la sélection et à la maturation.	Devis assez complexe. La validité de construit dépend des effets du traitement allant dans différentes directions. N'élimine pas les menaces à la validité reliées à la maturation ou la régression statistique.

O : observation, X : traitement, $\overline{X}$: retrait du traitement, X+ : traitement qui produit un effet dans une direction désirée,
X- : traitement qui produit un effet dans une direction opposée.

Deux variables indépendantes sont introduites dans ce devis : X+ représente le traitement dont l'effet prévu va dans une direction; X- représente le traitement contraire, qui est supposé inverser le changement manifesté par le groupe G_1 (Cook et Campbell, 1979). Ce devis est utile pour la vérification d'une théorie. La variable causale théorique doit être bien définie si l'on veut établir des prédictions différentes de la direction de l'effet. Ce type de devis présente un problème de validité interne, particulièrement en ce qui a trait à la conclusion statistique.

Les devis quasi-expérimentaux à séries temporelles interrompues

Les devis à séries temporelles se caractérisent par la prise de mesures répétées avant et après l'introduction de la variable indépendante X auprès d'un seul groupe, à des moments précis. Les effets de la variable indépendante sont évalués par l'observation d'une discontinuité dans la série plutôt que par la comparaison avec un autre groupe. Quatre types de séries temporelles sont présentés ci-après :

> Les devis à séries temporelles se caractérisent par la prise de mesures répétées avant et après l'introduction d'un traitement, habituellement auprès d'un seul groupe, à des moments précis.

1) LE DEVIS À SÉRIES TEMPORELLES INTERROMPUES SIMPLES

Ce devis requiert un groupe expérimental et plusieurs observations avant et après le traitement. Il est représenté comme suit :

$$O_1 \quad O_2 \quad O_3 \quad O_4 \quad O_5 \quad X \quad O_6 \quad O_7 \quad O_8 \quad O_9 \quad O_{10}$$

O_1 à O_5 représentent cinq périodes de collecte de données sur la variable dépendante et O_6 à O_{10} représentent cinq périodes de collecte de données après le traitement. Ici, il n'y a pas de groupe de contrôle ni de randomisation.

Le traitement n'est pas complètement sous le contrôle du chercheur. Cependant, l'utilisation de mesures multiples renforce le devis. L'évaluation se fait à partir des caractéristiques de la série avant l'intervention, de O_1 à O_5, et de la discontinuité et de ses caractéristiques, de O_6 à O_{10}. Certaines atteintes à la validité sont assez bien contrôlées, telles que la maturation, le facteur de sélection. Ce type de devis requiert un petit nombre de sujets et les résultats ne peuvent être généralisés.

2) LE DEVIS À SÉRIES TEMPORELLES INTERROMPUES AVEC GROUPE TÉMOIN NON ÉQUIVALENT

Dans ce devis, l'utilisation d'un groupe de contrôle renforce la validité des résultats. Il est représenté comme suit :

$$O_1 \quad O_2 \quad O_3 \quad O_4 \quad O_5 \quad X \quad O_6 \quad O_7 \quad O_8 \quad O_9 \quad O_{10}$$
$$\text{-----}$$
$$O_1 \quad O_2 \quad O_3 \quad O_4 \quad O_5 \quad - \quad O_6 \quad O_7 \quad O_8 \quad O_9 \quad O_{10}$$

Le groupe de contrôle permet d'examiner les différentes tendances dans chacun des groupes après l'intervention ou le traitement et la persistance dans le temps des effets de l'intervention. Ainsi, deux groupes ou conditions donnent lieu à des séries temporelles indépendantes, un groupe est soumis à l'intervention tandis que l'autre groupe fait l'objet d'observations seulement. Ce devis permet un meilleur contrôle des facteurs historiques. L'interaction entre la prise des mesures et le traitement atténue la possibilité de généraliser les résultats, les sujets ayant été soumis à des mesures répétées.

L'exemple d'un devis à séries temporelles avec groupe témoin non équivalent pourrait s'appliquer à l'évaluation du changement produit en ce qui a trait aux escarres de décubitus à la suite de l'introduction d'un nouveau traitement auprès de sujets grabataires. Ainsi, O_1 à O_5 représentent la série de mesures des escarres de décubitus avant l'application de la variable expérimentale, X représente l'application du nouveau traitement, O_6 à O_{10} représentent les différentes mesures prises après l'application de la variable expérimentale. Pour les sujets du groupe de contrôle, O_6 à O_{10} représentent la série de mesures prises pour évaluer l'évolution des escarres. Dans ce cas, les sujets ne sont pas soumis au nouveau traitement et reçoivent les soins habituels.

3) LE DEVIS À SÉRIES TEMPORELLES INTERROMPUES AVEC RETRAIT DU TRAITEMENT

Ce devis correspond à deux séries temporelles interrompues. La première série, de O_1 à O_6, permet d'évaluer les effets de la présence de l'intervention; la seconde série, de O_7 à O_9, vérifie les effets de l'absence de l'intervention ($\bar{X}$). On suppose que l'effet du traitement est réversible. Le devis est représenté schématiquement comme suit :

$$O_1\ O_2\ O_3\ X\ O_4\ O_5\ O_6\ \bar{X}\ O_7\ O_8\ O_9$$

Ce devis sans un groupe de contrôle permet d'examiner particulièrement un facteur de validité externe, soit les effets des facteurs historiques.

4) LE DEVIS À SÉRIES TEMPORELLES INTERROMPUES AVEC EXPÉRIMENTATION RÉPÉTÉE

Dans certaines situations, il peut être possible d'introduire une intervention X, de la retirer ($\bar{X}$), de l'introduire à nouveau (X), puis de la retirer ($\bar{X}$), et ainsi de suite selon un calendrier planifié, tel que l'illustre le diagramme suivant :

$$O_1\ O_2\ X\ O_3\ O_4\ \bar{X}\ O_5\ O_6\ X\ O_7\ O_8\ \bar{X}\ O_9\ O_{10}$$

L'effet d'un traitement pourrait être entrevu si les observations concernant la variable dépendante donnent des résultats similaires chaque fois que l'intervention est introduite et chaque fois qu'elle est retirée.

ENCADRÉ 14.2

Exemple d'une étude à séries temporelles interrompues avec expérimentation répétée.
Handfield, L. (1991). Effet du massage sur le bien-être de la personne cancéreuse soumise à des soins palliatifs.

Cette étude à séries temporelles avait pour but de vérifier l'effet du massage doux et lent du dos, donné par l'infirmière au moment du coucher, sur le bien-être de la personne atteinte d'un cancer et soumise à des soins palliatifs. La recherche a aussi tenté d'examiner les perceptions des caractéristiques de la douleur et de la nausée ainsi que les perceptions de l'insomnie à la suite du massage. Cette intervention s'inscrit dans une philosophie de soins palliatifs.

L'étude a été effectuée auprès de cinq personnes ayant reçu un diagnostic de cancer et répondant à des critères de sélection. On a rencontré les sujets durant 11 soirées consécutives. Les deux premiers soirs ont permis une collecte de données, puis une alternance de traitements. Les soirs 3, 5, 7 et 9 de l'expérimentation, les sujets étaient massés, tandis que les soirs 4, 6, 8 et 10 les sujets devaient se reposer dans la même position que pour le massage, en ne pensant à rien de particulier. Ce dernier traitement a servi d'intervention de contrôle pour cette étude. La mesure des variables dépendantes s'est faite à l'aide d'échelles verbales d'intensité de la douleur, de la nausée et du sentiment de bien-être, utilisées avant et après les traitements, ainsi qu'avec la mesure de la détresse psychologique, le POMS abrégé.

Les quatre hypothèses de recherche n'ont pas été confirmées. Elles avaient trait aux perceptions de la diminution de la douleur, de l'intensité de la nausée, de l'intensité de la détresse psychologique et de l'augmentation du sentiment de bien-être. On n'a pu noter aucune modification des perceptions des caractéristiques de la douleur et de la nausée ainsi que des perceptions de l'insomnie. Cependant, pour la douleur et le sentiment de bien-être, il y avait une différence statistiquement significative entre les jours de collecte de données et les jours de traitement. De plus, tous les sujets ont exprimé spontanément des commentaires favorables par rapport au bien-être qu'ils retiraient du massage.

TABLEAU 14.4

Types de devis de recherche quasi-expérimentaux à séries temporelles interrompues.

TYPE DE DEVIS	AVANTAGES	LIMITES
Devis à séries temporelles interrompues simples O_1 O_2 O_3 O_4 X O_5 O_6 O_7 O_8	On n'utilise qu'un groupe de sujets. Les tendances reliées aux changements saisonniers et à la maturation sont plus évidentes. Diminue les menaces à la validité reliées à la régression statistique et à la fidélité des mesures.	N'élimine pas les menaces à la validité interne reliées aux facteurs historiques, à l'opération de mesure et à la sélection des sujets.
Devis à séries temporelles interrompues avec groupe témoin non équivalent O_1 O_2 O_3 O_4 X O_5 O_6 O_7 O_8 - O_1 O_2 O_3 O_4 − O_5 O_6 O_7 O_8	Moins de problèmes de régression statistique. Diminue les menaces liées aux facteurs historiques.	Perte des sujets plus grande à cause des multiples mesures. Un devis assez onéreux, qui exige beaucoup de temps. N'élimine pas les menaces à la validité reliées aux interactions entre la sélection et les facteurs historiques.
Devis à séries temporelles interrompues avec retrait du traitement O_1 O_2 O_3 X O_4 O_5 O_6 $\overline{X}$ O_7 O_8 O_9	Diminue les menaces à la validité interne des facteurs historiques, de la sélection des sujets ainsi que de la fidélité des mesures.	Difficile de déterminer si le retrait du traitement occasionne l'effet observé. Les sujets peuvent être réticents à éliminer le traitement durant l'expérimentation. Peut entraîner la perte de sujets, créer des dilemmes éthiques et des problèmes de sélection et de maturation.
Devis à séries temporelles interrompues avec expérimentation répétée O_1 O_2 X O_3 O_4 $\overline{X}$ O_5 O_6 X O_7 O_8 $\overline{X}$ O_9 O_{10}	Devis très puissant. Capable de démontrer des associations. Diminue les menaces à la validité de maturation et les tendances reliées aux changements saisonniers.	L'horaire des traitements doit se faire de façon aléatoire. Ne peut être utilisé quand les effets du traitement durent longtemps. Demande le contrôle de plusieurs variables.

O : observation, X : traitement, $\overline{X}$: retrait du traitement.

Les devis préexpérimentaux

Trois devis préexpérimentaux sont parmi les plus courants : le devis *après seulement* ou l'étude de cas, le devis *avant-après* avec groupe unique et le devis *après seulement* avec groupe témoin non équivalent.

1) LE DEVIS *APRÈS SEULEMENT* AVEC GROUPE UNIQUE

Il peut être représenté comme suit :

$$X \quad O$$

X représente l'introduction d'un traitement et O représente l'observation de la variable dépendante peu de temps après le traitement X. C'est

TABLEAU 14.5

Types de devis de recherche préexpérimentaux.

TYPE DE DEVIS	AVANTAGES	LIMITES
Devis *après seulement* avec groupe unique X O	Facile à effectuer. Favorise la coopération des sujets parce qu'il n'y a qu'un seul moment d'évaluation. N'affecte pas les scores du post-test et n'influence pas la variable dépendante.	Impossible d'évaluer les relations causales sans groupe de contrôle.
Devis *avant-après* avec groupe unique O_1 X O_2	Le sujet agit comme son propre contrôle. Ce devis diminue le nombre de sujets nécessaires. Peu d'avantages réels.	Existence de plusieurs menaces à la validité interne. Impossible d'éliminer les effets dus aux facteurs historiques à la maturation des sujets, à l'opération de mesure et à la régression statistique.
Devis après seulement X O_1 ----------- O_2	Utile quand il est impossible de prendre une mesure *avant*. Le groupe témoin diminue les menaces à la validité interne reliées aux facteurs historiques et à la maturation.	Sans mesure *avant*, il est impossible de déterminer si les deux groupes sont équivalents avant le traitement.

O : observation, X : traitement.

un devis faible à cause des multiples menaces à la validité. De plus, il est inadéquat pour examiner des relations causales.

2) LE DEVIS *AVANT-APRÈS* AVEC GROUPE UNIQUE

Il est ainsi représenté :

$$O_1 \quad X \quad O_2$$

Tout comme le précédent, ce devis fait appel à un seul groupe, et il présente les mêmes faiblesses. Les mesures *avant* ne peuvent servir adéquatement les mêmes fonctions que le groupe de contrôle.

3) LE DEVIS *APRÈS SEULEMENT* AVEC GROUPE TÉMOIN NON ÉQUIVALENT

Il est ainsi représenté :

$$X \quad O_1$$
$$----------$$
$$- \quad O_2$$

Un groupe reçoit un traitement alors que l'autre n'en reçoit pas. Bien que ce devis présente une amélioration à la suite de l'ajout d'un groupe de contrôle non équivalent, il demeure à l'état pré-expérimental. L'absence de mesures *avant* ne permet pas d'évaluer le changement.

14.4
___
RÉSUMÉ

Les trois grandes classes de devis sont les devis expérimentaux véritables, les devis quasi-expérimentaux et les devis préexpérimentaux. Il existe une variété de types de devis à l'intérieur des grandes classes d'études de type expérimental. Pour assurer la validité des résultats, le chercheur doit contrôler le plus possible les menaces à la validité interne et à la validité externe. Les devis expérimentaux véritables sont les plus rigoureux pour examiner la causalité. Ils permettent d'éliminer l'influence d'autres facteurs qui pourraient avoir un effet sur la valeur de la variable dépendante. Les devis quasi-expérimentaux ont été élaborés afin de fournir une autre possibilité à l'examen de la causalité dans les situations qui ne se prêtent pas à une véritable étude expérimentale. Trois caractéristiques sont essentielles aux études expérimentales : la randomisation, la manipulation de la variable indépendante et le groupe de contrôle. Bien que les devis avec groupe de contrôle aient tous leur utilité, ils ne présentent pas tous la même valeur scientifique. Les devis quasi-expérimentaux, bien que moins rigoureux que les devis expérimentaux, permettent d'observer les phénomènes là où la répartition aléatoire des sujets est impossible ou non souhaitable.

RÉFÉRENCES BIBLIOGRAPHIQUES

BURNS, N., GROVE, S. K. (1993). *The practice of nursing research, conduct, critique and utilization,* 2ᵉ éd. Toronto : W. B. Saunders.

CAMPBELL, D. T., STANLEY, J. C. (1963). *Experimental and quasi-experimental designs for research.* Chicago : David McNally.

COOK, T. D., CAMPBELL, D. T. (1979). *Quasi-Experimentation : Design and analyses Issues for field steeings.* Boston : Houghton Mifflin Company.

HANDFIELD, L. (1991). *Effet du massage sur le bien-être de la personne cancéreuse soumise à des soins palliatifs.* Mémoire de maîtrise non publié. Montréal : Université de Montréal, Faculté des sciences infirmières.

LADOUCEUR, R., BÉGIN, G. (1980). *Protocoles de recherche en sciences appliquées et fondamentales.* Saint-Hyacinthe : Edisem.

ROBERT, M. (1988). *Fondement et étapes de la recherche scientifique en psychologie,* 3ᵉ éd. Saint-Hyacinthe : Edisem.

ROBICHAUD-EKSTRAND, S. (1993). *Effets d'un programme d'exercices post-infarctus du myocarde à domicile sur la capacité fonctionnelle, la capacité d'autosoin et l'efficacité perçue.* Thèse de doctorat non publiée. Montréal : Université de Montréal, Faculté de médecine.

SPECTOR, P. E. (1981). *Research design.* Beverly Hills, Ca : Sage Publications

TALBOT, L. A. (1995). *Principles and practice of nursing research.* St. Louis : Mosby.

WIERSMA, W. (1991). *Research methods in education : An introduction,* 5ᵉ éd. Boston : Allyn and Bacon.

MÉTHODES D'ÉCHANTILLONNAGE

Marie-Fabienne Fortin

CE CHAPITRE EST ACCOMPAGNÉ D'UNE LEÇON INFORMATISÉE FACULTATIVE.

Objectifs d'apprentissage

À la fin de ce chapitre, l'étudiant(e) devrait être capable de :

✔ Définir population, échantillon, élément.

✔ Discuter des critères utilisés pour le choix d'un échantillon.

✔ Distinguer les deux grandes catégories d'échantillonnage.

✔ Définir les types d'échantillonnage probabilistes.

✔ Définir les types d'échantillonnage non probabilistes.

✔ Discuter des facteurs qui déterminent la taille de l'échantillon.

Au cours de la phase de conceptualisation, le chercheur a formulé le problème de recherche et précisé le cadre de référence devant servir d'assise à son étude. Au cours de ce processus, le chercheur ne considère pas seulement le phénomène à l'étude, mais aussi les sources de données reliées au phénomène, c'est-à-dire la population sur laquelle portera son étude. Aussi, certaines décisions doivent être prises en ce qui concerne l'échantillonnage, lequel consiste dans le choix des personnes ou éléments à inclure dans l'étude comme sources de données. Ce chapitre présente les principaux concepts se rapportant à l'échantillonnage, les méthodes et les types d'échantillonnage de même qu'une discussion sur les facteurs à considérer dans l'estimation de la taille de l'échantillon.

15.1

CONCEPTS GÉNÉRAUX

L'échantillonnage est le procédé par lequel un groupe de personnes ou un sous-ensemble d'une population est choisi en vue d'obtenir des informations à l'égard d'un phénomène, et de telle sorte que la population entière qui nous intéresse soit représentée. Les principaux concepts se rapportant à l'échantillonnage sont : la population, l'échantillon, le plan d'échantillonnage, la caractérisation de la population, la représentativité et l'erreur d'échantillonnage.

LA POPULATION

Une population est une collection d'éléments ou de sujets qui partagent des caractéristiques communes, précisées par un ensemble de critères. L'élément est l'unité de base de la population auprès de laquelle l'information est recueillie. Bien que l'élément soit souvent une personne, il peut aussi être un groupe, une famille, un comportement, une organisation, etc. Tout travail d'échantillonnage nécessite une définition précise de la population à étudier et, donc, de ses éléments constitutifs. Une population particulière qui est soumise à une étude est appelée population cible.

La population cible est constituée d'éléments qui satisfont aux critères de sélection définis d'avance et pour lesquels le chercheur désire faire des généralisations. La population accessible, qui doit être représentative de la population cible, est constituée de la portion de la population cible qui est accessible au chercheur. La population cible est rarement accessible en totalité au chercheur. La population accessible, qui est habituellement limitée à une région, une ville, un hôpital, etc., présente des différences en ce qui concerne une ou plusieurs caractéristiques (Woods et Catanzaro, 1988). Par exemple, un chercheur veut étudier certaines caractéristiques des femmes traitées pour un cancer du sein : s'il choisit d'échantillonner des hôpitaux universitaires pour étudier les caractéristiques de ces femmes, l'échantillon ne sera pas le même que s'il avait choisi d'étudier des femmes dans les hôpitaux régionaux, sans affiliation universitaire. Les femmes soignées dans les hôpitaux universitaires sont souvent dirigées vers ces établissements pour y être traitées parce qu'elles sont plus malades. Dans ce cas précis, des résultats pourront être biaisés et la généralisation des résultats limitée. Généraliser les résultats d'une étude signifie que les résultats peuvent être appliqués au delà de l'échantillon étudié.

L'ÉCHANTILLON

L'échantillon est un sous-ensemble d'une population ou un groupe de sujets faisant partie d'une même population. C'est en quelque sorte une réplique en miniature de la population cible. L'échantillon peut être n'importe quel sous-ensemble de la population. Il doit être représentatif de la population visée, c'est-à-dire que les caractéristiques de la population doivent être présentes dans l'échantillon.

LE PLAN D'ÉCHANTILLONNAGE

Le plan d'échantillonnage sert à décrire la stratégie à utiliser pour choisir l'échantillon, par exemple la population des femmes d'affaires d'une région, un groupe d'élèves en droit. Il fournit les détails sur la façon de procéder relativement à l'utilisation d'une méthode d'échantillonnage pour une étude donnée.

LA CARACTÉRISATION DE LA POPULATION

Une fois que le chercheur a délimité la population potentielle pour l'étude, il doit préciser les critères de sélection de ses éléments. Ces critères sont d'importants guides dans le choix possible de l'élément d'échantillonnage. Certains critères concernent les caractéristiques requises pour qu'un élément ou sujet fasse partie de l'échantillon : par exemple, l'étendue de l'âge des participants, des conditions de santé précises, etc. De même, certains critères définissent les sujets qui ne feront pas partie de l'étude : par exemple, un chercheur intéressé par la réadaptation après une chirurgie de revascularisation peut se concentrer seulement sur les sujets n'ayant eu qu'une expérience de ce type et exclure les autres sujets.

Le lien entre la population cible, la population accessible et l'échantillon est illustré à la figure 15.1. Le chercheur a choisi une population cible, celle des personnes diabétiques. La population accessible est constituée de sujets qui fréquentent la clinique de diabète d'un centre hospitalier universitaire pour y recevoir des soins. L'échantillon est constitué d'un sujet sur deux qui a été traité à la clinique au cours des deux dernières années.

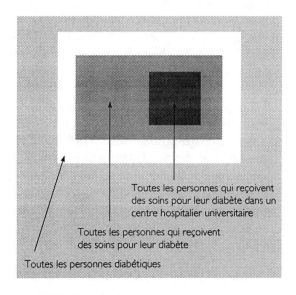

Toutes les personnes qui reçoivent des soins pour leur diabète dans un centre hospitalier universitaire

Toutes les personnes qui reçoivent des soins pour leur diabète

Toutes les personnes diabétiques

FIGURE 15.1

Exemple démontrant les liens entre la population cible, la population accessible et l'échantillon.

LA REPRÉSENTATIVITÉ

Un échantillon est dit représentatif si ses caractéristiques s'apparentent le plus possible à celles de la population cible. Il s'avère particulièrement important que l'échantillon représente non seulement les variables à l'étude, mais aussi d'autres facteurs susceptibles d'exercer quelque influence sur les variables étudiées, comme l'âge, le sexe, la scolarité, le revenu, etc.

Par exemple, si un chercheur désire étudier les croyances en matière de santé de sujets diabétiques adultes par rapport à l'importance qu'ils accordent à l'assiduité au régime thérapeutique, l'échantillon devra être représentatif de la distribution des croyances en matière de santé qui existent dans cette population précise. Cependant, comme on ne sait pas si toutes les caractéristiques sont présentes, tout simplement parce que la plupart du temps on ne les connaît pas toutes, la question que l'on se pose est « comment peut-on assurer la représentativité ? »

La représentativité s'évalue en comparant les moyennes de l'échantillon avec les moyennes de la population cible (Burns et Grove, 1993). La plupart du temps, la moyenne de la population est inconnue; elle peut cependant être estimée en essayant de retrouver les moyennes obtenues dans des travaux antérieurs qui ont examiné les mêmes variables. La valeur numérique d'un échantillon se nomme une statistique (X) alors que le paramètre (μ) est la valeur numérique de la population.

Le calcul des estimations relatives à la population et les aspects statistiques qui s'y rattachent seront étudiés au chapitre traitant des statistiques. Mentionnons toutefois qu'il existe toujours un degré d'erreur dans les estimations et que la différence entre une statistique de l'échantillon et un paramètre de la population est ce qui constitue l'erreur échantillonnale.

L'ERREUR ÉCHANTILLONNALE

Comme on ignore si toutes les caractéristiques de la population sont présentes dans un échantillon, étant donné qu'elles sont souvent inconnues, il existe toujours un degré d'erreur. Le fait de choisir des sujets dont les caractéristiques ou les scores diffèrent de ceux de la population cible contribue à l'erreur échantillonnale parce qu'on introduit ainsi des biais. L'erreur échantillonnale est liée au fait de n'analyser qu'une portion de la population pour connaître cette dernière (Beaud, 1992); c'est la différence qui existe entre les résultats obtenus dans un échantillon et ceux qui auraient été obtenus dans la population cible. Même si deux échantillons étaient prélevés aléatoirement dans une même population, ils ne pourraient être totalement identiques puisque la constance des variations ne peut être attribuable qu'au hasard (Fortin, Taggart, Kérouac et Normand, 1988). Deux solutions existent pour réduire au minimum l'erreur échantillonnale : 1) prélever de façon aléatoire et en nombre suffisant les sujets qui feront partie de l'échantillon, et 2) essayer de reproduire le plus fidèlement possible la population par la prise en compte des caractéristiques connues de cette dernière.

La première solution correspond à la méthode probabiliste ou aléatoire, qui permet une généralisation des résultats; la deuxième solution relève des méthodes non probabilistes. Toutes ces méthodes sont décrites en détail dans certains ouvrages spécialisés, tels que Cochran (1977), Levy et Lemsbow (1980).

15.2

MÉTHODES D'ÉCHANTILLONNAGE

Il existe deux grandes catégories d'échantillons, soit les échantillons probabilistes et les échantillons non probabilistes.

Les échantillons probabilistes

Les méthodes d'échantillonnage probabilistes servent à assurer une certaine précision dans l'estimation des paramètres de la population en réduisant l'erreur échantillonnale. La principale caractéristique des méthodes d'échantillonnage probabilistes réside dans le fait que chaque élément de la population cible a une probabilité, connue et différente de zéro, d'être choisie lors d'un tirage au hasard pour faire partie de l'échantillon. Le but de cette approche est d'obtenir la meilleure représentativité possible. C'est cette caractéristique qui permet d'utiliser des analyses statistiques inférentielles en vue de généraliser à la population cible les résultats obtenus avec l'échantillon. Autrement dit, l'inférence statistique permet au chercheur de tirer des conclusions sur une population à partir de l'information obtenue à l'aide d'un échantillon.

Les échantillons probabilistes permettent au chercheur d'estimer l'erreur échantillonnale, qui se traduit par la tendance des estimations statistiques à fluctuer d'un échantillon à l'autre. La méthode d'échantillonnage probabiliste est la seule qui offre au chercheur, grâce aux lois du calcul des probabilités, la possibilité de préciser les risques pris lorsqu'il généralise à l'ensemble de la population ou à d'autres contextes les résultats de recherche. On distingue quatre types d'échantillonnage probabilistes : 1) l'échantillonnage aléatoire simple; 2) l'échantillonnage aléatoire stratifié; 3) l'échantillonnage en grappes et 4) l'échantillonnage systématique. La répartition aléatoire des sujets, comme technique probabiliste et non probabiliste, sera également étudiée un peu plus loin.

1) L'ÉCHANTILLONNAGE ALÉATOIRE SIMPLE

L'échantillonnage aléatoire simple est une technique selon laquelle chacun des éléments (sujets) qui composent la population cible a une chance égale d'être choisi pour faire partie de l'échantillon. Les éléments de la population cible sont identifiés et une liste énumérative est dressée pour constituer le cadre échantillonnal qui servira à l'application du plan échantillonnal. L'expression « plan échantillonnal » se rapporte à la liste des éléments d'échantillonnage de laquelle l'échantillon est tiré. Si les étudiants en criminologie inscrits à l'Université X constitue la population accessible, une liste de ces étudiants serait le plan d'échantillonnage. Cela signifie que chaque élément possible, par exemple chaque propriétaire vivant dans le quartier, chaque patient de l'hôpital X ayant tel diagnostic, doit être identifié. Le chercheur prépare le plan d'échantillonnage en inscrivant le nom de chaque individu sur une liste et en lui assignant un numéro d'identification à l'aide de nombres consécutifs. Si le plan d'échantillonnage est petit, les noms peuvent être écrits sur des bouts de papier et déposés dans une urne : on mélange, puis on tire un nom à la fois jusqu'à ce que le nombre d'éléments désiré pour constituer l'échantillon soit atteint.

> L'échantillonnage aléatoire simple consiste à dresser une liste énumérative des éléments, où on tire, à l'aide d'une table de nombres aléatoires, une suite de numéros pour constituer l'échantillon.

La méthode la plus courante pour constituer un échantillon aléatoire simple consiste à recourir à une table de nombres aléatoires et à en tirer une suite de numéros représentant les sujets. Les nombres peuvent être regroupés par blocs de deux, trois, quatre ou cinq. Le tableau 15.1 représente une table de blocs à cinq chiffres. Voici comment on utilise ce genre de table :

1) déterminer le nombre de chiffres nécessaire. Par exemple, si la population cible est de 500 individus, des combinaisons de trois chiffres seront nécessaires pour considérer tous les individus de la population cible. Si la population cible est de 60 individus, des combinaisons de deux chiffres seront utilisées;

2) choisir une façon de créer des nombres, disons à deux chiffres, à partir d'une table de blocs à cinq chiffres. Il suffit de partir des rangées à cinq chiffres, soit en retenant les deux premiers ou les deux derniers chiffres, pourvu que l'on procède de la même façon pendant toute la démarche;

3) décider d'une méthode de progression dans une des rangées et colonnes et selon l'une des directions, horizontale, verticale ou diagonale.

4) choisir au hasard un point de départ sur la table de permutation, disons le chiffre 14, qui apparaît dans la troisième rangée de la troi-

TABLEAU 15.1

Extrait d'une table de nombres aléatoires à cinq chiffres.

54463	22662	65905	90639	79365	67382	29085	69831	47058	08186
15389	85205	18850	39226	42249	90669	96325	23428	60933	26927
85941	40756	824⟨14⟩	02015	13858	78030	16269	65978	01385	15345
61149	69440	11286	88218	56925	03638	52862	62733	33451	77455
05224	81619	10651	67079	92511	59888	84502	72095	83463	75577

sième colonne. Retenir les chiffres consécutifs dans la direction de la flèche jusqu'à l'obtention du nombre de sujets convoités. Par exemple, si 20 sujets sont requis sur une population de 85, les chiffres suivants 14, 15, 58, 30... et 19 correspondent aux numéros des sujets qui seront choisis sur la liste énumérative.

L'échantillon aléatoire simple permet d'éliminer les biais, de favoriser la représentativité de l'échantillon et de fournir un moyen d'estimer l'erreur échantillonnale. Cependant, il peut être onéreux de confectionner une liste de tous les éléments de la population accessible. De plus, il n'y a pas de garantie que l'échantillon soit représentatif.

2) L'ÉCHANTILLONNAGE ALÉATOIRE STRATIFIÉ

L'échantillon aléatoire stratifié est une variante de l'échantillon aléatoire simple. Cette technique consiste à diviser la population cible en sous-groupes homogènes appelés « strates » puis à tirer de façon aléatoire un échantillon dans chaque strate. C'est la façon d'échantillonner sur des subdivisions de la population cible. L'échantillon aléatoire stratifié est utilisé quand la population entière est reconnue pour certaines caractéristiques précises, telles que l'âge, le sexe, l'incidence d'une condition de santé et ainsi de suite, et que le chercheur désire assurer la meilleure représentativité possible. Les variables utilisées pour la stratification doivent être corrélées aux variables examinées dans l'étude.

La méthode de l'échantillon aléatoire stratifié consiste à diviser la population en sous-groupes homogènes appelés « strates », puis à tirer de façon aléatoire un échantillon dans chaque strate.

On distingue l'échantillon stratifié proportionnel et l'échantillon stratifié non proportionnel. Un échantillon stratifié proportionnel peut être tiré, par exemple, de deux strates, l'une constituée

d'hommes et l'autre de femmes, en prélevant dans les deux strates le nombre d'hommes et de femmes en proportion de leur nombre dans la population. Par exemple, si 80 % des individus qui présentent un infarctus du myocarde sont des hommes, le chercheur choisira 80 % de son échantillon dans la strate des hommes et 20 % dans la strate des femmes. On peut aussi établir quatre strates en retenant deux groupes d'âge et le sexe. La figure 15.2 fournit un exemple illustrant l'utilisation d'un échantillon aléatoire stratifié proportionnel.

Afin d'obtenir cet échantillon de 200 sujets d'une population cible de 2000 sujets (figure 15.2), la population totale a été divisée en trois strates pour représenter la proportion d'étudiants qui sont inscrits dans chacun des programmes universitaires (doctorat, maîtrise, baccalauréat). Par la suite, les sujets ont été choisis de façon aléatoire et proportionnelle dans chaque strate pour être inclus dans l'échantillon.

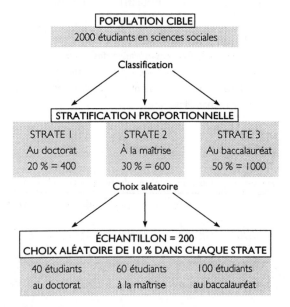

FIGURE 15.2
Exemple d'un échantillon aléatoire stratifié proportionnel.

La plupart du temps, on utilise l'échantillon stratifié proportionnel. Dans certains cas, on peut procéder à un échantillon aléatoire stratifié non proportionnel et obtenir ainsi le même nombre de sujets dans chaque strate, par exemple pour représenter divers groupes ethniques.

L'avantage de l'échantillon aléatoire stratifié est qu'il assure la représentation d'un segment particulier de la population et permet des comparaisons entre les sous-groupes formés. La connaissance approfondie de la population à l'étude est essentielle à la constitution de ce type d'échantillon.

3) L'ÉCHANTILLONNAGE EN GRAPPES

L'échantillonnage en grappes consiste à prélever de façon aléatoire les éléments de la population par grappes plutôt qu'à l'unité. L'échantillonnage en grappes est utile dans les situations où les éléments de la population sont naturellement groupés de sorte qu'il convient de les utiliser par groupes (Wiersma, 1991), ou encore cette technique est utilisée quand il n'est pas possible d'obtenir une liste de tous les éléments de la population cible. Par exemple, un chercheur désire étudier un échantillon d'enfants provenant de toutes les écoles d'une région. Il va tirer au hasard un échantillon d'écoles parmi les écoles de la région. À l'intérieur de celles-ci, il choisira au hasard des classes et, à l'intérieur des classes, il choisira au hasard le nombre d'enfants désirés.

Pour obtenir un échantillon en grappes, on tire aléatoirement des groupes d'éléments d'une population au lieu de choisir les éléments individuellement.

L'échantillonnage en grappes, dit aussi « par faisceaux » diffère de l'échantillonnage aléatoire stratifié du fait que la sélection aléatoire vise des groupes plutôt que des éléments pris individuellement. Tous les membres de la population dans les groupes sont inclus dans l'échantillon. Le processus d'échantillonnage peut se poursuivre pour constituer des échantillons à plusieurs degrés ou multiphasiques.

L'échantillon en grappes présente l'avantage d'être économique pour ce qui est du temps et des coûts. Cependant, cette technique conduit généralement à des erreurs d'échantillonnage plus importants que la technique aléatoire simple.

4) L'ÉCHANTILLONNAGE SYSTÉMATIQUE

L'échantillonnage systématique peut être employé quand il existe une liste ordonnée des éléments de la population. La technique consiste à prélever chaque k^e élément d'une liste contenant tous les éléments d'une population, le premier élément de l'échantillon étant choisi au·hasard. L'intervalle entre les éléments correspond au rapport entre la taille de la population et la taille de l'échantillon. Ainsi, la taille de la population (N) est divisée par la taille de l'échantillon (n) pour déterminer l'étendue de l'intervalle (k) entre les éléments inscrits sur la liste. Par exemple, si la population est de N = 600 et que la taille désirée de l'échantillon est de n = 40, alors k = 15, c'est-à-dire que chaque 15e élément sur la liste sera inclus dans l'échantillon.

$$k = \frac{600}{40} = 15$$

L'échantillonnage systématique est une technique par laquelle le choix du premier membre de l'échantillon détermine l'échantillon complet.

Pour l'échantillonnage systématique, le premier élément de l'échantillon est choisi aléatoirement dans une liste ordonnée des éléments d'une population et, de ce point de départ, chaque élément est choisi à un intervalle fixe.

La technique de l'échantillon systématique est une technique facile, rapide et peu coûteuse, permettant de tirer un échantillon probabiliste. Cependant, des biais systématiques risquent de s'introduire au cours de l'opération, parce que les éléments sont placés dans un certain ordre.

LA RÉPARTITION ALÉATOIRE DANS LES GROUPES

La sélection aléatoire et la répartition aléatoire des sujets ne sont pas tout à fait la même chose, bien que les deux approches soient utilisées pour accroître la représentativité et réduire les biais d'échantillonnage (Wiersma, 1991). La sélection aléatoire consiste à choisir les sujets au hasard pour représenter une population; la répartition aléatoire, utilisée couramment dans les études expérimentales, consiste à placer les sujets aléatoirement dans les différents groupes. La répartition aléatoire est utilisée quand plusieurs groupes sont impliqués dans une étude; elle relève à la fois de l'échantillonnage probabiliste et de l'échantillonnage non probabiliste. L'échantillon est considéré comme probabiliste si le groupe original a été choisi au hasard avant la répartition aléatoire des sujets dans les groupes. Dans l'autre cas, l'échantillon n'est pas considéré comme probabiliste selon Burns et Grove (1993). Les sujets ne sont alors pas choisis de façon aléatoire, comme lorsqu'ils s'agit de personnes hospitalisées pour tel diagnostic ou traitement, mais ils sont répartis de façon aléatoire dans les groupes expérimental et témoin. La répartition aléatoire peut être effectuée à l'aide de tables de nombres aléatoires ou par d'autres procédés qui assurent une séquence dans la répartition des sujets dans les différents groupes.

Les échantillons non probabilistes

L'échantillonnage non probabiliste est un procédé de sélection selon lequel chaque élément de la population n'a pas une probabilité ou une chance égale d'être choisi pour former l'échantillon.

L'échantillonnage non probabiliste risque d'être moins représentatif que l'échantillonnage probabiliste. Cependant, il n'est pas toujours faisable de construire des échantillons probabilistes dans certaines disciplines professionnelles, parce que le chercheur a rarement accès à la population entière. Les principales méthodes d'échantillonnage non probabilistes sont : 1) l'échantillonnage accidentel; 2) l'échantillonnage par quotas; 3) l'échantillonnage par choix raisonné et 4) l'échantillonnage par réseaux.

1) L'ÉCHANTILLONNAGE ACCIDENTEL

L'échantillonnage accidentel est formé de sujets qui sont facilement accessibles et présents à un endroit déterminé, à un moment précis, par exemple les personnes hospitalisées. Les sujets sont inclus dans l'étude au fur et à mesure qu'ils se présentent et jusqu'à ce que l'échantillon ait atteint la taille désirée. Par exemple, un chercheur peut avoir accès à une unité hospitalière pour constituer un échantillon des familles des patients hospitalisés. Le membre de la famille qui satisfait aux critères de sélection et accepte de participer sera inclus dans l'échantillon. L'échantillon accidentel est couramment utilisé en dépit du fait que les sujets accessibles peuvent être différents de la population cible. Par exemple, les patients accessibles pour une étude portant sur l'enseignement préopératoire peuvent être différents de l'ensemble des patients qui sont sur le point d'être opérés, en ce qui concerne certaines caractéristiques pouvant influencer les réactions à l'enseignement préopératoire.

> Selon la méthode de l'échantillon accidentel, les sujets sont inclus dans l'étude au fur et à mesure qu'ils se présentent dans un endroit précis.

L'échantillon accidentel a l'avantage d'être simple à organiser et peu coûteux. Toutefois, ce type d'échantillon engendre des biais, et rien n'indique que les 30 ou 40 premières personnes contactées seront représentatives de la population cible. De plus, cette technique limite la généralisation des résultats. L'emploi d'un échantillon accidentel est plus difficile à concevoir dans les études visant à vérifier des hypothèses que dans les études exploratoires dans lesquelles on ne vise pas la généralisation des résultats.

2) L'ÉCHANTILLONNAGE PAR QUOTAS

L'échantillonnage par quotas consiste à former des strates de la population sur la base de certaines caractéristiques et à faire en sorte qu'elles soient représentées dans des proportions semblables à celles qui existent dans la population. Cette technique est utilisée pour assurer une représentation adéquate de sous-groupes ou strates à l'intérieur de la population (âge, groupes ethniques). Similaire à l'échantillonnage accidentel, l'échantillonnage par quotas vise en plus à rendre l'échantillon proportionnel à la population. Cette technique est une amélioration par rapport à l'échantillonnage accidentel, car elle vise à réduire les biais potentiels. Par exemple, si l'on prend une population qui comprend plusieurs groupes ethniques, ceux-ci seront représentés dans l'échantillon en proportion de leur nombre. L'échantillonnage par quotas vise à reproduire le plus fidèlement possible la population étudiée. Cependant, comme les sujets ne sont pas aléatoirement choisis à l'intérieur de chaque strate, de chaque sous-groupe, ils ne sont pas nécessairement représentatifs de la strate, du sous-groupe (Beaud, 1992). C'est cet aspect du choix non aléatoire qui différencie l'échantillon par quotas de l'échantillon aléatoire stratifié.

Dans l'échantillonnage par quotas, des strates sont définies en fonction de certaines caractéristiques pour être représentées dans l'échantillon dans les mêmes proportions qu'elles apparaissent dans la population.

La technique consiste à dégager un certain nombre de caractéristiques pertinentes par rapport à l'objet d'étude et, sur la base de données connues, à déterminer comment la population se répartit suivant ces caractéristiques. L'échantillon est constitué en respectant cette répartition. Parmi les principales caractéristiques utilisées dans l'échantillonnage par quotas, on trouve le sexe, l'âge, l'origine ethnique, l'occupation, etc.

Pour constituer un échantillon par quotas, il est indispensable de bien connaître les caractéristiques de la population. Son défaut majeur, c'est d'être non probabiliste. Le chercheur choisit ses quotas de façon accidentelle.

3) L'ÉCHANTILLONNAGE PAR CHOIX RAISONNÉ

L'échantillonnage par choix raisonné est une technique qui repose sur le jugement du chercheur pour constituer un échantillon de sujets en fonction de leur caractère typique, comme dans l'étude des cas extrêmes ou déviants, ou des cas typiques, etc. La sélection des cas particuliers permet d'étudier des phénomènes rares ou inusités ; elle peut contribuer à une meilleure compréhension de ces phénomènes. À titre d'exemple, mentionnons deux annonces parues dans un quotidien et reproduites à l'encadré 15.1.

L'échantillon théorique, utilisé dans certaines études qualitatives, est un exemple d'échantillon par choix raisonné. L'échantillon théorique nécessite le choix d'un certain nombre de participants pour représenter les thèmes à l'étude.

4) L'ÉCHANTILLONNAGE PAR RÉSEAUX

L'échantillonnage par réseaux est une technique qui consiste à choisir des sujets, qu'il serait difficile de trouver autrement, selon des critères déterminés. On se base sur les réseaux sociaux, les amitiés et le fait que les amis ont tendance à posséder des caractéristiques communes. Cette technique est aussi appelée « boule de neige ».

Lorsque le chercheur a trouvé des sujets satisfaisant aux critères choisis, il leur demande de nommer d'autres personnes possédant des caractéristiques similaires. Ce procédé est souvent utilisé pour recruter des sujets dans l'approche de la théorie ancrée.

ENCADRÉ 15.1

Exemples d'échantillonnage par choix raisonné. *Tiré de FORUM.*

Étude sur le sommeil

Si vous êtes un homme, si vous pesez, de préférence, plus de 80 kg mais ne ronflez pas et que vous dormez bien en général, vous êtes un sujet idéal pour notre étude.

L'étude consiste simplement à enregistrer vos ondes cérébrales pendant deux jours et deux nuits, sans l'administration d'aucun médicament. Un dédommagement est offert aux participants.

Avis de recherche

Nous sommes à la recherche de sujets pour une étude clinique à la Faculté de médecine dentaire. Les sujets doivent présenter :

— des douleurs fréquentes aux muscles de la mâchoire et du visage;

— une dentition saine, afin de recevoir un traitement dentaire (plaque occlusale, sans frais).

Également, nous sommes à la recherche, pour une seconde étude, de sujets qui grincent des dents la nuit ou qui ont les dents très usées.

TABLEAU 15.2

Techniques d'échantillonnage.

TECHNIQUES D'ÉCHANTILLONNAGE PROBABILISTES	
Échantillonnage aléatoire simple	Technique selon laquelle chaque élément de la population a une chance égale de faire partie de l'étude.
Échantillonnage aléatoire stratifié	Technique selon laquelle des strates ou sous-ensembles de la population sont formés, d'où un échantillon est tiré de façon aléatoire.
Échantillonnage en grappes	Technique utilisée quand il est difficile d'obtenir une liste exhaustive des éléments de la population.
Échantillonnage systématique	Technique utilisée quand il existe une liste ordonnée des éléments de la population.
TECHNIQUES D'ÉCHANTILLONNAGE NON PROBABILISTES	
Échantillonnage accidentel	Technique utilisée en présence de groupes accessibles.
Échantillonnage par quotas	Technique consistant à former des strates sur la base de certaines caractéristiques.
Échantillonnage par choix raisonné	Technique utilisée pour le choix des sujets présentant des caractères typiques.
Échantillonnage par réseaux	Technique utilisée pour recruter des sujets difficiles à trouver en faisant appel à des réseaux d'amis.

En résumé, tous les échantillons non probabilistes engendrent des biais dont il n'est pas toujours possible de tenir compte. Étant donné que c'est la représentativité qui est en cause, les résultats d'études effectuées à l'aide d'échantillons non probabilistes peuvent difficilement être généralisables à la population cible.

15.3

TAILLE DE L'ÉCHANTILLON

Le nombre de sujets à considérer pour former un échantillon est un aspect qui suscite beaucoup d'interrogations. C'est une étape de décision importante pour toute recherche, et il n'existe pas de formule simple pour déterminer la taille de l'échantillon. Le chercheur doit considérer la fidélité des estimations relatives à la population, la technique d'échantillonnage ainsi que les coûts engendrés. Le but du chercheur est d'obtenir un échantillon assez grand pour détecter des différences statistiques tout en considérant les questions de temps et d'économie. De façon générale, de grands échantillons entraînent de meilleures approximations de la fidélité des paramètres de la population. Cependant, ces approximations ne garantissent pas nécessairement la représentativité. Pour estimer la taille de l'échantillon, le chercheur doit évaluer un ensemble de facteurs en relation avec les résultats prévus de son étude et la généralisation qu'il souhaite faire.

Calcul de la taille de l'échantillon

Plusieurs facteurs sont à considérer dans le calcul de la taille de l'échantillon. Mentionnons le but de l'étude, l'homogénéité de la population ou du phénomène étudié, les tests d'analyses statistiques, plus particulièrement le seuil de signification et la puissance des tests ainsi que la force de l'effet attendu.

LE BUT DE D'ÉTUDE

Le but de l'étude fournit des indications sur la taille de l'échantillon requise. Si le but de l'étude est d'explorer et de décrire des phénomènes, la taille de l'échantillon sera réduite. Dans les études exploratoires de nature qualitative ou quantitative dont le but est la découverte de nouvelles connaissances dans un domaine, de petits échantillons sont généralement suffisants pour obtenir l'information sur le phénomène étudié (Morse, 1991). Si le but de l'étude consiste à examiner des associations entre les variables, comme dans les études descriptives-corrélationnelles et corrélationnelles, un échantillon plus grand sera nécessaire. Plus il y a de variables dans une étude, plus le nombre de sujets devra être élargi. Les études expérimentales et quasi-expérimentales requièrent généralement moins de sujets que les études descriptives et corrélationnelles, parce que la situation de recherche est contrôlée. Les études longitudinales exigeront un grand échantillon, parce qu'elles se déroulent dans le temps et qu'il y a risque de perdre des participants durant le processus de collecte des données. Dans tous les cas, la taille de l'échantillon doit être suffisante pour atteindre un niveau de puissance acceptable en vue de réduire le risque de commettre des erreurs dans le rejet ou le non-rejet des hypothèses nulles au cours du processus de leur vérification (Kraemer et Thiemann, 1977).

L'HOMOGÉNÉITÉ DU PHÉNOMÈNE ÉTUDIÉ

Lorsque le chercheur a de bonnes raisons de croire que la population est plutôt homogène en ce qui concerne les variables à l'étude, un échantillon de taille réduite peut être suffisant pour répondre au but de l'étude. Cependant, tel ne serait pas le cas pour certaines variables, telles que l'état psychologique, la tension artérielle, le rétablissement postopératoire, qui ont tendance à être différents selon les individus. En général, les études portant sur des phénomènes hétérogènes requièrent des échantillons plus grands que les études portant sur des phénomènes homogènes. Certaines formules existent pour estimer la variance prévue d'un phénomène et le degré d'erreur échantillonnale qui peut être tolérée.

LA TECHNIQUE D'ANALYSE STATISTIQUE

Souvent, le test statistique choisi pour analyser les données détermine la taille de l'échantillon. Cohen (1988) a créé un ensemble de tables permettant d'estimer la taille de l'échantillon pour une variété de tests statistiques. Les estimations de la taille de l'échantillon sont basées sur le seuil de signification qu'on s'est fixé et sur la puissance associée au test ainsi que sur l'ampleur de l'effet attendu.

LE SEUIL DE SIGNIFICATION

Le seuil de signification fait référence à la probabilité que le chercheur rejette par erreur l'hypothèse nulle (H_o), c'est-à-dire qu'il n'existe pas de différence entre les variables alors qu'en réalité il en existe. Plus petite est la valeur de p, moins il y a de probabilité de commettre l'erreur de rejeter l'hypothèse nulle en faveur de l'hypothèse alternative. Avec un seuil alpha (α) de 0,01, le risque de se tromper en rejetant H_o est plus petit qu'avec un seuil fixé à 0,5.

LA PUISSANCE D'UN TEST

La puissance d'un test est la probabilité que le test statistique détectera des différences significatives ou des relations qui existent dans la population, c'est-à-dire que le test conduira à rejeter l'hypothèse nulle (H_o). S'il existe un effet, on veut savoir avec quelle probabilité cet effet peut être détecté (Cohen, 1988). En général, cette puissance varie entre 70 et 90 %, le minimum acceptable étant 80 % selon Cohen (1988). La taille de l'échantillon est déterminée en effectuant des analyses de puissance pour chaque groupe pour lequel des comparaisons seront faites (Burns et Grove, 1993). Les techniques statistiques qui permettent d'établir la puissance d'un test sont décrites entre autres par Cohen (1988), Kraemer et Thilmann (1987).

L'AMPLEUR DE L'EFFET ATTENDU

L'effet attendu correspond à la fréquence d'apparition d'un phénomène dans la population. C'est l'expression statistique qui indique la force de la corrélation entre des variables ou de la différence entre deux moyennes. Si un chercheur a de bonnes raisons de croire que les variables indépendante et dépendante seront fortement reliées, alors un échantillon réduit pourra être adéquat pour démontrer une relation statistique. En d'autres termes, si le chercheur prévoit un grand effet, la taille de l'échantillon requise sera moins grande. L'effet attendu doit donc être déterminé avant d'effectuer des analyses de puissance pour trouver la taille de l'échantillon requise.

15.4

ÉTAPES DE L'ÉLABORATION D'UN PLAN ÉCHANTILLONNAL

1) Délimiter la population cible. C'est le groupe pour lequel le chercheur désire généraliser les résultats de son étude.

2) Délimiter la population accessible. Comme le chercheur n'a pas souvent accès à la population cible entière, il doit déterminer la portion de la population qui lui est accessible.

3) Spécifier les critères de sélection. Les critères doivent être précisés avec soin en fonction des caractéristiques des sujets.

4) Préciser le plan d'échantillonnage. Dans ce plan, on précise le type d'échantillonnage désiré et de quelle façon l'échantillon sera constitué.

5) Déterminer la taille de l'échantillon. Il faut considérer les différents facteurs impliqués dans l'estimation de la taille de l'échantillon.

6) Procéder à l'échantillonnage. Une fois les étapes précédentes terminées, celle-ci consiste à recruter les sujets selon le plan établi. Au préalable, l'autorisation pour solliciter la participation des sujets aura été obtenue auprès des autorités compétentes.

15.5
RÉSUMÉ

L'échantillonnage est le procédé par lequel un groupe de personnes ou un sous-ensemble d'une population est choisi de telle sorte que la population entière soit représentée. Une population est une collection d'éléments qui partagent des caractéristiques communes et elle est délimitée par des critères de sélection de ces éléments. Dans le contexte de l'échantillonnage, l'élément est l'unité de base de la population auprès de laquelle l'information est recueillie. Un échantillon est un sous-ensemble d'éléments qui composent la population. Un échantillon est dit représentatif si ses caractéristiques s'apparentent le plus possible à celles de la population. Étant donné qu'on ignore si toutes les caractéristiques de la population sont présentes dans un échantillon, il existe toujours un degré d'erreur : c'est ce qu'on appelle l'erreur échantillonnale. Les deux solutions qui existent pour réduire au minimum l'erreur échantillonnale consistent à prélever de façon aléatoire les sujets qui feront partie de l'échantillon et à essayer de reproduire le plus fidèlement possible la population. La première solution relève des méthodes d'échantillonnage probabilistes et la deuxième relève des méthodes non probabilistes.

Les méthodes d'échantillonnage probabilistes comportent le choix aléatoire des éléments de la population. Les techniques probabilistes sont : l'échantillonnage aléatoire simple, l'échantillonnage aléatoire par strates, l'échantillonnage en grappes et l'échantillonnage systématique. Avec l'échantillon aléatoire simple, chaque élément qui compose la population cible a une chance égale d'être choisi pour faire partie de l'échantillon. L'échantillonnage aléatoire par strates consiste à diviser la population cible en sous-groupes homogènes appelés « strates », puis à tirer aléatoirement un échantillon dans chaque strate. L'échantillonnage en grappes consiste à prélever de façon aléatoire les éléments de la population par grappes plutôt qu'à l'unité. L'échantillonnage systématique est employé quand il existe une liste ordonnée des éléments de la population.

Les méthodes d'échantillonnage non probabilistes ne donnent pas à chaque élément de la population la possibilité d'être choisi pour former l'échantillon. L'échantillonnage accidentel, l'échantillonnage par quotas, l'échantillonnage par choix raisonné et l'échantillonnage par réseaux sont les principales techniques non probabilistes. L'échantillon accidentel est formé de sujets ou éléments qui sont facilement accessibles et présents à un moment précis. L'échantillonnage par quotas consiste à former des strates de la population à partir de certaines caractéristiques, de manière que celles-ci soient représentées dans l'échantillon. L'échantillonnage par choix raisonné repose sur le choix du chercheur d'inclure certains sujets en fonction de caractères typiques. L'échantillonnage par réseaux vise à recruter des sujets qui sont difficiles à trouver en utilisant des réseaux d'amis.

Le nombre de sujets à inclure dans l'échantillon repose sur plusieurs facteurs. Si le chercheur ne peut utiliser des analyses de puissance pour déterminer la taille de l'échantillon, il doit inclure le plus grand nombre possible de sujets. Le but est d'obtenir un échantillon assez grand pour détecter des différences statistiques. Dans le calcul de la taille de l'échantillon, le chercheur doit considérer le but de l'étude, l'homogénéité du phénomène, les techniques statistiques utilisées, plus particulièrement le seuil de signification, la force de l'effet attendu et la puissance des tests.

Références bibliographiques

Beaud, J. P. (1992). L'échantillonnage. Dans : *Recherche sociale : De la problématique à la collecte des données*, 2e éd. B. Gauthier (Éd.) Québec : Presses Universitaires du Québec.

Burns, N., Grove, S. K. (1993). *The practice of nursing research : Conduct, critique and utilization*, 2e éd. Philadelphia : W. B. Saunders.

Cochran, W. (1977). *Sampling techniques.* New York : Wiley

Cohen, J. (1988). *Statistical power analysis for the behavioral sciences*, 2e éd. New York : Academic Press.

Fleiss, J. (1981). *Statistical method for rates and proportions.* New York : Wiley.

Fortin, M. F., Taggart, M. E., Kérouac S., Normand, S. (1988). *Introduction à la recherche : apprentissage assisté par hypertexte.* Montréal : Décarie Éditeur.

Goodwin, L. D. (1984). The use of power estimation in nursing research. *Nursing Research*, n° 33 (2), p. 118-120.

Kraemer, H. C., Thiemann, S. (1987). *How many subjects ? Statistical power analysis in research.* Newbury Park, CA : Sage.

Levy, P. S., Lemsbow, S. (1980). *Sampling for health professionals.* Belmont, CA : Lifetime Learning.

Morse, J. M. (1991). Strategies for sampling. In J. M. Morse (Éd.). *Qualitative nursing research : A contemporary dialogue.* Newbury Park, CA : Sage.

Wiersma, W. C. (1991). *Research methods in education : An introduction*, 5e éd. Toronto : Adlyn et Bacon.

Woods, N. F., Catanzaro, M. (1988). *Nursing research : Theory and practice.* Toronto : The C. V. Mosby Company.

CHAPITRE 16

LA MESURE
EN RECHERCHE

Marie-Fabienne Fortin et Marcel Nadeau

Objectifs d'apprentissage

À la fin de ce chapitre, l'étudiant(e) devrait être capable de :

✔ Définir la notion de mesure et ses différentes approches.

✔ Définir les quatre niveaux de mesure et les échelles correspondantes.

✔ Discuter des sources de variation dans la mesure.

✔ Définir les concepts de fidélité et de validité des mesures.

CE CHAPITRE EST
ACCOMPAGNÉ D'UNE
LEÇON INFORMATISÉE
FACULTATIVE.

La mesure, qui est fondamentale à toute science, joue un rôle primordial dans le processus de la recherche. La qualité des résultats de recherche ne dépend pas uniquement de la méthode, mais aussi de la qualité des opérations effectuées. Toute mesure est déterminée par la question de recherche et les définitions conceptuelles et opérationnelles des concepts à l'étude. La façon dont les concepts sont définis et mesurés aura une influence directe sur la validité des résultats de recherche et, par voie de conséquence, sur la validité théorique de l'étude.

Mesurer, c'est quantifier certaines caractéristiques d'un objet. Ce qui est mesuré n'est pas l'objet en soi, mais bien ses caractéristiques. Par exemple, le chercheur dans le domaine de la santé n'est pas intéressé à mesurer la personne malade, mais bien les réactions de la personne à la maladie. Les caractéristiques mesurées sont des variables et peuvent prendre différentes valeurs. Ainsi, des patients hospitalisés pour une chirurgie majeure auront des niveaux d'anxiété différents. De même, des étudiants inscrits à un cours manifesteront à des degrés divers leur motivation à participer à ce cours.

Ce chapitre traite d'un ensemble d'éléments relatifs à la mesure incluant les concepts, les construits, les indicateurs et les différentes approches, les types de mesure, les niveaux de mesure, l'erreur de mesure et les moyens d'évaluer la fidélité et la validité des instruments de mesure.

16.1

QU'EST-CE QUE MESURER ?

Mesurer consiste à assigner des nombres à des objets, des événements ou des personnes selon certaines règles de manière à représenter la valeur que possède un attribut spécifique (Nunally, 1978). Les nombres assignés peuvent indiquer des valeurs numériques ou catégorielles. Le but pour lequel on attribue des nombres est de différencier les personnes ou les objets selon la quantité ou le degré de la caractéristique ou de l'attribut mesuré qu'ils possèdent. La règle de mesure est le moyen par lequel des nombres sont attribués aux individus ou aux objets autrement que par le hasard, comme lorsqu'on fait remplir un questionnaire ou qu'on utilise un pèse-personne pour évaluer le poids d'une personne. Les règles de mesure assurent que l'attribution des valeurs est appliquée de façon constante d'un sujet à l'autre. Par exemple, une règle de mesure peut servir à attribuer des nombres à des catégories pour représenter l'état de mobilité ou la capacité fonctionnelle des personnes : la valeur 1 peut signifier qu'une personne peut marcher seule, sans aide, et 2 que la personne a besoin d'aide. Dans cet exemple, on assigne les valeurs 1 et 2 à des sujets selon une règle, celle de préciser les sujets qui ont ou n'ont pas besoin d'aide pour se déplacer.

La mesure des variables relève de l'instrumentation, qui est en fait une des composantes majeures de la mesure. Celle-ci consiste en l'application de règles précises à l'élaboration de méthodes et d'instruments pour mesurer des caractéristiques ou attributs (Waltz, Strikland et Lenz, 1991). La définition de la mesure nécessite que le chercheur précise clairement les objets à mesurer, les nombres à utiliser et les règles d'attribution des valeurs aux objets ou aux sujets. Le but de l'instrumentation est d'assurer la fiabi-

lité des résultats de recherche (Burns et Grove, 1993). Pour mesurer les divers phénomènes, le chercheur utilise différentes approches.

16.2

LA MESURE DES CONCEPTS

Un concept est une abstraction formée par la généralisation de situations particulières, d'énoncés, d'observations ou de comportements (Green et Lewis, 1986). Comme tels, la plupart des concepts ne sont pas directement observables ou mesurables. Pour être mesurables, les concepts doivent être convertis en indicateurs. L'indicateur correspond aux mesures indirectes choisies pour quantifier les concepts. Les mesures directes sont de fait assez rares car on se réfère souvent à un instrument construit à partir d'une mesure étalon : c'est le cas par exemple du thermomètre, de la règle à mesurer, du chronomètre. L'électrocardiographe n'est pas non plus une mesure directe de la fréquence cardiaque car il présuppose que le papier se déroule à la bonne vitesse ou que le balayage sur l'oscilloscope est bien réglé, que les électrodes sont bien placées. Certains concepts, tels que la taille, la respiration, sont plus descriptifs et de ce fait accessibles immédiatement par les sens; ils sont considérés comme des mesures directes.

Les mesures indirectes concernent particulièrement les concepts plus abstraits (stress, croyances en matière de santé, estime de soi). Étant donné que l'indicateur est choisi par rapport à un concept, il est essentiel que celui-ci soit défini au préalable. La définition conceptuelle fournit la signification théorique d'un construit et sert de guide à l'élaboration ou au choix de l'indicateur approprié (Fawcett et Downs, 1992), pour mesurer le concept.

Définitions opérationnelles

Une variable est une propriété observable qui varie et à laquelle des valeurs sont assignées. Une variable peut être équivalente à un indicateur ou à la combinaison d'un ensemble d'indicateurs servant à mesurer une dimension d'un construit (Green et Lewis, 1986). L'opérationnalisation des concepts ou construits s'appuie sur les définitions conceptuelles précisées à l'intérieur d'une théorie ou établies par le chercheur au cours du processus de clarification des concepts. Opérationnaliser un concept signifie le définir de manière qu'il puisse être observé et mesuré; aussi il devient ainsi un phénomène. C'est aussi assigner une signification à un concept en spécifiant les activités ou opérations nécessaires pour le mesurer. Les définitions opérationnelles sont énoncées en fonction d'indicateurs empiriques du concept et représentent le résultat d'un processus d'opérationnalisation.

Étapes de l'opérationnalisation des concepts

Il faut suivre certaines étapes pour effectuer l'opérationnalisation des concepts : 1) la précision des définitions conceptuelles, 2) la spécification des dimensions du concept, 3) les indicateurs empiriques et 4) l'opération de mesure.

1) La précision des définitions conceptuelles

Les définitions conceptuelles proviennent de travaux théoriques et empiriques dans le domaine, d'une réflexion personnelle et du processus de clarification du concept (Waltz, Strickland et Lenz, 1991). Par exemple, Parent (1995) a étudié les effets d'une intervention de soutien pratiquée par d'anciens patients modèles en vue d'agir sur l'anxiété, la perception d'autoefficacité et la reprise des activités physiques chez de nouveaux patients devant subir une chirurgie de revascularisation. L'effet de renforcement de l'intervention de soutien (variable indépendante) qui est, dans le contexte de la théorie de Bandura (1977), l'expérience vicariante ou l'occasion d'observer un individu similaire à soi adopter un comportement donné, a été défini conceptuellement comme suit :

Définition conceptuelle de l'expérience vicariante

> L'expérience vicariante, ou l'occasion d'observer un individu similaire à soi adopter un comportement donné, constitue une source d'information importante, qui influence la perception d'autoefficacité de l'individu lorsqu'il exécute certains comportements (Bandura, 1977, 1986).

Cette définition conceptuelle lie la variable « expérience vicariante » aux concepts et aux relations des théories de l'autoefficacité et de l'apprentissage social élaborées par Bandura (1977, 1986). Cette définition conceptuelle établit les bases de la formulation d'une définition opérationnelle.

La définition opérationnelle d'une variable est construite de manière que la variable puisse être mesurée ou manipulée dans une situation concrète. La connaissance qui en découle devrait contribuer à une meilleure compréhension du concept théorique que la variable représente. Parent (1995) a défini de façon opérationnelle l'expérience vicariante, comme suit :

Définition opérationnelle de l'expérience vicariante

> Intervention d'information et de soutien offerte par des anciens patients modèles, ayant déjà subi avec succès une chirurgie de revascularisation coronarienne, à de nouveaux patients devant subir cette même chirurgie. L'intervention de soutien prend la forme de visites informatives auprès des nouveaux patients durant la période pré et postopératoire, soit la veille de la chirurgie, avec le départ de l'hôpital et quatre semaines après la chirurgie (p. 33).

Souvent, le chercheur commence par écrire sa propre définition du concept, c'est-à-dire ce qu'il pense que le concept signifie dans le contexte de son étude. Il consulte les écrits pour découvrir d'autres définitions du concept tout en s'assurant que sa définition s'inscrit dans la perspective théorique ou conceptuelle qu'il a développée. Woods et Catanzaro (1988) décrivent différentes techniques permettant de clarifier le concept, entre autres l'utilisation de méthodes inductives à partir d'entrevues, d'observations participantes et de communications écrites afin de mieux comprendre le phénomène dans un contexte social donné.

2) LA SPÉCIFICATION DES DIMENSIONS DU CONCEPT

Les concepts et les construits possèdent de multiples dimensions. L'étape suivante consiste à préciser les dimensions du concept que l'on veut mesurer; on considère les diverses valeurs que le concept peut prendre, telles que l'absence ou les degrés de présence de la caractéristique (Woods et Catanzaro, 1988). Par exemple, si l'on choisit une définition du soutien social qui comprend trois dimensions, émotionnelle, matérielle, informationnelle, plusieurs indicateurs seront choisis pour mesurer chacune de ces dimensions. Les participants devraient présenter des degrés variables de chacune des dimensions.

3) LES INDICATEURS EMPIRIQUES

L'identification des indicateurs observables du concept est l'étape suivante. Le passage des définitions conceptuelles aux dimensions retenues du concept vers la mesure empirique requiert la conversion des concepts en indicateurs. L'indicateur permet de traduire les concepts vers l'étape de l'observation; c'est le pont qui lie les concepts à la mesure empirique. Les indicateurs sont les instruments de mesure, un score total, ou encore les conditions expérimentales.

La figure 16.1, inspirée des travaux de Margenau (1972), illustre le lien entre les concepts, C_1 et C_2 (niveau conceptuel), les définitions opérationnelles qui traduisent les facettes ou dimensions déterminées par le chercheur (niveau opérationnel) et les énoncés des différentes échelles de mesure (indicateurs empiriques), lesquelles s'appliquent à une population précise (données observables).

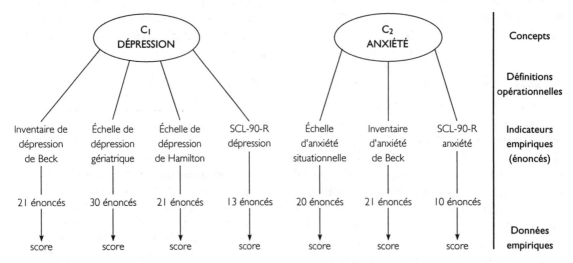

FIGURE 16.1

Définition opérationnelle de C_1 et C_2 à l'aide de différentes échelles. Les scores proviennent de données empiriques.

Les données observables ou scores sont le produit de la réalité empirique (Kerlinger, 1973). Il faut souligner que le chercheur n'a pas de mesure directe de l'anxiété (C_2) ou de la dépression (C_1) et que les définitions opérationnelles ne peuvent représenter toute la signification d'un concept; cependant, le chercheur assume qu'il peut faire des inférences relativement à des sujets à partir d'échelles de mesure contenant un certain nombre d'énoncés qui représentent les dimensions à observer.

4) L'OPÉRATION DE MESURE

Une fois que les indicateurs du concept ont été précisés, la prochaine étape conduit au choix ou à l'élaboration des moyens appropriés pour mesurer les variables auprès d'une population précise. Les opérations requises pour mesurer les indicateurs des concepts peuvent varier en complexité de l'adoption à la construction d'instruments de mesure.

16.3

APPROCHES DE LA MESURE

Selon les disciplines, la recherche nécessite la mesure de différents types de phénomènes. Par exemple, afin de bien comprendre les réactions de l'individu à la maladie et à la santé, le chercheur qui œuvre dans ce domaine étudie les sentiments, les attitudes, les perceptions, les expériences, les habiletés, les comportements, les fonctions biologiques des sujets, etc. Il y a diverses façons de mesurer les phénomènes; on peut compter, classifier selon un ordre de grandeur, ou encore comparer à l'aide d'unités de mesure. Classifier selon un ordre de grandeur consiste à classifier les observations, les faits selon l'ampleur relative de la caractéristique à mesurer (plus long, plus court, plus souvent, moins souvent). Pour comparer, il faut avoir accès à une unité de me-

sure de comparaison qui sert de référence. On distingue deux types de référence : la référence normative et la référence critériée.

L'échelle de référence normative

L'échelle de référence normative est utilisée pour évaluer le rendement d'un individu par rapport au rendement d'autres individus formant un groupe de comparaison (Waltz, Strickland et Lenz, 1991). Les sujets participant à une étude sont comparés pour évaluer leurs similarités ou leurs différences. La question que l'on pose est la suivante : « Quel est le score obtenu par une personne à un test et comment ce score se compare-t-il par rapport à la norme, c'est-à-dire le groupe de comparaison ? » L'échelle de référence normative sert à montrer comment les scores individuels se comparent aux scores d'un groupe de référence. L'échelle de référence normative est conçue de telle sorte qu'elle différencie les sujets qui possèdent différents degrés d'une caractéristique. Les scores sont généralement distribués selon une courbe normale, c'est-à-dire que l'on s'attend à retrouver peu de scores élevés et peu de scores bas aux extrémités de la courbe, la majorité des scores devant se situer dans la moyenne.

> L'échelle de référence normative sert à évaluer le rendement d'un individu par rapport au rendement d'autres individus formant un groupe de comparaison.

Les mesures basées sur la référence normative se présentent souvent sous forme de tests normalisés. Les tests normalisés possèdent un contenu précis, les méthodes d'application sont uniformes et le calcul des scores est basé sur des normes bien établies (Waltz, Strickland et Lenz, 1991; McMillan et Schumacher, 1989). Un score brut obtenu à partir d'une échelle ou d'un test psychologique peut difficilement être interprété sans référence à des normes (Engelsman, 1982). Il existe plusieurs tests normalisés, utilisés dans une variété de milieux et auprès de diverses populations.

À titre d'exemple, le SCL-90-R (l'échelle des symptômes primaires), conçu par Derogatis (1977) est une échelle de référence normative mesurant les symptômes primaires (anxiété, dépression, sensibilité interpersonnelle, hostilité, etc.) rapportés par différents groupes d'individus. L'échelle normalisée est composée de 90 énoncés répartis en 9 dimensions. Les scores du SCL-90-R pour chaque énoncé s'établissent sur une échelle de Likert de 0 – 4 points selon le degré d'accord de l'individu avec l'énoncé. Par exemple, un score élevé à la dimension « anxiété » signifie que le sujet manifeste beaucoup d'anxiété et un score bas indique moins d'anxiété. Le score global s'étend de 1 à 90 points et le résultat obtenu par un individu donné prend une signification quand il est comparé aux scores obtenus par d'autres individus qui ont passé le même test. L'échelle SCL-90-R, traduite et adaptée en langue française par Fortin et Coutu-Walkulczyk (1989), a été utilisée auprès de femmes francophones provenant de la population des femmes du Grand Montréal. Les résultats d'une première validation ont démontré des scores un peu plus élevés à plusieurs dimensions de l'échelle comparativement aux normes établies auprès de groupes de sujets américains comparables. Les résultats de l'étude ont pu être comparés à une norme en vigueur, puisque la version originale de l'échelle SCL-90-R a été largement utilisée auprès de différentes populations.

Les échelles de référence s'appliquent aussi aux mesures physiologiques, telles que le pouls, la tension artérielle, les tests sanguins, dont les lectures sont définies en fonction d'un groupe de comparaison déterminé par le sexe, l'âge, l'ethnie, etc.

L'échelle de référence critériée

L'échelle de référence critériée sert à déterminer si un individu a atteint le score qui correspond au critère de réussite à un test ou pour un ensemble de comportements donnés. Ici, l'intérêt porte sur l'atteinte du critère par l'individu et non sur la comparaison de celui-ci par rapport à d'autres. Si les comportements sont maîtrisés à un moment donné, l'individu a atteint son objectif, il est apte à entreprendre l'activité suivante, mais il n'est pas comparé à d'autres individus. La comparaison est faite entre le score obtenu et le critère de réussite. Avec la mesure critériée, la distribution des résultats suivra une courbe oblique, étant donné qu'il y a moins de variation dans ce cas que dans la mesure normative. Le critère prédéterminé peut être le niveau de connaissances par rapport à un certain contenu, un résultat obtenu à un test sanguin servant de base à un diagnostic, l'adoption d'un comportement précis, etc.

> L'échelle de référence critériée sert à déterminer si un individu a atteint le score qui correspond au critère de réussite à un test.

Dans la pratique clinique, les mesures critériées sont souvent utilisées pour déterminer l'habileté d'un individu à accomplir certaines tâches ou fonctions, telles que marcher une certaine distance au cours d'un processus de rétablissement. L'échelle de référence critériée s'applique bien en éducation, quand on désire évaluer le progrès de l'étudiant vers l'atteinte d'un niveau déterminé d'habileté ou de réussite aux examens scolaires (Waltz, Strickland et Lenz, 1991).

Le but des deux approches de la mesure étant différent, il est important de préciser celle qui sera utilisée dans une étude afin de choisir ou d'élaborer des instruments de mesure appropriés.

16.4

TYPES DE MESURE

En plus d'être définie selon les approches normative ou critériée, la mesure peut l'être aussi de façon quantitative ou qualitative.

La mesure quantitative

La mesure quantitative consiste à assigner des valeurs numériques aux objets ou événements selon certaines règles de mesure ou de correspondance. La règle de mesure détermine soit des quantités, soit des degrés, soit des gradations, ou encore l'étendue des observations. Par exemple, un ruban à mesurer est une règle de mesure qui permet de représenter la taille d'une personne, une distance; le pèse-personne sert à représenter le poids d'une personne.

Autrement dit, la règle de mesure permet de déterminer si la caractéristique est présente et à quel degré ? La figure 16.2, adaptée de Woods et Catanzaro (1988), montre un ensemble d'individus (A) et un ensemble de scores liés à la dépression (B). On admet que chaque sujet de l'ensemble A est déprimé ou non déprimé. Les sujets déprimés reçoivent la valeur 1 de l'ensemble B et les sujets non déprimés reçoivent la valeur 0. Si les sujets 1, 3 et 4 sont déprimés, l'application de la règle de correspondance pour l'ensemble A fournit les relations présentées à la figure 16.2. Les sujets 2, 5, 6 et 7 ne sont pas déprimés et reçoivent la valeur 0. Si on utilise une échelle en cinq points, passant de « fortement d'accord » à « fortement en désaccord » pour mesurer les croyances en matière de santé de sujets diabétiques, les résultats ressembleraient à ceux de la figure 16.3.

La mesure qualitative

La mesure qualitative est un processus de classification qui consiste à assigner des nombres à des catégories pour représenter des variations du

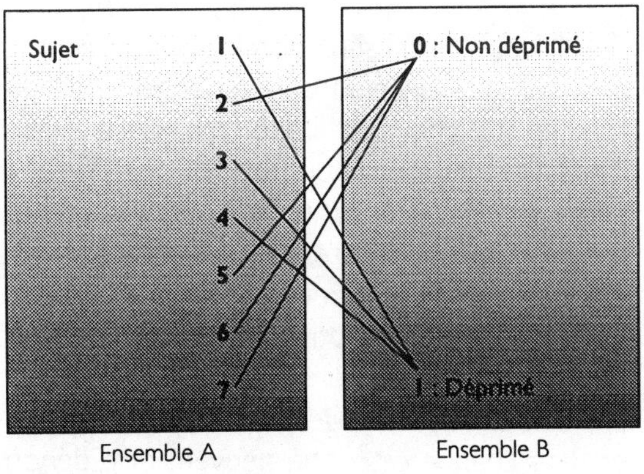

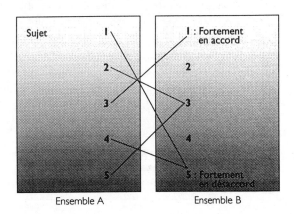

FIGURE 16.2
Les sujets 1, 3 et 4 sont déprimés (1).
Les sujets 2, 5, 6 et 7 ne sont pas déprimés (0).

FIGURE 16.3
Les sujets 1 et 4 sont les plus en désaccord, le sujet 3, le plus en accord, et les sujets 2 et 5 présentent des valeurs intermédiaires.

concept étudié. Les principales caractéristiques d'un système de classification sont les suivantes :

— les catégories doivent être exhaustives, c'est-à-dire qu'elles doivent contenir toutes les observations possibles;

— les catégories doivent être mutuellement exclusives, c'est-à-dire que les observations doivent être contenues dans une seule catégorie;

— le système de catégorisation doit suivre un principe de classement, c'est-à-dire qu'il doit correspondre à la nature des événements à classer;

— les catégories doivent toutes être formulées au même niveau d'abstraction.

Les mesures quantitatives et qualitatives, parce qu'elles soutiennent différentes perspectives, présentent des différences. Par exemple, bien que les deux approches aient pour but de mieux comprendre les phénomènes, le chercheur qui utilise l'approche quantitative cherche à mieux comprendre le phénomène de l'extérieur, c'est-à-dire de façon objective, alors que le chercheur en recherche qualitative est principalement intéressé à comprendre le phénomène du point de vue du participant. Parmi d'autres différences entre les deux approches, mentionnons le caractère structuré de l'approche quantitative, comparativement à la flexibilité et au caractère exploratoire de l'approche qualitative.

16.5

ÉCHELLES DE MESURE

Le système de classification des échelles de mesure servant à représenter un ordre hiérarchique des divers types de mesure a été établi par Stevens en 1946. Les échelles de mesure se ré-

fèrent à la classification de la mesure selon que les scores obtenus reflètent une catégorie (qualité) ou une valeur numérique (quantité). Les quatre échelles de mesure sont, dans l'ordre croissant de précision : 1) nominal, 2) ordinal, 3) à intervalles, 4) de rapport ou de proportion.

1) ÉCHELLE DE MESURE NOMINALE

L'échelle de mesure nominale est utilisée pour l'attribution de nombres à des éléments pour représenter des catégories mutuellement exclusives et exhaustives. Ici, les nombres n'ont aucune valeur quantitative : ils sont là pour représenter des catégories ou des classes différentes. Tous les éléments d'une catégorie sont traités de façon similaire. Par exemple, un groupe d'étudiants peut être divisé en catégories selon le sexe : 1 = masculin, 2 = féminin, ou selon la nationalité : 1 = canadien, 2 = espagnol, 3 = autre. Les deux conditions requises pour la constitution d'une échelle nominale sont les suivantes : 1) les catégories doivent être exhaustives, c'est-à-dire que chaque élément à classer doit appartenir à une catégorie; 2) les catégories doivent être mutuellement exclusives, c'est-à-dire que les éléments ne peuvent être classés dans plus d'une catégorie.

L'échelle de mesure nominale représente le degré le plus élémentaire des échelles de mesure. Le chercheur est limité en ce qui concerne l'utilisation des statistiques avec ce type d'échelle, parce que les nombres utilisés dans l'échelle nominale ne peuvent être traités de façon mathématique. L'échelle nominale permet l'utilisation de statistiques descriptives, telles que les distributions de fréquence, les pourcentages et les corrélations de contingence. Les éléments répartis dans chaque catégorie peuvent être dénombrés et on peut formuler des énoncés relatifs à leur fréquence d'apparition dans chaque classe (Polit et Hungler, 1995). Par exemple, dans un échantillon de 90 sujets, on peut retrouver

40 hommes et 50 femmes; ainsi nous pourrons dire que 44,5 % de l'échantillon est constitué d'hommes et 55,5 % de femmes. Dans ce dernier cas, un test de chi carré (χ^2) pourrait nous indiquer si cet échantillon est tiré d'une population normale qui compte 50 % d'hommes et 50 % de femmes (loi de Hensell).

2) ÉCHELLE DE MESURE ORDINALE

Dans l'échelle ordinale, des nombres sont assignés à des éléments selon leur valeur relative pour représenter un ordre de grandeur. Cet ordre de grandeur ne signifie pas que les intervalles entre les catégories sont égaux, mais bien que les catégories sont ordonnées en plus d'être différentes. Ainsi, si X, Y, Z sont trois catégories, on pourra dire que X est plus grand que Y et Y est plus grand que Z, mais on ne sait pas de combien. Les niveaux de scolarité sont souvent représentés sous forme d'échelle ordinale. Par exemple, le nombre 1 peut indiquer qu'un individu n'a pas terminé les études primaires; le nombre 6 peut indiquer qu'un individu a terminé des études uni-

versitaires. Les catégories de l'échelle ordinale sont mutuellement exclusives et exhaustives.

L'échelle ordinale ne permet pas le calcul de la moyenne. Des auteurs (Burns et Grove, 1993) rapportent la controverse entre deux écoles de pensée, celles des fondamentalistes et des pragmatiques, au sujet de l'association traditionnelle entre les niveaux de mesure et certaines opérations statistiques. Pour les premiers, les analyses statistiques sont tributaires des niveaux de mesure. Ce qui signifie que, selon eux, les données ordinales obtenues à l'aide de l'échelle de Likert ne peuvent être traitées au niveau de mesure à intervalles parce qu'il n'y a pas égalité entre les intervalles, donc les statistiques paramétriques ne peuvent être utilisées dans ce cas. Pour les pragmatiques, les statistiques paramétriques peuvent malgré tout être utilisées parce qu'avec plusieurs données ordinales, comme dans les échelles de type Likert, il y a présence d'un continuum sous-jacent d'intervalles. Comme ces échelles produisent des scores, des statistiques plus poussées peuvent être utilisées. C'est cette dernière orien-

TABLEAU 16.1

Échelles de mesure.

NIVEAU	DESCRIPTION
Échelle de mesure nominale	Permet de ranger les sujets, événements ou objets par catégories. Consiste à assigner des nombres sans valeur numérique, c'est-à-dire qui ne peuvent être additionnés ou mis en rang de grandeur.
Échelle de mesure ordinale	Les sujets, événements ou objets sont classés selon un ordre de grandeur. Les nombres indiquent le rang, non des quantités numériques absolues. Comme tels, les nombres ne peuvent être additionnés ou soustraits.
Échelle de mesure à intervalles	Les intervalles entre les nombres sont considérés comme égaux. Ils peuvent être additionnés et soustraits. Il ne s'agit pas ici de nombres absolus puisque le calcul se fait à partir d'un zéro arbitraire.
Échelle de mesure de rapport ou de proportion	L'échelle a un zéro absolu qui a une signification empirique. Les nombres sur l'échelle représentent la quantité réelle de la caractéristique mesurée. Les nombres peuvent être soumis à toutes les opérations mathématiques.

tation qui prévaut dans la plupart des décisions concernant le calcul des scores.

3) ÉCHELLE DE MESURE À INTERVALLES

En plus de posséder les caractéristiques des échelles décrites précédemment, l'échelle à intervalles exige que les nombres assignés aux éléments soient espacés à intervalles égaux relativement à l'ampleur du phénomène observé. Les échelles à intervalles assurent des valeurs continues. Toutefois, il ne s'agit pas de quantités absolues à cause de l'absence d'un point zéro sur l'échelle à intervalles. La température est un bon exemple d'une échelle à intervalles. Une température de 40 degrés n'est pas deux fois plus élevée qu'une température de 20 degrés, parce que le degré 0 n'indique pas l'absence de température, c'est un zéro arbitraire. Les échelles à intervalles offrent des possibilités statistiques plus grandes que l'échelle ordinale. Les opérations mathématiques d'addition et de soustraction sont possibles.

4) ÉCHELLE DE MESURE DE RAPPORT OU DE PROPORTION

L'échelle de rapport est le niveau le plus élevé de la mesure. Elle possède toutes les caractéristiques des échelles précédentes, mais en plus, elle possède un zéro absolu, qui correspond à l'absence du phénomène. Une personne peut être deux fois plus grande qu'une autre; un objet peut n'avoir aucune des propriétés mesurées, par exemple n'avoir aucun revenu. Toutes les opérations mathématiques peuvent être appliquées à l'échelle de rapport. Le volume, la durée, le poids sont couramment mesurés par l'échelle de rapport ou de proportion.

16.6

ERREURS DE MESURE

L'erreur est inhérente à toute opération de mesure. Réduire le nombre d'erreurs causées par un instrument de mesure accroît sa fidélité. La façon d'utiliser un instrument de mesure est aussi importante pour assurer la validité des résultats de l'étude que le choix de l'instrument. Il faut considérer les sources de variation dans la mesure des scores et recourir à des stratégies pour réduire au minimum l'erreur de mesure. Il existe deux types d'erreur de mesure : l'erreur aléatoire et l'erreur systématique. Considérons d'abord les composantes d'un score donné par un instrument de mesure.

La théorie de la mesure sous-tend que toute forme de mesure contient des erreurs aléatoires (Talbot, 1995). Selon cette théorie, le score obtenu à l'aide d'un instrument de mesure inclut trois composantes : le score observé (O), le score authentique (A) et l'erreur (E). L'équation théorique est la suivante :

$$O = A + E$$

Le score authentique (A) est celui que l'on obtiendrait en l'absence de l'erreur; comme l'erreur (E) existe, on ne connaît jamais le score authentique. Le score observé (O) correspond à la valeur obtenue par le chercheur quand il utilise l'instrument auprès de sujets. Puisque le score authentique n'est jamais connu, il résulte que l'erreur de mesure n'est jamais connue, mais peut être estimée. Plus l'erreur de mesure est petite, plus le score observé s'approche du score authentique.

Au cours de la prise des mesures, plusieurs facteurs ont pu affecter les résultats, en dépit des efforts du chercheur pour contrôler la situation. L'erreur de mesure existe dans les mesures directes comme dans les mesures indirectes. Les mesures directes, que l'on considère comme plus précises, peuvent être sujettes à erreur. Par exemple, un pèse-personne peut être mal ajusté, de sorte que des mesures répétées donnent des valeurs différentes; un sphygmomanomètre peut être mal calibré et produire des lectures différentes pour un même sujet. Les mesures indirectes peuvent aussi inclure des erreurs. Par exemple, quand on mesure un aspect d'un concept (anxiété, estime de soi), il est probable que d'autres facettes, qui ne font pas partie de l'aspect du concept à l'étude, soient aussi mesurées.

Erreurs aléatoires

Plusieurs facteurs tenant du hasard peuvent entrer en jeu au cours de la mesure. On entend par erreurs aléatoires celles qui se produisent pendant la collecte des données. Ces erreurs peuvent être attribuables à des facteurs personnels et transitoires, tels que la fatigue, l'humeur, la faim, etc.; des facteurs situationnels, comme la chaleur, les distractions, la présence d'autres personnes; des variations dans la façon d'utiliser les instruments de mesure, telles que l'ajout ou la soustraction des questions, l'emploi de différentes personnes pour mener l'entrevue; des fautes dans l'enregistrement des données, au cours du codage, de l'entrée des données à l'ordinateur.

Erreurs systématiques

Les erreurs systématiques sont celles qui peuvent s'introduire de façon systématique au cours de l'opération de mesure. Par exemple, les facteurs personnels constants : l'intelligence, la scolarité, les traits de caractère des sujets. Parmi les facteurs constants, il y a la désirabilité sociale, c'est-à-dire la tendance des participants à donner une impression favorable d'eux-mêmes. Les facteurs constants ont un effet direct sur la fidélité et la validité des instruments de mesure. Le chercheur doit raffiner les instruments de mesure de manière à réduire au minimum l'erreur systématique et utiliser des outils additionnels pour mesurer les concepts.

16.7

LA FIDÉLITÉ ET LA VALIDITÉ DES INSTRUMENTS DE MESURE

La fidélité et la validité sont des caractéristiques essentielles qui déterminent la qualité de tout instrument de mesure. La fidélité et la validité des instruments s'évaluent en degrés et non par la présence ou l'absence de l'une et l'autre caractéristique. La fidélité est un préalable à la validité, c'est-à-dire que si un instrument de mesure ne donne pas des scores ou des valeurs constantes d'une fois à l'autre, il ne peut être utile pour atteindre le but proposé. Toutefois, la fidélité n'est pas une condition suffisante pour établir la validité. Un instrument peut mesurer un phénomène de façon constante et être invalide, c'est-à-dire qu'il ne mesure pas le phénomène que l'on veut mesurer (Waltz, Strickland et Lenz, 1991).

La notion de la validité ne s'applique pas également à toutes méthodes de collecte des données. Par exemple, l'usage du questionnaire, de l'entrevue ou de l'inventaire, qui a pour but de recueillir de l'information factuelle auprès des sujets, nécessite de vérifier la validité du contenu auprès d'experts. À cette fin, le chercheur a recours au jugement de spécialistes dans un domaine donné, afin de s'assurer que son instrument de mesure est représentatif du domaine qu'il cherche à évaluer. Par ailleurs, si le chercheur construit ou traduit une échelle de mesure, il devra vérifier la validité du contenu selon une approche objective de l'analyse des énoncés de l'échelle quant à la représentativité des énoncés servant à mesurer un concept. En outre, la validité des critères et la validité des construits peuvent aussi être examinées.

Il est important de ne pas tenir compte des concepts de fidélité et de validité uniquement dans le cas de nouveaux instruments de mesure, mais également dans le cas d'instruments traduits dans une autre langue ou utilisés auprès de populations différentes de celles pour qui l'instrument a été conçu. Notons que la fidélité a trait à l'évaluation du degré de corrélation d'un instrument de mesure avec lui-même, alors que la validité fait référence au degré de corrélation d'un instrument de mesure avec autre chose que l'instrument de mesure lui-même.

La fidélité

La fidélité, propriété essentielle des instruments de mesure, désigne la précision et la constance des résultats qu'ils fournissent. Une échelle de mesure est fidèle si elle donne des résultats comparables dans des situations comparables. Il s'agit de la notion de la reproductibilité des mesures. Il en est de même pour la mesure effectuée avec l'équipement et les instruments techniques : sa fiabilité dépend de la constance des résultats obtenus. Le terme « fidélité » s'applique généralement aux instruments de mesure pour désigner cette caractéristique; le terme « fiabilité » s'applique plutôt aux équipements et aux instruments techniques. Par exemple, si un individu se pèse plusieurs fois sur un même pèse-personne, il est normal de s'attendre à ce que son poids soit le même d'une fois à l'autre, si cet instrument technique est fiable. Quand on considère la fidélité d'un instrument de mesure, on s'intéresse aux erreurs aléatoires qui peuvent provenir de conditions temporaires chez l'individu ou des variations dans le temps de la façon d'employer l'instrument.

Puisque toutes les techniques de mesure contiennent une part d'erreur attribuable au hasard, la fidélité existe à des degrés variables et est exprimée sous la forme d'un coefficient de corrélation (*r*) variant sur une échelle de 0,00 pour l'absence de corrélation à 1,00 pour une corré-

lation parfaite. Chacune des façons d'estimer la fidélité vise un type différent d'information relative à la performance de l'instrument et à la capacité de contrôler l'erreur qui est exprimée dans le coefficient de fidélité. Si le coefficient s'approche de 1,00, l'instrument engendre peu d'erreurs et est dit « hautement fidèle ». Le contraire est vrai pour la corrélation à près de 0,00. D'après des ouvrages recensés (Nunally, 1967; Streiner et Norman, 1991), l'étendue acceptable pour les coefficients de fidélité se situe entre 0,70 et 0,90.

Il existe toujours une certaine variation dans la mesure. Lorsque les mesures sont effectuées auprès d'un échantillon de sujets, on peut s'attendre à trouver un certain degré de variation parmi ces mesures. Une partie de cette variation est due aux différences actuelles qui existent entre les sujets. L'autre partie de la variation observée est due au processus de mesure lui-même. Il serait important de suivre le déroulement du processus de la mesure de manière à distinguer la variance qu'on doit attribuer à l'erreur de mesure de celle provenant de la vraie différence qui existe entre les sujets.

La fidélité peut être estimée selon quatre moyens : 1) la stabilité, 2) la consistance interne, 3) l'équivalence et 4) l'harmonisation des mesures des différents observateurs. Les trois premiers moyens concernent les erreurs de mesure internes de l'instrument; la fidélité entre les mesures des observateurs se rapporte à l'erreur externe.

1) LA STABILITÉ

La stabilité d'un instrument de mesure est déterminée par la constance des réponses obtenues lors de prises répétées d'une mesure, effectuées dans les mêmes conditions, auprès des mêmes sujets. L'estimation de la stabilité d'un instrument de mesure à l'aide d'une technique et qui est appelée « test-retest » traduit le degré de corrélation des résultats obtenus à des moments différents dans les mêmes conditions de prise des mesures. Ce qui est recherché dans le « test-retest », c'est la stabilité du phénomène observé.

La détermination des intervalles de temps entre les mesures dépend des types de variables. Certains écrits suggèrent une période de deux à quatre semaines entre les prises de mesures. L'étude de ce type de fidélité – la stabilité – est plus appropriée pour apprécier la fidélité des traits stables. Le postulat à la base de la technique d'évaluation de la stabilité sous-entend que la caractéristique mesurée demeure constante toutes les fois qu'on la mesure. Un coefficient de stabilité élevé signifie que les mesures ont peu changé entre la première et la deuxième fois où l'on a fait passer le test, c'est-à-dire que l'instrument mesure la même caractéristique ou phénomène. Pour produire un coefficient de stabilité pour des données continues entre deux ensembles de scores, la corrélation de Pearson (r) est habituellement utilisée. Lorsque les données sont nominales ou ordinales, la corrélation par rang de Spearman-Brown est indiquée.

Pour évaluer la stabilité reliée à la fidélité, on applique un instrument de mesure auprès d'un échantillon précis à un moment précis et on l'applique de nouveau auprès de l'échantillon à un moment ultérieur ou à différents moments ultérieurs, selon le plan prévu.

2) LA CONSISTANCE INTERNE

La consistance interne correspond à l'homogénéité des énoncés d'un instrument de mesure. Elle s'estime par l'évaluation des corrélations ou de la covariance de tous les énoncés d'un instrument examinés simultanément. Cette opération indique comment chaque énoncé est relié aux autres énoncés de l'échelle. Plus les énoncés sont corrélés, plus grande est la consistance interne de l'instrument. L'estimation de la con-

sistance interne repose sur le postulat que l'instrument est unidimensionnel, c'est-à-dire qu'il mesure un seul concept. Pour l'examen de la consistance interne d'une échelle de mesure, le chercheur choisit de porter son attention sur une dimension ou un aspect à la fois. Les énoncés individuels peuvent être additionnés pour constituer un seul score, puisque tous les énoncés mesurent la même caractéristique à l'étude et sont de nature similaire (Green et Lewis, 1986). Les principales techniques pour apprécier la consistance interne sont : la fidélité moitié-moitié, le coefficient alpha de Cronbach, le coefficient Kuder-Richardson (KR-20) et la corrélation inter-énoncés.

La technique de la fidélité moitié-moitié. Pour le test de fidélité moitié-moitié, les énoncés sont divisés en deux moitiés, soit à l'aide d'une répartition aléatoire, soit à l'aide d'une répartition des énoncés pairs/impairs. Les deux moitiés sont présentées aux sujets et un coefficient de corrélation est calculé entre les deux moitiés. Si les scores des deux moitiés montrent une corrélation élevée, c'est un bon indice de la consistance interne de l'échelle de mesure. La formule de Spearman- Brown est souvent appliquée au coefficient de corrélation obtenu afin de compenser pour le nombre d'énoncés de l'échelle.

L'alpha de Cronbach. L'alpha de Cronbach est la technique la plus couramment utilisée pour estimer la consistance interne d'un instrument de mesure lorsqu'il existe plusieurs choix pour l'établissement des scores, comme dans l'échelle de Likert. Le calcul du coefficient alpha permet d'estimer jusqu'à quel point chaque énoncé de l'échelle mesure de façon équivalente le même concept. L'alpha est fonction du nombre d'énoncés d'une échelle. Le coefficient sera plus élevé si l'échelle comporte plusieurs énoncés. La valeur des coefficients varie de 0,00 à 1,00; la valeur la plus élevée dénote une plus grande consistance interne. L'alpha de Cronbach devrait être établi chaque fois qu'une échelle est utilisée.

La technique de Kuder-Richardson. La technique de Kuder-Richardson (KR-20) est utilisée pour estimer la consistance interne des énoncés entre eux, lorsque chaque énoncé ne comporte que deux réponses (vrai, faux), comme dans les échelles dichotomiques. Un point est assigné à la réponse correcte et zéro à la réponse incorrecte. Comme pour l'alpha de Cronbach, le coefficient de Kuder-Richardson varie entre 0,00 et 1,00.

La corrélation inter-énoncés. La corrélation inter-énoncés établit le degré de corrélation entre chaque énoncé individuel d'une échelle de mesure et le score total de la même mesure. Les corrélations inter-énoncés, comme l'alpha de Cronbach, sont fonction du degré d'interrelation de tous les énoncés d'une échelle mesurant un seul concept. Les corrélations indiquent dans quelle mesure les énoncés individuels sont associés au score total. Les corrélations interénoncés fournissent un coefficient pour la corrélation entre chaque énoncé de l'échelle et le score total. L'analyse des facteurs est la technique habituellement utilisée pour la corrélation inter-énoncés.

3) L'ÉQUIVALENCE

L'équivalence fait référence au degré de corrélation entre deux versions ou formes parallèles d'un instrument. Ces formes parallèles sont conçues pour éviter l'effet d'apprentissage. Les versions ou formes parallèles doivent être équivalentes. Un coefficient d'équivalence est établi en corrélant les scores des deux formes parallèles d'un instrument de mesure.

4) L'HARMONIE INTERJUGES

L'harmonie entre les jugements des observateurs revêt une grande importance dans toute situation de recherche où l'observation est utili-sée pour la collecte des données ou pour juger d'une situation. L'harmonie entre les observateurs, ou harmonie interjuges, se réfère au degré de concordance entre les résultats de deux observateurs indépendants ou plus qui ont utilisé les mêmes instruments de mesure auprès des sujets ou observé et enregistré le même événement. Il peut s'agir aussi d'un même observateur qui observe et enregistre un événement à deux occasions. Le pourcentage de concordance interjuges reflète le degré de concordance entre les estimations des observateurs ou les scores plutôt que l'exactitude de l'instrument lui-même. Dans ce sens, la fidélité entre les observateurs a trait à l'erreur externe, c'est-à-dire celle qui provient de la faillibilité de l'observation humaine. Le pourcentage de concordance interjuges indique l'étendue de l'erreur introduite dans le processus d'observation à cause des différences de perception des individus et dans le plan de codage.

La fidélité interjuges peut être estimée de deux façons : 1) en calculant la proportion des jugements attribués aux mêmes catégories par les mêmes évaluateurs, ce qui fournit un pourcentage de concordance, lequel est habituellement établi entre 80 et 100 %. Si les évaluations des observateurs sont significativement différentes les unes des autres, on peut conclure que les observateurs ne sont pas suffisamment formés pour accomplir cette tâche ou que l'objet d'observation n'est pas défini de façon assez précise pour permettre aux observateurs d'observer le même phénomène; 2) en corrélant les résultats fournis par les observateurs pour chaque énoncé à l'aide de la statistique kappa, qui produit un coefficient de corrélation. La statistique kappa (Cicchetti et Fleiss, 1977) est calculée à l'aide de la formule

$$K = \frac{P_o - P_c}{1 - P_c}$$

TABLEAU 16.2

Caractéristiques des types de fidélité.

TYPE	DESCRIPTION	TECHNIQUE
Stabilité (« test-retest »)	Consistance des traits stables dans le temps	Utilisation du même instrument auprès des mêmes sujets à différents moments
Consistance interne	Homogénéité des énoncés d'un instrument mesurant un seul concept	
• moitié-moitié	Comparabilité des corrélations entre les deux moitiés d'un instrument	Division en deux moitiés des énoncés d'un instrument et utilisation de chaque moitié auprès des sujets
• alpha de Cronbach	Vérification du fait que chaque énoncé de l'échelle mesure le même concept	Évaluation des corrélations entre les énoncés après l'utilisation de l'échelle
• Kuder-Richardson	Degré de corrélation entre les énoncés dichotomiques	Évaluation du degré de corrélation entre les énoncés dichotomiques après l'utilisation de l'échelle
• corrélation inter-énoncés	Degré de corrélation entre les énoncés et le score total	Évaluation du degré de corrélation entre chaque énoncé et le score total après l'utilisation de l'échelle
Équivalence	Comparabilité de deux mesures parallèles prises au même moment	Utilisation de formes parallèles d'un instrument auprès des mêmes individus au même moment
Fidélité interjuges	Degré de concordance entre des observateurs indépendants mesurant le même phénomène	Estimation en pourcentage du degré de concordance entre des juges ou observateurs

où P_o est la proportion de concordance observée entre les scores et P_c est la proportion de concordance attendue par chance seulement. L'étendue de la corrélation s'établit à 0,00 pour l'absence de concordance et 1,00 pour la concordance parfaite.

Pour l'interprétation de l'étendue de la concordance d'après les valeurs statistiques kappa obtenues, Landis et Koch (1976) considèrent qu'un coefficient de corrélation entre 0,61 et 0,80 est acceptable. Cette indication, bien qu'arbitraire, permet d'estimer la supériorité des valeurs de kappa dans l'interprétation des résultats (Fortin, 1979).

La validité

La validité d'un instrument de mesure démontre jusqu'à quel point l'instrument ou l'indicateur empirique mesure ce qu'il devrait mesurer. La validité a trait à l'exactitude avec laquelle un concept est mesuré. En d'autres mots, la validité correspond au degré de précision avec lequel les concepts à l'étude sont représentés par des énoncés spécifiques d'un instrument de mesure. La validité dépend de l'erreur systématique, représentée surtout par des facteurs personnels qui sont constants chez les participants. La validité peut être estimée de différentes façons; on peut estimer notamment 1) la validité du contenu, 2) la validité des critères et 3) la validité des construits.

1) LA VALIDITÉ DU CONTENU

La validité du contenu se réfère à la représentativité de l'ensemble d'énoncés qui constituent le concept à mesurer. Est-ce que l'instrument de mesure et les énoncés qu'il contient représentent adéquatement le concept ou le domaine étudié ? Pour établir la validité du contenu, les énoncés doivent être choisis à partir d'un domaine bien défini ou d'un cadre théorique. De plus, l'échantillon d'énoncés de ce domaine doit être suffisamment large et représentatif pour permettre des inférences (Bolton, 1976). La validité du contenu est directement liée à la conceptualisation et à la définition d'un construit. Par exemple, en définissant le construit « soutien social », il est nécessaire de spécifier les dimensions envisagées pour l'étude et quels sont les comportements qui précisent le construit « soutien social ». Par la suite, il faut préciser l'univers des situations dans lesquelles le soutien social peut être perçu ou mesuré.

Green et Lewis (1986) définissent cinq étapes pour établir la validité du contenu d'une échelle de mesure : 1) la recension des écrits existant dans le domaine; 2) les réflexions personnelles sur la signification du concept; 3) l'identification des composantes du concept et leur utilisation dans d'autres travaux; 4) l'identification des énoncés; et 5) les analyses empiriques des énoncés par l'étude des relations entre eux. Cette approche s'appuie sur le cadre théorique qui prévaut au moment de la conception de l'instrument de mesure. Une autre approche, fréquemment utilisée, consiste à recourir à des experts pour juger du choix des énoncés d'un instrument de mesure à caractère factuel.

Deux types de validité du contenu sont basés sur le jugement des pairs : la validité nominale et la validité par consensus. L'établissement de la validité nominale est le processus par lequel un expert juge de la validité d'un instrument de mesure en évaluant si les énoncés semblent correspondre aux caractéristiques à mesurer. Ce type d'évaluation est habituellement de nature qualitative et ne représente pas vraiment une preuve de la validité du contenu d'un instrument de mesure.

Le jugement d'experts est fréquemment utilisé pour appuyer la validité du contenu. Dans ce cas, un panel d'experts juge de la validité du contenu d'un instrument de mesure en examinant dans quelle mesure l'instrument traduit le phénomène que l'on veut mesurer. Ces jugements peuvent être quantifiés par les juges, qui devront noter la pertinence de chaque énoncé ou question comme partie intégrante du domaine et comme composante représentative du concept à l'étude. Un pourcentage de concordance entre les juges est calculé. Le chercheur doit fournir au préalable une définition détaillée du concept ou du domaine à l'étude et préciser les méthodes d'échantillonnage utilisées pour représenter les énoncés.

2) LA VALIDITÉ LIÉE À UN CRITÈRE

La validité liée à un critère représente le degré de corrélation entre un instrument de mesure ou une technique et une autre mesure indépendante servant de critère et susceptible de porter sur le même phénomène ou concept. On donne le nom de critère à la deuxième mesure qui sert à évaluer le même concept et à déterminer le degré de corrélation.

Les deux formes de validité liée à des critères sont la validité concomitante et la validité prédictive. La validité concomitante représente le degré de corrélation entre deux mesures du même concept, prises en même temps auprès des sujets : par exemple, l'utilisation simultanée de deux échelles mesurant la santé mentale, l'échelle SCL-90-R et l'échelle MMPI. La validité concomitante s'exprime par un coefficient de corrélation. Un coefficient élevé suggère que les deux instruments mesurent la même chose. L'instrument peut aussi être comparé à des données

TABLEAU 16.3

Caractéristiques des types de validité.

TYPE	DESCRIPTION	NATURE DE LA RELATION
Validité du contenu	Relation logique des éléments par rapport à un concept ou un domaine de contenu prédéterminé	Entre les énoncés et les objectifs ou le contenu de l'échelle
Validité liée à un critère	Relation empirique entre les mesures et les critères	
• validité concomitante	Un coefficient de corrélation entre les mesures et des mesures valides existantes	Entre deux mesures indépendantes d'une caractéristique prises au même moment
• validité prédictive	Un coefficient de corrélation entre les mesures actuelles et les mesures prises ultérieurement	Entre deux mesures indépendantes d'une caractéristique, l'une prise à un moment et l'autre à une date ultérieure
Validité des construits	Interprétation et utilisation appropriées d'un ensemble de scores et capacité de l'échelle à fournir une mesure significative d'un construit	Entre une échelle et différentes méthodes utilisées pour évaluer les mêmes construits et des construits différents

cliniques. La validité liée à des critères peut également être exprimée par la sensibilité et la spécificité des instruments de mesure. La sensibilité désigne la proportion des sujets correctement classifiés par la mesure ou le test qui vise à identifier une maladie. La spécificité représente la proportion des sujets sains ainsi classifiés par la mesure.

La validité prédictive représente le degré de corrélation entre une mesure d'un concept et une mesure ultérieure du même concept ou d'un concept intimement lié. C'est la possibilité qu'offre un instrument de prévoir une évolution ou un état ultérieur (T_2) à partir du résultat actuel (T_1) obtenu avec ce même instrument de mesure. Par exemple, prévoir l'évolution d'un traitement ou déterminer les personnes qui répondront le mieux à un traitement. En éducation, les scores obtenus à un test d'aptitudes par des étudiants à leur entrée dans un programme d'études peuvent servir à prédire leur degré de succès futur (critère). Le coefficient de corrélation

rend compte de l'adéquation entre la prévision et le résultat.

3) LA VALIDITÉ DES CONSTRUITS (STRUCTURE CONCEPTUELLE)

Établir la validité des construits correspond au fait de valider la structure théorique sous-jacente à l'instrument de mesure et de vérifier des hypothèses d'association. Le point central de l'établissement de la validité d'un construit repose sur le concept abstrait qui est mesuré et sa relation avec d'autres concepts. C'est un long processus, qui exige plusieurs épreuves avant que la validité du construit soit confirmée. Certains auteurs mentionnent trois parties dans le processus de validation des construits : 1) identifier des concepts qui pourraient expliquer le rendement d'un test; 2) extraire des hypothèses de la théorie sous-jacente au concept; et 3) conduire une étude afin de vérifier les hypothèses formulées (Thorndike et Hagen, 1977; Cronbach, 1971, 1984; Kerlinger, 1986 et Nunally, 1978). Les deux principales approches pour évaluer la validité des construits sont l'étude par la convergence et l'étude par la différenciation.

Pour établir la validité par convergence, différentes mesures d'un même construit sont prises auprès des sujets. Les analyses de corrélation effectuées sur ces mesures doivent produire des résultats similaires, c'est-à-dire converger dans la même direction. Pour établir la validité par différenciation, des mesures reliées au concept à l'étude sont prises auprès des sujets. On évalue la capacité de l'instrument de mesure à différencier le construit mesuré des autres construits qui lui sont similaires. Il existe plusieurs façons de vérifier la validité par convergence et par différenciation : l'approche du groupe contraste, l'approche « multitrait-multiméthode » et l'analyse factorielle sont parmi les moyens les plus utilisés.

L'approche « multitrait-multiméthode » est basée sur les concepts de convergence et de différenciation. Ainsi, la recherche inclut deux concepts différents ou plus (ex.: anxiété et bien-être) qui doivent se différencier l'un de l'autre dans les analyses. La recherche doit inclure des façons différentes de mesurer un concept et les résultats doivent fournir des corrélations élevées entre les différentes mesures servant à évaluer le concept sous-jacent, ce qui permet d'établir la validité par convergence (Campbell et Fiske, 1959). Pour ce qui est de l'établissement de la validité par différenciation, des corrélations faibles ou négatives doivent résulter des différentes mesures indépendantes.

L'approche par les groupes contrastes consiste à identifier des groupes de sujets qui devraient obtenir des scores significativement différents avec un instrument de mesure donné.

L'analyse factorielle consiste à déterminer des corrélations entre les énoncés et les groupes d'énoncés pour en dégager des facteurs qui expliquent ces corrélations. Selon Green et Lewis

(1986), les énoncés désignés pour mesurer le même construit sous-jacent devraient converger et obtenir une corrélation assez importante ($r = 0,35$) sur un facteur et non sur les autres facteurs. L'examen des énoncés se rapportant à chacun des facteurs permet de définir les facteurs en cause dans la situation et leur degré de concordance en regard du cadre théorique.

La figure 16.4 illustre la notion de validité à l'aide de l'instrument A_1, qui sert à mesurer le concept A. Lorsque la mesure du concept s'améliore, la validité s'améliore également. L'étendue dans laquelle l'instrument mesure d'autres énoncés que le concept lui-même s'appelle l'erreur systématique, qui est illustrée aussi sur la figure 16.4. Au fur et à mesure que l'erreur systématique diminue, la validité augmente.

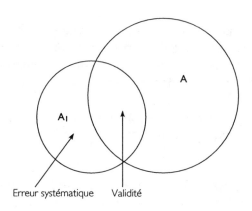

FIGURE 16.4

Illustration de la notion de validité d'un instrument de mesure.

16.8

TRADUCTION, ADAPTATION ET VALIDATION DES INSTRUMENTS DE MESURE

La traduction des énoncés constitutifs des échelles de nature psychosociale a pour but de permettre aux participants d'exprimer dans leur propre langue les nuances de certaines caractéristiques, telles que l'humeur, les sentiments, etc., de manière qu'elles soient équivalentes aux états psychologiques rapportés dans la langue originale (Hulin, 1987). La technique habituellement utilisée pour s'assurer d'une bonne traduction est la retraduction ou méthode inversée. Elle consiste à faire une première traduction des énoncés de l'échelle de la langue originale vers la langue française. La version française est ensuite retraduite dans la langue originale par un traducteur indépendant. Les deux versions (originale et retraduite) sont ensuite comparées, corrigées et retraduites jusqu'à ce que les deux versions atteignent un degré élevé de perfection ou de satisfaction (Haccouin, 1987; Vallerand, 1989). Toutefois, la qualité finale de la traduction repose sur un certain nombre de facteurs qui se rapportent aux chercheurs, aux traducteurs et aux contextes d'utilisation. Plus importante encore est la notion d'équivalence, qui peut revêtir différentes connotations, de sorte que la traduction inversée n'est qu'une étape dans le processus d'adaptation et de validation. Hulin (1987) a démontré comment l'équivalence des énoncés et des échelles à travers les langues et les cultures doit satisfaire à des critères précis avant qu'on puisse comparer les scores obtenus avec les différentes versions des échelles.

Quand le chercheur choisit des échelles de mesure pour mesurer les variables de son étude, il doit se préoccuper d'en connaître la fidélité et la validité. Toute modification apportée à l'échelle originale validée peut affecter de façon importante la fidélité et la validité de cette mesure. De même, la traduction d'une échelle de mesure dans une autre langue vient altérer la fidélité et la validité de cette mesure. Les biais de traduction peuvent être limités par la méthode de traduction inversée. L'utilisation d'une échelle auprès

d'une population cible différente de celle visée au moment de la conception de l'échelle peut aussi entraîner des changements dans la fidélité et la validité.

16.9

INTERPRÉTATION DES COEFFICIENTS DE CORRÉLATION

Un certain nombre de facteurs doivent être considérés quand on interprète des coefficients de fidélité. Selon Green et Lewis (1986), plus un groupe est hétérogène par rapport à la caractéristique mesurée, plus élevée sera la fidélité; plus il y a d'énoncés dans une échelle, plus élevée sera la fidélité; plus l'étendue des scores est grande, plus élevée sera la fidélité.

Les coefficients de fidélité sont d'importants indicateurs de la précision d'un instrument de mesure. Les travaux recensés (Nunally, 1967; Streiner et Norman, 1991) suggèrent qu'un coefficient devrait se situer autour de 0,7, s'il s'agit de nouvelles échelles, et de 0,8 et plus, dans le cas d'échelles bien rodées. Le coefficient standard s'établirait à 0,8 selon Nunally (1978). L'interprétation du coefficient de fidélité repose sur le degré de variabilité des scores entre les sujets qui possèdent plus ou moins la caractéristique à mesurer. La connaissance de la fidélité d'un instrument est utile non seulement pour l'interprétation des résultats, mais aussi pour suggérer des modifications à l'instrument de mesure. La fidélité des échelles de mesure est tributaire du nombre d'énoncés. L'ajout d'énoncés, dans certains cas, peut contribuer à améliorer la fidélité de l'instrument.

En ce qui a trait à l'interprétation de la validité, il faut se référer au degré de validité qu'un instrument de mesure possède et au type de validité examiné. La vérification de la validité d'un instrument de mesure n'est jamais « prouvée » en soi; ce sont les applications de l'instrument qui sont validées dans des contextes particuliers. Cependant, il existe des échelles normalisées qui sont le produit de tests de validité répétés auprès d'une variété d'échantillons.

16.10

LA FIDÉLITÉ ET LA VALIDITÉ EN RECHERCHE QUALITATIVE

Les méthodes et techniques d'appréciation décrites précédemment s'appliquent aux instruments de mesure structurés qui fournissent des scores. Ces méthodes, pour la plupart, ne peuvent être appliquées dans les approches qualitatives, telles que pour les entrevues non structurées ou les descriptions narratives tirées de l'observation participante. Toutefois, cela ne signifie pas que les chercheurs utilisant les approches qualitatives ne se préoccupent pas des concepts de fidélité et de validité. La question centrale concernant les deux concepts est la suivante : les données recueillies par le chercheur reflètent-elles la réalité, autrement dit sont-elles exactes ? Le chercheur en recherche qualitative doit se soucier de la qualité de ses données et faire en sorte que celles-ci reflètent l'état actuel des expériences humaines.

Il existe certaines stratégies suggérées par des auteurs en ce qui a trait à la fidélité et à la validité des données qualitatives. Denzin (1989) suggère d'utiliser la triangulation. La triangulation (discutée au chapitre 20) est une stratégie semblable à celle utilisée pour établir la validité par convergence en vue d'augmenter la précision de la mesure (Denzin, 1989; Mitchell, 1986). C'est une combinaison de théories, de méthodes, de sources de données et d'investigateurs employés pour l'étude d'un même phénomène. L'utilisation de la triangulation fournit une base à la convergence

et à l'atteinte de la plus grande exactitude possible. Miles et Huberman (1984) ont décrit un certain nombre de stratégies permettant d'examiner la validité des mesures qualitatives; entre autres, la vérification de la représentativité, les effets du chercheur, la triangulation, le poids de la preuve, les comparaisons, l'utilisation de cas extrêmes. L'utilisation d'une combinaison de mesures fournit une image plus complète du construit à l'étude que l'utilisation d'une seule mesure (Denzin, 1989).

16.11

RÉSUMÉ

La mesure joue un rôle fondamental dans le processus de la recherche, puisqu'elle fournit les moyens de répondre aux questions de recherche ou aux hypothèses formulées. Mesurer consiste à assigner des nombres à des objets ou événements selon certaines règles, de telle sorte que la valeur que possède un attribut soit représentée. Les valeurs assignées aux objets ou événements peuvent être des valeurs numériques ou catégorielles. Une composante importante de la mesure est l'instrumentation. Elle consiste en l'application de règles pour l'élaboration d'instruments de mesure. Les deux principales approches de la mesure sont l'échelle de référence normative et l'échelle de référence critériée. Le but de l'échelle de référence normative est de montrer comment des scores individuels se comparent aux scores d'un groupe de référence. L'échelle de référence critériée sert à évaluer si un individu a atteint le score qui correspond au critère de réussite à un test ou pour un ensemble de comportements. Comme les deux approches sont différentes, il est important de préciser celle qui sera utilisée et d'élaborer des instruments de mesure appropriés.

Lorsqu'on mesure des concepts, il faut considérer les niveaux d'abstraction. Peu de concepts peuvent être mesurés directement, alors que d'autres nécessitent l'utilisation d'indicateurs pour représenter le concept abstrait. Pour être mesurés, les concepts abstraits doivent être définis de façon opérationnelle à partir des définitions conceptuelles. Il y a certaines étapes à suivre pour l'opérationnalisation des concepts.

La mesure peut être quantitative ou qualitative et il existe des échelles de mesure correspondants. Les quatre échelles de mesure sont, dans l'ordre croissant : 1) l'échelle de mesure nominale, qui sert à attribuer des nombres à des objets pour représenter des catégories mutuellement exclusives et exhaustives; 2) l'échelle de mesure ordinale, dans laquelle des nombres sont assignés à des objets pour représenter un ordre de grandeur; 3) l'échelle de mesure à intervalles, qui assure des valeurs continues, les nombres assignés étant espacés à intervalles égaux; 4) l'échelle de mesure de rapport, qui est le niveau le plus élevé de la mesure et qui possède, en plus des caractéristiques des échelles à intervalles, un zéro absolu pour représenter l'absence du phénomène. L'erreur de mesure est la différence entre ce qui existe en réalité et ce qui est mesuré par un instrument de mesure. L'erreur de mesure existe aussi bien dans les mesures directes que dans les mesures indirectes et elle peut être aléatoire ou systématique.

La fidélité et la validité des mesures sont des caractéristiques essentielles qui déterminent la qualité des instruments de mesure. La fidélité désigne la précision et la constance avec lesquelles les instruments de mesure fournissent des résultats comparables dans des situations comparables. Il existe quatre types de fidélité : la stabilité, la consistance interne, l'équivalence et la fidélité des mesures entre les observateurs. La validité d'un instrument de mesure démontre jusqu'à quel point l'instrument mesure ce qu'il prétend mesurer. Il existe un certain nombre de façons pour évaluer la validité. La validité du contenu s'observe si l'instrument de mesure est représentatif de l'ensemble d'éléments qui constituent le concept à mesurer. La validité des critères représente le degré d'association entre un instrument de mesure ou une technique et une autre mesure indépendante servant de critère pour mesurer le même concept. Établir la validité des construits correspond au fait de valider la structure théorique sous-jacente à l'instrument de mesure et de vérifier des hypothèses d'association;. il s'agit d'un long processus, qui exige plusieurs épreuves. Lorsqu'un instrument de mesure est traduit dans une autre langue, il perd de ses qualités. Il existe une technique, appelée la traduction inversée, qui permet de s'approcher le plus possible de la signification originale; cependant, l'équivalence des éléments demeure une difficulté à surmonter.

La fidélité et la validité dans les recherches qualitatives sont plus difficiles d'application. Certaines stratégies ont été suggérées pour augmenter la précision des données, entre autres la triangulation, la vérification de la représentativité, les effets du chercheur, les comparaisons. Le chercheur, en recherche qualitative, doit s'assurer que ses données sont exactes et qu'elles reflètent bien le point de vue des participants.

Références bibliographiques

BANDURA, C. A. (1977). *Social learning theory.* Englewoods Cliffs, N. J : Prentice-Hall Inc.

BOLTON, B. (1976). *Handbook of measurement and evaluation in rehabilitation.* Baltimore : University Park Press.

BURNS, N., GROVE, S. K. (1993). *The practice of nursing research : Conduct, critique and utilisation,* 2e éd. Philadelphia : W. B. Saunders Company.

CAMPBELL, D., FISKE, D. (1959). Convergent and discriminant validation by the multi-traiit-multi-method matric. *Psychology Bulletin,* n° 53, p. 273-302.

CICCHETTI, D.V., FLEISS, J. L. (1977). Comparaison of the null distribution of weighted kappa and the C ordinal statistics. *Applied Psychological Measurement,* n° 1 (2), p. 195-201.

CRONBACH, L. J. (1971). *Test validation in educational measurement.* R. L. Thorndike (Éd.), 2e éd. Washington, D. C. : American Council of Education.

CRONBACH, L. J. (1984). *Essentials of phychological testing,* 4e éd. New York Harper et Row.

DENZIN, N. K. (1989). *The research act,* 3e éd. New York : McGraw-Hill.

DEROGATIS, L. R. (1977). *SCL-90-R (Revised) Version administration, scoring and procedures, Manual 1.* John Hopkins University School of Medicine.

ENGELSMANN, F. (1982). Design of psychometric instruments : Item construction, scaling, reliability and validity, norms. In E. I Burdock, A. Sudilovsky and S. Gershon (Éd.) *The behavior of Psychiatric Patients,* p. 9-26.

FAWCETT, J., DOWNS, F. S. (1992). *The relationship of theory and research,* 2e éd. Norwalk, CT : Appleton-Century-Crofts.

FORTIN, M. F. (1979). *Validation empirique d'une mesure de fonctionnement social.* Thèse de doctorat non publiée. Montréal : Université McGill, département d'épidémiologie et statistiques.

FORTIN, M. F., COUTU-WAKULCZYK, G. ET ENGELSMANN, F. (1989). Contribution to validation of the SCL-90-R. In French speaking women. *Health Care for Women International,* n° 11 (1), p. 15-27.

GREEN, L., LEWIS, F. (1986). *Measurement and evaluation in health education and health education and health promotion.* Palo Alto, CA : Mayfield

Haccouin, R. H. (1987). Une nouvelle technique de vérification de l'équivalence de mesures psychologiques traduites. Revue québécoise de psychologie, vol. 8, no 3, p. 30-39.

HULIN, C. L. (1987). A psychometric theory of evaluations of item and scale translations : Fidelity across languages. *Journal of Cross-Cultural Psychology,* n° 18 (2), p. 115-142.

KERLINGER, F. N. (1973). *Foundations of behavioral research,* 2e éd. New York : Holt, Rinehart and Winston, Inc.

KERLINGER, F. N. (1986). *Foundations of behavioral research,* 3e éd. New York : Holt Rinehart and Winston, Inc.

LANDIS, J. R., KOCH, G. G. (1976). The measurement of observer agreement for categorical data. *Biostatistics Technical Report,* n° 11. Michigan : Department of Biostatistics, University of Michigan.

MCMILLAN, J. H., SCHUMACHER, S. (1989). *Research in education : A conceptual introduction.* Glenview, Il. : Scott, Foresman and Company.

MARGENAU, H. (1972). The method of science and the meaning of reality. In : H. Margenau (Éd.), *Integrative principles of modern thought.* New York : Gordon and Breach.

MILES, M. B., HUBERMAN, A. M. (1984). *Qualitative data analysis : A sourcebook of new methods.* Beverly Hills, CA : Sage.

MITCHELL, E. (1986). Multiple triangulation : A methodology for nursing science. *Advances in nursing science*, n° 8 (3), p. 18-26.

NUNALLY, J. C. (1967). *Psychometric theory*. New York : McGraw-Hill.

NUNALLY, J. C. (1978). *Psychometric testing*. New York : McGraw-Hill Book Co.

PARENT, N. (1995). *Efficacité d'une intervention de soutien auprès de patients de chirurgie cardiaque*. Mémoire de maîtrise non publié. Université de Montréal.

POLIT, D. F., HUNGLER, B. P. (1995). *Nursing research : Principles and methods*, 5 éd. Philadelphia : J. B. Lippincott Company.

STEVENS, S. S. (1946). On the theory of scales of measurement. *Science, 103* (2684), 677-680.

STREINER, D. L., NORMAN, G. R. (1991). *Health measurement scales : A practical guide to their development and use*. Oxford : Oxford University Press.

TALBOT, L. A. (1995). *Principles and practice of nursing research*. St. Louis : Mosby.

THORNDIKE, R. L., HAGEN, E. (1977). *Measurement and evaluation in psychology and education*, 4e éd. New York : John Wiley and Sons.

VALLERAND, R. J. (1989). Vers une méthodologie de validation trans-culturelle de questionnaires psychologiques : implications pour la recherche en langue française. *Canadian Psychology / Psychologie canadienne*, vol. 30, n° 4, p. 662-680.

WALTZ, C. F., STRICKLAND, O. L. ET LENZ, E. R. (1991). *Measurement in nursing research*, 2e éd. Philadelphia : F. A. Davis Co.

WOODS, N. F., CATANZARO, M. (1988). *Nursing practice : Theory and research*. Toronto : The C. V. Mosby.

CHAPITRE 17

MÉTHODES DE COLLECTE DES DONNÉES

Marie-Fabienne Fortin, Raymond Grenier
et Marcel Nadeau

CE CHAPITRE EST ACCOMPAGNÉ D'UNE LEÇON INFORMATISÉE FACULTATIVE.

Ojectifs d'apprentissage

À la fin de ce chapitre, l'étudiant(e) devrait être capable de :

✔ Décrire les facteurs qui guident le choix d'une méthode de collecte de données.

✔ Différencier les diverses approches de la mesure utilisée en recherche.

✔ Définir les types de mesure : mesures physiologiques, observations, entrevues, questionnaires, échelles de mesure.

Comme la recherche peut porter sur une variété de phénomènes, elle requiert l'accès à diverses méthodes de collecte des données. La nature du problème de recherche dicte le type de méthode de collecte des données à utiliser. Le choix de la méthode se fait en fonction des variables et de leur opérationnalisation, et elle dépend également de la stratégie d'analyse statistique envisagée. Bien qu'il existe une variété de méthodes de collecte des données, certaines problématiques ne peuvent être étudiées avec satisfaction, faute d'instruments de mesure pertinents. Dans ces circonstances, le chercheur procède à la conception d'instruments de mesure appropriés aux variables à étudier. Certains facteurs sont à considérer dans le choix d'un instrument de mesure : les objectifs de l'étude, le niveau des connaissances que le chercheur possède sur les variables, la possibilité d'obtenir des mesures appropriées aux définitions conceptuelles, la fidélité et la validité des instruments de mesure ainsi que la conception éventuelle par le chercheur de ses propres instruments de mesure.

Ce chapitre présente les principaux facteurs qui président au choix d'une méthode de collecte des données et décrit les principaux instruments de mesure utilisés pour recueillir les données : notamment les entrevues, les questionnaires, les échelles de mesure, les observations, les mesures physiologiques et autres. Le chapitre se termine par une introduction au processus de collecte de données, première étape de la phase empirique.

17.1
CHOIX D'UNE MÉTHODE DE COLLECTE DES DONNÉES

Avant d'entreprendre une collecte de données, le chercheur doit se demander si l'information qu'il veut recueillir à l'aide d'un instrument de mesure en particulier est bien celui dont il a besoin pour répondre aux objectifs de sa recherche. Pour cela, il doit connaître les divers instruments de mesure disponibles ainsi que les avantages et les inconvénients de chacun. En même temps, il doit tenir compte du niveau de la question de recherche. Quand il existe peu de connaissances existant sur un phénomène, comme dans l'étude exploratoire-descriptive (niveau I), le chercheur vise à accumuler le plus d'informations possibles, afin de cerner les divers aspects du phénomène. Sont utilisés à ce niveau les observations, les entrevues non structurées ou semi-structurées, les questionnaires semi-structurés, le matériel d'enregistrement, etc.

Dans une étude descriptive (niveau II), le chercheur décrit les facteurs ou variables et détecte des relations entre ces variables ou facteurs. Il choisira, par conséquent, des méthodes de collecte des données plus structurées, tels le questionnaire, les observations et les entrevues structurées ou semi-structurées. Quand il s'agit de l'explication et de la prédiction des phénomènes (niveaux III et IV), le chercheur examine la nature des relations entre les variables ou contrôle des variables dans une situation donnée. Il utilisera alors des questionnaires, des entrevues structurées, des échelles de mesure ou des tests normalisés. Si le chercheur utilise un instrument déjà existant, il doit s'assurer que l'instrument possède une fidélité et une validité acceptables. En l'absence d'instruments de mesure appropriés à l'étude des variables, le chercheur doit les construire.

17.2
PRINCIPALES MÉTHODES DE COLLECTE DES DONNÉES

Les données peuvent être recueillies de diverses façons auprès des sujets. C'est au chercheur à déterminer le type d'instrument de mesure qui convient le mieux au but de l'étude, aux questions de recherche posées ou aux hypothèses formulées. Les principales méthodes de collecte des données sont, d'une part, les mesures objectives (anatomiques, physiologiques, mécaniques), qui ne laissent pas de place à l'interprétation, et, d'autre part, les mesures subjectives (les observations, les entrevues et les questionnaires, les échelles normalisées, la classification Q, la méthode Delphi, les méthodes projectives et les vignettes), qui sont fournies par l'observateur (chercheur) ou par les sujets.

LES MESURES OBJECTIVES

La recherche dans le domaine de la santé inclut souvent des variables cliniques qui nécessitent le recours à des instruments biophysiologiques pour être évaluées. Dans certaines situations, l'équipement est utilisé pour créer des variables indépendantes, comme c'est le cas pour l'équipement servant à l'administration de l'oxygène, à la succion ou à l'alimentation par tube, à l'exercice physique (tapis roulant, ergocycle, etc.). Dans d'autres situations, l'équipement est utilisé pour mesurer des variables dépendantes, comme on le fait avec le thermomètre, le pèse-personne, le sphygmomanomètre, etc. Selon la nature du projet, des variables peuvent être tantôt dépendantes, tantôt indépendantes. Ainsi, dans une étude sur l'alimentation, le poids corporel peut constituer une variable dépendante; dans une étude sur la force musculaire, le poids corporel pourrait appartenir à la catégorie des variables indépendantes, puisque la force musculaire est une fonction de la masse musculaire, qui constitue, selon les individus, 40 à 50 % de la masse corporelle. L'utilisation de l'équipement pour la mesure des variables indépendantes ou dépendantes dépend du devis de recherche et des questions examinées. Certains phénomènes sont plus subjectifs que d'autres, comme la douleur, la fatigue, la nausée, etc. Afin de quantifier ces phénomènes, le chercheur doit compter sur la perception des sujets et l'évaluation de l'intensité ou des changements dans la sensation. Des échelles visuelles analogues sont tout indiquées pour évaluer l'intensité des stimuli perçus par le sujet.

Les phénomènes qui intéressent la recherche clinique sont généralement ceux reliés à l'interaction des individus avec leur environnement, spécialement les environnements qui menacent la santé. Les chercheurs sont intéressés à étudier les réactions liées aux comportements, tels que manger, éliminer, dormir, ou encore ils peuvent étudier des organes, des sous-systèmes, en présence d'une condition pathologique propre au système cardiovasculaire, au système de reproduction, etc. (Wood et Catanzaro, 1988). Bien que la recherche clinique ait pour but de comprendre la personne dans son ensemble, l'état de santé est généralement évalué par l'observation d'indicateurs fonctionnels des phénomènes qui représentent des composantes du système. Par exemple, les troubles du sommeil sont souvent des réactions à des problèmes de santé. Le sommeil peut être évalué de façon physiologique et par l'autoévaluation.

Les mesures physiologiques sont parmi les méthodes de collecte des données les plus précises, étant de par nature plus objectives. Leur évaluation se fait par l'emploi d'échelles visuelles analogues ou d'échelles métriques, lesquelles permettent l'utilisation d'une gamme d'analyses statistiques. Elles produisent des résultats qui démontrent des degrés élevés de fidélité et de validité (Fortin, Taggart , Kérouac et Normand, 1988).

LES MESURES SUBJECTIVES

En ce qui concerne les mesures subjectives, on emploie les techniques d'observation, les entrevues et les questionnaires, les échelles de mesure et diverses autres méthodes.

L'observation

Les chercheurs intéressés à étudier le comportement des personnes n'ont pas tellement d'options dans la manière de recueillir les données : soit qu'ils demandent aux sujets ce qu'ils font dans telle situation au moyen de l'observation liée à l'entrevue, soit qu'ils observent ce que les sujets font au moyen de l'observation directe. C'est de cette dernière option que nous traiterons maintenant.

L'observation directe revêt deux types d'approches, selon Laperrière (1992) : celle dont le seul but est de décrire les composantes d'une situation sociale donnée (personnes, lieux, événements, etc.) en vue d'en extraire des typologies et celle, comme l'observation participante, qui permet de repérer le sens de la situation sociale. Cette dernière approche requiert l'immersion totale du chercheur dans la situation à l'étude.

> L'observation directe vise à décrire les composantes d'une situation sociale donnée (personnes, lieux, événements, etc.) afin d'en extraire des typologies, ou encore elle permet de repérer le sens de la situation sociale au moyen de l'observation participante.

QU'EST-CE QU'UNE ÉTUDE D'OBSERVATION ?

Une étude d'observation est celle qui consiste à poser des questions concernant des comportements humains apparents ou des événements et à obtenir des réponses à ces questions au moyen de l'observation directe des comportements des sujets ou des événements sur une période de temps donnée ou selon une fréquence déterminée. La question originale d'une étude d'observation émane d'une recherche antérieure ou d'une hypothèse à éprouver (Wood et Catanzaro, 1988).

Selon Weick (1968, p. 360), l'observation consiste à sélectionner, provoquer, enregistrer et coder l'ensemble des comportements et des environnements qui s'appliquent aux organismes *in situ* et qui sont reliés aux objectifs de l'observation sur le terrain. Par « sélectionner », on veut dire que les observateurs choisissent ou orientent leurs observations de recherche de façon délibérée. La sélection peut avoir une influence sur ce que l'on observe, sur ce que l'on enregistre et sur les conclusions qui se dégagent des données. « Provoquer des comportements » signifie que l'observation ne se limite pas à l'enregistrement discret et passif du comportement des sujets; l'observateur peut modifier la situation de recherche sans en détruire son caractère naturel. Il peut, par exemple, provoquer une situation précise et observer le comportement des individus face à cette modification de l'environnement. Ainsi, l'étude d'observation peut être de nature expérimentale ou descriptive. L'enregistrement et le codage sont des moyens que l'observateur utilise pour enregistrer des événements grâce à des notes prises sur le terrain, des systèmes de catégories ou d'autres moyens. L'encodage permet de simplifier des enregistrements par l'intermédiaire d'une méthode de réduction des données. De plus, ici on parle de « l'ensemble des comportements et des environnements », étant donné le fait que la plupart des études d'observation portent sur plusieurs mesures différentes du comportement.

UTILITÉ DE L'OBSERVATION

L'étude d'observation est utilisée quand l'objet de l'étude à entreprendre requiert des données qui peuvent être difficilement obtenues autrement que par l'observation. Certaines études nécessitent une telle approche, comme la recherche auprès des jeunes enfants, des personnes âgées ayant certaines incapacités, ou encore celle faite auprès des animaux. Le chercheur peut décider d'utiliser des méthodes d'observation dans des situations particulières, s'il croit que les sujets à l'étude auraient de bonnes raisons de modifier leurs réponses ou leurs comportements avec une approche plus structurée. L'observation peut constituer, dans certains cas, une méthode complémentaire de collecte de données. En anthropologie, l'observation est utilisée pour étudier les comportements des peuples, soit pour décrire des comportements types, soit pour vérifier des propositions théoriques.

QUESTIONS FONDAMENTALES DANS L'ÉTUDE D'OBSERVATION

Il existe différentes façons d'effectuer une étude d'observation. Selon Woods et Catanzaro (1988), il y a au moins trois questions fondamentales à poser qui déterminent la différence entre des études d'observation : 1) Quand doit-on noter les observations ? Seront-elles recueillies en fonction d'unités de temps ou d'unités de comportements ?; 2) Quel sera le terrain d'observation ? Quel est le meilleur environnement social ou physique qui permettrait d'obtenir les réponses aux questions de recherche ?; 3) Comment le comportement sera-t-il noté ? Quel rôle joueront les observateurs dans l'enregistrement du comportement de ceux qui sont observés ?

1) Quand l'observateur doit-il noter les observations ?

Quel signal déterminera le meilleur temps pour que l'observateur note ses observations sur un comportement en particulier ? Le chercheur doit établir un système d'observation ou de codification qui indique soit « l'événement déclencheur », soit le « moment déclencheur ». Quand un événement est noté au fur et à mesure qu'il se produit, le système de l'<u>événement</u> déclencheur est utilisé; si l'observation est notée ou codée à une période de temps précise, c'est le système du moment déclencheur qui est utilisé.

Le <u>système de l'événement déclencheur</u> requiert que l'observateur commence à noter le comportement au moment même où un événement particulier se produit ou quand des événements changent. Par exemple, un observateur peut observer des enfants qui jouent dans un parc d'amusement et noter le moment précis d'une agression physique, ou encore il peut collecter les données de façon continue en ce qui concerne les activités de jeu et changer de système d'encodage en cas d'agression. Trois différentes façons sont proposées pour coder les événements déclencheurs : on peut coder 1) la fréquence, 2) la fréquence et la durée et 3) la séquence des événements.

Le système du moment déclencheur consiste en la notation ou l'enregistrement des comportements à certains moments prédéterminés. L'observateur peut noter la présence ou l'absence de comportements d'agression toutes les 10 secondes sur une base continue, ou encore il peut surveiller les enfants durant 30 secondes et ensuite noter la présence ou l'absence de comportements d'agression. Le système d'encodage selon le moment déclencheur est utilisé surtout quand le comportement est observé sur une longue période et qu'il existe plusieurs unités d'observation.

2) Quel est le terrain d'observation ?

Le chercheur se demande souvent dans quels milieux les observations seront plus naturelles. Les études faites dans les laboratoires sont peut-être moins généralisables que les études conduites au domicile des sujets ou dans d'autres milieux naturels, mais elles sont plus comparables d'un sujet à un autre et contiennent plus vraisemblablement les types d'interactions ou de comportements que le chercheur désire étudier. De plus, la plupart des études faites en laboratoire prennent moins de temps et coûtent moins cher que les études effectuées dans les milieux naturels.

3) Comment les observations des comportements doivent-elles être notées ?

Le chercheur doit planifier rigoureusement l'enregistrement des comportements désignés. Dans ce but, il indique les modalités selon lesquelles les observations seront notées, en précisant les unités comportementales retenues. Le plan d'observation tient compte des objectifs de la recherche et des hypothèses à éprouver (Robert, 1988). Le chercheur doit décider s'il désire noter le comportement comme il se présente ou l'enregistrer sur un support matériel (sur bande vidéo, par exemple) en vue de le noter plus tard. L'avènement de bandes magnétoscopiques permet de reproduire plus d'une fois le comportement à l'étude, d'observer les fréquences d'apparition de ce comportement au ralenti et d'en noter tous les détails.

Bien qu'il comporte des avantages, l'enregistrement sur ruban magnétoscopique ou sur film est fastidieux. Chaque heure d'enregistrement peut représenter plus d'une heure d'encodage et nécessite souvent plus d'un observateur.

RÔLES DES OBSERVATEURS

L'observateur est appelé à jouer différents rôles. D'une part, il joue le rôle d'un détecteur du comportement humain : tel comportement s'est-il produit ou non ? Quand il agit comme détecteur du comportement, l'observateur a besoin d'une définition claire et précise des comportements à observer. D'autre part, l'observateur agit comme un informateur, une personne qui comprend la signification d'un comportement dans un contexte particulier. Les observateurs étant les « instruments humains » utilisés pour collecter des données sur le terrain, ils doivent être choisis avec soin, formés à l'observation et à l'enregistrement de comportements précis.

SYSTÈME D'ENCODAGE ET D'ENREGISTREMENT

Si les objectifs de l'étude d'observation sont clairs et si ce qui doit être noté est suffisamment précis, on se servira de listes de pointage. Composé de signes et de symboles alphanumériques, ce système d'encodage représente les unités d'observation pertinentes. Il permet de noter de façon systématique la présence ou l'absence d'un comportement donné ou d'un événement. La liste de pointage indique les activités précises qui peuvent se présenter durant une période d'observation. Cette liste doit aussi indiquer les unités de comportement à observer. Le système d'encodage vise à faciliter l'observation et l'enregistrement des unités de comportement observées.

LA FIDÉLITÉ DES DONNÉES RECUEILLIES PAR L'OBSERVATION

Comme toutes les méthodes de collecte des données, l'observation a ses écueils et ses limites, qu'il est important de connaître (Laperrière, 1992). L'écueil le plus important qui est rapporté dans de nombreux ouvrages est sans aucun doute celui de la subjectivité des différents observateurs, parce qu'elle risque d'introduire des biais dans les choix de situations à observer et dans l'enregistrement des unités d'observation. Une méthode d'observation est considérée comme fidèle si les résultats qu'elle produit sont précis, exacts et consistants. Ainsi, quand on utilise un plan d'observation fidèle, les erreurs de mesure ont tendance à diminuer.

Une des façons d'évaluer l'exactitude d'un système d'encodage est de déterminer la concordance entre les observations de deux « codeurs » ou plus qui ont observé les mêmes unités de comportement, à l'aide d'un même système d'encodage et d'enregistrement. Dans certaines études, par exemple, les données recueillies par les observateurs doivent atteindre un certain degré de similitude par rapport à celles d'un observateur expérimenté. Le pourcentage de concordance suggéré à atteindre suggéré est de 80 % ou plus. Les pourcentages de concordance ne sont toutefois pas la seule approche statistique permettant de rapporter le degré de fidélité entre les données des divers observateurs : les évaluations statistiques effectuées à l'aide de la statistique kappa sont souvent plus appropriées que les pourcentages. En effet, la statistique kappa permet d'apprécier l'étendue de la concordance : selon cette méthode, 0 représente la concordance obtenue par chance et 1 représente la concordance parfaite. Dans la situation où le chercheur n'obtient pas un degré acceptable de concordance entre les données des différents observateurs, il doit s'interroger sur l'entraînement des observateurs et sur le système d'encodage et d'enregistrement.

RÉDUCTION DES DONNÉES ET ANALYSES

Les méthodes d'observation produisent de grandes quantités de données, qui doivent être groupées et résumées en vue d'être interprétées. Une des façons de résumer des données d'observation est l'utilisation de statistiques descriptives. Le taux ou la fréquence d'apparition des comportements peuvent être traités statistiquement. On peut calculer la fréquence totale et la durée totale en secondes du comportement observé. Cependant, les fréquences brutes et les durées ne sont pas comparables entre les sujets. Par exemple, sourire 4 fois en 30 minutes pour un participant est différent de sourire 4 fois en

65 minutes pour un autre participant. Ainsi, on calcule la fréquence relative et la durée relative.

Une fois les données résumées, le chercheur procède à leur regroupement selon un ordre conceptuel ou empirique. Selon le mode conceptuel, les unités sont groupées à partir des idées a priori du chercheur à l'égard des codes pouvant appartenir à une même famille. Par exemple, dans une étude des comportements relatifs au sommeil, comme le fait de « tomber endormi », un chercheur peut combiner 38 codes différents en 8 catégories avant d'analyser des différences entre les groupes. Ainsi, les comportements « se frotter les yeux, cligner des yeux, bâiller et fermer les yeux » peuvent être groupés pour constituer la catégorie « s'endormir ».

Le regroupement des données selon le mode empirique est utilisé quand les relations sous-jacentes entre les catégories ne sont pas apparentes pour le chercheur. Dans ce cas, il a recours à l'analyse de facteurs, qui est la technique servant à la réduction des données la plus utilisée (Woods et Catanzaro, 1988).

Entrevues et questionnaires

L'entrevue et le questionnaire sont les méthodes de collecte des données couramment utilisées. Elles permettent de recueillir des informations auprès des participants concernant les faits, les idées, les comportements, les préférences, les sentiments, les attentes, les attitudes. L'entrevue et le questionnaire s'appuient sur les témoignages des sujets, le chercheur n'ayant généralement accès qu'au matériel que le participant consent à lui fournir.

Le choix entre l'entrevue et le questionnaire dépend du but de l'étude, du niveau de connaissances du phénomène à l'étude et des variables. Le chercheur doit aussi décider de la façon de procéder pour faire remplir le questionnaire ou

mener l'entrevue. Les entrevues peuvent être menées en face à face ou par téléphone. Les questionnaires peuvent être remplis par le participant dans un contexte de face à face, envoyés par courrier, remis en main propre aux participants ou envoyés à un poste d'ordinateur. Ils peuvent s'adresser autant à des groupes qu'à des individus.

D'autres facteurs sont aussi à considérer dans le choix entre les deux approches, entre autres le coût et le temps nécessaire. L'entrevue coûte cher en temps et en argent. L'entrevue en face à face demande beaucoup de temps, aussi bien pour le répondant que pour le chercheur. Les entrevues par téléphone sont plus économiques, car elles éliminent les déplacement. Par ailleurs, l'âge, l'habileté à lire et à écrire sont des caractéristiques des répondants qu'il faut considérer afin de déterminer si les participants peuvent remplir un questionnaire par écrit et comprendre la nature de l'information à obtenir. De plus, si un chercheur veut explorer les sentiments et les perceptions des sujets concernant des situations particulières, ceux-ci peuvent se sentir plus à l'aise d'en parler que d'organiser leur pensée et transmettre leurs sentiments par écrit. D'un autre côté, certains répondants préféreront transmettre leurs sentiments par écrit, de façon anonyme, plutôt que dans une entrevue en face à face ou par téléphone.

L'ENTREVUE

L'entrevue est un mode particulier de communication verbale, qui s'établit entre le chercheur et les participants dans le but de recueillir des données relatives aux questions de recherche formulées. Il s'agit d'une démarche planifiée, d'un outil d'observation qui exige de ceux qui le manient une grande discipline. Cette méthode est plus souvent utilisée dans les études exploratoires-descriptives, bien qu'elle soit aussi utilisée dans d'autres types de recherche. L'entrevue remplit généralement trois fonctions : 1) servir de méthode exploratoire pour examiner des concepts, des relations entre les variables et concevoir des hypothèses; 2) servir de principal instrument de mesure d'une recherche; 3) servir de complément à d'autres méthodes, soit pour explorer des résultats inattendus, soit pour valider les résultats obtenus avec d'autres méthodes, ou encore pour aller plus en profondeur.

Il existe diverses approches dans la conduite de l'entrevue selon que le participant contrôle le contenu, comme dans l'entrevue non structurée, ou selon que le chercheur exerce ce contrôle, comme c'est le cas dans l'entrevue structurée. Il peut exister une forme d'entrevue qui combine certains aspects des deux approches. Le contenu de l'entrevue structurée est similaire à celui du questionnaire du fait que les questions sont soigneusement formulées par le chercheur dans les deux cas. Il existe divers ouvrages sur les techniques d'élaboration de l'entrevue, auxquels le lecteur peut se référer pour une meilleure compréhension : Fowler (1990); Gordon (1980); McLaughlin (1990); Mishler (1986); Dillman (1978); Waltz, Strickland et Lenz (1991).

Les entrevues varient en fonction de deux paramètres : le degré de liberté laissé aux interlocuteurs et le degré de profondeur de l'investigation. De façon générale, on distingue deux types d'entrevues : l'entrevue structurée ou uniformisée et l'entrevue non structurée ou non uniformisée.

L'entrevue structurée ou uniformisée

L'entrevue structurée est celle pour laquelle le chercheur exerce un maximum de contrôle sur le contenu, le déroulement, l'analyse et l'interprétation de la mesure (Waltz, Strickland et Lenz, 1991). Les questions à poser, leur formulation et

leur séquence sont déterminées d'avance à l'aide de questions fermées. Le meneur d'entrevue a peu de liberté lorsqu'il pose une question : dans certains cas, il peut expliquer la façon dont elle est formulée, mais la plupart du temps, cette liberté ne lui est pas permise. Par ailleurs, le répondant peut se voir imposer une limite dans l'étendue des réponses à donner. L'entrevue est présentée de la même manière à tous les répondants. L'entrevue uniformisée permet des comparaisons entre les répondants et dénote une plus grande fidélité que les formes moins structurées d'entrevue. Pour l'entrevue structurée, les responsables doivent être entraînés, les questions prétestées et révisées afin d'éliminer les ambiguïtés dans leur libellé. Une attention doit être accordée à l'élimination des biais verbaux et non verbaux pouvant être créés par les responsables de l'entrevue et à l'élimination des biais introduits dans le contexte de l'entrevue.

> L'entrevue structurée ou uniformisée est celle qui requiert le maximum de contrôle sur le contenu, le déroulement, l'analyse et l'interprétation de la mesure.

L'entrevue structurée requiert des questions fermées, c'est-à-dire des questions dont les réponses sont déterminées à l'avance. Une fois le guide de l'entrevue rédigé, un expert devrait en examiner la méthode et le contenu. Par la suite, il doit être prétesté auprès d'un groupe de sujets similaires à celui de l'échantillon qui fera partie de l'étude. Le prétest mettra en évidence les problèmes dans la formulation des questions, dans leur séquence et dans la manière d'enregistrer les réponses.

Étant donné que l'élaboration et la séquence des questions d'une entrevue structurée sont les mêmes que pour la technique du questionnaire, ces aspects seront traités plus loin dans ce chapitre, dans la section sur le questionnaire.

L'entrevue non structurée ou non uniformisée

L'entrevue non structurée est celle pour laquelle la formulation et la séquence des questions ne sont pas prédéterminées, mais laissées à la discrétion du meneur d'entrevue. L'entrevue non structurée est principalement utilisée dans les études exploratoires, quand le chercheur veut comprendre la signification accordée à un événement ou un phénomène d'après la perspective des participants. Ce type d'entrevue est un outil privilégié dans le cadre d'une variété de méthodes de recherche qualitatives, comme dans la phénoménologie, la théorie ancrée, l'ethnographie et les recherches historiques (Field et Morse, 1985; Munhall et Oiler, 1986). Dans certains cas, l'entrevue non structurée est utilisée comme étape préliminaire à l'élaboration d'un instrument de mesure pour une recherche en particulier. L'entrevue non structurée peut être amorcée par l'énoncé d'une question large, par exemple, « Pouvez-vous me décrire votre expérience par rapport à la douleur ? ». Le participant peut être invité à développer davantage son idée et à poursuivre la conversation; le meneur d'entrevue doit manifester son intérêt et être attentif.

L'entrevue non structurée ou non uniformisée est celle pour laquelle la formulation et la séquence des questions ne sont pas prédéterminées, mais laissées à la discrétion du meneur d'entrevue.

Même si elle est plus flexible, l'entrevue non structurée présente divers degrés de structure : elle peut être partiellement structurée ou entièrement non structurée. Dans l'entrevue partiellement structurée, le responsable présente une liste de thèmes à couvrir, formule des questions à partir de ces thèmes et les présente au répondant selon l'ordre qui lui convient. L'objectif visé est qu'à la fin de l'entrevue tous les thèmes proposés aient été couverts (Wilson, 1985). Les entrevues entièrement non structurées sont celles dans lesquelles les répondants sont encouragés à parler librement des thèmes proposés par le chercheur, sans qu'il soit nécessaire que tous les thèmes soient abordés et discutés.

Guide d'entrevue

Pour l'entrevue non structurée, on utilise un guide qui donne les grandes lignes des thèmes à explorer, sans indiquer l'ordre ou la manière de poser les questions. La grille d'entrevue fournit un inventaire des thèmes à couvrir. Les entrevues les moins structurées se déroulent comme une conversation informelle. On associe cette approche à l'entrevue ethnographique ou phénoménologique : les questions émergent du contexte. Les questions prédéterminées ne sont pas possibles parce que le chercheur ignore ce qui va se passer au cours de l'entrevue et quel type de questions il sera important de poser au moment opportun. Le chercheur formule des questions à réponse libre.

Les questions à réponse libre ou questions ouvertes laissent le sujet libre de répondre comme il l'entend, sans qu'il y ait de choix de réponses prédéterminées. Des questions sont proposées par le meneur d'entrevue, mais sans que celui-ci fournisse une structure à la réponse : le répondant crée ses réponses et les exprime dans ses propres mots. Les questions ouvertes peuvent être générales ou combinées à des sous-questions. L'entrevue non structurée inclut généralement des questions ouvertes, mais elle peut aussi inclure les deux types de questions (ouvertes et fermées). Voici des exemples de questions à réponse libre :

- Vous vivez ici depuis quelques années déjà, voulez-vous me dire comment vous vous y sentez ? »
- Qu'est-ce que vous aimez le plus ici ? »
- Qu'est-ce que vous détestez le plus ici ? »
- Qu'est-ce que vous pensez du quartier ? »
- Comment aimez-vous la vie dans un ensemble d'habitations coopératives ? »

Les questions ouvertes ont l'avantage de stimuler la pensée libre et de favoriser l'exploration en profondeur de la réponse du participant. Cependant, le fait de devoir créer et structurer les réponses peut être difficile pour certains répondants. Les réponses aux questions ouvertes prennent plus de temps, et elles ne sont pas faciles à coder et à analyser. Les données générées par les réponses de chaque répondant, dans une entrevue non structurée, seront différentes les unes des autres, ce qui les rend difficilement comparables. Les questions changent avec le temps et chacune des entrevues se construit l'une sur l'autre, changeant de direction, cherchant plus d'élaboration. Souvent, plus d'une entrevue est requise pour chaque répondant : c'est une forme d'engagement qui s'établit entre le répondant et le chercheur. Les données ne sont pas systématiques, ce qui rend l'organisation et l'analyse difficiles.

Comme le contexte de l'entrevue peut influencer les réponses de la personne, il faut être attentif aux risques d'erreurs du fait de la situation. Le sujet peut être influencé dans ses réponses par l'idée qu'il se fait de la pertinence de l'entrevue, du lieu où elle se déroule. Il y a aussi des risques d'erreur de la part du responsable de l'entrevue. Le répondant peut modifier ses réponses selon que le responsable appartient ou non au même groupe social, selon ce qu'il dira avant l'entrevue, sa façon de poser les questions et

d'être à l'écoute. Les biais provenant des différences individuelles dans le comportement des sujets ne peuvent guère être perçus de façon précise, leur analyse ne relevant que d'une critique interne du déroulement et des résultats des entrevues.

La formation des responsables de l'entrevue

Les habiletés de meneur d'entrevue se développent par la pratique. Les responsables de l'entrevue doivent être très familiers avec son contenu. Ils doivent être en mesure de prévoir les situations difficiles qui se présenteront inévitablement durant l'entrevue et de trouver des moyens d'y faire face (Burns et Grove, 1993).

Le responsable de l'entrevue doit créer un climat de confiance dans lequel le sujet se sentira à l'aise de répondre aux questions. Il doit apprendre à éviter les biais verbaux et non verbaux durant l'entrevue : le libellé d'une question, le ton de la voix, l'expression faciale, la position corporelle sont autant d'éléments qui communiquent des messages favorables ou défavorables aux sujets. Selon Robert (1988), le rôle du meneur d'entrevue ne se limite pas seulement à poser des questions et à exercer un contrôle sur la qualité des réponses, mais aussi à créer une situation interpersonnelle destinée à influencer le degré de motivation des sujets.

La préparation de l'entrevue et son déroulement

L'entrevue qui se déroule d'une manière totalement non directive ne nécessite pas de préparation particulière : une question générale et ouverte portant sur un thème est adressée au sujet (Gauthier, 1992). Avant une entrevue semistructurée, il est indispensable de dresser un plan dans lequel l'objectif général du thème à couvrir est indiqué ainsi que les sous-thèmes, selon un ordre logique. Cependant, dans un cas comme dans l'autre, certaines conditions sont requises avant d'entreprendre une entrevue. Le responsable de l'entrevue doit d'abord fixer un rendez-vous et être ponctuel. Il doit être vêtu de façon convenable. Il est important de choisir un endroit calme, privé et agréable pour l'entrevue. Les directives sur le déroulement de l'entrevue doivent être claires pour le sujet; par exemple, le responsable s'adressera à son interlocuteur en disant : « Je vais vous poser un certain nombre de questions sur... Avant de répondre à chaque question, je vous invite à... Choisissez une réponse parmi celles-ci et élaborez votre réponse. » (Burns et Grove, 1993).

Enregistrement des données de l'entrevue

Les données de l'entrevue peuvent être enregistrées soit durant le déroulement de l'entrevue, soit immédiatement après. Le responsable de l'entrevue peut rapporter les données de l'entrevue par écrit ou sur bande magnétique. Si les données sont transcrites sur papier, le responsable doit être en mesure de reconnaître les idées maîtresses et de les écrire de façon concise. L'enregistrement des données durant l'entrevue ne doit pas être une source de distraction pour le sujet. L'enregistrement sur bande magnétique ne doit se faire qu'avec l'autorisation du sujet. Les données enregistrées doivent être transcrites avant l'analyse. L'analyse des données recueillies durant les entrevues consiste essentiellement à procéder à une analyse de contenu. Il s'agit de mesurer la fréquence, l'ordre ou l'intensité de certains mots, de certaines phrases ou expressions ou de certains faits et événements. Des catégories d'événements sont établies à partir des données, mais les caractéristiques du contenu à mesurer sont généralement définies et déterminées préalablement par le chercheur.

Avantages et inconvénients de l'entrevue

L'entrevue présente l'avantage d'être d'utilisation générale dans presque tous les secteurs de la population, contrairement aux questionnaires,

qui peuvent mieux convenir aux personnes qui ont une scolarité moyenne. Les autres avantages incluent des taux de réponse plus élevés que ceux obtenus par l'emploi du questionnaire et son envoi par la poste, le fait que les erreurs d'interprétation sont plus facilement détectables, une plus grande efficacité dans la découverte d'informations sur des thèmes complexes et chargés d'émotion ainsi que dans l'analyse des sentiments. L'entrevue téléphonique présente aussi des avantages : un coût peu élevé, des réponses obtenues rapidement, un fort taux de réponses, qui assure une meilleure validité des données. Enfin, l'entrevue permet de rejoindre un grand nombre de personnes dispersées sur un grand territoire.

Le temps nécessaire pour l'entrevue et son coût élevé représentent des inconvénients. L'échantillon est plus restreint étant donné les coûts élevés. Les données sont plus difficiles à codifier, à analyser, et demandent beaucoup de temps et d'énergie.

LE QUESTIONNAIRE

Un questionnaire est une méthode de collecte des données qui nécessitent des réponses écrites de la part des sujets. Contrairement à l'entrevue, le questionnaire est habituellement rempli par les sujets eux-mêmes, sans assistance; il est alors envoyé et retourné par la poste. C'est un instrument de mesure qui traduit les objectifs d'une étude en des variables mesurables. Il aide à organiser, à normaliser et à contrôler les données de telle sorte que les informations recherchées puissent être recueillies d'une manière rigoureuse. Le questionnaire ne permet pas d'aller aussi en profondeur que l'entrevue, mais il permet un meilleur contrôle des biais.

Le questionnaire est une méthode de collecte des données nécessitant des réponses écrites à un ensemble de questions de la part des sujets.

Le questionnaire structuré limite le sujet aux questions formulées, sans qu'il y ait possibilité de les changer ou de préciser sa pensée. Les questionnaires sont conçus dans le but de recueillir de l'information factuelle sur les individus, les événements ou les situations connus des individus ou encore sur les attitudes, croyances et intentions des participants. Tout comme les entrevues, les questionnaires peuvent comporter divers niveaux de structure : ils peuvent contenir des questions fermées pour lesquelles le sujet est soumis à des choix de réponses possibles; ils peuvent contenir des questions ouvertes qui demandent des réponses écrites de la part des sujets. Il existe un certain nombre d'ouvrages utiles à consulter pour l'élaboration de questionnaires, entre autres : Converse et Presser (1986); Sudman et Bradburn (1982); Waltz, Strickland et Lenz (1991); Woodward et Chambers (1982).

Construction d'un questionnaire ou d'un guide d'entrevue structurée

L'élaboration d'un questionnaire ou d'un guide d'entrevue structurée se fait par étapes. Avant d'entreprendre la construction d'un questionnaire, le chercheur doit consulter les écrits afin de déceler l'existence d'instruments de mesure correspondant aux grandes lignes de l'objet visé par sa recherche. Certains questionnaires sont déjà publiés et peuvent être utilisés. Cependant, il est plus courant de s'adresser aux auteurs afin d'obtenir une copie du questionnaire en même temps que l'autorisation de l'utiliser. Même s'il existe un questionnaire assez conforme au but visé, il est souvent nécessaire de le traduire en langue française et de l'adapter au nouveau contexte d'application. L'ajout ou le retrait de questions peut s'avérer nécessaire afin de satisfaire aux exigences de la recherche. Les six principales étapes de la construction d'un questionnaires sont décrites ci-après.

1) La délimitation de l'information pertinente à recueillir

À cet effet, le chercheur énonce le but du questionnaire en précisant le contenu à couvrir; il formule des objectifs découlant des questions de recherche de manière à constituer des catégories; il précise les différents thèmes ou dimensions à étudier; et enfin, il détermine un nombre de questions ou d'énoncés pour chacun des thèmes choisis. Les questions de recherche sont les principaux indicateurs du contenu à développer dans un questionnaire. Tous les énoncés d'un questionnaire doivent porter directement sur le but et les questions de la recherche entreprise.

Concevoir un instrument de mesure requiert de la part du chercheur une connaissance approfondie du but de l'étude, du niveau des connaissances existant sur le phénomène à l'étude et de la nature des données à recueillir. Une règle importante à retenir consiste à recueillir seulement les données nécessaires, pas plus. Il faut se demander comment les données sont reliées au but de l'étude. Le chercheur peut dresser une liste des types ou catégories d'informations nécessaires pour atteindre le but de l'étude et établir une priorité des éléments présents sur la liste. Sur cette liste doit être indiqué de façon approximative le nombre de questions correspondant à chaque catégorie. Les principales questions que le chercheur doit se poser à cette étape sont : « Quelle information est requise pour atteindre le but de l'étude ? », « Quelles questions vont permettre d'obtenir l'information souhaitée ? » et « Comment les questions devraient-elles être posées ? ».

2) La formulation des questions

Les questions sont les éléments de base à formuler dans un questionnaire comme dans une entrevue. Les questions doivent être comprises par les sujets et ceux-ci doivent être capables d'y répondre. Elles sont de deux ordres : les questions à choix fixe et les questions à réponse libre. À cette étape, le chercheur décide des types de questions à utiliser : s'agit-il de formuler des questions à choix fixe, des questions à réponse libre, des questions de fait ou d'opinion, des questions directes ou indirectes ? Dans ce dernier cas, le chercheur peut décider de poser des questions associatives (« À quoi ceci vous fait-il penser ? »), ou encore des questions projectives (« Que feriez-vous à la place de X ? »). Il peut s'agir d'un questionnaire mixte, incluant les deux formes de questions. Le chercheur doit également déterminer s'il utilisera un ensemble de plusieurs questions plutôt qu'une seule question pour chaque point à traiter. L'emploi de plusieurs questions précises recouvrant les divers aspects d'un thème donne souvent lieu à une information plus détaillée et plus utile qu'une question plus générale, même s'il s'agit d'une question à réponse libre.

Les questions doivent être compréhensibles pour tous les sujets, indépendamment des capacités de lecture de chacun, c'est-à-dire claires et non biaisées. Les phrases courtes sont plus faciles à comprendre. Les termes techniques doivent être bien définis. Les mots qui portent à interprétation doivent être évités ainsi que les expressions négatives et les questions tendancieuses. Une autre précaution à prendre est celle d'éviter d'utiliser des questions qui contiennent plus d'une idée, ou encore de suggérer des réponses socialement désirables. Certaines personnes, pour ne pas laisser une impression défavorable d'elles-mêmes, seront réticentes à exprimer des opinions qui pourraient être jugées indésirables.

À cette étape, le chercheur dresse la liste des choix de réponses en ce qui a trait aux questions fermées à choix multiple. Les réponses doivent être mutuellement exclusives et insérées dans un ordre logique. S'il s'agit d'inclure des questions ouvertes, les thèmes à couvrir seront présentés également dans un ordre logique pour le sujet. Si le chercheur utilise des « questions filtres », une attention spéciale doit guider leur préparation. Celles-ci ont pour but de conduire les personnes vers les questions qui leur sont directement applicables, sans qu'elles aient à s'attarder aux questions qui ne s'appliquent pas à leur situation..

Les questions fermées ou à choix fixe sont celles qui fournissent au sujet une série de réponses parmi lesquelles il fait son choix. Les questions dichotomiques, celles à choix multiple ou celles à gradation ou à continuum sont incluses dans cette catégorie. Les réponses des sujets sont limitées à un choix énoncé à l'avance.

À une question dichotomique, le sujet répond par oui ou par non; exemple :

• Avez-vous déjà été hospitalisé ?

_____ oui

_____ non

Les questions à choix multiple comportent une série de réponses possibles, qui peuvent être présentées par ordre croissant ou décroissant; exemple :

• La prochaine fois que vous aurez besoin d'aide dans votre situation familiale, irez-vous consulter... ?

a. votre médecin de famille

b. un psychologue

c. un travailleur social

d. des amis

e. autre

Les réponses peuvent provenir d'une gradation ou d'un continuum. Elles peuvent être placées horizontalement ou verticalement :

• Quelle est l'importance pour vous de travailler dans une entreprise qui offre de l'avancement ?

   a. extrêmement important

   b. très important

   c. assez important

   d. pas important

<u>Les questions à choix fixe</u> sont appropriées lorsque l'étendue des réponses est connue et limitée. Voici les principales caractéristiques des réponses : 1) elles doivent contenir toutes les possibilités qui ont une signification pour l'étude; 2) les réponses doivent être mutuellement exclusives; 3) un ordre logique doit présider à la présentation des diverses options; et 4) les réponses doivent être courtes. Les questions fermées offrent l'avantage d'être simples à utiliser, de permettre de coder les réponses facilement et de procéder à une analyse rapide et peu coûteuse; elles sont uniformes et renforcent ainsi la fidélité des données; elles fournissent un cadre de référence au sujet, ce qui évite les réponses inappropriées et non comparables. De plus, elles permettent d'explorer des domaines délicats, que les sujets pourraient être réticents à aborder. C'est souvent le cas pour le revenu annuel, pour lequel il peut être plus facile de choisir le montant à l'intérieur d'une liste que de l'écrire soi-même, par exemple :

• Quel a été le revenu annuel familial approximatif durant la dernière année ?

   a) moins de 10 000 $

   b) 10 000 $ à 19 999 $

   c) 20 000 $ à 29 999 $

   d) 30 000 $ à 39 999 $

   e) 40 000 $ et plus

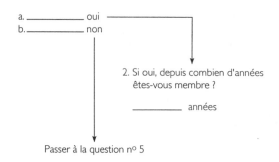

FIGURE 17.1
Exemple de question filtre.

Les questions filtres servent à orienter le sujet vers les questions appropriées à sa situation. Voir un exemple de question filtre à la figure 17.1.

Plusieurs méthodes peuvent être utilisées dans la présentation des réponses possibles; habituellement, les réponses sont présentées verticalement, sous forme d'une énumération.

Les avantages des questions à choix fixe sont les suivants : on peut y répondre en peu de temps; les réponses sont faciles à coder; ces questions fournissent une uniformité des mesures avec une grande fidélité à travers les études. De plus, elles permettent l'utilisation d'une variété d'analyses statistiques. Cependant, elles ont le désavantage d'être difficiles à construire; des omissions peuvent survenir dans les questions et dans la série de réponses. De plus, le choix forcé peut irriter les répondants.

<u>Les questions à réponse libre</u> ou ouvertes sont plus souvent utilisées dans l'entrevue non structurée; elles peuvent néanmoins servir dans certains questionnaires en vue d'obtenir plus de précision sur des aspects particuliers de la recherche. L'élaboration des questions ouvertes a été étudiée dans la section sur l'entrevue.

3) L'établissement de la séquence des questions et du format

Dans la première rédaction du questionnaire, une fois que les questions ont été rédigées, il faut procéder à leur mise en ordre dans le questionnaire ou le guide d'entrevue. L'ordre des questions dans le questionnaire peut avoir une influence sur les personnes qui y répondent. Les questions relevant d'un même thème doivent être regroupées ensemble. Il vaux mieux commencer le questionnaire par des questions d'ordre général et aller progressivement vers les questions plus spécifiques. Les questions qui suscitent de l'intérêt sont placées au début. Si le questionnaire contient des questions ouvertes, elles sont insérées à la fin, étant donné qu'elles demandent plus de temps pour y répondre. Les données démographiques sont généralement incluses à la fin du questionnaire plutôt qu'au début. L'apparence générale du questionnaire, la disposition des questions et l'espace sont importants à considérer dans la construction d'un questionnaire. Cette étape se termine par la première rédaction du questionnaire.

4) La révision de l'ébauche du questionnaire

Une fois la première rédaction du questionnaire terminée, c'est le moment de soumettre cette version à la discussion et à la critique auprès d'autres personnes expertes dans le contenu, dans l'art de construire un questionnaire, et capables de détecter les erreurs techniques et grammaticales. C'est à la suite de cette première révision qu'un prétest doit être effectué.

5) Le prétest du questionnaire

Le prétest consiste à faire remplir le questionnaire par un petit échantillon reflétant la diversité de la population visée (entre 10 et 30 sujets), afin de vérifier si les questions peuvent être bien comprises. Cette étape est tout à fait indispensable et permet de corriger ou de modifier le questionnaire, de résoudre les problèmes imprévus et de vérifier le libellé et l'ordre des questions. Si des changements majeurs sont apportés, un deuxième prétest s'impose. Il importe de demander aux personnes chargées de faire passer l'entrevue ou le questionnaire de noter leurs propres observations cliniques, leurs critiques et leurs suggestions. En somme, le prétest a pour objet principal d'évaluer l'efficacité et la pertinence du questionnaire et de vérifier les éléments suivants :

a) si les termes utilisés sont facilement compréhensibles et dépourvus d'équivoques : c'est le test de la compréhension sémantique;

b) si la forme des questions utilisées permet de recueillir les informations souhaitées;

c) si le questionnaire n'est pas trop long, et ne provoque pas le désintérêt ou l'irritation;

d) si des questions ne présentent pas d'ambiguïtés.

6) La rédaction de l'introduction et des directives

La version définitive du questionnaire doit contenir une introduction. Si le questionnaire est envoyé par la poste, une lettre doit l'accompagner pour indiquer le but de l'étude, le nom des chercheurs, le temps requis pour remplir le questionnaire et des instructions sur la manière de procéder.

La fiabilité des données

La fiabilité des données peut être affectée dans l'élaboration des choix de réponses par l'omission d'aspects importants, comme le fait de ne pas inclure des catégories de personnes qui auraient à répondre au questionnaire. Aussi, si des questions demandent une opinion sur un sujet, il peut arriver que la personne n'ait pas d'opinion sur ce sujet et qu'elle réponde au hasard : cette réponse interfère avec la « vraie réponse ». Ou encore, le sujet ne fournit pas de réponses à toutes les questions, ce qui crée un biais qui porte atteinte à la validité du questionnaire. Le biais ou la distorsion systématique des réponses peut survenir dans toutes situations de recherche. Le taux de réponse peut affecter la validité de l'instrument. Habituellement, le taux de réponse pour les questionnaires envoyés par la poste est de 25 à 30 %; ce faible pourcentage remet en cause la représentativité de l'échantillon. Un aspect important en faveur de la validité des questionnaires est la constance dans la façon de procéder. Par exemple, s'il s'agit d'un questionnaire à envoyer par la poste, il doit être distribué à tous les sujets de la même manière.

Avantages et inconvénients du questionnaire

Le questionnaire présente plusieurs avantages comme instrument de mesure. C'est un outil moins coûteux que l'entrevue et il requiert moins d'habiletés de la part de celui qui le fait passer. Le questionnaire peut être utilisé simultanément auprès d'un grand nombre de sujets répartis dans une vaste région, ce qui permet d'obtenir plus d'informations auprès d'un bassin de population. D'autres avantages sont la nature impersonnelle du questionnaire, sa présentation uniformisée, l'ordre identique des questions pour tous les sujets, les mêmes directives pour tous, qui peuvent assurer, jusqu'à un certain point, l'uniformité d'une situation de mesure à une autre et ainsi assurer la fidélité et faciliter les comparaisons entre les sujets. De plus, les personnes peuvent se sentir plus en sécurité relativement à l'anonymat des réponses et, de ce fait, exprimer plus librement les opinions qu'elles considèrent plus personnelles.

Parmi les désavantages, il faut mentionner les faibles taux de réponse et les taux élevés de données manquantes. Pour les questionnaires envoyés par la poste, il est impossible de contrôler les conditions dans lesquelles ils seront remplis.

Guide pour la révision des questions dans un questionnaire

Quatre séries de questions relatives au contenu des questions (d'un questionnaire), à leur formulation, à la forme des réponses et à l'ordre de présentation sont présentées à l'encadré 17.1.

LES ÉCHELLES DE MESURE

De façon générale, les questionnaires et les entrevues sont utilisées pour obtenir des informations factuelles. Cependant, les chercheurs sont aussi intéressés à étudier les opinions des sujets, leurs perceptions, leurs attitudes. En fait, les échelles de mesure servent surtout à évaluer des variables psychosociales, bien qu'elles puissent servir aussi à l'évaluation de mesures physiologiques dans le cas de la douleur, de la nausée ou de l'intensité de l'effort... Les échelles possèdent un trait commun : celui de situer la personne à un point précis d'un continuum ou dans l'une des séries ordonnées de catégories.

L'échelle, qui est composée de plusieurs énoncés (items) ayant une relation logique ou empirique, est une forme d'autoévaluation destinée à mesurer un concept ou une caractéristique de l'individu. Une valeur numérique (score) est attribuée à la position que le sujet choisit sur l'échelle représentant un continuum par rapport à la caractéristique mesurée. Le but des échelles psychosociales consiste à transformer les caractéristiques qualitatives en des variables quantitatives, de manière que des analyses statistiques puissent être utilisées pour les évaluer. Les échelles indiquent le degré selon lequel les sujets se caractérisent par rapport à un concept ou un phénomène en particulier. Par exemple, elles servent à différencier, parmi les sujets, ceux qui présentent des attitudes, des peurs, des motivations, des perceptions, des traits de personnalité différents. Tout comme le thermomètre sert à exprimer des températures, une échelle mesurant des

ENCADRÉ 17.1

Contenu d'un quetionnaire.

A. Questions relatives au contenu de chaque question

1. Cette question est-elle indispensable ? Dans quelle mesure s'avère-t-elle utile ?

2. Est-il nécessaire de poser plusieurs questions sur ce thème ?

3. Les sujets disposent-ils de l'information nécessaire pour répondre à la question ?

4. Les questions devraient-elles être plus concrètes, plus précises et plus rapprochées de l'expérience personnelle des sujets ?

5. Les réponses expriment-elles des attitudes générales ou ont-elles l'apparence de la spécificité ?

B. Questions relatives à la formulation des questions

1. La question peut-elle être mal interprétée ? Comporte-t-elle une phraséologie difficile et ambiguë ?

2. La question énonce-t-elle bien les réponses possibles par rapport au problème ?

3. La question est-elle trompeuse à cause de postulats non énoncés ou d'implications non apparentes ?

4. La formulation est-elle tendancieuse ? Est-elle effectivement faussée dans la direction d'une réponse particulière ?

5. La formulation de la question est-elle susceptible d'être choquante pour le sujet pour quelque motif que ce soit ?

6. Une question à caractère plus personnel (ou moins personnel) donnerait-elle de meilleurs résultats ?

7. Est-il préférable de poser la question sous une forme plus directe ou plus indirecte ?

C. Questions se rapportant au type de réponses

1. La question serait-elle mieux posée sous une forme qui demande une réponse par le pointage d'éléments sur une liste, une réponse libre ou une réponse par pointage suivie d'une réponse de vérification ?

2. Si on a recours à une réponse par pointage, quel est le meilleur type de question : dichotomique, à choix multiple ou d'échelonnement ?

3. Si on a opté pour une liste d'éléments à pointer, est-ce que toutes les possibilités sont offertes, sans chevauchement et selon un ordre défendable ? Sa longueur est-elle raisonnable ? La formulation des éléments est-elle impartiale et bien équilibrée ?

4. La forme prévue pour les réponses est-elle facile d'usage, précise, uniforme et adéquate en fonction de l'objectif de la question ?

D. Questions se rapportant à l'ordre des questions

1. Le contenu des questions précédentes est-il susceptible d'exercer une influence sur la réponse à la présente question ?

2. Cette question est-elle abordée de façon naturelle ? Se présente-t-elle dans l'« ordre psychologique » qui convient ?

3. La question arrive-t-elle trop tôt ou trop tard pour susciter de l'intérêt et recevoir une attention suffisante, éviter les résistances, etc. ?

attitudes servira à distinguer les sujets qui sont plus ou moins favorables à une idée ou à une opinion. En ce qui concerne la plupart des échelles, les notes attribuées pour les divers items sont additionnées de manière à obtenir un score simple. Un item désigne toute question ou tout énoncé auquel le sujet apporte une réponse. Le score est l'indice numérique dérivé des réponses aux questions ou aux énoncés. L'utilisation d'un score global diminue le risque d'erreur due au hasard et l'erreur systématique.

> L'échelle, qui est composée d'un ensemble d'énoncés ayant une relation logique ou empirique, est une forme d'évaluation destinée à mesurer un concept ou une caractéristique de l'individu.

L'échelle de mesure peut consister en une série d'étapes, de degrés ou de gradations dont les quantités varient en fonction du plus grand et du plus petit. Les scores sur l'échelle permettent des comparaisons entre les individus par rapport au phénomène ou concept examiné. Les échelles sont plus précises pour évaluer un phénomène que ne le sont les questionnaires (Burns et Grove, 1993). Les divers énoncés ou items d'une échelle permettent d'accroître les dimensions d'un concept et de mieux cerner celles que reflète l'instrument. Chaque énoncé d'une échelle est considéré comme une variable. Ainsi, plus une échelle possède énoncés, plus la taille de l'échantillon devrait être grande.

Composantes des échelles

Les composantes de l'échelle sont : 1) un énoncé pivot en relation avec l'attitude ou le phénomène à évaluer (« Accomplit les activités de la vie quotidienne »); 2) une série de degrés sur l'échelle (1, 2, ... 5); 3) des catégories ou ancrages qui définissent les degrés ou échelons (1 = fortement d'accord; 5 = en désaccord).

Types d'échelles

Les principales échelles sont : 1) les échelles graphiques, 2) les échelles de Likert, 3) les échelles différentielles sémantiques et 4) les échelles visuelles analogues.

1) L'échelle graphique

L'échelle graphique est la forme la plus élémentaire de mesure qui utilise la technique de gradation (Burns et Grove, 1993) et la plus répandue (Selltiz, Wrightsman et Cook, 1976). Elle consiste en une série ordonnée de catégories de variables présumées être l'expression d'un continuum sous-jacent. Une valeur numérique est attribuée à chaque catégorie. La finesse des distinctions entre les catégories peut varier selon les échelles. Les échelles graphiques sont faciles à construire; cependant, il faut éviter d'inclure des énoncés trop extrêmes, qui risquent de ne pas être choisis par les sujets.

Les échelles graphiques peuvent être utilisées pour évaluer diverses situations, telles que le degré de participation à un centre d'activité physique, ou encore l'interaction infirmière-client, comme dans l'exemple qui suit :

> • Quand une infirmière m'adresse la parole, elle semble habituellement...
>
> a) non intéressée
> b) pressée
> c) polie mais distante
> d) coopérative
> e) empathique

La même information peut être obtenue en utilisant une échelle d'énumération graphique telle que celle qui est illustrée à la figure 17.2.

Les échelles graphiques peuvent aussi être utilisées comme complément à une liste d'inventaire dans les études d'observation, pour enre-

FIGURE 17.2
Échelle d'énumération graphique.

gistrer l'apparition ou la fréquence d'un comportement (Polit et Hungler, 1995).

2) L'échelle de Likert

L'échelle de Likert, dite « additive », consiste à demander aux sujets d'indiquer s'ils sont plus ou moins en accord ou en désaccord relativement à un certain nombre d'énoncés, en choisissant entre cinq réponses possibles. Une échelle de Likert se construit en cinq étapes (Kidder, 1981; Gauthier, 1992) :

PREMIÈRE ÉTAPE : Réunir un grand nombre d'énoncés ou *pool* d'items qui expriment clairement les facettes d'une attitude, d'une caractéristique ou d'un concept. Les énoncés neutres comme les énoncés extrêmes doivent être évités. Un nombre égal d'énoncés positifs et d'énoncés négatifs devrait être choisi pour représenter l'univers des énoncés possibles.

DEUXIÈME ÉTAPE : Soumettre les énoncés à un échantillon de personnes représentant celles qui seront étudiées.

TROIXIÈME ÉTAPE : Répartir les opinions favorables ou défavorables en cinq catégories : « tout à fait d'accord », « plutôt d'accord », « indécis », « plutôt en désaccord » et « tout à fait en désaccord ». Les réponses positives et négatives obtenues aux énoncés proposés sont codés de +2 (tout à fait d'accord) à -2 (tout à fait en désaccord) comme à la figure 17.3.

La décision d'utiliser un nombre pair ou impair de catégories ne fait pas l'unanimité dans les ouvrages méthodologiques. Certains auteurs croient que la catégorie « indécis » ou « neutre » peut réduire la possibilité de différenciation entre les données et soutiennent qu'il est préférable d'offrir un choix forcé de réponse en présence de catégories opposées – « tout à fait d'accord » à « tout à fait en désaccord ». Selon d'autres auteurs, les réponses du type « indécis » sont difficiles à interpréter si les sujets choisissent en grand nombre cette réponse ou encore si peu la choisissent (Burns et Grove, 1993). La controverse entourant la catégorie « indécis » est basée sur le niveau de mesure ordinal/intervalle selon que l'intention du chercheur est de s'approcher le plus possible du zéro en utilisant la catégorie « neutre » ou de forcer le choix des sujets d'après un ordre de grandeur (Knapp, 1990; McMillan et Schumacher, 1989).

QUATRIÈME ÉTAPE : Additionner les scores individuels sur l'échelle. Dans l'addition des points, le chercheur assigne un score plus élevé aux sujets qui ont répondu positivement, par exemple une note de +2 pourrait être attribuée à ceux qui sont « tout à fait en accord » avec l'énoncé, alors qu'une note de -2 pourrait être attribuée à ceux qui sont « tout à fait en désaccord ». En faisant la somme des points obtenus pour tous les éléments proposés, on obtient un score total pour chaque sujet.

| Tout à fait d'accord | Plutôt d'accord | Indécis | Plutôt en désaccord | Tout à fait en désaccord |

FIGURE 17.3
Échelle de Likert.

CINQUIÈME ÉTAPE : Déterminer la consistance interne de l'échelle à l'aide d'analyses statistiques qui établissent le degré de corrélation entre chaque indicateur et le score de l'échelle. Bien que les valeurs obtenues à l'échelle de Likert soient de niveau ordinal, le score total est généralement considéré comme une donnée à intervalles permettant le recours à une plus grande gamme d'analyses statistiques.

Le nombre d'énoncés introduits dans l'échelle de Likert se situe habituellement entre 10 et 20, mais elle peut en contenir davantage. L'échelle de Likert représente en général une mesure unidimensionnelle d'un concept, bien que l'on retrouve souvent des sous-échelles qui produisent des scores pour chaque dimension d'un concept. De manière à réduire les biais au minimum, la moitié des énoncés est exprimée de façon positive, tandis que l'autre moitié est exprimée de façon négative. Pour les analyses statistiques, les scores négatifs sont inversés.

3) L'échelle différentielle sémantique

Conçue par les auteurs Osgood, Suci et Tannenbaum (1957), l'échelle différentielle sémantique est utilisée de façon spécifique pour évaluer la signification accordée par un individu à une attitude ou à un objet donné. L'échelle différentielle est une échelle bipolaire à sept points sur laquelle sont répartis des adjectifs opposés. Le sujet choisit le point sur l'échelle qui décrit le mieux son point de vue par rapport à un concept. L'échelle bipolaire est constituée d'adjectifs tels que, « bon, mauvais, important, non important, fort, faible, etc. ». L'exemple suivant évalue les attitudes des étudiants envers la recherche (figure 17.4).

Des valeurs de 1 à 7 sont échelonnées sur l'échelle bipolaire : 1 est la réponse la plus négative et 7 est la réponse la plus positive. Chaque ligne représente une échelle. Les valeurs obte-

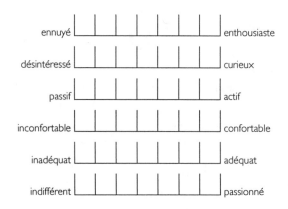

FIGURE 17.4
Échelle différentielle sémantique.

nues à chaque échelle sont additionnées pour constituer un score global pour chaque sujet. Chaque concept devrait fournir trois scores : l'évaluation, la force et l'activité, si les paires d'adjectifs représentent adéquatement ces trois dimensions. Des analyses factorielles sont utilisées pour examiner la structure des trois facteurs ou dimensions (Burns et Grove, 1993).

4) Les échelles visuelles analogues

Les échelles visuelles analogues servent à mesurer des expériences subjectives, telles que la douleur, la fatigue, la nausée, la dyspnée, la qualité du sommeil, la gravité clinique des symptômes, etc., (Polit et Hungler, 1995; Wewers et Lowe, 1990; Waltz, Strickland et Lenz, 1991). Plutôt que de demander aux sujets de choisir un degré d'accord ou de désaccord par un point sur une échelle de Likert, on leur demande d'indiquer l'intensité de leurs sentiments, de leurs symptômes ou la qualité de leur humeur en inscrivant une marque sur une ligne (verticale ou horizontale). Habituellement, une ligne de 100 mm est tracée, et à chaque extrémité de la ligne, des mots servent de points de repère pour décrire le degré d'intensité du stimulus. Les valeurs des scores sont obtenues en mesurant la distance en millimètres entre la marque indiquée par le sujet et l'extrémité de l'échelle (Waltz, Strickland et Lenz, 1991). La figure 17.5 est un exemple d'une échelle visuelle analogue.

La fidélité des échelles visuelles analogues se vérifie habituellement au moyen de la méthode *test-retest*. Des coefficients de corrélation modérés à forts doivent résulter des deux mesures effectuées à l'aide de l'échelle (Waltz, Strickland et Lenz, 1991). Les échelles visuelles analogues ont l'avantage d'être faciles à construire, acceptables pour les participants et assez sensibles pour percevoir des changements dans les degrés d'intensité ou dans la qualité des expériences.

LA CLASSIFICATION Q

La classification Q se base sur le principe que la subjectivité peut être étudiée d'une manière objective, ordonnée et scientifique (Dennis, 1985). La classification Q permet au chercheur d'explorer et de comprendre les dimensions subjectives d'un phénomène selon la perspective des sujets. Elle permet aussi, selon Dennis (1985), de déterminer des différences statistiques par rapport à ces dimensions et de connaître les caractéristiques des individus qui partagent les mêmes points de vue.

Cette technique est utilisée pour évaluer les similarités entre les attitudes, les perceptions de différents sujets ou groupes de sujets et pour vérifier le changement survenu à cet égard chez les groupes de sujets (Waltz, Strickland et Lenz,

1991). La technique permet d'obtenir des sujets leur degré d'accord ou de désaccord en ce qui concerne une idée ou caractéristique particulière. La classification Q peut aussi être utilisée pour évaluer l'ordre de priorité des éléments à inclure au cours de la construction d'une échelle de mesure ainsi que dans une variété de problèmes.

La façon de procéder consiste à présenter au participant une pile de cartes, de 50 à 100, chacune contenant un mot ou un énoncé se rapportant au thème étudié et exprimant une opinion, un comportement, etc. Puis on demande au sujet de classer les cartes en 9 ou 20 piles selon leur degré d'accord ou de désaccord avec l'énoncé.

Selon cette technique, le sujet est limité par le nombre de cartes à placer dans chaque pile. Les cartes sont placées dans les piles de manière à former une courbe normale de réponses, c'est-à-dire qu'il y a très peu de cartes indiquant des extrêmes. On demande au sujet de choisir d'abord les cartes qu'il désire placer dans les extrémités et d'aller ensuite vers les catégories du centre, lesquelles contiennent le plus grand nombre de cartes. Un exemple de la distribution d'une classification Q est présenté au tableau 17.4.

La technique de la classification Q est difficile et longue à réaliser. On utilise une variété d'analyses statistiques pour le traitement des données obtenues avec cette technique, allant des analyses descriptives à l'analyse de facteurs (Polit et Hungler, 1995).

| Absence de douleur | | Douleur insupportable |

FIGURE 17.5
Échelle visuelle analogue.

TABLEAU 17.4

Exemple d'une distribution d'une classification Q.

APPROBATION FAIBLE										APPROBATION ÉLEVÉE
Catégorie	1	2	3	4	5	6	7	8	9	
Nombre de cartes	2	4	7	10	14	10	7	4	2	

LA MÉTHODE DELPHI

La méthode Delphi est utilisée en vue d'obtenir les jugements d'un groupe d'experts, d'évaluer des priorités ou encore de faire des prévisions. Cette technique permet de recueillir l'opinion d'un grand nombre d'experts à l'échelle nationale et internationale sans que ceux-ci aient à se déplacer.

Un questionnaire portant sur un domaine précis est élaboré, par exemple à l'aide de la technique du groupe nominal, et envoyé aux experts afin de solliciter leur opinion ou jugement sur l'objet à l'étude. Les questionnaires remplis sont ensuite retournés au chercheur pour examen et analyse. Un second envoi de questionnaires est effectué auprès des experts pour réexamen, puis un troisième, et ce jusqu'à ce que les données reflètent un consensus parmi les experts.

Plusieurs problèmes peuvent survenir au cours des diverses étapes de cette méthode. Selon Burns et Grove (1993), il n'est pas évident que les réponses ainsi obtenues seraient différentes de celles qui auraient été recueillies auprès d'un échantillon aléatoire de sujets.

LES TECHNIQUES PROJECTIVES

Les techniques projectives incluent une variété de méthodes permettant d'obtenir des mesures psychologiques avec un minimum de coopération de la part des sujets. L'utilisation de techniques projectives repose sur le postulat selon lequel la manière dont une personne s'organise et réagit aux stimuli non structurés qui lui sont présentés reflète ses attitudes, ses motivations, ses valeurs, les caractéristiques de sa personnalité.

Ces techniques, le plus souvent utilisées en psychologie, incluent le test des taches d'encre de Rorschach, le test d'Aperception Thématique (TAT), les tests d'associations verbales, les phrases à compléter, le jeu de rôle, le psychodrame. Toutes ces techniques requièrent de la part de l'expérimentateur qui les utilise un entraînement rigoureux.

LES VIGNETTES

Les vignettes consistent en de brèves descriptions narratives d'un événement ou d'une situation, qui sont présentées aux sujets afin de recueillir leurs perceptions et opinions sur un phénomène à l'étude. Le contenu des vignettes peut être fictif ou réel. Les sujets répondent sur une échelle à neuf points. Cette technique a souvent été utilisée pour mesurer des attitudes, des préjugés et des stéréotypes (Polit et Hungler, 1995).

17.3

DE LA PHASE MÉTHODOLOGIQUE À LA PHASE EMPIRIQUE

La mise en application du plan établi se traduit par le passage de la phase méthodologique à la phase empirique. Une fois que les méthodes de collecte des données ont été élaborés et adaptées et l'échantillon de sujets choisi, ces deux composantes sont réunies pour enclencher le processus de la collecte des données sur les variables à l'étude. Le chercheur a longuement réfléchi, au cours de la phase méthodologique, aux différentes activités qu'engendre une collecte de données sur le terrain; il est maintenant prêt à passer à l'action selon le plan établi. Cependant, il faut être bien conscient que le déroulement de la collecte des données ne se fait pas toujours sans embûches. L'accessibilité et le recrutement des sujets sont souvent les pierres d'achoppement, si l'on considère les préalables au processus de collecte des données, soit les droits humains à respecter, les personnes intermédiaires par qui le chercheur doit passer pour avoir accès aux sujets et le recrutement proprement dit des sujets.

Processus de collecte des données

Le processus de collecte des données consiste à recueillir de façon systématique l'information désirée auprès des participants, à l'aide des instruments de mesure choisis à cette fin. Avant d'entreprendre la collecte des données proprement dite, certaines démarches préliminaires doivent être effectuées : elles comportent l'obtention d'une autorisation de conduire l'étude dans tel établissement, l'approbation du comité d'éthique de la recherche de l'établissement concerné, l'entraînement des responsables de l'entrevue ou des assistants, les décisions concernant le déroulement de la collecte des données ainsi que la constance et le contrôle dans la collecte de l'information et, enfin, l'évaluation des problèmes potentiels..

DÉMARCHES PRÉLIMINAIRES

1) Autorisation des instances concernées

Avant d'entreprendre sa recherche, le chercheur doit solliciter l'autorisation de conduire son étude dans un établissement donné. Il doit indiquer dans sa demande en quoi consiste le projet, qui sont les participants et quelles ressources seront nécessaires. Il est à noter que les demandes d'autorisation peuvent varier d'un chercheur à l'autre selon que celui-ci est déjà membre associé du centre de recherche dans lequel se déroulera l'étude ou qu'il vient de l'extérieur. Dans certaines disciplines, comme en sciences infirmières, le chercheur établit des contacts avec les chefs de service des centres hospitaliers et les infirmières-chefs, de manière à assurer une collaboration tout au long du processus de la collecte des données.

La recherche peut aussi être menée en dehors des établissements, comme c'est le cas des études dont la collecte des données s'effectue auprès de sujets dans la communauté, la famille et auprès de groupes défavorisés qui fréquentent des centres de santé. La recherche peut également être basée sur l'entrevue à domicile, lequel devient le milieu de recherche. Dans les enquêtes, on a recours à l'entrevue par téléphone. Quand il utilise de telles approches, le chercheur doit obtenir l'autorisation individuelle des participants pour mener l'enquête. Il en est de même pour les recherches de type qualitatif, pour lesquelles l'autorisation de chaque participant est requise.

2) Comité d'éthique de la recherche

Tel qu'il a été indiqué au chapitre 9, toute recherche faite auprès des sujets humains doit être évaluée d'un point de vue éthique. Les projets soumis aux organismes subventionnaires doivent être accompagnés d'un certificat d'éthique émis par un comité dûment mandaté. Les universités possèdent leur propre comité, habituellement organisé par secteurs disciplinaires. Chaque centre hospitalier où il se fait de la recherche doit avoir son comité d'éthique de la recherche. Selon les modalités de chaque établissement, le chercheur soumet son protocole de recherche en incluant les instruments de mesure et un formulaire de consentement expliquant les objectifs de l'étude et la nature de la participation des sujets. Les membres du comité d'éthique peuvent demander des informations additionnelles au chercheur afin de compléter leur évaluation. Un certificat d'éthique est émis en guise d'approbation du projet de recherche d'un point de vue éthique.

3) Formation des responsables de l'entrevue

Quand l'étude requiert des responsables pour la collecte des données par entrevue ou des assistants de recherche pour recueillir les données, ceux-ci doivent d'abord être formés. La période de préparation dépend de la nature de la collecte des données, selon qu'il s'agit d'entrevues en face à face, d'entrevues par téléphone ou encore d'entrevues à l'aide d'un questionnaire.

4) Décisions concernant le déroulement de l'étude

Le déroulement de l'étude proprement dit comporte un certain nombre d'activités reliées entre elles, qui se produisent de façon simultanée avec la collecte des données. Pour l'échantillonnage, le chercheur applique les critères de sélection qu'il a établis préalablement. La taille de l'échantillon ayant également été déterminée, il est important de tout mettre en œuvre pour obtenir le nombre de sujets nécessaire. Le chercheur doit prévoir une stratégie de recrutement des sujets : les sujets seront-ils recrutés à partir d'une liste d'inscription pour une intervention chirurgicale quelconque ? Seront-ils sélectionnés d'après leur dossier médical ? Pour la plupart des études effectuées dans des établissements de santé, les difficultés de recrutement peuvent s'avérer un problème majeur. Par exemple, trouver des sujets pouvant, selon certains critères de sélection, bénéficier d'une intervention de soutien

à l'occasion d'une chirurgie cardiaque demandera une période de recrutement assez longue. Si l'étude vise à évaluer les effets de l'intervention sur des variables, telles que le retour aux activités ou la convalescence, les sujets devront présenter des conditions de santé similaires afin d'établir des comparaisons quant à ces variables entre le groupe qui a reçu le traitement et le groupe qui ne l'a pas reçu. Cela signifie que, au cours du recrutement, certains sujets ne répondront pas aux critères de sélection, d'autres n'accepteront pas de participer alors que d'autres pourront se désister au cours de la période de collecte des données, ce qui constitue une difficulté importante pour le chercheur. Le fait de ne pas atteindre la taille de l'échantillon désirée peut avoir des effets sur le plan des analyses statistiques, de l'interprétation et de la généralisation des résultats.

5) Décisions concernant la constance et le contrôle durant la collecte des données

La constance dans la collecte des données implique le maintien des modalités de cueillette de l'information pour chaque sujet ou événement. Les instruments de mesure doivent être utilisés de façon constante d'un sujet à l'autre. Il est important de suivre le plan établi. Si le plan devait être modifié pour quelque raison que ce soit, une justification s'imposerait ainsi qu'une évaluation des conséquences sur l'analyse et l'interprétation des résultats.

Le chercheur doit s'efforcer de limiter les influences extérieures qui peuvent survenir au cours de la collecte des données et qui n'ont pas été prévues à la phase méthodologique. Il doit être attentif à la possible influence de variables étrangères. Les variables étrangères détectées au cours de la collecte des données doivent être prises en compte au moment des analyses et de l'interprétation des résultats. Dans les études de type expérimental, le chercheur doit surveiller les risques de contamination des sujets. Le maintien de la constance et du contrôle au cours du déroulement de l'étude concourt à la validité de l'étude.

6) *Évaluation des problèmes potentiels*

La collecte des données sur le terrain est souvent semée d'embûches. Les problèmes déterminés à cette étape peuvent être nombreux. Mentionnons les plus fréquents : l'obligation de prolonger la période de collecte des données par manque de sujets; les refus des sujets de participer à l'étude; les désistements au cours de la collecte des données. Il arrive que les critères de sélection doivent être réévalués s'il apparaît trop difficile de recruter des sujets en nombre suffisant. Cette démarche doit toutefois être faite au début de la collecte des données.

17.4
RÉSUMÉ

Plusieurs méthodes de collecte des données sont disponibles aux chercheurs. Un certain nombre de projets cliniques nécessitent l'adoption de mesures objectives pour évaluer, par exemple, l'état de santé des individus; ces mesures sont considérées comme des variables dépendantes. Les méthodes d'observation sont des techniques qui permettent d'obtenir de l'information relative au but de l'étude à l'aide de l'observation directe et de l'enregistrement de données. L'observation est utilisée quand il n'existe pas d'autres moyens d'obtenir l'information souhaitée. Le chercheur doit planifier rigoureusement l'enregistrement des comportements désignés en précisant les modalités selon lesquelles les observations seront notées d'après les unités comportementales retenues.

L'entrevue et le questionnaire sont les méthodes de collecte des données couramment utilisées. Ces méthodes permettent de recueillir les informations auprès des participants en ce qui concerne les faits, les idées, les comportements, les sentiments. L'entrevue et le questionnaire s'appuient sur des témoignages des sujets. Le choix entre l'entrevue et le questionnaire dépend du but de l'étude. L'entrevue est l'outil privilégié dans les études exploratoires-descriptives pour lesquelles le chercheur utilise une approche qualitative. On distingue deux types d'entrevues : l'entrevue structurée ou uniformisée, sur laquelle le chercheur exerce le maximum de contrôle, et l'entrevue non structurée ou non uniformisée, dans laquelle la formulation des questions est laissée à la discrétion du responsable de l'entrevue. L'entrevue non structurée nécessite un guide qui donne les grandes lignes des thèmes à explorer sans indiquer l'ordre ou la manière de poser les questions; celles-ci sont à réponse libre, alors qu'on a des questions à choix fixe dans l'entrevue structurée ou le questionnaire. L'entrevue présente l'avantage d'une utilisation générale dans presque tous les secteurs de la population. Parmi les autres avantages, notons les taux élevés de réponse et la facilité de détecter les erreurs d'interprétation. Cependant, l'entrevue est coûteuse à exploiter parce qu'elle requiert plus de temps, l'entraînement de responsables, en plus du grand nombre de données à codifier et à analyser.

Le questionnaire est une méthode de collecte des données destinée à obtenir des réponses écrites de la part des sujets. Le questionnaire structuré limite les participants aux questions formulées, sans qu'il y ait possibilité de les changer. La construction du questionnaire se fait par étapes : 1) il faut d'abord préciser l'information à recueillir; 2) il faut formuler des questions, soit des questions à choix fixe, à choix multiple ou à réponse libre. Les questions à choix fixe sont celles qui fournissent au sujet une série de réponses possibles, parmi lesquelles il fait un choix. Les avantages des questions à choix fixe sont qu'on peut y répondre en peu de temps, et que les données sont faciles à coder et à analyser; 3) on doit préciser la séquence des questions et le format du questionnaire; 4) il est nécessaire de réviser l'ébauche du questionnaire; et 5) on doit soumettre le questionnaire à un prétest.

Les échelles de mesure sont des formes d'autoévaluation composées de plusieurs éléments destinés à mesurer un concept ou une caractéristique à l'étude. Une valeur numérique est attribuée à la position que le sujet choisit sur l'échelle représentant un continuum par rapport à la caractéristique mesurée. Les principaux types d'échelle sont : l'échelle graphique, l'échelle de Likert, l'échelle différentielle sémantique. Parmi les types d'échelle les plus utilisés, on doit considérer l'échelle de Likert. Elle est constituée d'une série d'énoncés qui expriment un point de vue sur un sujet. Les participants indiquent leur degré d'accord ou de désaccord avec l'opinion émise dans l'énoncé.

D'autres méthodes de collecte des données sont aussi utilisées, comme les échelles visuelles analogues, la classification Q, la méthode Delphi, les techniques projectives et les vignettes.

Références bibliographique

Burns, N., Grove, S. K. (1993). *The practice of nursing research : Conduct, critique and utilization*, 2ᵉ éd. Philadelphia : W. B. Saunders.

Converse, J. M., Presser, S. (1986). *Survey questions : Handcrafting the standardized questionnaire*. Newbury Park, CA : Sage.

Dennis, K. E. (1985). *Q-Methodology : New perspectives on estimating reliability and validity*. Paper presented at the Measurement of Clinical and Educational Nursing Outcomes Conference, New Orleans, L. A..

Dillman, D. A. (1978). *Mail and telephone surveys : The total design method*. New York : John Wilelly and Sons.

Field, P. A., Morse, J. M. (1985). *The application of qualitative approaches*. Rockville, MD : Aspec Publications.

Fortin, M. F., Taggart, M. E., Kérouac, S., Normand, S. (1988). *Introduction à la recherche : Auto-apprentissage assisté par ordinateur*. Montréal : Décarie Éditeur.

Fowler, F. J. (1990). *Standardized survey interviewing : Minimizing interviewr-related error*. Newbury Park, CA : Sage.

Gordon, R. L. (1980). *Interviewing : Strategy, techniques and tactics*. Chicago : Dorsey Press.

Gauthier, B. (1992). *Recherche sociale : De la problématique à la collecte des données*, 2ᵉ éd. Québec : Presses de l'Université du Québec.

Kidder, L. H. (1981). *Research methods in social relations*. New York : Holt, Rinehart and Winston.

Knapp, T. R. (1990). Treating ordinal scales as interval scales : An attempt to resolve the controversy, *Nursing Research*, nᵒ 39 (2), p. 121-123.

Laperrière, A. (1992). L'observation directe. Dans *Recherche sociale : De la problématique à la collecte des données*, 2ᵉ éd. Québec : Presses de l'Université du Québec.

McLaughlin, P. (1990). *How to interview : The art of asking questions*, 2ᵉ éd. North Vancouver : International Self-Counsel Press.

MᶜMILLAN, J. H., SCHUMACHER, S. (1989). *Research in education : A aonceptual introduction*, 2ᵉ éd. Glenview, Il. : Scott, Foresman and Company.

MISHLER, E. G. (1986). *Research interviewing : Context and narrative*. Cambridge Mass. : Harvard Université Press.

MUNHALL, P. L., OILER, C. J. (1986). *Nursing research : A qualitative perspective*. Norwalk, Ct : Appleton-Century-Crofts.

OSGOOD, C. E., SUACI, G. J., TANNENBAUM, P. H. (1957). *The measurement of meaning*. Chicago : University of Illinois Press.

POLIT, D. F., HUNGLER, B. H. (1995). *Nursing research : Principles and methods*, 5ᵉ éd. Philadelphia : J. B. Lippincott.

ROBERT, M. (1988). *Fondement et étapes de la recherche scientifique en psychologie*, 3ᵉ éd. Saint-Hyacinthe : Edisem.

SELLTIZ, C., WRIGHSTMAN, L. S., COOK, S. W. (1976). *Research Methods in social relations*, 3ᵉ éd. New York : Holt, Rinehart and Winston.

SUDMAN, S., BRADBURN, N. (1982). *Asking questions : A practical guide to questionnaire design*. San Francisco : Jossey-Bass.

WALTZ, C. F., STRICKLAND, O. L., Lenz, E. (1991). *Measurement in nursing research*, 2ᵉ éd. Philadelphia : F. A. Davis Company.

WEICK, K. E. (1968). Systematic observational methods. In G. Lindsey and E. Aronson (Éd.) *The handbook of social psychology*, vol. 2. Reading Mass. : Adison-Wesley.

WEWERS, M. E., LOWE, N. K. (1990). A critical review of visual analogue scales in the measurement of clinical phenomena. *Research in nursing and health*, n° 13 (4), p. 227-236.

WILSON, H. S. (1985). *Research in nursing*. Menlo Park, CA : Addison-Wesley.

WOODS, N. F., CATANZARO, M. (1988). *Nursing research : Theory and practice*. St. Louis, MS : The C.V. Mosby.

WOODWARD, C., CHAMBERS, L. (1982). *Guide to questionnaire construction and question writing*. Ottawa : Canadian Public Health Association.

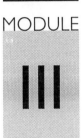

MODULE

III

PHASE
EMPIRIQUE

ANALYSE STATISTIQUE DES DONNÉES

François Harel

Objectifs d'apprentissage

À la fin de ce chapitre, l'étudiant(e) devrait être capable de :

✔ Connaître les objectifs de l'analyse statistique et savoir les tests à choisir en fonction du type de recherche.

✔ Comprendre les notions de tendance centrale, de mesure de dispersion et de distribution normale.

✔ Discuter de l'inférence statistique et de sa relation avec les tests d'hypothèses.

✔ Mieux apprécier la partie « résultats » dans les articles scientifiques et poser un jugement critique sur l'utilisation des analyses du khi-deux, du test de t, de la variance et de la corrélation r de Pearson.

CE CHAPITRE EST ACCOMPAGNÉ D'UNE LEÇON INFORMATISÉE FACULTATIVE.

Dans tous les domaines, scientifiques et autres, on mesure presque tout : des habitudes de vie jusqu'aux opinions, de l'état de santé jusqu'aux états d'âme... La statistique est le science qui permet de structurer l'information numérique mesurée chez un certain nombre de sujets (l'échantillon). Cette information numérique sera aussi désignée sous le nom de « variable ». D'une part, la statistique permet à l'aide des statistiques descriptives, de résumer l'information numérique de façon structurée afin d'obtenir un portrait général des variables mesurées auprès d'un échantillon. D'autre part, elle permet à l'aide des statistiques inférentielles, c'est-à-dire des tests statistiques (comparaison de moyennes, comparaison de proportions, corrélation, etc.), de déterminer si les liens observés entre certaines variables dans un échantillon sont généralisables à la population d'où est tiré l'échantillon.

La statistique intervient à plusieurs étapes d'une recherche quantitative (voir les zones ombrées de la figure 18.1). Ce chapitre a pour but de fournir une bonne compréhension des principes de base de la statistique, qui est essentielle pour quiconque entreprend une telle démarche.

18.1

Utilité de la statistique
en recherche

Comme le démontre la figure 18.1, la statistique intervient dans la recherche quantitative. Les zones ombrées correspondent aux étapes de la recherche faisant appel à la statistique.

Lorsque l'on procède à la recension des écrits, la connaissance de la statistique est un atout ma-

jeur, puisqu'elle permet de porter un regard critique sur les résultats rapportés dans les différentes études qui ont fait l'objet d'une publication dans une revue scientifique (étape 3).

Des instruments de mesure sont utilisés dans la plupart des recherches pour mesurer les concepts tels l'anxiété, le stress ou le bien-être des individus. Or, le choix d'un instrument de mesure s'appuie souvent sur son évaluation psychométrique (fidélité et validité), qui fait appel à des notions particulières de la statistique (étape 7).

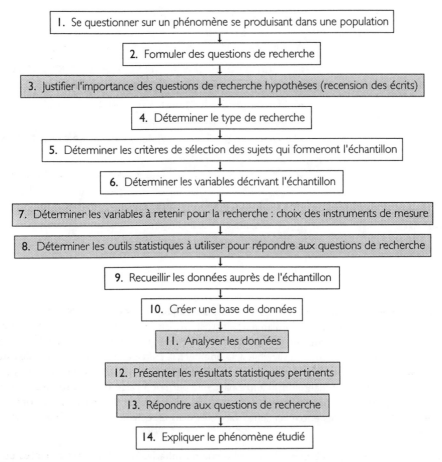

FIGURE 18.1

Déroulement et intervention statistique d'une recherche.
Les zones ombrées correspondent aux étapes de la recherche faisant appel à la statistique.

Le choix des outils statistiques à utiliser pour répondre aux questions de recherche ou aux hypothèses est l'étape qui pose généralement le plus de difficultés à la plupart des chercheurs, puisqu'il exige une connaissance des conditions et des justifications de leur utilisation et de leur portée. Le choix des outils statistiques dépend principalement du type de recherche effectuée, du type de variables utilisées et des questions de recherche qui ont été formulées (étape 8).

L'analyse statistique des données et la présentation des résultats statistiques nécessitent évidemment une bonne connaissance des principes de base de la statistique. Bien que l'analyse puisse être effectuée par un statisticien professionnel, le chercheur doit être en mesure de juger de la pertinence des tests employés (qui peuvent parfois différer des tests prévus avant la cueillette des données, par exemple lorsque l'échantillon présente des limites qui n'étaient pas prévues...) et être en mesure d'en interpréter les résultats (étapes 11-13).

18.2

LES TYPES DE MESURE

Stevens (1946) a conçu un système de classification qui permet de classer une variable selon son échelle de mesure. Ce système de classification, fortement utilisé dans les recherches psychosociales, est basé sur la meilleure possibilité qu'offrent deux nombres provenant d'une même échelle de mesure d'être différenciés l'un de l'autre : peut-on simplement dire que deux nombres font partie de la même classe ? peut-on les ordonner ? peut-on évaluer la distance qui les sépare ? ou finalement, peut-on, à partir de ces deux nombres, calculer un ratio qui a du sens ?

D'après ce système de classification, toute information prise chez un sujet, c'est-à-dire toute

variable, peut être classée selon quatre types de mesure ou échelles de mesure : 1) l'échelle nominale, 2) l'échelle ordinale, 3) l'échelle à intervalles, 4) l'échelle de rapport ou de proportion.

1) L'ÉCHELLE NOMINALE

L'échelle nominale représente le niveau de mesure le plus bas. Une échelle est dite nominale lorsque des nombres sont utilisées pour classer les sujets dans une catégorie précise.

EXEMPLE : Le groupe sanguin est une variable mesurée sur une échelle nominale : 1 = type O, 2 = type A, 3 = type B, 4 = type AB.

Les valeurs de l'échelle servent à indiquer à quelle catégorie appartient un sujet donné et ne sont que des codes tout à fait arbitraires; ils peuvent être interchangés sans que cela modifie l'information essentielle fournie par l'échelle. Dans l'exemple précédent, l'échelle aurait très bien pu être : 1 = type A, 2 = type O, 3 = type AB, 4 = type B.

Les catégories composant l'échelle nominale doivent être exhaustives et mutuellement exclusives; chaque individu doit appartenir à une seule catégorie et, à l'intérieur de toute catégorie, les individus sont présumés équivalents relativement à la caractéristique mesurée.

Le sexe, le statut civil, l'appartenance ethnique, une question qui ne permet que les réponses oui/non sont d'autres exemples de variables se mesurant sur une échelle nominale.

Lorsqu'une variable est mesurée sur une échelle nominale ne comportant que deux possibilités, on dit alors que cette variable est dichotomique. Par exemple, une question qui ne permet que les réponses oui/non.

2) L'ÉCHELLE ORDINALE

L'échelle ordinale diffère de l'échelle nominale du fait que les différentes catégories comprises dans l'échelle sont ordonnées, et ce, selon un ordre gradué. Ce type de mesure permet donc de classer les sujets d'après leur position relative face à une certaine caractéristiques.

EXEMPLE : Le degré de satisfaction est une variable mesurée sur une échelle ordinale : 1 = très satisfait, 2 = moyennement satisfait, 3 = insatisfait. Cette échelle permet d'ordonner les sujets selon leur degré de satisfaction et de les comparer les uns aux autres, la satisfaction d'un sujet étant soit inférieure, soit égale, soit supérieure à celle d'un autre sujet.

Les valeurs utilisées pour désigner les catégories sont arbitraires, mais doivent tout de même respecter un ordre logique permettant de situer les sujets entre eux. Dans l'exemple précédent, l'échelle aurait très bien pu être : 0 = insatisfait, 1 = moyennement satisfait, 2 = très satisfait. Il est toutefois important de souligner qu'en général l'écart entre deux valeurs de l'échelle n'est pas interprétable. Dans l'exemple précédent, bien qu'il soit reconnu qu'un sujet classé dans la catégorie « très satisfait » soit plus satisfait qu'un sujet classé dans la catégorie « moyennement satisfait », il est impossible de savoir jusqu'à quel point il est plus satisfait. De plus, l'écart entre deux valeurs de l'échelle n'est pas nécessairement constant. Dans l'exemple précédent, la différence entre les catégories « insatisfait » et « moyennement satisfait » n'est pas nécessairement équivalente à la différence entre les catégories « moyennement satisfait » et « très satisfait ».

Un autre exemple de variable mesurée sur une échelle ordinale est la « mesure d'accord » à 4 niveaux dont le choix de réponse est le suivant : −2 = fortement en désaccord, −1 = en désaccord, 1 = en accord, 2 = fortement en accord. Il est à noter que, conceptuellement, la différence entre les catégories −1 (en désaccord) et 1 (en accord), est plus grande que celle entre les catégories 1 (en accord) et 2 (fortement en accord).

3) L'ÉCHELLE À INTERVALLES

L'échelle à intervalles diffère de l'échelle ordinale du fait que l'écart entre deux nombres donnés est une unité connue et que tous les intervalles entre les nombres sont de grandeur égale.

EXEMPLE : La température prise à l'aide d'un thermomètre gradué en degrés Celsius est une variable mesurée sur une échelle à intervalles. La différence entre 10 °C et 20 °C est la même que celle entre -5 °C et 5 °C.

Il est toutefois important de souligner qu'une échelle à intervalles ne comporte pas de zéro absolu. Par conséquent, il est impossible de construire un ratio à l'aide de deux valeurs d'une échelle à intervalles. Dans l'exemple précédent, 0 °C n'est pas synonyme d'absence totale de chaleur : on a assigné la valeur 0 °C à une certaine température de façon arbitraire (point de congélation de l'eau). Ainsi, le ratio 4 °C / 1 °C ne représente pas 4 fois plus de chaleur que 1 °C.

4) L'ÉCHELLE DE RAPPORT OU DE PROPORTION (RATIO)

L'échelle de ratio ou de proportion, contrairement à l'échelle à intervalles, a un zéro absolu permettant la construction de ratio.

EXEMPLE : Le poids, l'âge et la taille d'une personne sont toutes des variables mesurées sur une échelle de ratio. L'échelle de ratio la plus élémentaire est l'échelle des nombres naturels dont on se sert pour compter dans la vie de tous les jours.

Il est possible de construire un ratio à l'aide de deux valeurs d'une échelle de ratio. Par exemple, on peut construire le ratio 4 ans / 1 an : 4 ans représente 4 fois plus d'années que 1 an.

Autres types reconnus d'échelle

1) L'ÉCHELLE DE LIKERT

Lorsqu'une variable est mesurée sur une échelle ordinale et que la différence entre deux valeurs subséquentes quelconques de l'échelle est conceptuellement équivalente et interprétable, on dit alors que cette variable est mesurée sur une échelle de type Likert (DeVellis, 1991, p. 68).

EXEMPLE : Le fait d'inclure la catégorie « neutre » à l'échelle de la « mesure d'accord » à 4 niveaux décrite précédemment (−2 = fortement en désaccord, −1 = en désaccord, 0 = neutre, 1 = en accord, 2 = fortement en accord) permet de qualifier cette échelle d'« échelle de type Likert à 5 niveaux », puisqu'il est tout à fait sensé de considérer comme égales les différences entre les catégories successives.

Il est à noter qu'on a assigné la valeur zéro à la catégorie « neutre » de façon tout à fait arbitraire et que le ratio 2/1 ne veut rien dire : une personne répondant 2 (fortement en accord) n'est pas nécessairement 2 fois plus en accord qu'une autre répondant 1 (en accord).

La différence entre une échelle à intervalles et une échelle de Likert tient principalement au fait que la différence entre deux valeurs de l'échelle correspond à une unité de mesure connue (par exemple, 1 °C) dans le cas de l'échelle à intervalles alors que cette différence correspond à une unité de mesure conceptuelle qui peut être interprétée (par exemple, une « unité d'accord ») dans le cas de l'échelle de Likert (DeVelles, 1991, p. 68 ; Knapp, 1990). Le point commun entre ces deux échelles est que les différences entre deux valeurs subséquentes sont conceptuellement constantes : par exemple, la différence entre 1 °C et 2 °C est la même que celle entre 2 °C et 3 °C, dans le cas de l'échelle à intervalles et la différence entre les catégories 0 (neutre) et 1 (en accord) est conceptuellement la même que celle entre

les catégories 1 (en accord) et 2 (fortement en accord), dans le cas de l'échelle de Likert.

2) LE CONSTRUIT OU *SCORE*

Un autre type de mesure, d'usage courant, peut être défini : le construit ou *score* (Knapp, 1985, p. 9). Il s'agit d'une mesure obtenue à partir d'un ensemble de questions provenant d'un instrument de mesure (questionnaire).

En psychométrie, science qui étudie, entre autres, la fidélité et la validité des instruments de mesure, les questions sont appelées « items » ou énoncés. En général, un construit s'obtient en calculant la somme ou la moyenne des réponses aux différents items ou énoncés. Pour qu'un construit soit interprétable, les items doivent être mesurés sur une échelle de ratio ou de type Likert, ou encore sur une échelle visuelle analogue. Le mesure portant sur la peur en calculant la moyenne de 30 items, présentée à l'encadré 18.1 est un exemple de construit..

Toutefois, certains auteurs d'instruments de mesure ne tiennent pas compte du type de mesure des items qui constituent le construit. Des mesures sont ainsi obtenues en calculant la moyenne d'items mesurés sur une échelle ordinale, c'est-à-dire sur une échelle dont la différence entre deux valeurs subséquentes n'est pas conceptuellement constante, ce qui est inacceptable selon Stevens (1955).

Par exemple, prenons l'échelle suivante : 1 = jamais, 2 = souvent, 3 = très souvent, 4 = toujours. Il est clair que la différence entre les catégories 1 et 2 n'est pas conceptuellement équivalente à la différence entre les catégories 2 et 3. Il est donc faux de classer cette échelle parmi les échelles de type Likert (Knapp, 1990). Cette échelle est simplement ordinale. Il serait alors inacceptable de construire une variable en calculant la moyenne ou la somme d'items mesurés sur une telle échelle.

Exemple d'un construit.

Un chercheur effectue une étude portant sur la peur des gens. Dans la littérature, certains auteurs ont noté d'une part que les femmes et les hommes ont des niveaux différents de peur et que l'âge pouvait être un facteur important sur la peur. Cependant, ces auteurs n'ont jamais pris en considération le lieu où vivaient les sujets de leurs études pendant leur enfance. Le chercheur a donc utilisé le questionnaire ci-dessous pour répondre aux questions de recherche suivantes :

1. Quel est le niveau de peur des gens en général ?

2. Existe-t-il une différence du niveau de peur entre les hommes et les femmes ?

3. Existe-t-il une relation entre l'âge et le niveau de peur ?

4. Existe-t-il une différence du niveau de peur entre les gens ayant vécu à la campagne pendant leur enfance et ceux ayant vécu en banlieue ou en ville ?

A. Quel est votre genre ? (Cochez SVP)

Féminin _____ Masculin _____

B. Quel est votre âge ? _____ ans.

C. Durant votre enfance, où habitiez-vous ? (Cochez SVP)

Dans une grande ville _____ En banlieue _____ À la campagne _____

À l'aide des codes suivants, veuillez quantifier le niveau de peur que vous ressentez en lisant la description des objets ou des situations ci-dessous :

1 = Pas du tout peur   2 = Un peu peur   3 = Moyennement peur   4 = Très peur   5 = Terrifié

1. Les objets pointus _____
2. Être passager dans une auto _____
3. Les endroits fermés _____
4. Étouffer _____
5. Les orages _____
6. Le sang _____
7. Être passager dans un avion _____
8. Les vers de terre _____
9. Les araignées _____
10. Les rats et les souris _____
11. La vie après la mort _____
12. Les seringues _____
13. La mort d'un proche _____
14. Les cimetières _____
15. Les montagnes russes _____

16. Nager seul _____
17. La maladie _____
18. Les accidents d'auto _____
19. Conduire une auto _____
20. Perdre son emploi _____
21. La maladie mentale _____
22. La mort prématurée _____
23. Les hauteurs _____
24. Les foules _____
25. Les chiens _____
26. La mort _____
27. L'eau profonde _____
28. Les serpents _____
29. Les endroits sombres _____
30. Parler devant un groupe _____

Dans les prochaines sections, l'information contenue dans le questionnaire suivant sera analysée à l'aide de statistiques descriptives et inférentielles pour répondre aux questions de recherche mentionnées ci-haut. Le chercheur a demandé à une quarantaine de personnes choisies au hasard de répondre à ce questionnaire.

Classification utilisée en statistique

Dans la plupart des ouvrages statistiques, on distingue deux types de variables : 1) les variables discrètes et 2) les variables continues.

1) LES VARIABLES DISCRÈTES

De façon très vulgarisée, on parle de variables discrètes lorsque les valeurs que peut prendre une variable sont facilement dénombrables. Les variables discrètes comprennent les variables mesurées sur les échelles nominale, ordinale et de Likert.

2) LES VARIABLES CONTINUES

Les variables continues comprennent les variables mesurées sur les échelles à intervalles, de ratio ou visuelle analogue, et les construits.

Il n'y a pas de consensus quant à la classification des variables mesurées sur une échelle de Likert. Certains auteurs les considèrent continues et utilisent des statistiques réservées à ce type de variables, alors que d'autres préfèrent les considérer comme des variables discrètes... Il est beaucoup plus prudent de considérer ces variables comme des variables discrètes, particulièrement si le nombre de catégories est relativement peu élevé.

L'utilité d'un cahier des codes

Un cahier des codes est un tableau dans lequel apparaissent les renseignements concernant les variables en cause dans une étude. C'est un tableau fort utile : il permet aux personnes impliquées dans une recherche (chercheur principal, superviseur et autres collaborateurs) de connaître rapidement la signification des codes utilisés pour désigner les variables ou les valeurs que peuvent prendre les variables (tableau 18.1).

18.3

TYPES DE RECHERCHES ET TYPES DE STATISTIQUES

Il existe essentiellement deux types de recherches : les recherches dites descriptives et les recherches dites expérimentales. Sur le plan statistique, chaque type de recherches présente ses propres restrictions.

TABLEAU 18.1

Tableau des codes pour les variables d'une étude sur la peur des gens.

NOM	SIGNIFICATION	CODE	TYPE D'ÉCHELLE
Sujet	N° de sujet	1 = Féminin	Nominale (discrète)
Sexe	Sexe du sujet	2 = Masculin	Nominale (discrète)
Âge	Âge du sujet		Ratio (continue)
Lieu	Lieu d'habitation durant l'enfance	1 = Ville 2 = Banlieue 3 = Campagne	Nominale (discrète)
q1 à q30	Les 30 items de l'instrument	1 = Pas du tout peur 2 = Un peu peur 3 = Moyennement peur 4 = Très peur 5 = Terrifié	Likert (discrète)
Peur	À construire à partir des q1 à q30		Construit (continue)

Recherches de type descriptif

Les recherches descriptives s'effectuent dans un contexte exploratoire, puisqu'*a priori* le comportement des variables mesurées et les liens pouvant exister entre elles sont inconnus du chercheur.

En théorie, la présentation des résultats statistiques devraient se restreindre aux statistiques descriptives. En effet, le but ultime de ce genre de recherche est d'offrir un portrait global de l'échantillon. Les variables mesurées sont donc décrites à l'aide des statistiques présentées à la section « Statistiques descriptives ».

En pratique, les statistiques inférentielles (résultats de tests statistiques) sont admises, mais doivent être rapportées avec prudence (Burns et Grove, 1993, p. 294). L'interprétation de ces tests doit uniquement porter sur l'échantillon, c'est-à-dire qu'on ne doit pas généraliser à une population.

Lorsque des tests statistiques sont utilisés, la recherche comporte alors une analyse descriptive corrélationnelle ou une analyse descriptive comparative. Deux exemples de résultats de tests statistiques tolérés dans le contexte d'une recherche de type descriptif sont présentés ci-dessous.

1) Analyse descriptive corrélationnelle

Une analyse descriptive corrélationnelle est présentée lorsqu'on privilégie l'étude de deux variables particulières. Le lien existant entre ces deux variables (X et Y) est alors rapporté afin de répondre à la question « Existe-t-il un lien entre la variable X et la variable Y ? »

EXEMPLE : Une corrélation significative ($r = 0,54$; $p = 0,005$) entre le stress et l'épuisement a été observée dans l'échantillon ($n = 27$).

Dans l'analyse descriptive corrélationnelle, l'existence d'un lien entre les variables X et Y n'implique pas la notion de cause à effet entre ces variables. Il est à remarquer que, dans l'exemple précédent, il est conceptuellement impossible de dire qu'est-ce qui survient en premier, le stress ou l'épuisement.

Comme nous l'avons décrit au chapitre 13, il existe des études purement corrélationnelles, qui sont fondées sur le niveau de connaissances qu'à le chercheur du domaine à l'étude. Ces études basées sur l'explication et la vérification de relations ou modèles théoriques plutôt que sur l'exploration, exigent des analyses statistiques plus poussées et des appuis théoriques bien étoffés.

2) Analyse descriptive comparative

Une analyse descriptive comparative est présentée lorsqu'on s'intéresse plus particulièrement à la différence de moyennes ou de proportions entre deux ou plusieurs groupes de sujets. Des tests de comparaison de moyennes ou de proportions sont alors utilisés pour répondre à la question de recherche suivante : « Existe-t-il une différence de moyennes ou de proportions entre les groupes ? ».

EXEMPLE : Une différence significative ($t_{60} = 2,39$; $p = 0,02$) entre le niveau moyen de stress des hommes et celui des femmes a été observée dans l'échantillon.

Dans l'analyse descriptive comparative, l'existence d'une différence entre deux groupes de sujets considérés *a posteriori* dans un échantillon n'implique pas la notion de cause à effet entre la variable « groupe » et la variable X. Il est à remarquer que, dans l'exemple précédent, il peut être inexact de dire que c'est le sexe de la personne qui est la cause de la différence de stress.

Dans un contexte exploratoire, une hypothèse impliquant un lien de causalité ne peut être formulée. Donc, aucun résultat de tests statistiques impliquant la causalité entre des variables ne devrait être rapporté dans une recherche de type descriptif. Puisque la majorité des tests statistiques ont été conçus pour répondre au besoin d'expliquer des liens de causalité, la façon d'interpréter les résultats dans une étude descriptive est cruciale : la portée du résultat du test doit se limiter à l'échantillon. Un chercheur honnête se doit de respecter cette « règle du jeu ».

Les résultats significatifs des analyses descriptives corrélationnelles ou descriptives comparatives permettent en général de formuler des hypothèses qui devraient être vérifiées ultérieurement à l'aide d'une recherche expérimentale. En effet, les liens ou les différences observés dans l'échantillon permettent à ceux et celles qui veulent répéter l'étude auprès d'un autre échantillon (ou dans un contexte à peu près semblable) de mieux cibler des problématiques complexes. Le but de l'exploration est alors atteint.

Les résultats non significatifs sont tout aussi précieux... Ils suggèrent une voie à ne pas suivre. Dans le long processus d'explication d'un phénomène, si on arrive à fermer une porte, c'est excellent pour la communauté scientifique... Le but de l'exploration est aussi atteint.

Recherches de type expérimental

Le but des recherches de type expérimental est de vérifier la présence d'un lien de causalité entre une ou des variables explicatives (désignées aussi sous le nom de « variables indépendantes ») et une ou des variables expliquées (désignées aussi sous le nom de « variables dépendantes »), c'est-à-dire de répondre à la question de recherche « Est-ce que la variable X influence le comportement de la variable Y ? ».

Dans ce genre de recherche, il est primordial d'identifier la ou les variables explicatives et la ou les variables expliquées avant de procéder à la cueillette des données. Ensuite, selon la nature des variables à l'étude et la façon dont sont recueillies les données (le devis de l'étude), il est possible de déterminer le test statistique à utiliser pour vérifier le lien de causalité.

Statistiques descriptives

L'analyse des données de toute étude comportant des valeurs numériques commence par l'utilisation de statistiques descriptives qui permettent de décrire les caractéristiques de l'échantillon dans lequel les données ont été recueillies et de décrire les valeurs obtenues par la mesure des variables. Les statistiques descriptives incluent les distributions de fréquence, les mesures de tendance centrale et les mesures de dispersion. Les statistiques descriptives servent aussi à caractériser les relations entre deux variables ou plus à l'aide de tableaux de contingence et de coefficients de corrélation. Le choix du type de statistiques descriptives à utiliser dépend du type de la variable, celle-ci étant soit 1) discrète, soit 2) continue.

1) VARIABLE DISCRÈTE

Les distributions de fréquence représentent une méthode d'organisation des données numériques : une distribution de fréquence est un arrangement systématique des valeurs numériques, des plus petites vers les plus grandes, auquel on ajoute le nombre de fois que chaque valeur est obtenue. Il existe deux types de distribution de fréquence: la distribution discrète (variables nominale et ordinale) et la distribution continue (variable continue). La distribution discrète peut représenter des données issues de variables discrètes nominales, telles que le sexe, le statut marital, le groupe ethnique.

Tableau et histogramme de fréquence

Un tableau de fréquence résume l'information fournie par une variable discrète. Il permet de connaître la distribution des sujets parmi les différentes catégories (on dit aussi : niveaux, modalités, classes ou choix de réponses) de la variable considérée. Il comporte essentiellement deux éléments :

1) le nombre de sujets (la fréquence) qu'il y a dans chacune des catégories;

2) le pourcentage correspondant (la fréquence relative).

L'histogramme de fréquence est le graphique qui est associé au tableau de fréquence. Il permet de visualiser la distribution de la variable. Habi-

tuellement, les catégories apparaissent en abscisse et la fréquence relative en ordonnée (encadré 18.2).

Tableau croisé

Dans certains cas, il est intéressant de connaître la distribution des sujets parmi les différentes catégories possibles d'une variable discrète en considérant une seconde variable discrète. Un tableau croisé permet d'étudier une telle distribution : la construction de deux histogrammes de fréquence (ou d'un histogramme de fréquence en 3 dimensions) permet de visualiser le profil des réponses dans ce cas (encadré 18.3).

ENCADRÉ 18.2

Tableau et histogramme de fréquence.

Supposons que, sur les 200 personnes d'un échantillon, 80 ont répondu oui à une question, 100 ont répondu non et 20 se sont abstenues. Le profil des réponses est résumé à l'aide du tableau de fréquence suivant :

Réponse i	Fréquence n_i	Fréquence relative (%)	Fréquence relative valide (%)
Oui	80	40,0	44,4
Non	100	50,0	55,6
Abstention	20	10,0	–
Total	200	100,0	100,0

auquel correspond cet histogramme de fréquence :

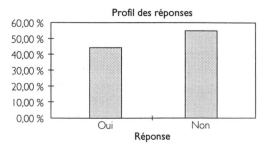

Profil des réponses

INTERPRÉTATION : En général, seuls les pourcentages valides (calculés en excluant les données manquantes) font l'objet de l'interprétation des résultats : « Parmi les 180 personnes sur les 200 personnes interrogées, qui ont répondu à la question posée, 44,4 % ont répondu oui ».

ENCADRÉ 18.3

Tableau croisé et histogramme de fréquence en trois dimensions.

Reprenons l'encadré 18.2, mais avec un peu plus de détails, en partant du fait que l'échantillon est composé de 150 femmes et de 50 hommes. D'une part, parmi les 150 femmes, 68 ont répondu oui à la question, 70 ont répondu non et 12 se sont abstenues. D'autre part, parmi les 50 hommes, 12 ont répondu oui à la question, 30 ont répondu non et 8 se sont abstenus. Les 20 sujets n'ayant pas répondu sont exclus du tableau. Le tableau croisé suivant résume le profil des réponses en distinguant les hommes et les femmes :

| RÉPONSE | FRÉQUENCE | | | | | |
| | FEMMES | | HOMMES | | TOTAL | |
	n	%	n	%	n	%
Oui	68	49,3	12	28,6	80	44,4
Non	70	50,7	30	71,4	100	55,6
Total	138	100,0	42	100,0	180	100,0

PROFIL DES RÉPONSES SELON LE SEXE

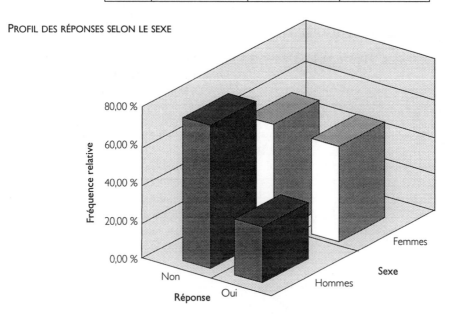

INTERPRÉTATION : « Dans le cadre de cette étude, 150 femmes et 50 hommes ont été interrogés. Parmi les 138 femmes qui ont bien voulu répondre à la question, 49,3 % ont répondu oui, alors que, parmi les 42 hommes qui ont bien voulu répondre à la question, 28,6 % ont répondu oui ».

2) VARIABLE CONTINUE

L'information relative à une variable continue peut aussi être résumée à l'aide d'un tableau de fréquence. Cependant, vu le nombre élevé de valeurs que peut prendre une variable continue, il est préférable de trouver un autre moyen de résumer l'information obtenue.

Lorsque la taille échantillonnale est peu élevée, il est recommandé de faire un tableau de fréquence des variables continues. Il est parfois recommandé de regrouper certaines valeurs pour en faire des catégories : l'information est souvent mieux résumée ainsi.

Mesures de tendance centrale

On distingue deux grandes classes de statistiques descriptives : les mesures de tendance centrale et les mesures de dispersion. Parmi les mesures de tendance centrale, on compte 1) la moyenne, 2) la médiane et 3) le mode.

1) LA MOYENNE

Pour une variable continue, la mesure de tendance centrale la plus usuelle est la moyenne des observations, dite aussi moyenne échantillonnale. On calcule la moyenne échantillonnale, notée $\bar{x}$, en divisant la somme des observations par la taille échantillonnale :

Soit $(x_1, x_2, ..., x_n)$, les observations d'une variable continue X prises sur un échantillon de taille n :

$$\bar{x} = \frac{\sum_{i=1}^{n} x_i}{n} = \frac{x_1 + x_2 + ... + x_n}{n}.$$

La moyenne est très sensible aux valeurs extrêmes, particulièrement lorsque la taille échan-

tillonnale est petite. Dans l'encadré 18.4, un seul sujet est plus âgé que la moyenne (le sujet 4 a 66 ans). Dans un cas semblable, on peut se questionner sur la pertinence de la moyenne comme mesure de la tendance centrale des sujets. Lorsque n est petit, la médiane est souvent une meilleure mesure de la tendance centrale.

2) LA MÉDIANE

La médiane est la valeur qui divise en deux la distribution d'une variable, c'est-à-dire la valeur sous laquelle se situent 50 % des sujets observés. La médiane est donc un indice de la tendance centrale basé sur la fréquence des réponses des sujets observés. Vous trouverez la façon de calculer la médiane à l'encadré 18.5.

EXEMPLE : Dans l'encadré 18.4, les valeurs ordonnées sont les suivantes : (24, 25, 26, 28, 30, 32, 66). Il y a 7 observations ($n = 7$). Puisque n est impair, la médiane correspond donc à :

$$\left(\frac{n+1}{2}\right) = \left(\frac{7+1}{2}\right) = 4^e \text{ observation,}$$

soit 28 ans.

Dans cet exemple, on constate que la médiane (28 ans) est beaucoup moins sensible que la

ENCADRÉ 18.4

Moyenne échantillonnale.

Voici un tableau nous renseignant sur l'âge de 7 sujets :

SUJET i	ÂGE x_i
1	25
2	28
3	32
4	66
5	24
6	26
7	30
Total	231

La moyenne des valeurs observées, l'âge moyen, se calcule ainsi :

$$\bar{X} = \frac{25 + 28 + 32 + 66 + 24 + 26 + 30}{7} = \frac{231}{7} = 33 \text{ ans.}$$

ENCADRÉ 18.5

Calcul de la médiane.

Pour calculer la médiane, on doit procéder de la façon suivante :

1) Ordonner les valeurs observées en ordre croissant;

2) Calculer le nombre d'observations;

3) Trouver la médiane :
$$\left(\frac{n+1}{2}\right)^{e} \text{valeur, si } n \text{ est impair.}$$

$$\text{la moyenne de la } \left(\frac{n}{2}\right)^{e} \text{valeur et de la } \left(\frac{n+2}{2}\right)^{e} \text{valeur, si } n \text{ est pair.}$$

moyenne (33 ans) à la présence du sujet qui est beaucoup plus âgé que la majorité. La médiane s'avère une meilleure mesure de la tendance centrale de l'âge des sujets que la moyenne, comme c'est souvent le cas pour un petit échantillon.

3) LE MODE

Le mode est la valeur numérique où le score qui apparaît le plus souvent dans une distribution. Il ne représente pas nécessairement le centre de l'ensemble des données. Le mode est la mesure de tendance centrale la plus appropriée pour le traitement de données nominales.

Mesures de dispersion

Les mesures de dispersion ou de variabilité sont des mesures des différences individuelles entre les membres d'un échantillon. Elles fournissent des indications sur la façon dont les scores se répartissent autour de la moyenne. Les principales mesures de dispersion sont : 1) l'étendue, 2) la variance, 3) l'écart type et 4) le coefficient de variation.

1) L'ÉTENDUE

La façon la plus simple de mesurer la dispersion d'une variable continue consiste à déterminer entre quelles bornes la variable s'échelonne. La différence entre la borne inférieure (le minimum) et la borne supérieure (le maximum) est l'étendue de la variable.

EXEMPLE : Dans l'encadré 18.4, les valeurs ordonnées sont les suivantes : (24, 25, 26, 28, 30, 32, 66). Le minimum est 24 et le maximum, 66. L'étendue égale donc 66 – 24 = 42 : 42 ans séparent le moins âgé des sujets du plus âgé.

L'étendue n'est pas très riche en information. Même si on sait entre quelles valeurs extrêmes se situe l'ensemble des observations, on ne sait pas où se concentrent la plupart d'entre elles : près du minimum, près du centre ou près du maximum ? La variance et l'écart type donnent la réponse à cette question.

2) LA VARIANCE

La variance est une mesure de la dispersion des observations par rapport à la moyenne. La variance, notée s^2 se calcule à l'aide de la formule suivante :

Soit $(x_1, x_2, ..., x_n)$, les observations d'une variable continue prises sur un échantillon de taille n :

$$s^2 = \frac{\sum_{i=1}^{n}(x_i - \bar{x})^2}{n-1} = \frac{(x_1 - \bar{x})^2 + (x_2 - \bar{x})^2 + ... + (x_n - \bar{x})^2}{n-1}$$

où $\bar{x}$ désigne la moyenne échantillonnale.

Bien qu'on divise par $(n-1)$, la variance peut être considérée comme une moyenne de la distance de chaque observation par rapport à la moyenne (encadré 18.6).

Malheureusement, la variance ne respecte pas l'unité de mesure de la variable étudiée. Dans l'encadré 18.6, la variance s'exprime en nombre d'années au carré : 219,67 ans². C'est pourquoi on préfère l'écart type à la variance comme mesure de dispersion.

3) L'ÉCART TYPE

Pour une variable continue, la mesure de dispersion la plus usuelle est l'écart type. L'écart type, noté s, se calcule en extrayant la racine carrée de la variance, afin de respecter l'unité de mesure de la variable étudiée :

Soit $(x_1, x_2, ..., x_n)$, les observations d'une variable continue prises sur un échantillon de taille n :

$$s = \sqrt{s^2} = \sqrt{\dfrac{\sum_{i=1}^{n}(x_i - \bar{x})^2}{n-1}} = \sqrt{\dfrac{(x_1 - \bar{x})^2 + (x_2 - \bar{x})^2 + ... + (x_n - \bar{x})^2}{n-1}}$$

EXEMPLE : À partir des données de l'encadré 18.5, on calcule l'écart type en extrayant la racine carrée de la variance :

$$s = \sqrt{219,67\ \text{ans}^2} = 14,82\ \text{ans.}$$

4) LE COEFFICIENT DE VARIATION

Le coefficient de variation permet de comparer la variabilité de deux variables même si elles n'ont pas la même unité de mesure. Il s'avère être un outil particulièrement intéressant lorsqu'on effectue des méta-analyses. Le coefficient se calcule de la façon suivante :

$$\text{C. V.} = \dfrac{s}{\bar{x}} \times 100\ \%$$

Présentation des statistiques descriptives d'un construit

Dans le cas particulier où la variable étudiée est un construit, la valeur centrale de l'échelle de mesure est connue. Il est fortement conseillé de la rapporter et de la comparer à la moyenne (ou à la médiane) observée (encadré 18.7).

ENCADRÉ 18.6
Calcul de la variance.

En se basant sur le tableau de l'encadré 18.3, la variance se calcule ainsi :

SUJET i	ÂGE x_i	$x_i - x$ (ans)	$(x_i - x)^2$ (ans)²
1	25	-8	64
2	28	-5	25
3	32	-1	1
4	66	33	1089
5	24	-9	81
6	26	-7	49
7	30	-3	9
Total :	231	0	1318

1) Calculer la moyenne $\bar{x}$;

2) Calculer $x_i - \bar{x}$ pour chacune des observations. Il est à noter que la somme des $x_i - \bar{x}$ donne toujours zéro ;

3) Mettre ces différences au carré ;

4) Additionner les carrés ;

5) Diviser cette somme de carrés par $(n-1)$:

$$s^2 = \dfrac{1318}{6} = 219,67\ \text{ans}^2.$$

ENCADRÉ 18.7

Variable étudiée d'un construit.

Une variable, qui a été construite en prenant la somme de 12 items mesurés sur une échelle de type Likert à 5 points (1 à 5), a comme valeur centrale 36.

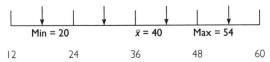

Si la moyenne observée est 40 (s = 2,5), on saura alors que la moyenne observée est supérieure à la valeur centrale de l'échelle de mesure. Un tel renseignement situe le lecteur quant aux résultats rapportés.

Il en va de même pour le minimum et le maximum. En rapportant le minimum et le maximum théoriques, il est plus facile de se rendre compte que, si le minimum observé est 24 et le maximum 54, les observations ne couvrent pas toutes les valeurs possibles de l'échelle.

18.4

L'INFÉRENCE STATISTIQUE : UN TEST D'HYPOTHÈSES

Nous venons de voir que les statistiques descriptives consistent à résumer un ensemble de données d'une étude. En plus de la description des données, le chercheur s'intéresse à la généralisation des résultats à la population de laquelle un échantillon a été tiré. Pour être en mesure d'inférer d'un échantillon de sujets à l'ensemble de la population, des statistiques inférentielles sont utilisées. Les deux principaux buts de l'inférence statistique sont l'estimation des paramètres et la vérification d'hypothèses. C'est cette dernière partie qui est discutée ci-après.

La vérification d'hypothèses

Dans la vie de tous les jours, nous sommes constamment contraints à prendre des décisions, l'achat d'un produit A plutôt que d'un produit B, par exemple. Afin de faire un choix entre deux possibilités et de prendre la meilleure décision possible, on doit d'abord étudier les faits et, ensuite, peser le pour et le contre (obtenir et com-

parer les prix des produits A et B). De la même manière, un chercheur doit faire face à des prises de décision; il doit répondre à des questions de recherche semblables à celles-ci :

- Deux phénomènes sont-ils reliés ou non ?

- La variable A peut-elle être la cause de B ou non ?

- Cette nouvelle méthode est-elle meilleure que l'ancienne, ou considérée comme équivalente ?

- Deux groupes sont-ils considérés comme différents ou non ?

Face à ces alternatives, le chercheur doit aussi considérer les faits, c'est-à-dire étudier les observations obtenues auprès d'un échantillon, puis peser le pour et le contre de ces possibilités, afin de prendre la meilleure décision possible, c'est-à-dire répondre aux questions de recherche en minimisant la possibilité de faire une erreur. En optant pour l'une ou l'autre des alternatives, il y a toujours une possibilité de se tromper. Or, en recherche, une erreur peut avoir des conséquences fâcheuses. En sciences infirmières, par exemple, une conclusion erronée peut engendrer des décisions cliniques qui pourraient avoir des conséquences néfastes sur la santé des personnes.

Les statisticiens ont élaboré un processus de prise de décision, appelé « inférence statistique », qui tient compte de la probabilité de prendre une décision erronée. Grosso modo, l'inférence statistique permet au chercheur de trancher en faveur d'une possibilité plutôt que d'une autre, en autant que le risque de faire une erreur soit jugé minime.

LE PRINCIPE DE BASE

Le principe de l'inférence statistique est simple :

1) On donne au paramètre qui fait l'objet de la prise de décision une certaine valeur « hypothétique » correspondant en général au *statu quo*.

2) On estime la valeur de ce paramètre à l'aide d'un échantillon.

3) Si la différence entre l'estimation et la valeur hypothétique est suffisamment grande, on conclura que la valeur observée contredit la valeur hypothétique, donc qu'il y a une différence significative.

Il ne reste qu'à déterminer ce qu'on entend par une différence « suffisamment grande » (encadré 18.8).

HYPOTHÈSE NULLE ET CONTRE-HYPOTHÈSE

L'inférence statistique permet de confronter deux hypothèses : l'hypothèse nulle H_0 et la contre-hypothèse (ou hypothèse de recherche) H_1.

L'hypothèse nulle est l'hypothèse faite à propos de la valeur connue du paramètre dans la population (la valeur « hypothétique » correspondant au *statu quo*), alors que la contre-hypothèse, qui est habituellement l'hypothèse de recherche, est celle par laquelle l'hypothèse nulle est contredite. La contre-hypothèse (H_1) est toujours la contrepartie de l'hypothèse nulle (H_0).

EXEMPLE : Pour reprendre l'encadré 18.8, on se demande si le poids moyen des nouveau-nés de mères fumeuses est le même que celui des nouveau-nés de mères non fumeuses (3,2 kg), ou s'il est différent. On confronte alors

$$H_0 : \mu = 3{,}2 \quad \text{à} \quad H_1 : \mu \neq 3{,}2$$

où μ représente le poids moyen de la population des nouveau-nés de mères fumeuses.

ENCADRÉ 18.8

Dans un article d'une revue scientifique, un auteur rapporte qu'il a calculé auprès d'une population de mères non fumeuses le poids moyen de leurs nouveau-nés. Ce poids moyen est de 3,2 kg. On se demande maintenant si les nouveau-nés de mères fumeuses ont le même poids que les nouveau-nés de mères non fumeuses. Pour répondre à cette question de recherche, on pourrait comparer le poids moyen d'un échantillon de nouveau-nés de mères fumeuses à un échantillon de nouveau-nés de mères non fumeuses (3,2 kg). Si la différence entre le poids moyen des nouveau-nés de mères fumeuses et celui rapporté dans la littérature est suffisamment grande, on pourra alors conclure que la différence est significative.

À l'aide d'un échantillon de 25 nouveau-nés de mères fumeuses, on calcule la moyenne échantillonnale $\bar{x}$ et l'écart type échantillonnal s : $\bar{x} = 2{,}8$ et $s = 2$. La différence entre la moyenne échantillonnale $\bar{x}$ (2,8 kg) et la moyenne de la population de nouveau-nés de mères non fumeuses est-elle suffisamment grande pour qu'on puisse conclure que la différence est significative ? Bien entendu, si tous les nouveau-nés de l'échantillon avaient un poids de 2,8 kg, on pourrait conclure que leur poids est inférieur, mais les observations sont réparties autour de la moyenne (comme en témoigne l'écart type $s = 2$). Donc, on doit trouver un moyen de comparer la moyenne échantillonnale avec la valeur moyenne « hypothétique » (3,2 kg) en tenant compte de la distribution des observations autour de la moyenne.

CHAPITRE 1

TEST UNILATÉRAL ET TEST BILATÉRAL

Un test est dit bilatéral si la contre-hypothèse H_1 n'implique aucune notion de direction dans la différence, c'est-à-dire qu'on est prêt à rejeter l'hypothèse nulle H_0 si on observe une grande différence, peu importe si elle est positive ou négative, entre le paramètre hypothétique et son estimation.

Par ailleurs, un test est dit unilatéral si la contre-hypothèse H_1 implique une notion de direction dans la différence.

EXEMPLE : Suite à l'encadré 18.8, si l'hypothèse de recherche avait été formulée de la façon suivante : « Le poids moyen des nouveau-nés de mères fumeuses est supérieur à celui des nouveau-nés de mères non fumeuses », on serait dans un contexte nécessitant l'utilisation d'un test unilatéral à droite, par lequel on confronte

$$H_0 : \mu = 3{,}2 \quad \text{à} \quad H_1 : \mu > 3{,}2$$

puisqu'on rejetterait H_0 si l'on observait une moyenne significativement supérieure à 3,2 kg, c'est-à-dire suffisamment « à droite » de la valeur spécifiée dans l'hypothèse nulle.

Par contre, si l'hypothèse de recherche avait été formulée de la façon suivante : « Le poids moyen des nouveau-nés de mères fumeuses est inférieur à celui des nouveau-nés de mères non fumeuses », on serait dans un contexte nécessitant l'utilisation d'un test unilatéral à gauche, par lequel on confronte

$$H_0 : \mu = 3{,}2 \quad \text{à} \quad H_1 : \mu < 3{,}2$$

puisqu'on rejetterait H_0 si l'on observait une moyenne significativement inférieure à 3,2 kg, c'est-à-dire suffisamment « à gauche » de la valeur spécifiée dans l'hypothèse nulle.

En général, on utilise un test bilatéral dans le cadre d'une recherche descriptive; un test unilatéral n'est envisageable que dans le cadre d'une recherche expérimentale. Seul le contexte expérimental permet de fixer *a priori* une direction quant à la différence postulée.

TYPES D'ERREUR

Deux types d'erreur peuvent survenir au moment de la prise de décision :

— L'erreur de type I ou de première espèce. Elle survient lorsqu'on rejette l'hypothèse nulle H_0 alors que cette hypothèse est vraie;

— L'erreur de type II ou de deuxième espèce. Elle survient lorsqu'on ne rejette pas l'hypothèse nulle H_0 alors que cette hypothèse est fausse.

Une table de vérité permet de visualiser les différentes conséquences de la prise de décision (tableau 18.2).

Quel type d'erreur doit-on le plus éviter de commettre ?

Étant donné que les résultats statistiques d'une recherche sont destinés à être communiqués à la communauté scientifique, on désire plus que toute chose ne pas commettre d'erreur de type I. En effet, si on rejette l'hypothèse nulle H_0 en faveur de la contre-hypothèse H_1 (l'hypothèse de recherche) alors que l'hypothèse nulle H_0 est vraie, on tire une conclusion qui contredit à tort le *statu quo* accepté jusqu'à maintenant par la communauté scientifique.

En tant que chercheur, on désire évidemment ne pas commettre non plus d'erreur de type II, c'est-à-dire ne pas rejeter l'hypothèse nulle H_0 en faveur de la contre-hypothèse H_1 (l'hypothèse de recherche) alors que l'hypothèse nulle H_0 est fausse.

TABLEAU 18.2

Table de vérité.

DÉCISION	H_0 EST VRAI	H_0 N'EST PAS VRAIE
On rejette H_0	Erreur de type I	Bonne décision
On ne rejette pas H_0	Bonne décision	Erreur de type II

...renons le contexte de l'encadré ...osons d'abord que l'hypothèse nulle est vraie, c'est-à-dire que le poids moyen des nouveau-nés de mères fumeuses est le même que celui des nouveau-nés de mères non fumeuses (3,2 kg). Comme on doit présenter les résultats de la recherche à la communauté scientifique, on ne veut pas rejeter à tort l'hypothèse nulle lors du processus décisionnel (en effectuant un test statistique). Le fait d'affirmer à tort que le poids moyen des nouveau-nés de mères fumeuses est différent de celui de la population des nouveau-nés de mères non fumeuses, pourrait avoir des conséquences fâcheuses; des mesures préventives pourraient être implantées inutilement...

Maintenant, supposons que l'hypothèse nulle est fausse, c'est-à-dire que le poids moyen des nouveau-nés de mères fumeuses est différent de celui des nouveau-nés de mères non fumeuses (3,2 kg). En tant que chercheur, on veut être en mesure de rejeter l'hypothèse nulle lors du processus décisionnel (en effectuant un test statistique). En effet, le fait de ne pas pouvoir révéler à la communauté scientifique que le poids moyen des nouveau-nés de mères fumeuses est différent de celui des nouveau-nés de mères non fumeuses (3,2 kg) pourrait aussi avoir des conséquences fâcheuses; des mesures préventives ne seraient pas implantées, alors qu'il le faudrait...

SEUIL CRITIQUE D'UN TEST ET PUISSANCE D'UN TEST

En pratique, il est impossible de savoir si l'on commet une erreur lors de la prise de décision, puisque la réalité est inconnue. Avant de prendre une décision sur le rejet ou le « non-rejet » de l'hypothèse nulle, on se base donc sur la faible probabilité de commettre une erreur.

L'inférence statistique est basée sur le fait qu'on tolère une faible probabilité d'erreur de type I. Cette probabilité est appelée « seuil critique du test ». La communauté scientifique tolère en général un niveau critique de 5 % ou de 1 %. De son côté, le chercheur doit s'organiser de façon à obtenir la plus faible probabilité d'erreur de type II, en utilisant, par exemple, le plus grand échantillon possible. La probabilité de ne pas commettre d'erreur de type II est appelée « puissance du test ».

1) Le seuil critique d'un test

Le seuil critique d'un test, qu'on désigne par α se définit comme la probabilité de rejeter l'hypothèse nulle H_0 alors qu'elle est vraie, c'est-à-dire la probabilité de commettre une erreur de type I.

2) La puissance d'un test

La puissance d'un test, qu'on désigne par $1 - \beta$, se définit comme la probabilité de rejeter l'hypothèse nulle H_0 alors qu'elle est fausse, c'est-à-dire la probabilité de ne pas commettre une erreur de type II.

STATISTIQUE D'UN TEST

La statistique d'un test se construit à partir des valeurs prises auprès d'un échantillon. Dans le cas où l'on désire effectuer un test sur la valeur du paramètre μ, c'est-à-dire la moyenne d'une variable aléatoire x qui obéit à une loi normale n (μ, σ^2) (comme dans notre exemple), la statistique du test t_{obs} se calcule à l'aide de la moyenne échantillonnale $\bar{x}$, de l'écart type échantillonnal s et de la taille échantillonnale n.

Soit $(x_1, x_2, ..., x_n)$, les n observations d'une variable aléatoire x obéissant à une loi n (μ, σ^2) :

$$t_{obs} = \frac{\bar{x} - \mu_0}{s / \sqrt{n}}$$

où $\bar{x}$ et s se calculent à l'aide des formules données précédemment et μ_0 est la valeur du paramètre spécifiée dans l'hypothèse H_0. La statistique t_{obs} obéit, selon l'hypothèse nulle, à une loi de Student à $n - 1$ degrés de liberté.

EXEMPLE : À l'encadré 18.8, en supposant que les observations suivent une loi normale, on calcule la statistique du test t_{obs} à partir des renseignements obtenus auprès de l'échantillon ($n = 25$, $x = 2,8$ et $s = 2$) :

$$t_{obs} = \frac{2,8 - 3,2}{2 / \sqrt{25}} = \frac{-0,37}{0,4} = -9,5$$

Il ne reste plus qu'à savoir si la valeur de cette statistique est assez grande pour rejeter l'hypothèse nulle.

ZONE DE REJET

Après avoir comparé la valeur de la statistique t_{obs} et la valeur critique $t_{critique}$ donnée au tableau 18.2, on doit prendre une décision au sujet des hypothèses confrontées. On procède selon une des trois façons décrites ci-après.

1) *Test bilatéral (dans le contexte d'une recherche descriptive corrélationnelle)*

On confronte

$$H_0 : \mu = \mu_0 \quad \text{à} \quad H_1 : \mu \neq \mu_0.$$

Si $|t_{obs}| > t_{(n-1); \alpha/2}$, on rejette alors l'hypothèse nulle H_0 et on conclut que dans l'échantillon, la moyenne est significativement différente de μ_0.

Sinon, on ne rejette pas H_0 et on conclut que, dans l'échantillon, la moyenne n'est pas significativement différente de μ_0.

2) *Test unilatéral à droite (dans le contexte d'une recherche expérimentale)*

On confronte

$$H_0 : \mu \leq \mu_0 \quad \text{à} \quad H_1 : \mu > \mu_0.$$

Si $t_{obs} > t_{(n-1); \alpha}$, on rejette alors l'hypothèse nulle H_0 et on conclut que la moyenne obser-

vée $\bar{x}$ supporte l'hypothèse stipulant que la moyenne de la population est supérieure à μ_0.

Sinon, on ne rejette pas H_0 et on conclut que la moyenne observée ne supporte pas l'hypothèse stipulant que la moyenne de la population est supérieure à μ_0.

3) *Test unilatéral à gauche (dans le contexte d'une recherche expérimentale)*

On confronte

$$H_0 : \mu \geq \mu_0 \quad \text{à} \quad H_1 : \mu < \mu_0.$$

Si $t_{obs} < t_{(n-1); 1-\alpha}$, on rejette alors l'hypothèse nulle H_0 et on conclut que la moyenne observée $\bar{x}$ supporte l'hypothèse stipulant que la moyenne de la population est inférieure à μ_0.

Sinon, on ne rejette pas H_0 et on conclut que la moyenne observée ne supporte pas l'hypothèse stipulant que la moyenne de la population est inférieure à μ_0.

18.5

ANALYSES STATISTIQUES INFÉRENTIELLES

Plusieurs facteurs sont impliqués dans la détermination d'un test statistique approprié pour une étude en particulier. Parmi ces facteurs, on note le but de l'étude, le type de données, les questions de recherche, les hypothèses selon que le chercheur vérifie une hypothèse de différences entre les groupes ou une hypothèse d'association entre deux variables. La figure 18.2, adaptée de Knapp (1985), représente un algorithme visant à aider le lecteur dans le choix d'un test statistique approprié.

Il existe deux grandes classes d'analyses statistiques : les tests paramétriques et les tests non paramétriques. L'utilisation de tests paramétriques nécessitent la distribution normale des variables

1) La variable mesurée est continue (le poids des nouveau-nés).

2) On suppose que les observations proviennent d'une distribution normale $N(\mu, \sigma_2)$.

3) Supposons que l'étude soit de type descriptif corrélationnel, un test bilatéral permet de confronter

$$H_0 : \mu = \mu_0 \quad \text{à} \quad H_1 : \mu \neq \mu_0$$

c'est-à-dire que $\mu_0 = 3,2$.

4) On a calculé la moyenne observée $\bar{x}$ (2,8) et l'écart type $s = 9,5$ à partir d'un échantillon de taille $n = 25$.

5) La statistique du test donnée par

$$t_{obs} = \frac{\bar{x} - \mu_0}{s / \sqrt{n}} = \frac{2,8 - 3,2}{2 / \sqrt{25}} = -9,5$$

obéit à une loi de Student à $n - 1 = 24$ degrés de liberté.

6) Supposons que le niveau critique du test est de 5 %.

7) La valeur critique $t_{critique}$ d'un test bilatéral est donné par $t_{(n-1);\,\alpha/2}$, c'est-à-dire $t_{24;\,0,025} = 2,064$ (appendice).

8) Puisque la valeur absolue de la statistique du test ($|t_{obs}| = |-2| = 2$) est inférieure à la valeur critique ($t_{critique} = 2,064$), on ne rejette pas l'hypothèse nulle H_0.

9) Conclusion : « Nous n'avons pas observé de différence significative entre le poids moyen $\bar{x} = 2,8$ kg, ($s = 2$) des 25 nouveau-nés de mères fumeuses qui constituaient notre échantillon et le poids moyen mesuré auprès d'une population de nouveau-nés de mères non fumeuses (3,2 kg) ».

---

dans la population, l'estimation d'au moins un paramètre et des mesures de niveau métrique. Les tests paramétriques les plus souvent utilisés sont : la distribution t de Student pour échantillons indépendants et pour échantillons appariés, la corrélation r de Pearson, l'analyse de variance, les analyses de régression, la covariance. Les tests non paramétriques souvent utilisés, c'est-à-dire ceux qui ne correspondent pas aux postulats de normalité sont : le test de la médiane, le test du signe, le test de Kendall tau, le test Krushal-Wallis, le khi deux.

Les tests paramétriques courants que nous étudierons dans cette section et qui se rapportent à l'analyse de données continues provenant de groupes indépendants sont : le test de t – échantillons indépendants – échantillons appariés, le test de corrélation r de Pearson, le test du khi deux de Pearson.

Test de t de Student pour échantillons indépendants

CONTEXTE D'UTILISATION

Un test de t de Student pour échantillons indépendants, désigné aussi tout simplement par « test de t de Student », est utilisé lorsqu'on veut comparer le comportement d'une variable continue dans deux groupes indépendants. Autrement dit, on veut vérifier si le fait d'appartenir à un groupe plutôt qu'à un autre influence le comportement de la variable continue. En supposant que, dans les deux groupes, la distribution de cette variable continue obéit à une loi normale, pour résumer le comportement de la variable continue, on s'intéresse au paramètre de centralité de la distribution : la moyenne μ. On veut donc vérifier s'il existe une différence entre les moyennes de deux groupes indépendants.

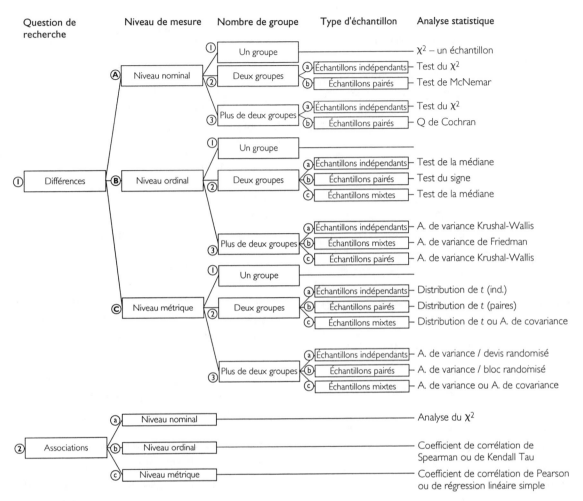

FIGURE 18.2

Guide pour le choix d'une analyse statistique selon le type de données. Adapté de Knapp (1985).

Dans le contexte d'une étude descriptive corrélationnelle, si l'échantillonnage permet de cibler deux groupes suffisamment bien représentés, le fait de comparer les moyennes d'une variable continue mesurées auprès de ces deux groupes peut susciter un intérêt pour la recherche. Un test bilatéral est à envisager.

Dans le contexte d'une étude expérimentale, l'intérêt principal porte sur la comparaison des moyennes de deux groupes clairement définis

avant la collecte des données : on cherche à vérifier si la différence entre ces deux moyennes est positive ou négative. Un test unilatéral est donc à envisager.

CONSTRUCTION DE LA STATISTIQUE DU TEST

Le test de t de Student permet de comparer les moyennes de deux populations, notées μ_A et μ_B, relatives à une variable aléatoire continue X. On considère les trois cas suivants :

1) Test bilatéral (dans le contexte d'une étude descriptive corrélationnelle)

Le cas où l'on désire confronter l'hypothèse nulle « la moyenne de l'échantillon A est égale à la moyenne de l'échantillon B » à la contre-hypothèse « la moyenne de l'échantillon A est différente de la moyenne de l'échantillon B », c'est-à-dire :

$$H_0 : \mu_A = \mu_B \quad \text{à} \quad H_1 : \mu_A \neq \mu_B.$$

2) Test unilatéral à droite (dans le contexte d'une étude expérimentale)

Le cas où l'on désire confronter l'hypothèse nulle « la moyenne de la population A est inférieure à la moyenne de la population B » à la contre-hypothèse « la moyenne de la population A est supérieure à la moyenne de la population B », c'est-à-dire :

$$H_0 : \mu_A \leq \mu_B \quad \text{à} \quad H_1 : \mu_A < \mu_B.$$

3) Test unilatéral à gauche (dans le contexte d'une étude expérimentale)

Le cas où l'on désire confronter l'hypothèse nulle « la moyenne de la population A est supérieure ou égale à la moyenne de la population B » à la contre-hypothèse « la moyenne de la population A est inférieure à la moyenne de la population B », c'est-à-dire :

$$H_0 : \mu_A \geq \mu_B \quad \text{à} \quad H_1 : \mu_A > \mu_B.$$

La statistique du test t_{obs} se calcule à l'aide des moyennes échantillonnales ($\bar{x}_1$ et $\bar{x}_2$), des écarts types (s_1 et s_2) et des tailles échantillonnales (n_1 et n_2) relatifs aux échantillons tirés des populations A et B.

Soit ($x_{11}, x_{12}, ..., x_{1n_1}$), un échantillon de taille n_1 tiré de la population cible A, et ($x_{21}, x_{22}, ..., x_{2n_2}$), un échantillon de taille n_2 tiré de la population cible B. Ces échantillons permettent de calculer $\bar{x}_1$ et $\bar{x}_2$ et s_1 et s_2 à l'aide des formules données précédemment. Lorsque les variances

des populations sont inconnues, mais supposées égales, la statistique du test se calcule de la façon suivante :

$$t_{obs} = \frac{\bar{x}_1 - \bar{x}_2}{\sqrt{(\frac{1}{n_1} + \frac{1}{n_2})\frac{(n_1 - 1)\, s_1^2 + (n_2 - 1)\, s_2^2}{(n_1 + n_2 - 2)}}}$$

formule qui, selon l'hypothèse nulle, obéit à une loi de Student à ($n_1 + n_2 - 2$) degrés de liberté.

Après avoir comparé la valeur de la statistique t_{obs} et la valeur critique $t_{critique}$ donnée dans le tableau 18.2, on doit prendre une décision au sujet des hypothèses confrontées. On procède selon une des trois façons décrites ci-après.

1) Test bilatéral (dans le contexte d'une étude descriptive corrélationnelle)

Si $|t_{obs}| > t_{(n_1 + n_2 - 2);\, \alpha/2}$, on rejette alors l'hypothèse nulle H_0 et on conclut qu'il existe une différence significative entre les moyennes échantillonnales $\bar{x}_1$ et $\bar{x}_2$.

Sinon, on ne rejette pas H_0 et on conclut que, dans l'échantillon, les moyennes observées $\bar{x}_1$ et $\bar{x}_2$ ne sont pas significativement différentes.

2) Test unilatéral à droite (dans le contexte d'une étude expérimentale)

Si $t_{obs} > t_{(n_1 + n_2 - 2);\, \alpha}$, on rejette alors l'hypothèse nulle H_0 et on conclut que les observations supportent l'hypothèse stipulant que la moyenne de la population A est significativement plus grande que celle de la population B.

Sinon, on ne rejette pas H_0 et on conclut que les observations ne supportent pas l'hypothèse stipulant que la moyenne de la population A est significativement plus grande que celle de la population B.

3) Test unilatéral à gauche (dans le contexte d'une étude expérimentale)

Si $t_{obs} < t_{(n_1 + n_2 - 2);\, 1 - \alpha}$, on rejette alors l'hypothèse nulle H_0 et on conclut que les observa-

TABLEAU 18.2

Valeurs critiques ($t_{critique}$) du test de t de Student.

DEGRÉ DE LIBERTÉ	a) Bilatéral : $t_{r,\,\alpha/2}$			b) Unilatéral droite[1] : $t_{r,\,\alpha}$		
	NIVEAU CRITIQUE A			NIVEAU CRITIQUE A		
r	0,10	0,05	0,01	0,10	0,05	0,01
1	6,314	12,706	63,657	3,078	6,314	31,821
2	2,920	4,303	9,925	1,886	2,920	6,965
3	2,353	3,182	5,841	1,638	2,353	4,541
4	2,132	2,776	4,604	1,533	2,132	3,747
5	2,015	2,571	4,032	1,476	2,015	3,365
6	1,943	2,447	3,707	1,440	1,943	3,143
7	1,895	2,365	3,499	1,415	1,895	2,998
8	1,860	2,306	3,355	1,397	1,860	2,896
9	1,833	2,262	3,250	1,383	1,833	2,821
10	1,812	2,228	3,169	1,372	1,812	2,764
11	1,796	2,201	3,106	1,363	1,796	2,718
12	1,782	2,179	3,055	1,356	1,782	2,681
13	1,771	2,160	3,012	1,350	1,771	2,650
14	1,761	2,145	2,977	1,345	1,761	2,624
15	1,753	2,131	2,947	1,341	1,753	2,602
16	1,746	2,120	2,921	1,337	1,746	2,583
17	1,740	2,110	2,898	1,333	1,740	2,567
18	1,734	2,101	2,878	1,330	1,734	2,552
19	1,729	2,093	2,861	1,328	1,729	2,539
20	1,725	2,086	2,845	1,325	1,725	2,528
21	1,721	2,080	2,831	1,323	1,721	2,518
22	1,717	2,074	2,819	1,321	1,717	2,508
23	1,714	2,069	2,807	1,319	1,714	2,500
24	1,711	2,064	2,797	1,318	1,711	2,492
25	1,708	2,060	2,787	1,316	1,708	2,485
26	1,706	2,056	2,779	1,315	1,706	2,479
27	1,703	2,052	2,771	1,314	1,703	2,473
28	1,701	2,048	2,763	1,313	1,701	2,467
29	1,699	2,045	2,756	1,311	1,699	2,462
30	1,697	2,042	2,750	1,310	1,697	2,457
∞	1,645	1,960	2,576	1,282	1,645	2,326

1. Pour le test unilatéral à gauche, il faut prendre la valeur négative de ces valeurs critiques : $t_{r,\,1-\alpha} = t_{r,\,\alpha}$.

tions supportent l'hypothèse stipulant que la moyenne de la population A est significativement plus petite que celle de la population B.

Sinon, on ne rejette pas H_0 et on conclut que les observations ne supportent pas l'hypothèse stipulant que la moyenne de la population A est significativement plus petite que celle de la population B.

Dans le cas où les variances sont inégales, on doit utiliser une statistique ajustée (Daniel, 1991, p. 212). La plupart des logiciels statistiques fournissent deux statistiques t_{obs}, l'une dans le cas où les variances sont égales et l'autre dans le cas où les variances sont inégales. À la lumière du résultat du test d'égalité des variances qui accompagne celui du test de t dans la plupart des logiciels statistiques, on choisit la bonne statistique du test à rapporter (encadré 18.9).

Test de t de Student pour échantillons appariés

CONTEXTE D'UTILISATION

Un test de t de Student pour échantillons appariés (*t-paired test*) est utilisé lorsqu'on veut étudier le comportement d'une variable continue évaluée à deux occasions chez un même groupe de sujets.

Par exemple, l'utilisation de ce test est nécessaire dans le cadre d'une étude « prétest – post-test à groupe unique », dans laquelle une variable continue X est mesurée avant et après un traitement chez un ensemble de sujets. Comme ce sont les mêmes sujets qui ont été évalués à deux reprises (c'est-à-dire qu'on profite de l'appariement entre $X_{pré}$, la mesure prise avant le traitement, et X_{post}, la mesure prise après le traitement), la variable « différence », notée D, peut être construite de la façon suivante : $D = X_{pré} - X_{post}$. Il est à noter que la variable D est elle-même continue.

Afin de vérifier l'effet de l'intervention, on étudie la différence moyenne, notée μ_D. Si la diffé-

ENCADRÉ 18.9

Exemple d'application où les variances sont inégales.

Dans le cadre d'une recherche descriptive corrélationnelle, on désire savoir si les travailleurs sociaux travaillant auprès de familles avec des problèmes multiples (groupe 1), ont le même nombre moyen d'années d'expérience que les travailleurs sociaux qui œuvrent dans d'autres situations (groupe 2).

ANALYSE DE LA SITUATION :

1. Le nombre d'années d'expérience est une variable continue. On suppose que, dans les deux populations, la distribution de cette variable obéit à une loi normale et que les variances sont égales.

2. Nous sommes en présence de deux échantillons indépendants.

3. Étant dans le contexte d'une recherche descriptive corrélationnelle, on cherche à vérifier la présence d'un lien entre la variable nominale à 2 catégories « groupe » et la variable continue « nombre d'années d'expérience ». On doit envisager un test de t de Student bilatéral pour échantillons indépendants. En effet, on désire confronter

$$H_0 : \mu_1 = \mu_2 \quad \text{à} \quad H_1 : \mu_1 \neq \mu_2$$

où μ_1 est le nombre moyen d'années d'expérience dans la population des travailleurs sociaux travaillant auprès de familles avec des problèmes multiples (groupe 1) et μ_2, le nombre moyen d'années d'expérience dans la population des travailleurs sociaux travaillant dans d'autres situations (groupe 2).

4. On a demandé à 20 travailleurs sociaux (10 de chaque groupe) de nous révéler leur nombre d'années d'expérience).

SOLUTION :

1. On utilise un tableau comme celui-ci pour effectuer les calculs nécessaires à déterminer des moyennes et des écarts types :

SUJET	x_{1i}	x_{2i}	$x_{1i} - \bar{x}_1$	$x_{2i} - \bar{x}_2$	$(x_{1i} - \bar{x}_1)^2$	$(x_{2i} - \bar{x}_1)^2$
1	10,2	11,0	-0,08	-0,08	0,0064	0,0064
2	9,5	11,2	-0,78	0,12	0,6084	0,0144
3	10,1	10,1	-0,18	-0,98	0,0324	0,9604
4	10,0	11,4	-0,28	0,32	0,0784	0,1024
5	9,8	11,7	-0,48	0,62	0,2304	0,3844
6	10,9	11,2	0,62	0,12	0,3844	0,0144
7	11,4	10,8	1,12	-0,28	1,2544	0,0784
8	10,8	11,6	0,52	0,52	0,2704	0,2704
9	9,7	10,9	-0,58	-0,18	0,3364	0,0324
10	10,4	10,9	0,12	-0,18	0,0144	0,0324
Σ	102,8	110,8	0	0	3,216	1,896

2. On calcule les moyennes et les écarts types :

$$\bar{x}_1 = \frac{102,8}{10} = 10,28 \text{ et } \bar{x}_2 = \frac{110,8}{10} = 11,08$$

$$s_1 = \sqrt{\frac{3,216}{9}} = 0,5978 \text{ et } s_2 = \sqrt{\frac{1,896}{9}} = 0,4590$$

3. On calcule t_{obs} :

$$t_{obs} = \frac{10{,}28 - 11{,}08}{\sqrt{\left(\frac{1}{10} + \frac{1}{10}\right)\frac{3{,}216 + 1{,}896}{10 + 10 - 2}}} = \frac{-0{,}8}{\sqrt{0{,}0568}} = -3{,}3567$$

4. On cherche le $t_{critique}$ dans la table appropriée.

   Puisqu'il s'agit d'un test de t bilatéral, on trouve le $t_{critique}$ dans la partie a du tableau 18.2 :

   • on travaille au niveau critique α = 5 % (colonne du centre) et le nombre de degrés de liberté est $(n_1 + n_2 - 2)$ = 10 + 10 − 2 = 18 (18e ligne), donc, $t_{critique} = t_{18;\, 0{,}05/2}$ = 2,101.

5. On compare t_{obs} à $t_{critique}$ et on tire une conclusion sur le plan statistique :

   • $|t_{obs}|$ = 3,3567 > 2,101 = $t_{critique}$, donc on rejette l'hypothèse nulle.

6. On interprète le résultat :

   « Dans notre échantillon, nous avons observé une différence significative, au niveau critique 5 %, entre le nombre moyen d'années d'expérience des travailleurs sociaux travaillant auprès de familles avec des problèmes multiples (n = 10; $\bar{x}$ = 10,3; s = 0,60) et le nombre moyen d'années d'expérience des travailleurs sociaux travaillant dans d'autres situations (n = 10; $\bar{x}$ = 11,1; s = 0,46) ».

---

rence moyenne est significativement non nulle, on pourra dire que, « en moyenne », l'intervention a eu un effet.

CONSTRUCTION DE LA STATISTIQUE DU TEST

Le test de t de Student pour mesures appariées permet de confronter des hypothèses concernant m_D, la moyenne de D dans la population. On considère les trois cas suivants :

1) Test bilatéral (dans le contexte d'une étude descriptive corrélationnelle)

Le cas où l'on désire confronter l'hypothèse nulle « dans l'échantillon, la différence moyenne observée est nulle » à la contre-hypothèse « dans l'échantillon, la différence moyenne observée est non nulle », c'est-à-dire :

$$H_0 : \mu_D = 0 \quad \text{à} \quad H_1 : \mu_D \neq 0.$$

2) Test unilatéral à droite (dans le contexte d'une étude expérimentale)

Le cas où l'on désire confronter l'hypothèse nulle « dans la population, la différence moyenne est inférieure ou égale à zéro », à la contre-hypothèse « dans la population, la différence moyenne est supérieure à zéro », c'est-à-dire :

$$H_0 : \mu_D \leq 0 \quad \text{à} \quad H_1 : \mu_D > 0.$$

3) Test unilatéral à gauche (dans le contexte d'une étude expérimentale)

Le cas où l'on désire confronter l'hypothèse nulle « dans la population, la différence moyenne est supérieure ou égale à zéro », à la contre-hypothèse « dans la population, la différence moyenne est inférieure à zéro », c'est-à-dire :

$$H_0 : \mu_D \geq 0 \quad \text{à} \quad H_1 : \mu_D < 0.$$

Soit $[(x_{pré_1}, x_{post_1}), (x_{pré_2}, x_{post_2}), ..., (x_{pré_n}, x_{post_n})]$, n couples d'observations d'une même variable aléatoire X faites à partir d'un échantillon de taille n. L'échantillon initial est constitué de paires d'observations. On peut alors dire que chaque observation $x_{pré_i}$ est appariée à x_{post}. Il est alors possible de calculer la différence $d_i = x_{pré_i} - x_{post_i}$ de chaque paire d'observation. Le test de t pour mesures appariées se construit à l'aide de la différence moyenne *d* et de l'écart type de la différence s_d qui sont calculés à partir de l'échantillon des différences observées (d_1, d_2, ..., d_n) :

$$t_{obs} = \frac{\bar{d}}{s_d / \sqrt{n}}.$$

La statistique t_{obs} obéit, selon l'hypothèse nulle, à une loi de Student à $n - 1$ degrés de liberté.

Après avoir comparé la valeur de la statistique t_{obs} et la valeur critique $t_{critique}$ donnée dans le tableau 18.2, on doit prendre une décision au sujet des hypothèses confrontées. On procède selon une des trois façons décrites ci-après.

1) Test bilatéral (dans le contexte d'une étude descriptive corrélationnelle)

Si $|t_{obs}| > t_{(n-1); x/2}$, on rejette alors l'hypothèse nulle H_0 et on conclut que, dans l'échantillon, la différence moyenne observée entre la mesure prise avant le traitement et la mesure prise après le traitement est significative.

Sinon, on ne rejette pas H_0 et on conclut que la différence entre la mesure prise avant le traitement et la mesure prise après le traitement n'est pas significative.

2) Test unilatéral à droite (dans le contexte d'une étude expérimentale)

Si $t_{obs} > t_{(n-1); x}$, on rejette alors l'hypothèse nulle H_0. On dit alors que la différence moyenne observée *d* supporte l'hypothèse selon laquelle, dans la population, la différence moyenne est supérieure à zéro.

Sinon, on dit que la différence moyenne observée $\bar{d}$ ne supporte pas l'hypothèse selon laquelle, dans la population, la différence moyenne est supérieure à zéro.

3) Test unilatéral à gauche (dans le contexte d'une étude expérimentale)

Si $t_{obs} < t_{(n-1); 1-x}$, on rejette alors l'hypothèse nulle H_0. On dit alors que la différence

moyenne observée *d* supporte l'hypothèse selon laquelle, dans la population, la différence moyenne est inférieure à zéro.

Sinon, on dit que la différence moyenne observée *d* ne supporte pas l'hypothèse selon laquelle, dans la population, la différence moyenne est inférieure à zéro (un autre exemple d'application est donné à l'encadré 18.10).

L'analyse de la variance (ANOVA)

L'analyse de la variance (ANOVA) sert à comparer des différences entre des moyennes. Elle permet de déterminer si les échantillons à l'étude sont tirés de la même population et ont ainsi la même moyenne de population. Alors que les tests de *t* permettent de comparer seulement deux moyennes, l'analyse de variance bivariée est plus flexible et permet d'analyser des données provenant de deux groupes ou plus. L'ANOVA consiste à comparer la variance de chaque groupe avec la variance qui existe entre les groupes.

La statistique calculée dans une ANOVA est le ratio-F. Le calcul de cette statistique est plus complexe que celui de la statistique du test de *t*. À l'aide de l'ANOVA, on décompose la variation totale d'un ensemble de données en deux composantes : la variation résultant de la variable indépendante et les autres variations, telles que les différences individuelles, etc. La variation des traitements à l'intérieur du groupe (intragroupe) est mise en contraste avec celle qui existe entre les groupes (intergroupe) pour produire la statistique F (Polit et Hungler, 1995).

L'ANOVA peut porter sur un facteur ou plus. Un facteur est une variable dont on cherche à connaître les effets sur une variable donnée : par exemple, comparer trois drogues différentes et leur effet sur l'hypertension artérielle, ou comparer différentes interventions pour favoriser l'arrêt de l'usage de la cigarette. L'analyse de variance

ENCADRÉ 18.10

Exemple d'application.

On désire savoir si une diète engendre une réduction du taux de cholestérol. On a mesuré le taux de cholestérol de 12 personnes avant et après la diète.

ANALYSE DE LA SITUATION :

1. Le taux de cholestérol est une variable continue.

2. Il y a deux évaluations, prises chez les mêmes sujets, l'une « avant » et l'autre « après » la diète.

3. Il est donc possible de construire une variable D (la « différence ») pour chacun des sujets, en calculant : « taux de cholestérol avant » − « taux de cholestérol après ». On suppose que, dans la population, la distribution de la variable D obéit à une loi normale.

4. On veut confronter les hypothèses suivantes : $H_0 : \mu_D \leq 0$ à $H_1 : \mu_D > 0$ (diminution) où la différence est définie comme $D = X_{\text{pré}} - X_{\text{post}}$, X étant le taux de cholestérol.

5. Le contexte se prête à l'utilisation d'un test de t de Student unilatéral à droite pour échantillons appariés.

SOLUTION :

1. On utilise un tableau comme celui-ci pour effectuer les calculs nécessaires au calcul de la moyenne $\bar{d}$ et de l'écart type s_d :

SUJET	$x_{\text{pré}_i}$	x_{post_i}	$d_i - x_{\text{pré}_i}$	$d_i - \bar{d}$	$(d_i - \bar{d})^2$
1	201	200	1	-19,17	367,36
2	231	236	-5	25,17	633,36
3	221	216	5	-15,17	230,03
4	260	233	27	6,83	46,69
5	228	224	4	16,17	261,36
6	237	216	21	0,83	0,69
7	326	296	30	9,83	96,69
8	235	195	40	19,83	393,36
9	240	207	33	12,83	164,69
10	267	247	20	-0,17	0,03
11	284	210	74	53,83	2898,03
12	201	209	-8	-28,17	793,36
Σ	2931	2689	242	0	5885,67

2. On calcule la différence moyenne et l'écart type observé : $\bar{d} = \dfrac{242}{12} = 20,17$ et $s_d = \sqrt{\dfrac{5885,67}{11}} = 23,13$

3. On calcule t_{obs} : $t_{obs} = \dfrac{20,17}{23,13 / \sqrt{12}} = \dfrac{20,17}{6,6770559} = 3,02$

4. Comme le nombre de degrés de liberté est égal à $(n - 1) = 11$ et comme il s'agit d'un test unilatéral à droite, au niveau critique $\alpha = 5\ \%$ on trouve le $t_{critique}$ suivant dans le tableau 18.2 : $t_{critique} = t_{11; 0,05} = 1,796$.

5. Après avoir comparé t_{obs} à $t_{critique}$, on tire une conclusion : $t_{obs} = 3,02 > 1,796 = t_{critique}$, donc on rejette l'hypothèse nulle stipulant que la différence moyenne est inférieure ou égale à zéro.

6. On interprète le résultat : « Au niveau critique 5 %, les résultats obtenus auprès des 12 personnes qui composent l'échantillon supportent l'hypothèse de la diminution du taux de cholestérol à la suite de la diète. Une diminution moyenne de 20,17 ($s = 23,13$) a été observée ».

à deux facteurs ou plus permet de vérifier les effets des facteurs individuels de même que les interactions entre deux facteurs ou plus. Alors que l'ANOVA à un facteur sert à comparer différents traitements, l'ANOVA à plusieurs facteurs peut permettre de déterminer, parmi les facteurs qui interagissent, lequel est le plus important.

Estimation et test de corrélation

CONTEXTE D'UTILISATION

Un coefficient de corrélation de Pearson, noté r, sert à décrire la relation linéaire entre deux variables continues. Par « décrire », on entend :

1) tester si la relation linéaire est nulle ou non, pour permettre de rapporter si on a observé ou non un lien linéaire entre les deux variables continues mesurées auprès de l'échantillon;

2) trouver le sens de la relation : positive ou négative;

3) décrire la force de la relation : faible, moyenne ou forte.

Dans le contexte d'une étude descriptive corrélationnelle, il n'y a pas de raison *a priori* de tester si la relation entre les deux variables continues est positive ou négative. Donc, un test bilatéral est à envisager.

Par contre, dans le contexte d'une étude expérimentale ou corrélationnelle dont l'intérêt principal porte sur la relation linéaire entre deux variables continues qui sont reconnues pour être reliées soit positivement soit négativement, un test unilatéral est à envisager.

Il est à notez que, dans la description de ces deux contextes d'utilisation, on ne parle « jamais » de relation de cause à effet entre les deux variables continues X et Y. Lorsque la théorie ou le « gros bon sens » laisse croire à l'existence d'une relation de cause à effet entre X et Y, on utilisera plutôt un modèle de régression linéaire simple pour décrire la relation entre ces deux variables.

LE COEFFICIENT DE CORRÉLATION r

Soit $[(x_1, y_1), (x_2, y_2), (, (x_n, y_n)]$ les paires d'observations des variables continues X et Y prises auprès d'un échantillon de taille n. On calcule alors la valeur du coefficient de corrélation (qu'on désigne par r) à l'aide de la formule suivante :

$$r = \frac{\sum\limits_{i=1}^{n} (x_i - \bar{x})(y_i - \bar{y})}{\sqrt{\sum\limits_{i=1}^{n} (x_i - \bar{x})^2 \sum\limits_{i=1}^{n} (y_i - \bar{y})^2}}$$

où r varie nécessairement entre -1 et 1.

TEST DE CORRÉLATION

Un test de corrélation sert à tester la relation linéaire entre deux variables continues X et Y. On considère les trois cas suivants :

1) TEST BILATÉRAL

Le cas où l'on désire confronter l'hypothèse nulle « la corrélation observée entre X et Y est nulle » à la contre-hypothèse « la corrélation observée entre X et Y est non nulle », c'est-à-dire :

$$H_0 : \rho = 0 \quad \text{à} \quad H_1 : \rho \neq 0$$

où ρ désigne la corrélation entre les deux variables dans la population.

2) TEST UNILATÉRAL À DROITE

Le cas où l'on désire confronter l'hypothèse nulle « la corrélation entre X et Y est nulle » à la contre-hypothèse « la corrélation entre X et Y est positive », c'est-à-dire :

$$H_0 : \rho = 0 \quad \text{à} \quad H_1 : \rho > 0$$

où ρ désigne la corrélation entre les deux variables dans la population.

3) Test unilatéral à gauche

Le cas où l'on désire confronter l'hypothèse nulle « la corrélation entre X et Y est nulle » à la contre-hypothèse « la corrélation entre X et Y est négative », c'est-à-dire :

$$H_0 : \rho = 0 \quad \text{à} \quad H_1 : \rho < 0$$

où ρ désigne la corrélation entre les deux variables dans la population.

À l'aide du coefficient de corrélation échantillonnal r, on peut construire la statistique du test :

$$t_{obs} = r\sqrt{\frac{n-2}{1-r^2}}$$

formule qui, selon l'hypothèse nulle H_0, obéit à une loi de Student à $(n-2)$ degrés de liberté.

À la suite de la comparaison de la valeur de la statistique t_{obs} et de la valeur critique $t_{critique}$ donnée dans le tableau 18.3, on prend une décision au sujet des hypothèses confrontées. On procède selon une des trois façons décrites ci-après.

1) Test bilatéral (dans le contexte d'une étude descriptive)

Si $|t_{obs}| > t_{(n-2);\,\alpha/2}$, alors on rejette l'hypothèse nulle H_0 et on conclut qu'il existe une corrélation significative entre X et Y.

Sinon, on ne rejette pas l'hypothèse nulle H_0 et on conclut que la corrélation observée entre X et Y n'est pas significative.

2) Test unilatéral à droite (dans le contexte d'une étude expérimentale)

Si $t_{obs} > t_{(n-2);\,\alpha}$, alors on rejette l'hypothèse nulle H_0 et on conclut que les observations supportent l'hypothèse selon laquelle la corrélation entre X et Y est positive.

Sinon, on ne rejette pas l'hypothèse nulle H_0 et on conclut que les observations ne suppor-

Tableau 18.3

Valeurs minimales de r pour le test de corrélation.

Degré de liberté $n-2$	Niveau critique du test 5 %	1 %	Degré de liberté $n-2$	Niveau critique du test 5 %	1 %
1	1,00	1,00	21	0,41	0,53
2	0,95	0,99	22	0,40	0,52
3	0,88	0,96	23	0,40	0,51
4	0,81	0,92	24	0,39	0,50
5	0,75	0,87	25	0,38	0,49
6	0,71	0,83	26	0,37	0,48
7	0,67	0,80	27	0,37	0,47
8	0,63	0,77	28	0,36	0,46
9	0,60	0,74	29	0,36	0,46
10	0,58	0,71	30	0,35	0,45
11	0,55	0,68	40	0,30	0,39
12	0,53	0,66	50	0,27	0,35
13	0,51	0,64	60	0,25	0,33
14	0,50	0,62	70	0,23	0,30
15	0,48	0,61	80	0,22	0,28
16	0,47	0,59	90	0,21	0,27
17	0,46	0,58	100	0,20	0,25
18	0,44	0,56	200	0,14	0,18
19	0,43	0,55	500	0,09	0,12
20	0,42	0,54	1000	0,06	0,08

tent pas l'hypothèse selon laquelle la corrélation entre X et Y est positive.

3) Test unilatéral à gauche (dans le contexte d'une étude expérimentale)

Si $t_{obs} < t_{(n-2);\,1-\alpha}$, alors on rejette l'hypothèse nulle H_0 et on conclut que les observations supportent l'hypothèse selon laquelle la corrélation entre X et Y est négative.

Sinon, on ne rejette pas l'hypothèse nulle H_0 et on conclut que les observations ne supportent pas l'hypothèse selon laquelle la corrélation entre X et Y est négative.

Effet de la taille échantillonnale sur le test de corrélation de Pearson

Lorsque la taille échantillonnale n est grande, le test de corrélation de Pearson tend à générer un résultat significatif qui n'est pas nécessairement le reflet d'une forte relation linéaire. Le tableau 18.3 donne les valeurs minimales de r pour que le test de corrélation soit significatif.

Pour limiter l'effet de la taille échantillonnale sur le test de corrélation de Pearson, la statistique r^2 peut être utilisée :

$$r^2 = \frac{\left[\sum_{i=1}^{n}(x_i - \bar{x})(y_i - \bar{y})\right]^2}{\left[\sum_{i=1}^{n}(x_i - \bar{x})^2\right]\left[\sum_{i=1}^{n}(y_i - \bar{y})^2\right]}$$

Dans un contexte de régression linéaire simple, la statistique r^2 représente le pourcentage de variation expliquée par le modèle de régression $Y = a + bX + e$, lorsque X est la variable explicative et Y, la variable à expliquer.

En effet, il est possible de démontrer que

$$\sum_{i=1}^{n}(y_i - \bar{y}_i)^2 = \sum_{i=1}^{n}(y_i - \bar{y})^2 - b^2\sum_{i=1}^{n}(x_i - \bar{x})^2$$

De cette équation, on peut exprimer

$$\sum_{i=1}^{n}(y_i - \bar{y})^2$$

(la variation des y_i autour de la moyenne $\bar{y}$) de la façon suivante :

$$\sum_{i=1}^{n}(y_i - \bar{y})^2 = \sum_{i=1}^{n}(y_i - \bar{y}_i)^2 + b^2\sum_{i=1}^{n}(x_i - \bar{x})^2$$

où

$$b^2\sum_{i=1}^{n}(x_i - \bar{x})^2$$

représente la somme des carrés dus à la régression de Y sur X et

$$\frac{b^2\sum_{i=1}^{n}(x_i - \bar{x})^2}{\sum_{i=1}^{n}(y_i - \bar{y})^2}$$

le pourcentage de variation expliquée par le modèle de régression.

Or,

$$r^2 = \frac{\left[\sum_{i=1}^{n}(x_i - \bar{x})(y_i - \bar{y})\right]^2}{\left[\sum_{i=1}^{n}(x_i - \bar{x})^2\right]\left[\sum_{i=1}^{n}(y_i - \bar{y})^2\right]}$$

$$= \frac{\left[\sum_{i=1}^{n}(x_i - \bar{x})(y_i - \bar{y})\right]^2}{\left[\sum_{i=1}^{n}(x_i - \bar{x})^2\right]^2} \times \frac{\left[\sum_{i=1}^{n}(x_i - \bar{x})^2\right]}{\left[\sum_{i=1}^{n}(y_i - \bar{y})^2\right]}$$

$$r^2 = \frac{b^2\left[\sum_{i=1}^{n}(x_i - \bar{x})^2\right]}{\left[\sum_{i=1}^{n}(y_i - \bar{y})^2\right]}$$

Test du khi-2 de Pearson

Contexte d'utilisation

Le test du χ^2 (lire et écrire khi-2) de Pearson permet d'étudier la relation entre deux variables discrètes. Il sert à vérifier si la distribution d'une variable discrète B parmi les classes (catégories) $b_1, b_2, ..., b_j$ dépend ou non de la distribution de la variable discrète A parmi les classes (catégories) $a_1, a_2, ..., a_I$.

Afin de visualiser la distribution d'une variable discrète B par rapport à une variable discrète A, on utilise un tableau croisé. Le tableau croisé est donc la « statistique descriptive » qui accompagne le test du χ^2.

L'utilisation d'un test du χ^2 de Pearson se fait principalement dans les cas suivants :

Dans le contexte d'une étude descriptive, si l'échantillonnage de convenance permet de croiser deux variables discrètes suffisamment bien représentées (c'est-à-dire s'il y a suffisamment de sujets dans chacune des cellules du tableau croisé) et si le fait de vérifier l'indépendance entre ces variables présente un intérêt réel pour la recherche. En effet, le fait de rapporter qu'on a observé que la variable A n'est pas significativement indépendante de la variable B peut parfois susciter l'intérêt ou la curiosité du lecteur du rapport de recherche, particulièrement si cela a déjà été rapporté par un autre chercheur dans un contexte à peu près semblable.

Dans le contexte d'une étude expérimentale dont l'intérêt principal porte sur la relation entre deux variables discrètes clairement identifiées avant la collecte des données, lorsqu'on veut vérifier s'il existe ou non une relation entre ces deux variables.

CONSTRUCTION DE LA STATISTIQUE DU TEST

Pour calculer χ^2_{obs}, la statistique du test du χ^2 de Pearson, on doit :

1. prélever un échantillon de taille n;

2. noter la valeur que prennent les variables discrètes A et B pour chacun des sujets;

3. calculer le nombre de sujets qui présentent le caractère, et ce, pour tous les croisements de caractères (il y en a $I \times J$);

4. présenter les résultats dans un tableau de contingence de dimension I lignes × J colonnes;

5. calculer les effectifs espérés théoriquement sous l'hypothèse nulle dénotés par v_{ij} (c'est-à-dire sous l'indépendance de A et B) :

$$v_{ij} = \frac{n_i n_j}{n} \text{ où } n_i = \sum_{i=1}^{I} n_{ij}$$

(somme des effectifs de la ligne i)

$$\text{et } n_j = \sum_{j=1}^{J} n_{ij}$$

(somme des effectifs de la colonne j);

6. calculer la statistique du test du ^{2} de Pearson :

$$\chi^2_{obs} = \sum_{i=1}^{I} \sum_{j=1}^{J} \frac{\left(n_{ij} - v_{ij}\right)^2}{v_{ij}}$$

qui, sous l'hypothèse nulle, obéit à une loi $^2_{(I-1)(J-1)}$, c'est-à-dire une loi ^{2} à $(I-1) \times (J-1)$ degrés de liberté;

7. comparer la statistique du test $^2_{obs}$ par rapport à la valeur critique $^2_{(I-1)(J-1);}$ qu'on retrouve dans une table;

8. on rejettera l'hypothèse nulle (que A est indépendant de B) si $^2_{obs} > {}^2_{(I-1)(J-1);}$.

QUELQUES REMARQUES

Un test du ^{2} de Pearson peut être difficile à interpréter, particulièrement lorsque le tableau de contingence est de grande dimension. En effet, ce ne sont parfois qu'une partie des cellules qui gonflent la valeur du $^2_{obs}$ et, donc, qui entraînent le rejet de l'hypothèse nulle. Malheureusement, il est parfois hasardeux d'affirmer lesquelles génèrent un résultat significatif. D'autres types d'analyses statistiques plus avancées (les modèles log-linéaires) permettent de pousser plus à fond l'étude de tableaux croisés. Il est toujours possible de procéder à une série de tests en ne considérant qu'une partie du tableau (c'est-à-dire qu'une partie de l'échantillon), en contrôlant cependant le niveau de chacun des tests pour que le niveau global du test soit toujours le même.

Le test du ^{2} de Pearson n'implique pas de relation de cause à effet entre les deux variables discrètes A et B. Cependant, plusieurs statistiques dérivées du tableau de contingence laissent sous-entendre l'existence d'une telle relation de cause à effet entre les deux variables discrètes. Ces statistiques doivent donc être utilisées uniquement dans le cadre d'une étude expérimentale dont l'intérêt principal porte sur la relation de cause à effet entre les deux variables discrètes en cause. En particulier dans le cas d'un tableau 2 × 2, les calculs du *odds ratio* et du *risk ratio* permettent d'étudier plus à fond ce type de relation : la première étant considérée comme un facteur de risque et la deuxième comme la réponse.

Dans chaque cellule du tableau croisé, l'effectif espéré théoriquement selon l'hypothèse nulle doit être au minimum de 5 pour que la statistique du χ^2 de Pearson soit fiable. Cela demande un échantillon très grand pour une variable discrète qui a un grand nombre de caractères possibles. Afin de respecter ce présupposé de base du test, on doit souvent envisager de regrouper des caractères de l'une ou des deux variables discrètes qui sont croisées.

Lorsque la taille échantillonnale n est grande, le test du χ^2 de Pearson tend à générer un résultat significatif qui n'est pas nécessairement le reflet d'une différence de proportions très importante. Prenons les tableaux croisés 18.4 et 18.5 comme exemples.

Dans le tableau 18.5, il y 10 fois plus de sujets dans chacune des cellules que dans le tableau 18.4; en proportion, la distribution des sujets est exactement la même.

Le test du khi-2 calculé à partir du tableau 18.4 ne génère pas un résultat significatif ($\chi^2_{obs} = 0{,}85$; $p = 0{,}36$). Lors de l'interprétation de ce résultat, le test du khi-2 semble refléter parfaitement les proportions observées : la différence entre les groupes A et B de la proportion de sujets ayant répondu « oui » n'est que de 3,3 %.

Le test du khi-2 calculé à partir du tableau 18.5 génère un résultat significatif ($\chi^2_{obs} = 8{,}52$; $p = 0{,}003$) bien que la différence ne soit encore que de 3,3 %.

Pour limiter l'effet de la taille échantillonnale sur le test du khi-2, la statistique φ (lire et écrire « phi ») peut être utilisée :

$$\varphi = \sqrt{\frac{\chi^2_{obs}}{n}}$$

Tableau croisé.

	Oui (%)	Non (%)	To.
A	20 (80)	5 (20)	25
B	35 (70)	15 (30)	50
	55	20	75

Tableau croisé.

	Oui (%)	Non (%)	To.
A	200 (80)	50 (20)	250
B	350 (70)	150 (30)	500
	550	200	750

Que ce soit à partir du tableau I ou du tableau II, la valeur de phi est la même : $\varphi = 0{,}1066$.

La statistique φ varie entre 0 et 1 et s'interprète comme un coefficient de corrélation : si $\varphi < 0{,}30$, on dit alors que la relation entre les variables est simplement due au hasard.

Pour être en mesure d'apprécier et d'interpréter les résultats rapportés dans les articles de recherche, il est important de se faire une idée assez juste du type de tests statistiques qui correspond aux types de recherche. Le choix des techniques statistiques à utiliser dépend également du niveau de mesure des variables (nominal, ordinal, à intervalles ou de ratio). Les statistiques descriptives incluent des techniques de résumé que sont les mesures de tendance centrale et de dispersion. Les distributions de fréquence sont habituellement les premières stratégies utilisées pour organiser un ensemble de données. Les mesures de tendance centrale renseignent sur la nature des données. Les trois mesures de tendance centrale sont le mode, la médiane et la moyenne. Le mode est la valeur numérique qui apparaît le plus souvent dans une distribution. La médiane est la valeur numérique qui se situe au point milieu d'une distribution de fréquence de données non groupées. La moyenne est la somme des observations divisée par le nombre total d'observations.

Les mesures de dispersion traduisent la variabilité ou l'éparpillement des données. Elles fournissent des indications sur la dispersion des scores autour de la moyenne dans un échantillon. Les mesures de dispersion les plus utilisées sont le coefficient de variation, l'étendue d'une distribution, la variance et l'écart type. Le coefficient de variation est la proportion des résultats non modaux. L'étendue d'une distribution est la différence entre le score le plus grand et le score le plus petit. La variance est la mesure des observations par rapport à la moyenne; elle peut être considérée comme une moyenne de la distance de chaque observation par rapport à la moyenne. L'écart type fournit la mesure de la distance des scores par rapport à la moyenne : c'est la racine carrée de la variance.

La courbe normale de la distribution fournit une information importante sur les données examinées. L'histogramme de fréquence permet de connaître la distribution des mesures prises auprès d'un échantillon, c'est la distribution empirique d'une variable. La distribution de fréquence des mesures relatives à la population est appelée la distribution théorique.

L'inférence statistique est un processus de décision qui permet de trancher en faveur d'une possibilité plutôt qu'une autre, dans la mesure où le risque d'effectuer une erreur est jugée minime. L'inférence statistique repose sur la loi des probabilités; elle se base sur les résultats d'études auprès d'un échantillon et consiste à tenter de prévoir par inférence le comportement d'une population d'où l'échantillon est tiré. L'inférence statistique permet de confronter deux hypothèses : l'hypothèse nulle et l'hypothèse de recherche. La décision de ne pas rejeter l'hypothèse nulle repose sur la probabilité que les différences observées soient aléatoires. Comme la population entière est rarement accessible, le chercheur ne peut affirmer avec certitude que l'hypothèse nulle est vraie ou fausse. Ainsi, deux types d'erreur peuvent survenir lors de la prise de décision : il s'agit des erreurs de première espèce et de deuxième espèce ou erreur de type I et erreur de type II.

Les principaux tests statistiques utilisés avec des variables continues pour échantillons indépendants et échantillons appariés sont le test de *t* de Student, la corrélation *r* de Pearson, l'analyse de variance. Le test de *t* est fréquemment utilisé pour vérifier des différences de moyennes d'échantillons indépendants quand les deux populations sont normalement distribuées. L'analyse de variance permet de vérifier des différences de moyennes d'échantillons quand il y a plus de deux groupes. La corrélation *r* de Pearson permet de décrire la relation linéaire entre deux variables continues.

Références bibliographiques

BURNS, N., GROVE, S. K. (1993). *The practice of nursing research : Conduct, critique and utilization*, 2e éd. Philadelphia : W. B. Saunders Company.

DANIEL, W. W. (1991). *Biostatistics : A foundation for analysis in the health sciences*, 5e éd. New York : John Wiley and Sons.

DEVELLIS, R. F. (1991). *Scale development : Theory and applications*. Newbury Park, CA : Sage Publications.

FLEISS, J. L. (1986). *The design and analysis of clinical experiments*. New York : John Wiley and Sons.

KNAPP R. G. (1985). *Basis statistics for nurses*, 2e éd. New York : John Wiley and Sons.

KNAPP T. R. (1990). *Treating ordinal scales as interval scales : An attempt to resolve the controversy. nursing research*. no 39, p. 121-123.

POLIT, D. F., HUNGLER, B. P. (1995), *Nursing research : Principles and methods*, 5e éd. Philadelphia : J. B. Lippincott Company.

STEVENS, S. S. (1946). *On the theory of scales of measurement. science*, no 121, p. 113-116.

STEVENS, S. S. (1955). On the averaging of data. *Science*, no 21, p. 113-116.

CHAPITRE 19

MÉTHODES D'ANALYSE DES DONNÉES EN RECHERCHE QUALITATIVE

Claire-Jehanne Dubouloz

Objectifs d'apprentissage

À la fin de ce chapitre, l'étudiant(e) devrait être capable de :

✔ Préciser la nature et les caractéristiques générales de l'analyse des données qualitatives.

✔ Différencier le but et la nature des analyses dans le cas de l'entrevue ethnographique, de la théorie ancrée et de l'approche phénoménologique.

Ce chapitre a pour objectif d'initier le lecteur à un procédé particulier d'exploration du langage en méthodologie qualitative, du fait que celui-ci constitue les principales données à analyser. Des lignes directrices de ce procédé d'exploration de la méthode d'analyse sont proposées pour répondre aux différents buts de la recherche qualitative. Trois méthodes de recherche et leurs étapes concrètes d'analyse des données seront décrites succinctement. D'une façon générale, il est important de reconnaître le but de la recherche afin de se situer dans l'un des deux grands courants d'analyse des données, soit l'analyse descriptive et l'analyse interprétative.

19.1

NATURE ET CARACTÉRISTIQUES GÉNÉRALES DE L'ANALYSE DES DONNÉES

En recherche qualitative, l'analyse des données est une phase de la démarche inductive de recherche qui est intimement liée au processus de choix des informateurs ou participants et à la poursuite de la collecte des données. Cette phase n'est pas séparée des autres phases de la recherche, car elle s'effectue généralement en même temps que l'échantillonnage et la collecte des données. L'analyse des données permet donc de guider le chercheur dans son échantillonnage qui est de nature « intentionnelle » (Deslauriers, 1991) et lui donne des pistes sur ce qu'il lui reste à découvrir sur le phénomène à l'étude durant sa démarche de collecte des données.

C'est par Glaser et Strauss (1967) que ce processus de recherche est présenté, à partir de ce qu'ils appellent « l'échantillonnage théorique ». Ces auteurs décrivent cette façon de procéder comme un processus de collecte des données qui génère une théorie et au cours duquel le chercheur, simultanément, collecte, code et analyse les données, décide des prochaines données à amasser et où les trouver. Ce processus de collecte des données est contrôlé par l'émergence de la théorie. Ainsi, l'analyse du discours d'un informateur permet d'éclairer les étapes suivantes de la collecte et, à leur tour, ces nouvelles données seront analysées jusqu'à ce que survienne le phénomène de « saturation » des données (Deslauriers, 1991). Ce phénomène est reconnu par le chercheur lorsque les catégories d'analyse sont stables et que des informations supplémentaires n'ajoutent plus rien de nouveau à la compréhension du phénomène étudié. Le devis théorique qui émerge durant les phases successives de collecte et d'analyse des données sera validé de façon constante et continue auprès des participants, afin de s'assurer du bien-fondé des concepts émergents (Savoie-Zajc, 1990). C'est aussi durant cette phase que l'on pourra décider de ce qui reste à comprendre, notamment par l'intermédiaire de sessions d'entrevues supplémentaires, de rencontres avec d'autres types d'informateurs, ou encore par la création de questions complémentaires.

L'analyse des données en recherche qualitative se définit donc comme une phase intégrée à la démarche de recherche, qui se présente chaque fois que le chercheur doit se remettre à une période de collecte des données et qu'il doit se situer par rapport à ce qui a déjà émergé des données et ce qui reste à découvrir.

19.2

MODÈLE D'EXPLORATION DU LANGAGE

Dans une synthèse sur l'analyse des données en recherche qualitative, Tesh (1990) a classé un ensemble de 46 appellations d'approches retrouvées dans la littérature scientifique en quatre grands courants d'exploration du langage. Ce classement correspond à un modèle comportant quatre catégories d'analyse du langage, qui soustendent quatre buts différents de la recherche. Ce modèle ne considère que la donnée verbale et se présente comme suit :

L'exploration du langage porte, selon Tesh (1990) sur : 1) l'identification de la caractéristique du langage, 2) la découverte de régularités dans le langage, 3) la compréhension des significations de l'action humaine par le langage et 4) la réflexion (p. 59).

Ce modèle d'exploration du langage donne l'image d'un continuum. À un extrême du continuum se retrouve l'analyse du langage par la découverte de ses caractéristiques (1), c'est-à-dire une analyse structurée de type analyse de contenu ou analyse ethnographique, par exemple. À l'autre extrême, sous-tendant des approches de recherche globales et holistiques comme la recherche heuristique, se retrouve la réflexion (4). Dans ce dernier type de recherche, le chercheur est lui-même engagé dans le phénomène étudié et sa propre réflexion permettra de découvrir la nature de ce phénomène.

Nous nous attarderons aux trois premiers courants d'exploration du langage de ce modèle, à savoir 1) l'identification de la caractéristique dans le langage, 2) la découverte de régularités du langage et 3) la compréhension des significations de l'action humaine par le langage. Ce modèle servira de toile de fond à ce chapitre afin de bien faire la différence entre une intention de description et une intention d'interprétation d'un phénomène. Cette différence engendre des choix distincts entre les méthodes d'analyse qui seront présentées dans ce chapitre.

La première méthode d'analyse présentée, soit celle utilisée pour l'entrevue ethnographique élaborée par Spradley (1979), porte sur l'étude des caractéristiques du langage pour comprendre les dimensions culturelles des actions humaines. La deuxième méthode présentée vise à découvrir les régularités qui existent dans le langage pour permettre une construction théorique des phénomènes complexes : on l'emploie dans l'approche de la théorie ancrée élaborée par Glaser et Strauss (1967). Finalement, la troisième méthode d'analyse, qui s'utilise dans une approche phénoménologique ayant pour objectif la description, sans interprétation de l'expérience humaine, est une méthode permettant l'analyse des significations du langage par l'entremise des dimensions psychoaffectives exprimées à travers les mots des cochercheurs (nom donné aux collaborateurs dans l'approche phénoménologique).

Ces trois approches de recherche qui proviennent de disciplines différentes, la sociologie, l'anthropologie et la psychologie, couvrent un vaste ensemble de phénomènes psychosociaux et culturels et permettent l'analyse descriptive ou interprétative de phénomènes complexes. Chaque méthode d'analyse des données sera décrite d'après les auteurs qui en ont donné le meilleur éclairage jusqu'à présent. L'objectif de cette description est de permettre de s'orienter à travers les différentes étapes d'analyse. Certains exemples concrets d'analyses illustreront des façons de faire.

Phase d'organisation des données préliminaire à toute analyse

Lorsqu'une certaine collecte de données a été effectuée, il y a, dans toutes les approches qualitatives, une phase préliminaire à l'analyse proprement dite. Cette phase est celle de l'organisation des données. Une fois qu'un certain contenu a été recueilli à partir d'entrevues, d'observations ou d'autres types de collecte (dessins, documents), il faut organiser ces données pour qu'elles puissent être analysées.

Dans le cas d'entrevues, on transcrira l'ensemble de l'entretien soit en se remémorant la rencontre juste après l'avoir faite, soit en recopiant intégralement l'enregistrement de la rencontre (verbatim). Cette dernière tâche peut être extrêmement longue et parfois ingrate. En effet, il faut prévoir quatre à cinq fois plus de temps pour effectuer la transcription que pour l'entrevue elle-même !

Quand on utilise l'observation pour recueillir les données, il faut s'adonner à plusieurs étapes de traitement des notes (Laperrière, 1990). Les premières notes seront des notes de terrain prises sur le vif, des mots, des bouts d'expression, des mots clés, qui serviront de base à la production d'un compte rendu : soit synthétique, soit extensif (Laperrière, 1990). Le compte rendu synthétique est une mise au propre des notes de terrain. Par la suite, ce compte rendu succinct prendra la forme d'un compte rendu extensif, dans lequel tous les détails de l'observation seront décrits le plus fidèlement possible. À ce dernier peuvent être adjoints des observations physiques des lieux, des descriptions d'observations non verbales ou autres détails importants à noter.

Le codage des données

Le codage est une opération de déconstruction des transcriptions verbatim ou des notes extensives en unités de sens. Une unité de signification ou de sens, selon Deslauriers (1991), peut être « tantôt un mot, tantôt un groupe de mots, tantôt une phrase, tantôt un groupe de phrases » (p. 70). Elle désigne une idée à la fois, et celle-ci sera codée. Ces unités de sens sont repérées et codées dans le texte à l'aide de l'informatique ou à la main. L'informatique, encore bien loin de pouvoir penser pour le chercheur, donne toutefois un bon coup de main pour l'organisation des unités de sens codées. (À ce sujet, le lecteur est prié de se référer au contenu de l'excellent ouvrage de Tesh, 1990). Un code représente, selon Deslauriers (1991), « un point d'équilibre entre le concret et l'abstrait », auquel sera donné un nom, parfois provisoire, parfois définitif, et qui constitue la première pierre de l'échafaudage analytique.

Les mémos et les diagrammes

Les mémos et les diagrammes sont des aides qui accompagnent l'analyse pour mettre sur papier les produits préliminaires des analyses. Les mémos sont des notes qui rassemblent des commentaires sur les codes et leur définition. Ces définitions peuvent être théoriques ou opérationnelles. Les mémos sont les morceaux du puzzle qui, une fois repris en fin de course et placés ensemble, apportent un éclairage important pour la construction de la théorie. Les diagrammes sont des représentations graphiques qui aident à comprendre la relation entre les concepts émergents; ils peuvent être faits tout au long de l'analyse.

19.3

L'ANALYSE DES DONNÉES D'UNE ENTREVUE ETHNOGRAPHIQUE

But et nature de l'analyse

L'entrevue ethnographique vise à découvrir et à décrire la signification d'un système culturel que les personnes utilisent pour organiser leurs comportements et interpréter leurs expériences. Cette approche a été organisée et opérationnalisée par Dubouloz (1991). Le processus de recherche emprunte une méthode d'entrevues-analyses successives en vue de découvrir le système interne de catégorisation du sens des expressions ou symboles verbaux d'un groupe de gens. L'analyse des données porte donc sur les caractéristiques du langage, véhicule symbolique et culturel des informateurs. Il s'agit ici d'une analyse structurale, et les données brutes resteront les matériaux de construction du système tout au long de l'analyse.

La description de cette approche de recherche et, notamment, de deux des étapes d'analyse qui lui sont propres sera illustrée par des exemples tirés d'une étude pilote faite par Spradley (1979). Cette étude a porté sur un des éléments du fonctionnement occupationnel (l'ensemble des activités vécues par un individu dans son quotidien) et, plus particulièrement, sur l'organisation des activités quotidiennes d'une femme ergothérapeute qui travaille dans un hôpital.

Entrevue ethnographique et analyse des données

Le processus de recherche décrit par Spradley (1979) comprend 12 phases, qui seront regroupées en 6 étapes pour permettre une synthèse de l'approche. Trois d'entre elles sont particulièrement reliées à l'analyse des données, soit : 1) l'analyse des domaines, 2) l'analyse taxonomique et 3) l'analyse des éléments.

La première étape de la méthode de recherche consiste à reconnaître le participant qui est engagé dans la culture (ou sous-culture) à l'étude. À la deuxième étape, le chercheur fait une première entrevue, à l'aide de questions larges et descriptives. Ces questions, appelées « questions de grand tour », visent à noter les termes linguistiques et à trouver leur relation. À la suite de cette première entrevue, un texte verbatim est transcrit, et une première analyse, objet de la troisième étape, soit l'analyse des domaines, est faite par le chercheur. Cette analyse consiste à trouver, dans le verbatim, les termes « couvertures » (un terme couverture est un nom donné par le participant à un domaine) et les termes inclus dans chaque domaine. Ce travail d'analyse permet de faire ressortir des caractéristiques culturelles larges. Durant cette étape seront aussi définies les relations sémantiques qui structurent les domaines. Les relations sémantiques sont les liens qui existent entre les termes et qui don-

nent une signification particulière aux mots. Spradley (1979) propose neuf sortes de relations sémantiques qu'il considère comme universelles et qui peuvent être :

1) d'inclusion stricte (X est une sorte de Y);

2) de relation spatiale (X est une partie de Y);

3) de relation de cause à effet (X est une conséquence de Y);

4) de raison d'agir (X est une raison pour faire Y);

5) de lieu (X est un endroit pour faire Y);

6) de fonction (X est utilisé pour Y);

7) de moyen et de résultat (X est une façon de faire Y);

8) de séquence (X est une étape de Y);

9) d'attribution (X est une caractéristique de Y). (p. 111)

Dans l'étude pilote mentionnée précédemment, un tableau descriptif des mots utilisés par l'informatrice a été construit afin de débuter une classification des domaines, et d'établir des relations sémantiques entre les termes énoncés (tableau 19.1).

Dans ce tableau, les termes inclus sont les données verbales brutes, recueillies durant la première entrevue, et qui font référence aux activités quotidiennes de la personne. La relation sémantique est la relation qui existe entre les énoncés et un domaine d'activité particulier. Deux rela-

TABLEAU 19.1

Exemple d'une analyse des domaines.

TERMES INCLUS	RELATION SÉMANTIQUE	TERME COUVERTURE
organisation, temps de réflexion, consultation, devoirs, analyse, questions, rendre des comptes, production, études, être toujours « à la planche », développement personnel, contrôle.	EST	TRAVAIL
prendre mollo, tout n'est pas organisé, contact avec soi-même, soirée à ne rien faire, etc.	EST UN MOYEN DE	RELAXER

tions sémantiques sont présentées, soit une relation sémantique de type inclusion stricte (« est ») et une relation sémantique de type moyen et résultat (« est un moyen de »). Les termes couvertures représentent les domaines d'activité. Cet exemple n'étant que partiel, il illustre une première analyse de déconstruction par catégorisation de certains énoncés formulés par la participante et il montre la relation des activités en cause avec le domaine du travail et le domaine de la relaxation. Cette analyse permet de préparer l'entrevue suivante, celle qui se fait à la quatrième étape.

La quatrième étape est composée d'une deuxième entrevue et de l'analyse taxonomique. L'entrevue vise cette fois-ci à vérifier, par des questions structurelles, la première classification des domaines et à en préciser la nature. Cette entrevue sera suivie d'une analyse taxonomique, qui permettra de classer plus précisément les expressions énoncées par les participants et de découvrir de nouvelles relations sémantiques entre les termes. Cette analyse taxonomique révèle une structure des significations internes des domaines en même temps qu'on découvre les similitudes entre les termes.

Dans notre exemple, la chercheure (Doubouloz, 1991) était intéressée à préciser plus particulièrement l'organisation de la personne dans ses choix d'activités quotidiennes et à faire ressortir une certaine organisation de trois domaines par l'identification de plusieurs sous-ensembles. Cette analyse taxonomique a pris la forme résumée dans le tableau 19.2. Dans ce tableau, nous pouvons voir émerger une précision du fonctionnement occupationnel de la participante par une classification plus fine de ses différentes activités quotidiennes. Certaines dimensions sont d'ordre affectif (liberté, caresser), d'autres sont d'ordre structurel (théâtre, cinéma, musique), et un système de significations commence à se forger.

La cinquième étape est composée d'une troisième entrevue, qui présentera des questions visant à faire ressortir les contrastes, à préciser la différence entre les significations que donnent plusieurs informateurs aux différents domaines. Aussi, une troisième analyse sera faite, l'analyse des éléments, qui aura pour but de rechercher la différence entre les attributs associés aux termes. Elle permettra une synthèse exhaustive des différentes dimensions de chaque domaine.

La sixième étape est celle de la découverte des thèmes culturels, qui consiste à décrire un système de significations et à intégrer ces significations dans un modèle explicatif de la culture étudiée. Un thème culturel est un principe cognitif, tacite ou explicite, qui se répète dans un certain nombre de domaines et qui sert de lien entre des sous-systèmes de significations.

En résumé, l'entrevue ethnographique permet donc, à partir de l'analyse des caractéristiques du langage, 1) de faire la recherche des parties d'une culture ou d'une sous-culture, 2) d'étudier la relation entre ces parties et 3) de les rattacher à un système d'ensemble. L'analyse ethnographique est composée d'une analyse des domaines, d'une analyse taxonomique et d'une analyse des éléments. Chacune de ces analyses, précédée d'une entrevue spécifique (Spradley, 1979), permet de découvrir les significations d'après les caractéristiques du langage, en mettant en évidence : 1) les termes couvertures, 2) les termes inclus, 3) les relations sémantiques, 4) la similitude entre les attributs des domaines définis et 5) leur différence. En étudiant l'organisation occupationnelle d'une participante, il a été possible d'identifier, par les mots particuliers de cette participante, quelques dimensions rattachées au fonctionnement occupationnel, de trouver des liens entre elles, et il ne resterait plus qu'à confronter cette description à celles d'autres informatrices,

TABLEAU 19.2

Exemple d'une analyse taxonomique.

	TRAVAIL	
A C T I V I T É S	développement	personnel
	productivité	contrôle, rendre des comptes, rapport trimestriel
	relations publiques	internes, externes
	organisation	information, dossiers
	consultations	cliniques, administratives, éducationnelles
	gestion	du personnel, clients
	études	cours d'été, devoirs, examens, travailler fort
	ACTIVITÉS PHYSIQUES	
Q U O T I D I E N N E S	ski	alpin, de fond
	bicyclette	liberté
	planche à voile	
	racket ball	effort
	LOISIRS	
	voir ses amis	faire du sport, flâner,
	cuisiner	gourmandise, visites
	restaurant	seule, amis
	voir sa mère	visites, activités extérieures
	activités. culturelles	théâtre, cinéma, musique
	soigner son chat	le caresser, le nourrir

femmes et professionnelles de la santé, pour trouver le système organisationnel de ce groupe.

19.4

L'ANALYSE DES DONNÉES DANS L'APPROCHE DE LA THÉORIE ANCRÉE

But et nature de l'analyse

La théorisation ancrée (ou enracinée), qui a pour objectif la construction d'une théorie substantive expliquant un phénomène délimité, emprunte la voie de l'analyse par comparaison constante. Cette analyse valide simultanément la réalité observée et l'analyse émergente (Paillé, 1994), étant donné qu'elle consiste à rechercher la régularité dans le langage de divers informateurs. La méthode analytique utilise la catégorisation comme moyen d'interprétation des phénomènes mouvants et complexes. En recherchant les similitudes et les différences dans le langage des informateurs, le chercheur découvre et classe les dimensions émergentes et il interprète leurs relations, afin d'arriver à la construction d'une théorie substantive du phénomène étudié.

Méthode d'analyse par comparaison constante

L'analyse par comparaison constante a été tout d'abord décrite par Glaser et Strauss (1967), puis reprise par Strauss et Corbin (1990). C'est avec ces derniers auteurs que s'est précisée la méthode d'analyse. Cette méthode se compose de trois types de codage : 1) le codage ouvert, 2) le codage axial et 3) le codage sélectif, pour se terminer avec la formulation d'une théorie substantive.

Au moment où la phase de collecte débute, la phase d'analyse s'enclenche. C'est plus particulièrement à partir d'entrevues semi-dirigées que s'effectue l'analyse par comparaison constante employée dans l'approche de la théorie ancrée. La première étape est celle du codage ouvert.

1) LE CODAGE INITIAL OU OUVERT

Le codage ouvert est une démarche d'identification d'unités de sens dans les textes verbatim, unités auxquelles le chercheur donnera un nom ou un code. Comme nous l'avons indiqué précédemment, ce codage peut se faire à partir de catégories préexistantes et larges ou à partir de catégories émergentes. Nous nous attarderons ici à ce dernier type de codage.

Ligne par ligne, mot par mot, le chercheur note et soumet à un système de codage, qui se précise de ligne en ligne, ces éléments de lecture. Les énoncés que le chercheur juge significatifs de près ou de loin par rapport au phénomène étudié sont identifiés et codés. Cette étape peut se faire à la main ou à l'aide de programmes informatiques. Par exemple, le programme AQUAD (Analysis of Qualitative Data) permet de numéroter les lignes du verbatim pour un repérage facile et permet de coder systématiquement les unités de sens. Une fois que l'ensemble du texte est codé, il est bon de dresser une liste de codes, qui sera tenue à jour selon la stabilité des codes.

Un exemple montrant des énoncés codés est donné à l'encadré 19.1 : il provient d'une entrevue faite auprès d'une personne adulte dans le cadre d'une étude portant sur la modification de l'équilibre du fonctionnement occupationnel (changement d'engagement de la personne en-

ENCADRÉ 19.1

Exemple d'un énoncé codé.

544	C'est-à-dire que comme paquet de nerfs que [eqursA-551
545	j'étais, au moment de ma crise cardiaque arrive
546	à 35 ans, tu sais je parlais tantôt du repos
547	« il ne faut pas avoir peur de glisser dans le
548	repos »... en même temps on équilibre là... on va
549	arrêter les folies... on va en faire un certain
550	nombre mais moins qu'avant... Donc tu deviens
551	plus raisonnable. Les grands rêves que t'avais [valchg classification-555
552	toujours tatati... là c'est le temps de commencer
553	de les mettre dans les bonnes cases. Moins
554	rêver mais tu peux les vivre pareil. Les vivre
555	éveillé plutôt que juste les avoir dans ta tête.

vers ses différents domaines d'activité) (Dubouloz, Chevrier et Savoie-Zajc, 1994). Ces quelques lignes, provenant d'une entrevue de 814 lignes, qui fait partie d'un ensemble de 39 entrevues, démontrent la minutie de la lecture des données à des fins de codage.

Ce codage est fait à partir du programme AQUAD et présente deux types de code : [eqursA-551 et [valchg classification-555.

Le premier code, se rapportant aux lignes 544 à 551, désigne une réflexion sur l'intégration d'activités de repos dans le quotidien de cette personne (rsA correspond à repos/sommeil Activité) et sur l'équilibre du fonctionnement occupationnel (equ correspond à équilibre). Cet énoncé décrit le repos comme une partie intégrante de l'équilibre du fonctionnement occupationnel visant à ne pas déclencher d'anxiété chez la personne. Le deuxième code se rapporte à un extrait où un changement (chg) de valeur (val) est exprimé, le changement de valeur quant aux rêves que l'on a dans la vie et qui devraient être maîtrisés et réels. Chaque entrevue doit être codée de cette façon pour permettre l'étape suivante de l'analyse, soit le codage axial.

2) LE CODAGE AXIAL

Cette étape est celle de la catégorisation. Les codes préliminaires vont être comparés et regroupés selon leurs propriétés et dimensions et vont permettre la construction de catégories conceptuelles. Selon Paillé (1994), les catégories conceptuelles proviennent de codes directs, de codes chevilles, de codes centraux et de codes de réserve.

Les codes directs sont immédiatement reliés au phénomène, comme dans le premier exemple le code equ, qui renvoie directement au concept d'équilibre, concept à l'étude. Les codes chevilles sont des sous-catégories qui, une fois mises ensemble, forment une catégorie conceptuelle. Ainsi, le code RSA, qui désigne l'activité de repos/sommeil, et des codes correspondant à d'autres types d'activités constituent la catégorie « fonctionnement occupationnel ». Les codes centraux désignent dès le début des pistes importantes; les codes de réserve ne sont pas directement utiles, mais ils semblent pouvoir présenter un intérêt au moment du codage.

L'exemple suivant (encadré 19.2) est un extrait de la même entrevue qu'au premier exemple (voir encadré 19.1) et montre deux codes qui font référence au changement que la personne veut faire face à l'équilibre de son fonctionnement occupationnel :

Le premier code (crychg) désigne un changement (chg) de croyance (cry) : « fais ton fun à toi pis après tu iras aider les autres ». Toutefois, en continuant la lecture, on comprend que penser à soi n'est ni facile ni prioritaire. Le deuxième code (actint) désigne une « action et interaction » avec les autres et pointe la difficulté de la personne interrogée à appliquer cette croyance nouvelle. Cette analyse renvoie au concept de changement d'une personne dans un environnement social et permet de créer la catégorie « changement ». Une hypothèse commence à poindre et à susciter la réflexion du chercheur durant l'analyse en le faisant se questionner face aux données sur la relation entre l'environnement humain et le changement de l'équilibre du fonctionnement occupationnel d'une personne. Cette relation est reprise dans les autres entrevues de cette même étude; si elle est retrouvée dans la description des autres informateurs, sa nature se précisera et cette relation pourra peut-être devenir une catégorie principale. Le processus d'analyse menant à la détermination des catégories principales est l'étape suivante de l'analyse, soit le codage sélectif.

ENCADRÉ 19.2

Extrait d'entrevue.

341	... « fais ton fun à toi pis [crychg-347
342	après tu iras aider les autres. » T'auras comme
343	du fun deux fois. Là je veux bien aider l'autre
344	mais finalement je ne me fais pas plaisir, je ne
345	réponds pas à mes propres besoins, je réponds à
346	certains besoins, mais pas à ceux que je
347	souhaiterais...
348	
349	Q : Comme ?
350	
351	Comme euh... je ne le sais pas, si par exemple [actint dff-360
352	euh... bon je décide y a un bon film, j'décide
353	d'aller voir le film, c'est mardi soir j'y vais,
354	parfait. Là quelqu'un t'appelle « écoute mardi
355	soir j'aurais besoin d'aide une demi-heure. » « Ah
356	ben je vais y aller...» Mais là je sais que
357	mercredi je peux pas aller voir le film, le
358	jeudi non plus, puis après il est plus à
359	l'horaire. Mais c'est pas grave... je vais me
360	passer de mon film.

3) LE CODAGE SÉLECTIF

Le codage sélectif vise à regrouper des catégories pour la construction de quelques catégories principales. Ces catégories principales, en nombre plus petit, deviendront les concepts centraux et intégrateurs formant la théorie ancrée à formuler. Le chercheur est engagé dans un processus de théorisation qui consiste, selon Paillé (1994), « ...en une construction minutieuse et exhaustive de la multidimensionnalité et de la multicausalité du phénomène étudié » (p. 153). Durant cette phase, le chercheur reste sensible aux différents concepts déjà connus et tente d'y ajouter une perspective divergente ou complémentaire. Il doit donner au processus d'analyse un éclairage nouveau et différencier l'essentiel du secondaire.

En résumé, avec la méthode de la théorisation ancrée, l'exploration du langage vise la découverte des régularités dans le langage à l'aide de trois étapes d'analyse successives, soit le codage initial, le codage axial et le codage sélectif. Le chercheur fait des liens entre tous les faits accumulés pour construire une théorie « substantive » en codant et interprétant les énoncés choisis dans les *verbatim* des personnes rencontrées. Il procédera par induction afin de remonter des faits à la loi, des cas à la proposition générale (Deslauriers, 1991).

19.5

L'ANALYSE DES DONNÉES DANS L'APPROCHE PHÉNOMÉNOLOGIQUE

But et nature de l'analyse

L'approche phénoménologique de la recherche provient du courant philosophique de la phénoménologie, qui prend son origine en Allemagne au XIXᵉ siècle. Elle est la science des significations qui répond à une logique descriptive (Deschamps, 1993). Cette philosophie a donné naissance à une méthode de recherche des phénomènes expérientiels. Au Canada, cette approche de recherche a pris son essor vers les années 1970; elle offre une méthode analytique de l'ordre de la description. Cette méthode vise à mettre en évidence l'expérience vécue par les cochercheurs reliés au phénomène étudié, à l'aide d'une analyse descriptive des significations du langage. Selon Deschamps (1993), cette analyse consiste à « pénétrer le sens intentionnel contenu dans les données descriptives » (p. 54) en y découvrant, sans interprétation, l'essence de l'expérience propre à la personne.

Approche phénoménologique et analyse des données

Étant donné que l'analyse des données dans l'approche phénoménologique est considérée comme la recherche de sens dans une description de l'expérience humaine, elle reste attachée aux énoncés verbaux des cochercheurs afin de mettre en évidence les unités de signification de l'expérience. Selon Deschamps (1993), les unités de signification sont « les constituants qui déterminent le contexte du phénomène exploré et qui incluent forcément la part de la signification inhérente à ce contexte » (p. 18). Plusieurs auteurs ont présenté l'analyse descriptive phénoménologique (Bachelor et Joshi, 1986;

Deschamps, 1993; Giorgi, 1985). Nous choisirons, pour ce chapitre, de présenter la méthode de Giorgi, reprise par Deschamps (1993), et la méthode de Bachelor et Joshi, illustrée dans une étude effectuée par Tremblay (1992).

L'analyse des données d'une étude phénoménologique est composée de quatre phases qui sont : 1) la mise en évidence du sens global du texte, 2) l'identification des unités de signification, 3) le développement du contenu des unités de signification, 4) la synthèse de l'ensemble des unités de signification. Le tableau 19.3 classe les différentes phases d'analyse selon les auteurs mentionnés précédemment.

Des exemples d'analyse seront donnés à partir d'une étude réalisée par une ergothérapeute chercheure (Tremblay, 1992), intéressée à décrire le processus d'appropriation d'une approche éducative expérientielle à partir de sa propre expérience.

Phase préliminaire à l'analyse

Deschamps (1993) suggère tout d'abord de procéder à une organisation des données, en décrivant le plus fidèlement possible le phénomène exploré, c'est-à-dire en enlevant toutes les données superflues comme « les conceptions, les réflexions ou les déductions qui ne sont pas de nature descriptive » (p. 63), qui sont déjà de l'ordre de la conceptualisation et non plus de la description des faits. Pour cette organisation, on doit maintenir l'emploi du « je », en respectant les mots du cochercheur, afin de garder l'intégrité narrative et le caractère personnel du texte.

MISE EN ÉVIDENCE OU PERCEPTION DU SENS GLOBAL DU TEXTE

La première phase, la découverte du sens global, sert à entrer dans le contenu du texte en se familiarisant avec l'expérience relatée par une lec-

TABLEAU 19.3

Phases d'analyse d'après les auteurs. *Bachelor et Joshi, Deschamps et Giorgi.*

DESCHAMPS, 1993 – TIRÉ DE GIORGI 1985 –	BACHELOR ET JOSHI, 1986 – ADAPTÉ PAR TREMBLAY (1992) –
1) mise en évidence du sens global du texte	1) perception du sens global du texte
2) identification des unités de signification	2) délimitation des unités de signification naturelles
3) délimitation du thème central	3) développement du contenu des unités de signification
4) analyse des thèmes centraux	4) synthèse de l'ensemble des unités de signification
	5) définition fondamentale du phénomène : synthèse des énoncés descriptifs

ture répétée du texte (de l'entrevue, de l'observation, du journal ou autre), de façon à y découvrir le sens global.

IDENTIFICATION DES UNITÉS DE SIGNIFICATION

La deuxième phase, l'identification des unités de signification, consiste à subdiviser le texte descriptif en unités de signification naturelles, qui sont des parties de texte illustrant des faits reliés au phénomène. La distinction des unités de signification se fait par une analyse spontanée du chercheur, dans le respect total de ce qui est dit par le cochercheur (Deschamps, 1993). Chaque unité de sens est délimitée par un changement de contenu thématique. Elle est ensuite retranscrite à la troisième personne du singulier pour créer un premier espace entre le chercheur et le cochercheur, afin de tendre vers une conceptualisation de la structure typique du phénomène. Cette première réduction marque la phase de déconstruction par thèmes.

L'étude de Tremblay (1992) présente des exemples d'unités de signification déterminées à partir des données brutes recueillies dans le journal de la chercheure, où devait être notée son expérience face à une nouvelle approche éducative durant l'apprentissage des principes de conservation d'énergie chez une cliente arthriti-

que. Voici deux exemples : un extrait du journal (encadré 19.3), et une première unité de signification (encadré 19.4).

Ces exemples illustrent, d'une part, le choix de la chercheure, par un extrait de texte où est illustré le phénomène d'appropriation et, d'autre part, la reconstitution de cet extrait en unité de signification. Cette retranscription de l'unité de signification fait ressortir l'essence de l'expérience de l'ergothérapeute.

DÉVELOPPEMENT DU CONTENU
DES UNITÉS DE SIGNIFICATION

Cette phase permet l'approfondissement de la compréhension des unités de signification en faisant l'analyse des thèmes centraux. L'exemple suivant reprend l'unité donnée auparavant et démontre le résultat d'une analyse approfondie de l'unité de signification. Le résultat est exprimé sous forme de thème central ou essence de signification de l'unité (encadré 19.5).

Cet exemple montre comment, à partir des données brutes (encadré 19.3) recueillies dans le journal de la chercheure, le langage est peu à peu synthétisé dans le respect de ce qui a été dit (encadrés 19.4 et 19.5). On comprend ici le caractère descriptif de l'analyse puisque, à aucun moment, la chercheure n'a interprété les don-

ENCADRÉ 19.3

Extrait du journal.

> Après avoir évalué la cliente, je n'ai pas jugé opportun d'appliquer l'intervention selon le modèle expérientiel, puisque Mlle connaissait et comprenait les règles de conservation d'énergie. Cependant, lorsque j'ai évalué le niveau de connaissance et de compréhension de Mlle, j'ai utilisé des techniques relevant du modèle, comme décrire ce qu'elle faisait. Quel était le principe régissant son comportement ? Nommer d'autres situations où elle agit selon le même principe ?

ENCADRÉ 19.4

Unité de signification.

> L'intervention selon un modèle expérientiel, pour l'enseignement des principes de conservation d'énergie, n'est pas indiqué si, après évaluation, la cliente comprend et applique les principes. Cependant, pour évaluer la cliente, l'intervenante a utilisé des techniques inspirées du modèle expérientiel (p. 69).

ENCADRÉ 19.5

Analyse du thème central

> L'intervenante juge non indiqué d'utiliser l'approche expérientielle pour l'enseignement des principes de conservation d'énergie, lorsque la cliente n'a aucun problème cognitif et qu'elle reconnaît son handicap (p. 69).

nées. Le langage est exploré comme un véhicule de significations dans lequel il faut retrouver celles-ci.

19.6
SYNTHÈSE DE L'ENSEMBLE DES UNITÉS DE SIGNIFICATION

Selon Deschamps (1993), cette phase présente trois opérations distinctes soit : 1) une description de l'expérience particulière de chaque cochercheur, 2) une description de la structure typique du phénomène et 3) une communication à d'autres personnes de la description de la structure.

Tremblay (1992), voulant obtenir une description séquentielle du processus d'appropriation, ce qui n'est pas un objectif particulièrement relié à l'approche phénoménologique, a eu à adapter le modèle de Bachelor et Joshi (1986) en y ajoutant des sous-étapes d'analyse. Des regrou-

pements en quatre catégories lui ont permis de répondre à son objectif de recherche. Cette chercheure voulait établir une chronologie (situation, espace, temps, contexte) des actions ou de la réflexion et des effets pour l'établissement d'un processus d'appropriation. Ce processus a alors été synthétisé en étapes descriptives.

En résumé, l'analyse des données dans l'approche phénoménologique se sert du langage comme moyen pour connaître la structure des phénomènes expérientiels. Elle s'effectue en quatre phases d'analyse, 1) la mise en évidence du sens global du texte, 2) l'identification des unités de signification, 3) le développement du contenu des unités de signification et 4) la synthèse de l'ensemble des unités de signification. Elle permet la recherche de l'essence des phénomènes pour en favoriser la compréhension. Le tableau 19.4 montre la synthèse des trois méthodes d'analyses de données en recherche qualitative décrites dans ce chapitre.

TABLEAU 19.4

Synthèse de trois méthodes d'analyses de données en recherche qualitative.

EXPLORATION DU LANGAGE		
Identification de la caractéristique du langage	Découverte de régularités dans le langage	Compréhension des significations de l'action humaine
Ethnographie Spradley, 1979	Théorie ancrée Glaser et Strauss, 1967; Strauss et Corbin, 1990	Approche phénoménologique Deschamps, 1993
PHASES D'ANALYSE		
1 Analyse des domaines	Codage ouvert	Mise en évidence du sens global du texte
2 Analyse taxonomique	Codage axial	Identification des unités de signification
3 Analyse des éléments	Codage sélectif	Développement du contenu des unités de signification
4		Synthèse de l'ensemble des unités de signification
B U T Description culturelle	Interprétation pour la formulation d'une théorie « substantive »	Description et recherche de sens

19.7

RÉSUMÉ

Ce chapitre a présenté, à partir du modèle de Tesh (1990), des méthodes d'exploration du langage reliées aux différents buts de la recherche. Le tableau 19.4 est la synthèse de ces méthodes d'analyse.

Si le but de la recherche est de décrire une culture ou une sous-culture (entrevue ethnographique) à partir d'un groupe d'informateurs, l'analyse se fera relativement aux caractéristiques du langage des informateurs. Si le but de la recherche est la construction d'une théorie substantive

(théorie ancrée ou enracinée), l'analyse se fera par une exploration des régularités dans le langage afin de retrouver par comparaison constante les similitudes et différences entre les catégories. Ces catégories deviendront les concepts de la théorie. Finalement, si le but de la recherche est la description d'un phénomène expérientiel, et que le cochercheur et le chercheur sont engagés ensemble à le comprendre (approche phénoménologique), l'exploration du langage se fera à partir d'un processus de descriptions systématiques qui mettront en évidence, sans interprétation des significations données par les cochercheurs, l'essence même du phénomène tel qu'il apparaît.

RÉFÉRENCES BIBLIOGRAPHIQUES

BACHELOR, A., JOSHI, P. (1986). *La méthode phénoménologique en psychologie*. Québec : Les Presses de l'Université Laval.

DESCHAMPS, C. (1993). *L'approche phénoménologique en recherche*. Montréal : Guérin éditeur.

DESLAURIERS, J. P. (1991). *Recherche qualitative : Guide pratique*. McGraw-Hill.

DUBOULOZ, C. J. (1991). Analyse ethnographique de l'équilibre du fonctionnement occupationnel chez une ergothérapeute cadre. Rapport non publié. Hull : Université du Québec à Hull.

DUBOULOZ, C. J., CHEVRIER, J. SAVOIE-ZAJC, L. (1994). Le développement du concept de l'équilibre du fonctionnement occupationnel en ergothérapie : vision théorique, vision expérientielle. *La Revue Québécoise d'ergothérapie*, déc., p. 153.

GIORGI, A. (Éd.). (1985). *Phenomenology and psychological research*. Pittsburgh : Duquesne University Press.

GLASER, B. G., STRAUSS, A. L. (1967). *Discovery of grounded theory : Strategies for qualitative research*. New York : Aldine Publ. Co.

LAPERRIÈRE A. (1990). L'observation directe. Dans Gauthier, B., *Recherche sociale : de la problématique à la collecte des données*, 2e éd. Québec : Les Presses de l'Université du Québec.

PAILLÉ, P. (1994). L'analyse par théorisation ancrée. *Cahiers de recherche sociologique*, n° 23, p. 147-181

SAVOIE-ZAJC, L. (1990). *La recherche qualitative en éducation : un modèle méthodologique*. Hull : Université du Québec, ACFAS, p. 46-50.

SPRADLEY, J. P. (1979). *The ethnographic interview*. New York : Holt, Rinehart and Winston.

STRAUSS, A., CORBIN, J. (1990). *Basics of qualitative research*. Sage Publications, 270 pages.

TESH, R., (1990). *Qualitative research : Analysis types ans software tools*. New York : The Falmer Press.

TREMBLAY, M. (1992). Le processus d'appropriation de l'approche éducative *expérientielle par une ergothérapeute*. Mémoire de maîtrise non publiée. Hull : Université du Québec.

CHAPITRE

20

LA TRIANGULATION

Mary Reidy et Louise Mercier

Objectifs d'apprentissage

À la fin de ce chapitre, l'étudiant(e) devrait être capable de :

✔ Définir ce qu'est la triangulation.

✔ Décrire les différents types de triangulation.

✔ Expliquer comment on utilise la triangulation.

Historiquement, dans la plupart des disciplines, les initiatives de recherche se sont essentiellement concentrées sur l'approche quantitative. Cependant, un deuxième courant, subjectif et naturaliste, lié à des méthodes qualitatives, s'est installé de façon parallèle. Ces deux courants génèrent différents types de connaissances des faits et des significations (Giddens, 1976 ; Taylor, 1971). Le courant positiviste, relatif aux méthodes quantitatives, et le courant naturaliste, relatif aux méthodes qualitatives, se situent dans le contexte global de la philosophie, de la science et de la culture. Au cœur du débat, les questions qui se posent concernent la nature de la vérité et de la réalité (Carter, 1985 ; Leininger, 1985).

Dans ce chapitre, nous reviendrons brièvement sur les deux approches, quantitative et qualitative, en recherche. Nous verrons comment la stratégie de triangulation se positionne face à ces approches et comment elle augmente la fiabilité de la démarche qualitative.

20.1

LES APPROCHES QUANTITATIVE ET QUALITATIVE

L'approche quantitative, fondée sur la perspective théorique du positivisme, constitue un processus déductif par lequel les données numériques fournissent des connaissances objectives concernant les variables à l'étude.

Dans la méthode quantitative, le contrôle permet de délimiter le problème de recherche et de supprimer les effets des variables étrangères. Les stratégies telles que le contrôle, les outils méthodologiques et l'analyse statistique visent à rendre les données valides, c'est-à-dire à assurer une représentation de la réalité, afin que ces données soient généralisées à d'autres populations.

L'approche qualitative fondée sur la perspective naturaliste se concentre pour démontrer la relation qui existe entre les concepts, sur les descriptions, les explications et les significations données relativement au phénomène par les participants et le chercheur, et sur la description sémantique, plutôt que sur les statistiques probabilistes (LeCompte et Preissle, 1993). Il est possible, selon Willems (1969), de distinguer le paradigme naturaliste du paradigme positiviste d'après les activités et les stratégies adoptées par les chercheurs. Ces deux paradigmes varient en fonction de la manipulation et du contrôle des conditions antécédentes ainsi que des limites de diverses réactions du sujet (Willems, 1969).

Diverses stratégies utilisées pour accroître la fiabilité des données et des conclusions ont été explorées par des chercheurs en recherche qualitative. Une des stratégies mise de l'avant est la triangulation, qui consiste en l'utilisation de différentes méthodes combinées à l'intérieur d'une même étude.

20.2

LA TRIANGULATION

Le concept de la triangulation, c'est-à-dire l'action d'effectuer un triangle, remonte à la civilisation grecque et à l'origine des mathématiques modernes (Denzin, 1989). Campbell et Fiske (1959) furent les premiers à mettre en application la triangulation, en se servant d'une approche d'« opérationnisme multiple » ou de « multitraits-multiméthodes », afin de fournir un indice de la validité convergente. La triangulation est essentiellement le point d'articulation des composantes qui fournissent des nouvelles connaissances relativement à un même phénomène. Elle se définit comme l'emploi d'une combinaison de méthodes et perspectives permettant de tirer des conclusions valables à propos d'un même phénomène.

La triangulation est une approche exploratoire qui s'harmonise avec la recherche dans plusieurs disciplines (Banik, 1993). Selon Lefrançois (1995), la triangulation se définit comme :

> Une stratégie de mise en comparaison de données obtenues à l'aide de deux ou plusieurs démarches d'observation distinctes, poursuivies de façon indépendante au sein d'une même étude. Le modèle de la triangulation type est celui où sont réunies des méthodes qualitatives et des méthodes quantitatives, les règles procédurales propres à chaque démarche étant scrupuleusement respectées (p. 59, 60).

En effet, la combinaison de théories et de méthodes devrait être effectuée de manière réfléchie, dans le but d'augmenter l'ampleur ou la profondeur des analyses, et ce sans nécessairement rechercher la vérité objective (Fielding et Fielding, 1986).

Types de triangulation

Denzin (1989) décrit quatre types de triangulation : 1) la triangulation des données, qui comporte trois aspects : le temps, l'espace et la personne, celle-ci présentant trois paliers d'analyse, soit l'agrégation, l'interactivité et la communauté; 2) la triangulation des chercheurs; 3) la triangulation des théories et 4) la triangulation des méthodes, qui comprend la triangulation « intraméthodes » et la triangulation « interméthodes ».

1) LA TRIANGULATION DES DONNÉES

La triangulation des données consiste en une collecte des données auprès de diverses sources d'informations (groupes, milieux et périodes de temps), afin d'étudier un même phénomène (Denzin, 1989). Les trois aspects de la triangulation des données (le temps, l'espace et la personne) sont interreliés. Le temps représente l'exploration de l'influence du phénomène à différents moments : selon le jour, la semaine, le mois ou encore l'année. On cherche ainsi à valider la congruence d'un même phénomène au cours d'une période donnée (Kimchi, Polivka et Stevenson, 1991). Pour ce qui est de l'espace, la collecte des données se déroule dans plusieurs milieux et celle-ci sert à établir la validité externe. La personne fait référence à l'étude de différentes populations cibles : les individus, les groupes, les communautés.

En ce qui concerne les paliers de l'analyse de la personne (Denzin, 1989), l'analyse d'agrégation nécessite qu'on sélectionne des individus sans établir de liens entre ces derniers et les groupes ou les communautés auxquels ils appartiennent. L'analyse de l'interactivité porte sur l'unité en interaction avec son milieu plutôt que sur l'individu. Enfin, l'analyse de la communauté, liée à l'analyse structurelle-fonctionnelle, concerne l'unité d'une organisation, d'un groupe ou même

d'une communauté, selon laquelle les interactions des individus reflètent la communauté entière.

Dans l'étude de Hutchinson (1987), réalisée auprès d'individus qui ont participé à un programme de désintoxication, une théorie a été proposée en ce qui a trait à la transition dans le processus de réadaptation, qui passe de l'étape de l'anéantissement de soi à celle de l'intégration de soi. Les données ont été recueillies à l'aide d'entrevues individuelles et de l'observation participante, lors de rencontres hebdomadaires d'un groupe d'entraide, au cours d'une période d'un an. Les données obtenues provenaient de deux sources : les individus (niveau individuel) et le groupe d'entraide (niveau de groupe). La collecte effectuée auprès de ces deux sources représente un exemple de triangulation des données. Chaque niveau des données a alors servi à valider les résultats.

2) LA TRIANGULATION DES CHERCHEURS

La triangulation des chercheurs implique la participation de deux ou plusieurs chercheurs à l'étude d'un même phénomène et l'examen des données, en vue d'assurer une meilleure fidélité des résultats (Denzin, 1989). Ce type de triangulation nécessite la collaboration de nombreux observateurs, responsables d'entrevue et codeurs de données (Banik, 1993; Cowman, 1993). De plus, Kimchi et coll. (1991) soulignent que la triangulation des chercheurs se produit lorsque : 1) tous les chercheurs participent à parts égales dans l'étude; 2) leurs connaissances et leurs compétences sont variées; et 3) l'expertise de chacun est manifeste.

L'étude de Banik (1993), qui portait sur les stress subjectifs chez les aidants naturels de personnes âgées atteintes de la maladie d'Alzheimer et vivant à domicile, présente l'exemple d'une triangulation des chercheurs. Les trois chercheurs ont exercé un rôle de premier plan dans la réalisation de cette recherche. Ces chercheurs ont participé en partenariat à l'élaboration du projet de recherche et ils se sont particulièrement concentrés sur l'analyse des données. Chaque chercheur possédait une formation clinique et une expérience de recherche différentes mais complémentaires de celles des autres : le chercheur principal était spécialiste en gérontologie et avait une vaste expérience en recherche; le deuxième chercheur, œuvrant en santé mentale, avait une expérience en recherche qualitative; et le dernier chercheur était clinicien pour les soins aux adultes en santé communautaire. Ainsi, la synthèse des multiples données découlant des diverses perspectives de ces chercheurs a contribué à la richesse de l'interprétation de ces données.

3) LA TRIANGULATION DES THÉORIES

La triangulation des théories se caractérise par l'évaluation de la pertinence et de la perspective des hypothèses ou des théories concurrentes (Denzin, 1989). En outre, elle permet d'éliminer les hypothèses rivales, de tester des théories existantes, d'augmenter la confiance de l'opérationnalisation des concepts et des construits, d'aider à reformuler les systèmes théoriques et de proposer des nouvelles théories (Banik, 1993; Cowman, 1993; Kimchi et coll., 1991). Ainsi, la triangulation des théories contribue à une analyse plus approfondie des résultats, laquelle renforce leur applicabilité.

Pour illustrer la triangulation des théories, prenons l'exemple de l'étude de Campbell (1989), dans laquelle celui-ci a exploré les réactions des femmes face au phénomène de la violence en testant deux modèles théoriques. Le « *grief model* » et le « *learned helplessness model* » ont été comparés auprès de ces femmes. L'importance des autosoins et de l'estime de soi pour prédire à la fois le sentiment de chagrin (grief) et « l'impuissance apprise » (learned helplessness)

est cohérente avec les résultats des études antérieures concernant ces deux modèles.

4) LA TRIANGULATION DES MÉTHODES

La triangulation des méthodes consiste à utiliser plusieurs méthodes de recherche dans une même étude; on peut l'employer lors de l'élaboration du devis ou encore lors de la collecte des données (Kimchi et coll., 1991). La triangulation des méthodes est plus couramment utilisée dans l'étude de concepts complexes, tels que l'espoir, l'adaptation, la promotion de la santé (Burns et Grove, 1993). Selon Mitchell (1986), l'application de la triangulation des méthodes doit s'effectuer selon quatre principes : 1) la question de recherche doit être clairement définie; 2) les forces et les faiblesses de chacune des méthodes choisies doivent être complémentaires; 3) les méthodes doivent être sélectionnées selon leur pertinence par rapport au phénomène étudié; et 4) l'évaluation continue des méthodes choisies doit être effectuée au cours de l'étude afin d'assurer le maintien des trois premiers principes.

Denzin (1989) reconnaît deux types de triangulation des méthodes : la triangulation « intraméthodes » et la triangulation « interméthodes ». La triangulation intraméthode est utilisée lorsque les unités d'observation sont perçues comme des unités multidimensionnelles. Elle comporte l'usage de multiples stratégies à l'intérieur d'une méthode afin d'examiner les données. La triangulation interméthodes fait référence à la combinaison de deux ou plusieurs différentes stratégies de recherche appliquées à une même unité empirique. Par exemple, des méthodes de recherche quantitatives et qualitatives peuvent être utilisées dans une même étude.

Davis (1995) a utilisé la triangulation des méthodes pour mieux comprendre le rôle des professionnels de la santé œuvrant en réadaptation relativement à l'éducation et à la promotion de la santé, afin d'élaborer un modèle de promotion de la santé pour la pratique. L'auteure s'est servie de la triangulation interméthodes en combinant des méthodes qualitative et quantitative. Les résultats de l'étude ont permis d'élaborer un modèle de promotion de la santé qui augmente la qualité des soins offerts en favorisant chez les clients la responsabilisation face à leur vie (self-empowerment), laquelle engendre une meilleure estime de soi. En se basant sur ce modèle, les professionnels de la santé pourront établir des interventions visant à promouvoir le bien-être et la santé.

La multitriangulation

Selon Mitchell (1986), l'application de plusieurs types de triangulation dans une même étude se définit comme la « multitriangulation ». La multitriangulation est particulièrement efficace dans l'étude des phénomènes complexes : en effet, dans ce cas, il est nécessaire d'obtenir des données à l'aide de nombreuses méthodes et sources pour fournir une meilleure compréhension de l'objet étudié (Knafl et Gallo, 1995). Les auteurs Breitmayer, Ayres et Knafl (1993) ont combiné la triangulation des données, des chercheurs et des méthodes pour mieux saisir les réactions familiales lorsqu'un enfant de la famille est atteint d'une déficience physique. Cette triangulation a fait ressortir la corroboration et la globalité des données afin de rehausser la validité et la fiabilité de leur analyse et de leur interprétation. Les chercheurs ont conclu que les compétences en matière de santé réduisent les risques de problèmes psychosociaux chez les membres de la famille dans ce cas.

Le discours scientifique sur la triangulation

Il est généralement reconnu qu'il n'existe pas de méthode meilleure qu'une autre pour dévelop-

per les connaissances et, par conséquent, l'adoption d'une seule méthode restreint son évolution au-delà de ses propres frontières (Carr, 1994). Par exemple, une seule approche de recherche utilisée pour étudier et mesurer un concept peut être insuffisante pour affirmer qu'il s'agit d'une mesure valide du concept théorique à l'étude. Plusieurs chercheurs de diverses disciplines privilégient la triangulation comme approche de recherche (Corner, 1991; Denzin, 1989; Dzurec et Abraham, 1993; Duffy, 1987; Fielding et Fielding, 1986; Ford-Gilboe, Campbell et Berman, 1995; Mason, 1993; Haldeman et Lévy, 1995; Lefrançois, 1995; Mason, 1993; Morse, 1991; Nolan, 1995; Oberst, 1993). La triangulation provoque un discours scientifique intéressant, qui permet d'établir une finalité de recherche susceptible de satisfaire la diversité et la complexité des phénomènes étudiés dans diverses disciplines. En effet, la triangulation peut rehausser les liens entre la théorie, la recherche et la pratique, puisqu'elle consiste à examiner les questions dans divers contextes et par le biais de multiples conceptualisations (Banik, 1993; Kimchi et coll., 1991). La triangulation, selon Sohier (1988), fournit une logique contemporaine pour augmenter la cohérence entre les fondements philosophiques d'une discipline, ses constructions théoriques et la tradition de recherche. Ainsi, il est maintenant possible de discuter d'un cinquième type de triangulation, soit la triangulation des paradigmes.

Les paradigmes influent sur les initiatives de recherche, mais leur intérêt fondamental demeure l'établissement d'une science rigoureuse afin de renforcer le bien-être et la santé des personnes (Ford-Gilboe et coll., 1995). En ancrant les questions à l'étude dans leur domaine contextuel et conceptuel, les chercheurs peuvent accroître la cohérence entre les principes épistémologiques et empiriques, laquelle favorisera de façon significative la pratique (Sohier, 1988). Les auteurs Haldemann et Lévy (1995) observent que :

> **Dans le contexte du dialogue paradigmatique, de plus en plus de chercheurs estiment que des connaissances produites selon des paradigmes différents peuvent être rendues suffisamment comparables pour nourrir un même objectif, à savoir la connaissance scientifique, et que les critères de qualité sont en fin de compte les mêmes, bien qu'ils puissent prendre des formes différentes (p. 46).**

Ainsi, la complémentarité des méthodes de recherches quantitatives et qualitatives augmentent la fiabilité des résultats.

20.3

RÉSUMÉ

Diverses stratégies ont été élaborées par des chercheurs en recherche qualitative afin d'accroître la qualité des données. Une des stratégies mises de l'avant pour augmenter la fiabilité des données est la triangulation. Elle consiste à combiner différentes méthodes et perspectives à l'intérieur d'une même étude. Il existe quatre types de triangulation : la triangulation des données, la triangulation des chercheurs, la triangulation des théories et la triangulation des méthodes.

La triangulation des données implique la réunion de données provenant de sources multiples à l'intérieur d'une même étude, en vue d'obtenir diverses perspectives d'un même phénomène dans un but de validation. La triangulation des chercheurs consiste en l'utilisation de deux chercheurs ou plus pour examiner les données et assurer ainsi une meilleure fidélité des résultats. La triangulation des théories consiste à utiliser toutes les interprétations théoriques possibles pouvant être appliquées à un domaine donné et servir ainsi de cadre de référence. Elle permet aussi un examen critique des diverses conceptions théoriques en ce qui concerne leur utilité et leur puissance. Il est maintenant possible de discuter d'un cinquième type de triangulation : il s'agit de la triangulation des paradigmes. Bien que les paradigmes influent sur les initiatives de recherche, leur intérêt principal demeure l'établissement d'une science rigoureuse.

RÉFÉRENCES BIBLIOGRAPHIQUES

BANIK, B. J. (1993). Applying triangulation in nursing research. *Applied nursing research*, n° 6 (1), p. 47-52 (February).

BREITMAYER, B. J., AYRES, L. ET KNAFL, K. A. (1993). Triangulation in qualitative research : Evaluation of completeness and confirmation purposes. IMAGE : *Journal of Nursing Scholarship*, n° 25 (3), p. 237-243.

BURNS, N., ET GROVE, S. K. (1993). *The practive of nursing research : Conduct, critique and utilization*. Philadelphia : W. B. Saunders Co.

CAMPBELL, J. C. (1989). A test of two explanatory models of women's responses to battering. *Nursing Research*, n° 38 (1), p. 18-24.

CAMPBELL, D. T. ET FISKE, D. W. (1959). Convergent and discriminant validation by multitrait-multimethod matrix. *Psychological Bulletin*, n° 56, p. 81-105.

CARR, L. T. (1994). The strengths and weaknesses of quantitative and qualitative research : What method for nursing ? *Journal of Advanced Nursing*, n° 20 (4), p. 716-721.

CARTER, M. (1985). The philosophical dimensions of qualitative nursing science research. In M. M. Leininger (Éd.), *Qualitative Research Methods in Nursing*, p.27-32. New York : Grune et Stratton.

CORNER, J. (1991). In Search of more complete answers to research questions. Quantitative versus qualitative research methods : Is there a way forward ? *Journal of Advanced Nursing*, n° 16 (6), p. 718-727.

COWMAN, S. (1993). Triangulation : A means of reconciliation in nursing research. *Journal of Advanced Nursing*, n° 18 (5), p. 788-792.

DAVIS, S. M. (1995). An investigation into nurses' understanding of health education and health promotion within a neuro-rehabilitation setting. *Journal of Advanced Nursing*, n° 21, p. 951- 959.

DENZIN, N. K. (1989). *The research act : A theoretical introduction to sociological methods*, 3e éd. Englewook Cliffs, N. J. : Prentice Hall.

DUFFY, M. E. (1987). Methodological triangulation : A vehicle for merging quantitative and qualitative research methods. IMAGE : *Journal of Nursing Scholarship*, n° 19 (3), p. 130-133.

DZUREC, L. ET ABRAHAM, I. L. (1993). The nature of inquiry : Linking quantitative and qualitative research. *Advances in Nursing Science*, n° 16 (1), p. 78-79.

FIELDING, N. G. ET FIELDING, J. L. (1986). *Linking data*. California : Sage Publications.

FORD-GILBOE, M., CAMPBELL, J. ET BERMAN, H. (1995). Stories and numbers : Coexistence without compromise. *Advances in Nursing Science*, n° 18 (1), p. 14-26.

GIDDENS, A. (1986). Actions, subjectivity and the constitution of meaning. *Social Research,* vol. 53, p. 529-545.

HALDEMANN, V. ET LÉVY, R. (1995). Œcuménisme méthodologique et dialogue entre paradigmes. *Canadian Journal on Aging/ La Revue canadienne du vieillissement,* n° 14 (supp. 1), p. 37- 51.

HUTCHINSON, S. A. (1987). Toward self-integration : The recovery process of chemically dependent nurses. *Nursing Research*, n° 36 (6), p. 339-343.

KIMCHI, J., POLIVKA, B. ET STEVENSON J. S. (1991). Triangulation : Operational definitions. *Nursing Research*, n° 40 (6), p. 364-366 (Nov./Déc.).

KNAFL, K. A. ET GALLO, A. (1995). Triangulation in nursing research. In L. A. Talbot (Éd.), *Principles and practice of nursing research*, p. 492-509. St-Louis, Mo. : Mosby-Year Book.

LeCompte, M. D. et Preissle, J. (1993). *Ethnography and qualitative design in educational research.* New York : Academic Press Inc.

Lefrançois, R. (1995). Pluralisme méthodologique et stratégies multi-méthodes en gérontologie. *Canadian Journal on Aging/ La revue canadienne du vieillissement,* nº 14 (supp. 1), p. 52-67.

Leininger, M. M. (1985). Nature, rationale, and importance of qualitative research methods in nursing. In M. M. Leininger (Éd.), *Qualitative research methods in nursing,* p. 1-25. New York : Grune et Stratton.

Mason, S. A. (1993). Employing quantitative and qualitative methods in one study. *British Journal of Nursing,* nº 12 (17), p. 869-872.

Mitchell, E. S. (1986). Multiple triangulation : A methodology for nursing science. *Advances in Nursing Science,* nº 8 (3), p. 18-26. Aspen Publishers, Inc.

Morse, J. M. (1991). Approaches to qualitative-quantitative methodological triangulation. *Nursing Research,* nº 40 (2), p. 120-123 (March/April).

Nolan, M. (1995). Triangulation : The best of all worlds ? *British Journal of Nursing,* nº 4 (14), p. 829-832.

Oberst, M. T. (1993). Editorial : Possibilities and pitfalls in triangulation. *Research in Nursing and Health,* nº 16 (6), p. 393-394.

Sohier, R. (1988). Multiple triangulation and contemporary nursing research. *Western Journal of Nursing Research,* nº 10 (6), p. 732-742.

Taylor, C. (1971). Interpretation and the sciences of man. *Review of Metaphysics,* nº 25, p. 3- 51.

Willems, E. P. (1969). Planning a rationale for naturalistic research. In E. P. Willems et H. L. Raush (Éd.), *Naturalistic viewpoints in psychological research,* p. 44-73. New York : Holt, Rinehart and Winston.

21

PRÉSENTATION ET INTERPRÉTATION DES RÉSULTATS

Marie-Fabienne Fortin

Objectifs d'apprentissage

À la fin de ce chapitre, l'étudiant(e) devrait être capable de :

✔ Déterminer le but de l'interprétation des résultats.

✔ Discuter de l'importance d'interpréter des résultats significatifs prédits.

✔ Discuter de l'interprétation des résultats non significatifs.

Une fois l'analyse des données terminée, l'étape suivante consiste à présenter les résultats et à les interpréter à la lumière des questions de recherche ou des hypothèses formulées. Présenter les résultats, c'est accompagner le texte narratif de tableaux et de figures illustrant les principaux résultats obtenus avec les différentes analyses utilisées.

En ce qui a trait à l'interprétation des résultats, elle implique la considération de tous les aspects de la recherche : le processus débute par un examen approfondi des résultats par rapport au problème à l'étude, au cadre de référence, au but de la recherche et à l'ensemble des décisions qui ont été prises au moment de l'implantation de la phase empirique. De manière à tirer une conclusion des résultats et des implications qui en découlent, le chercheur est amené à comparer, à contraster les résultats, et à se servir de la théorie, des travaux de recherche ayant porté sur le même phénomène et de la pratique professionnelle pour faire des inférences. L'interprétation des résultats est une étape difficile, qui exige une pensée critique de la part du chercheur.

Cinq aspects de l'interprétation des résultats sont considérés dans ce chapitre : l'authenticité des résultats empiriques obtenus, leur signification selon le type d'étude, leur importance pour la discipline, l'étendue de la généralisation et les implications. Voici d'abord un bref aperçu de la façon de présenter les résultats.

21.1

PRÉSENTATION DES RÉSULTATS

Les résultats proviennent des faits observés au cours de la collecte des données; ces faits sont analysés et présentés de manière à fournir un lien logique avec le problème de recherche proposé. La diversité des études et des résultats ne peut conduire à une méthode unique de présentation. Normalement, présenter des résultats consiste à fournir tous les résultats pertinents relativement aux questions de recherche ou aux hypothèses formulées. Lorsque le chercheur présente les résultats de son étude, il doit s'en tenir strictement à une présentation sous forme narrative des résultats qu'il a reproduits dans les tableaux et les figures. L'interprétation des résultats se fera ensuite par une discussion. Une façon courante de présenter les résultats consiste à énoncer la question de recherche ou l'hypothèse et à faire suivre les résultats obtenus avec les diverses analyses utilisées. Généralement, les résultats obtenus avec les analyses descriptives sont présentés en premier et sont suivis des résultats obtenus avec les analyses inférentielles.

Selon le type d'étude, la présentation des résultats inclut soit une description des variables et de leurs relations, soit la confirmation ou non des hypothèses qui ont été mises à l'épreuve au moyen de tests statistiques. Le chercheur indique les résultats dans les tableaux et les figures ainsi que les techniques statistiques qui ont servi à établir la description ou la preuve de ce qui a été mis de l'avant par les questions de recherche ou les hypothèses.

Analyse descriptive des données

Dans l'analyse descriptive des données, le chercheur dégage un portrait de l'ensemble des caractéristiques des sujets, déterminées à l'aide de tests statistiques appropriés ou d'analyses de contenu. Le chercheur doit fournir suffisamment d'information sociodémographique pour qu'on soit en mesure de distinguer clairement les sujets qui ont participé à l'étude. Les données nominales permettent d'établir des fréquences et le nombre de réponses affirmatives fournies par les sujets à un énoncé quelconque dans une échelle ou un questionnaire. Souvent, des relations sont découvertes entre des variables. Pour les données quantitatives, les mesures de tendance centrale, comme la moyenne, donnent une idée des résultats une fois regroupés, et l'écart type, en tant que mesure de dispersion, indique comment les résultats individuels se situent par rapport à la moyenne. Les données quantitatives peuvent aussi, selon le cas, être exprimées d'après un ordre de grandeur ou de rang correspondant à l'échelle ordinale. Il est important de distinguer les résultats relevant directement des questions de recherche ou des hypothèses qui ont guidé la recherche, des résultats complémentaires qui ont pu apporter une plus grande compréhension du phénomène ou de certains aspects de celui-ci. Si le but de l'étude consiste à répondre à plusieurs questions de recherche, les résultats doivent être présentés pour chaque question.

Analyses inférentielles des données

Il existe une variété de techniques statistiques inférentielles susceptibles d'être utilisées avec divers types de données. Ces différentes analyses statistiques ont été présentées au chapitre 18. La mise à l'épreuve des hypothèses causales par l'application de tests statistiques permet de déterminer si les changements observés dans les comportements des sujets (variable dépendante) sont réellement dus à l'effet du traitement ou de l'intervention (variable indépendante) ou s'ils sont dus à l'effet du hasard. Le chercheur prend la décision de rejeter l'hypothèse nulle (H_0) en faveur de l'hypothèse de recherche (H_1) ou de ne pas rejeter H_0. La décision de confirmer l'hypothèse ou de la rejeter repose sur les résultats de tests statistiques établis au préalable, selon un degré de probabilité. Le chercheur rapporte les résultats obtenus au cours des vérifications statistiques des hypothèses et indique le seuil de signification établi. C'est à l'étape de l'interprétation qu'il discutera des résultats positifs ou négatifs obtenus.

En général, la présentation des résultats suit un ordre logique (Phillips, 1986), tel que décrit à l'encadré 21.1.

21.2

INTERPRÉTATION DES RÉSULTATS

Le chercheur analyse l'ensemble des résultats et les interprète selon le type d'étude et le cadre de référence utilisés, en tenant compte du fait qu'il vise soit la description d'un phénomène, soit l'exploration et la vérification de relations entre les phénomènes, ou encore la vérification d'hypothèses causales. Quels que soient le type d'étude ou le niveau de recherche, le chercheur doit procéder à l'évaluation du processus entier de la recherche. Les résultats doivent démontrer une certaine logique par rapport aux questions de recherche et aux hypothèses, être mis en relation avec les résultats d'autres travaux de recherche et respecter les limites de la recherche entreprise.

L'authenticité des résultats obtenus

Une des premières activités du chercheur qui interprète des résultats consiste à vérifier si on peut tirer une certaine certitude de l'analyse des données et de la présentation des résultats. Cet examen requiert une analyse des phases conceptuelle, méthodologique et empirique de la recherche; il repose sur les habiletés du chercheur à adopter une pensée critique et un sens d'objectivité à l'égard des décisions à prendre au cours de l'interprétation. Le chercheur examine les liens logiques entre le problème, le cadre de référence, les questions de recherche ou les hypothèses, les variables, les instruments de mesure et les techniques statistiques utilisées. En d'autres termes, il veut s'assurer que les résultats obtenus sont conformes aux questions de recherche posées ou aux hypothèses formulées.

ENCADRÉ 21.1
Ordre de présentation des résultats

1) L'information doit établir clairement les caractéristiques de l'échantillon, ainsi que la similarité entre les groupes si plus d'un groupe est utilisé;

2) La logique de l'analyse des données doit démontrer que les techniques statistiques choisies sont appropriées au cadre conceptuel ou théorique, au type d'étude et au type de mesure;

3) La présentation des résultats devrait être organisée de façon que chaque question de recherche ou chaque hypothèse soit reliée aux tests statistiques utilisés, à la valeur obtenue, au degré de probabilité et aux critères qui ont prévalu pour la vérification des hypothèses;

4) Les tableaux et les figures sont présentés à l'appui du texte narratif. Ils doivent avoir un titre précisant l'information présentée;

5) La complexité des analyses de relations devrait être clairement explicitée, de façon à renforcer la compréhension et permettre la réplique de l'étude.

L'authenticité se rapportant aux réponses obtenues aux questions de recherche et aux hypothèses constitue le premier point de la discussion qui doive préoccuper le chercheur. Cette discussion doit mettre en relation différents types d'évidence, comme les comparaisons avec d'autres études ayant porté sur le même phénomène et la concordance des résultats obtenus avec les résultats d'autres études. Si les résultats diffèrent en certains points, une analyse des raisons pour lesquelles ces différences existent doit être faite. Également, le chercheur doit porter son attention sur la qualité des données recueillies selon la fidélité et la validité des instruments de mesure utilisés. Si les instruments de mesure n'ont pas les qualités psychométriques suffisantes, à titre d'exemple, il sera difficile de donner une signification aux résultats, puisqu'on ignorera si l'instrument utilisé mesure bien les variables définies et s'il fournit le même résultat, de façon constante, chaque fois que l'instrument est utilisé auprès des sujets.

Au cours du processus de collecte des données, plusieurs activités ont pu affecter les résultats : par exemple, le chercheur doit prendre en compte, au moment de l'interprétation et de l'analyse de la signification des résultats, le recrutement des sujets, la perte substantielle de sujets, les biais du processus d'échantillonnage, le manque de consistance dans les mesures prises, l'absence de certaines données, etc. De même, des erreurs ont pu se glisser dans l'organisation des données et leur traitement. Aussi, le chercheur doit relever en toute honnêteté les limites de son étude et établir de quelle façon celles-ci peuvent affecter la vraisemblance des résultats.

Signification des résultats selon le type d'étude

Lorsqu'un chercheur interprète les résultats d'une étude, il doit tenir compte du type de recherche utilisé. Les résultats de recherche se présentent sous la forme de valeurs statistiques descriptives et inférentielles et de degrés de probabilité dans les études portant sur la vérification d'hypothèses. À partir d'un degré de signification déterminé *a priori*, le chercheur est amené à rejeter ou à ne pas rejeter l'hypothèse nulle. Il discute des résultats de la vérification des hypothèses, qu'elles soient confirmées ou infirmées. Pour la description des phénomènes, le chercheur se rapporte plutôt à la définition de concepts et au cadre conceptuel pour interpréter les résultats.

Interprétation des résultats dans l'exploration de phénomènes

Les devis exploratoires-descriptifs ne consistent pas à vérifier la théorie, mais plutôt à développer des concepts, définir des relations entre les concepts ou produire des hypothèses pour des vérifications futures. Il peut s'agir, dans l'étude qualitative, d'isoler et de définir d'importants concepts qui émergent des données et apportent une explication ou une meilleure compréhension des phénomènes. Lorsque l'analyse des données entraîne la formation de catégories, celles-ci doivent être mutuellement exclusives et correctement caractérisées. S'il s'agit de formuler des hypothèses découlant des analyses ou de développer une théorie ancrée par exemple, l'interprétation doit viser à démontrer que la conception théorique nouvellement élaborée est plausible d'après le degré d'exactitude utilisé dans la collecte des données, le codage et l'analyse des données. Les devis exploratoires sont une étape initiale dans le processus de la définition ou de la compréhension d'un concept et de ses relations avec d'autres concepts. Par conséquent, les données doivent être interprétées dans le contexte d'une première étape du développement de la théorie. Dans la description qualitative des phénomènes, l'interprétation se fait habituellement de façon concomitante avec la collecte des données.

INTERPRÉTATION DES RÉSULTATS
DANS LA DESCRIPTION DE PHÉNOMÈNES

Dans l'étude quantitative des données descriptives, le chercheur interprète les résultats à la lumière du cadre de référence et des informations obtenues au moyen des questions de recherche. Il discute des caractéristiques qui se dégagent du contexte de l'étude, établit des comparaisons et justifie la découverte d'associations entre des variables. Comme dans les devis exploratoires, les résultats descriptifs ne sont pas définitifs mais préparent plutôt la voie à des études d'un niveau plus avancé. Des hypothèses peuvent être formulées à partir de ces résultats et pourront être raffinées et mises à l'épreuve dans des recherches ultérieures.

INTERPRÉTATION DES RÉSULTATS DANS
L'EXPLORATION DE RELATIONS ENTRE DES VARIABLES

Dans l'étude descriptive-corrélationnelle, au cours de laquelle le chercheur explore des associations entre les variables, l'interprétation se fait en relation avec le cadre conceptuel proposé. Le chercheur décrit les associations qu'il a explorées entre les variables et explique comment ces relations s'articulent avec le cadre conceptuel. Il ne s'agit pas, dans ce type d'étude, de discuter de la vérification d'hypothèses, mais bien d'examiner des relations pour trouver des réponses aux questions de recherche et d'interpréter ces réponses dans le contexte de l'étude et d'autres travaux de recherche. Dans l'interprétation des résultats d'une telle étude, le chercheur doit s'en tenir à la description des relations entre des variables, sans explorer la prédiction ou la causalité.

INTERPRÉTATION DES RÉSULTATS
DANS LA VÉRIFICATION D'HYPOTHÈSES.

La validité des résultats dans les études descriptives et corrélationnelles dépend de la précision avec laquelle les variables ont été mesurées

auprès de l'échantillon. La valeur de la variance qui peut être expliquée dans le cas du phénomène à l'étude est un aspect important de la validité des données (Burns et Grove, 1993). Dans la vérification d'hypothèses d'association, le chercheur doit dégager une explication sur la nature des relations entre les variables et la possibilité que d'autres variables expliquent ces relations. Dans les études de type expérimental, l'examen des différences entre les groupes, ou du manque de différences, n'indique pas la valeur de la variance expliquée. L'interprétation des résultats, dans les études de vérification d'hypothèses, porte donc sur la confirmation ou l'infirmation des hypothèses sur la base de la signification statistique et exige l'examen de la validité interne et de la validité externe d'une étude. Plusieurs auteurs (Burns et Grove, 1993; Polit et Hungler, 1995; Woods et Catanzaro, 1988) ont discuté des différents résultats possibles que le chercheur doit être en mesure d'interpréter au cours de la discussion sur la vérification d'hypothèses, ce sont : 1) des résultats significatifs prévus par le chercheur; 2) des résultats non significatifs; 3) des résultats significatifs opposés à ceux prédits par le chercheur; 4) des résultats mixtes; 5) des résultats non prévus.

> La discussion des résultats entourant la vérification d'hypothèses devrait porter sur les résultats significatifs prévus par le chercheur, les résultats non significatifs, les résultats significatifs différents de ceux prédits, les résultats mixtes et les résultats non prévus.

1) Résultats significatifs et prédits

Les résultats positifs prédits, qui ont été confirmés par les analyses statistiques, sont les plus faciles à interpréter parce qu'ils confirment les prévisions du chercheur par rapport aux liens logiques découlant du cadre théorique. Cette situation signifie que l'hypothèse nulle (H_0) a été rejetée en faveur de l'hypothèse de recherche (H_1). En dépit de ces conditions idéales, le chercheur doit être prudent dans la confirmation de ses hypothèses et leur interprétation. Il faut se rappeler que la vérification d'hypothèses repose sur des probabilités. Même s'il apparaît évident que l'hypothèse nulle est fausse, il reste toujours une possibilité de commettre l'erreur de première espèce (type I), c'est-à-dire que l'hypothèse nulle soit vraie. L'interprétation des résultats significatifs doit également inclure la considération d'autres hypothèses possibles. Par exemple, Ricard et Fortin (1995), dans une étude corrélationnelle, ont formulé l'hypothèse que les aidants naturels de malades mentaux obtiendraient des résultats significativement plus bas aux échelles du fardeau subjectif et de la santé mentale lorsque les malades sont en période de rémission que lors d'une période de crise. Bien que l'hypothèse nulle ait été rejetée, les auteures ont considéré d'autres facteurs pouvant expliquer ou atténuer ces résultats : par exemple, la présence du fardeau subjectif a pu être conditionnelle à la présence de difficultés chez le malade. D'autres caractéristiques ont été examinées, comme la condition économique : les aidants naturels ayant un revenu familial moins élevé ont pu ressentir un plus lourd fardeau, autant en situation de crise qu'en situation de rémission. On sait, par ailleurs, qu'une situation financière difficile rend souvent les individus plus vulnérables à un stress additionnel. De plus, un faible revenu a pu empêcher les aidants naturels de solliciter l'aide nécessaire, qu'elle soit de nature instrumentale ou psychologique, pour permettre un allégement de leur fardeau.

Le chercheur doit donc explorer des possibilités d'explications des résultats en vue de déterminer si d'autres facteurs explicatifs sont plausibles dans le contexte de l'étude. Il doit établir une relation entre son étude et d'autres études effectuées dans un domaine similaire et auprès de populations semblables pour mettre en évidence leur convergence ou leur divergence.

2) Résultats non significatifs

Ce sont les résultats les plus difficiles à expliquer. Dans ce cas, le raisonnement du chercheur ou la théorie utilisée pour formuler les hypothèses sont erronées, ou encore les aspects théoriques de l'étude n'ont pas été bien conceptualisés. Si le chercheur n'a pas soigneusement relevé et défini les variables clés au cours de la phase conceptuelle, des erreurs de précision sont à craindre. Autrement, les résultats négatifs pourraient constituer un ajout important au champ des connaissances, pour autant qu'ils se justifient. Les résultats peuvent aussi être dus à une méthode inappropriée, un échantillon de petite taille. Lorsque la différence entre deux groupes ou la relation entre deux variables est petite, la taille de l'échantillon doit être suffisamment grande pour détecter cette différence ou cette relation. Cette situation relève de la puissance des tests statistiques. D'autres facteurs sont aussi à considérer dans l'explication des problèmes de validité interne, comme des mesures inadéquates, des biais d'échantillonnage, etc. Les résultats peuvent conduire à une erreur de deuxième espèce (type II), ce qui signifie qu'en réalité les résultats sont significatifs mais que, à cause de la faiblesse de la méthode, on n'a pas pu en détecter la signification. Les résultats négatifs ne signifient pas nécessairement l'absence de relations entre les variables : ils indiquent plutôt que l'étude n'a pas réussi à les déceler.

3) Résultats significatifs mais non prédits

Ce type de résultats peut être embarrassant à rapporter, puisque les hypothèses sont le reflet de la logique du chercheur aussi bien que de la logique découlant de la théorie à vérifier. Toutefois, si les résultats s'avèrent valides, ils peuvent contribuer à l'avancement des connaissances. Tout comme lorsqu'il interprète des résultats négatifs, le chercheur doit considérer la présence d'autres facteurs pouvant expliquer ces résultats.

4) Résultats mixtes

C'est le type de résultats le plus courant. Des résultats mixtes signifient que certains résultats confirment l'hypothèse à vérifier alors que d'autres l'infirment. Par exemple, deux mesures indépendantes de la même variable peuvent montrer des résultats opposés. Comme pour l'interprétation des résultats négatifs, le chercheur doit alors considérer les bases théoriques ou méthodologiques afin de tirer des explications qui justifient ces résultats.

5) Résultats non prévus

Les résultats non prévus sont des relations qui se vérifient entre des variables ou des différences qui apparaissent entre les groupes, alors que le chercheur n'a pas formulé d'hypothèses précises ou prédit de relations à ce sujet à l'aide du cadre théorique. Il faut souligner que certains chercheurs examinent le plus de données possibles, outre celles indiquées par les hypothèses ou les questions de recherche. Dans ce cas, il ne faut pas s'étonner de trouver d'autres résultats significatifs non prévus.

Importance des résultats

Il est important de déterminer si les résultats qui proviennent de la vérification d'hypothèses sont significatifs ou non significatifs. Cependant, au-delà de leur signification statistique, les résultats doivent être évalués pour leur importance ou leur contribution à une discipline donnée. Le fait que des résultats significatifs soient obtenus ne signifie pas nécessairement qu'ils sont d'une grande valeur pour la pratique clinique ou professionnelle, ou encore pour les sujets eux-mêmes (Talbot, 1995). La signification statistique indique que les résultats n'ont pas été, apparemment, obtenus par chance. Les valeurs numériques obtenues au moyen des analyses statistiques n'ont pas toujours une signification pratique. Par exemple, un coefficient de corrélation de 0,15 peut être significatif d'un point de vue statistique à un niveau alpha 0,05; cependant, l'obtention d'une corrélation de cette ampleur a très peu d'importance pratique.

Obtenir des résultats non significatifs n'indique pas nécessairement que les résultats ne sont pas importants. Par exemple, les résultats d'une étude qui démontreraient que deux interventions thérapeutiques produisent les mêmes effets, étant toutes deux bénéfiques pour les patients d'un point de vue clinique, peuvent être importants à considérer dans l'application de l'une ou l'autre des interventions dans la pratique.

La signification clinique d'une étude revêt une importance pour l'ensemble des connaissances d'une discipline donnée. Que les résultats soient significatifs ou non significatifs, ils peuvent contribuer à divers degrés à l'avancement des connaissances. Le chercheur doit interpréter, en plus de la signification statistique des résultats, l'importance que ceux-ci ont pour la pratique professionnelle. Par ailleurs, des résultats significatifs qui possèdent une validité externe suffisante peuvent être généralisés à d'autres populations ou situations.

Généralisation des résultats

La généralisation des résultats est un autre aspect que le chercheur doit considérer dans la discussion. Le chercheur n'est pas intéressé à confirmer des relations entre des variables pour un groupe en soi, mais bien à étendre les résultats de son étude au-delà de l'échantillon étudié, ainsi qu'à d'autres contextes. Si un traitement ou une intervention s'avère bénéfique pour ce qui est de l'amélioration de la condition des patients, d'autres voudront appliquer ce traitement dans des contextes différents et auprès d'autres populations. Les résultats qui ne peuvent être généralisés contribuent peu en général à l'avancement des connaissances scientifiques.

La généralisation des résultats relève de la validité externe de l'étude et d'autres facteurs, comme la sélection aléatoire des sujets et la représentativité. Jusqu'à quel point est-il possible de généraliser les résultats ? Selon Kerlinger (1986), les résultats d'études provenant d'échantillons non probabilistes se prêtent peu à la généralisation. Le chercheur doit examiner soigneusement les résultats de son étude, à la lumière des caractéristiques connues de la population cible, avant d'envisager la généralisation de ses résultats.

21.3

CONCLUSIONS ET IMPLICATIONS

Dernier élément d'un rapport de recherche, les conclusions doivent indiquer la position du chercheur face aux résultats obtenus. Les conclusions vont bien au-delà du résumé : elles incluent des énoncés concluants ou un jugement sur les résultats positifs ou négatifs obtenus, elles indiquent comment ceux-ci peuvent être appropriés aux milieux de pratique ou s'il ont une signification clinique.

Une fois que le chercheur est arrivé à des conclusions concernant l'authenticité des résultats, leur signification, leur importance et leur généralisation, il est maintenant en mesure d'examiner les conséquences de ces résultats sur la théorie, la recherche et la pratique professionnelle. En ce qui concerne la théorie, le chercheur discute dans quelle mesure les résultats correspondent aux bases théoriques qui ont guidé la recherche. En général, chaque étude a des implications sur des recherches futures, que ce soit de nouvelles questions à explorer, l'amélioration des instruments de mesure ou la réplique de l'étude avec d'autres populations ou dans d'autres contextes, ce qui fournit aussi des suggestions pour l'implantation des résultats dans les milieux de pratique professionnelle. Le chercheur s'interroge sur les changements bénéfiques qui pourraient survenir chez le patient, la famille, la communauté et dans les milieux de pratique, dans le

---

ENCADRÉ 21.2
Étapes de l'interprétation des résultats

---

1) Examiner de façon approfondie les résultats de la recherche à la lumière des phases conceptuelle, méthodologique et empirique.

2) Organiser l'interprétation selon les résultats obtenus pour chaque question de recherche ou hypothèse.

3) Examiner les caractéristiques de l'échantillon et les comparer avec celles de la population cible.

4) Démontrer, selon le type d'étude, la relation entre le but de l'étude, le cadre théorique ou conceptuel et l'interprétation.

5) Discuter de la vérification des hypothèses et de leur signification à partir des résultats attendus, des résultats non prédits mais significatifs et des résultats négatifs.

6) Discuter de l'importance des résultats et de l'étendue de la généralisation.

7) Déterminer des implications pour la théorie, la recherche et la pratique professionnelle.

cas où les résultats seraient appliqués à d'autres situations.

21.4
RÉSUMÉ

Présenter les résultats, c'est accompagner le texte narratif de tableaux et de figures illustrant les divers résultats obtenus avec les différentes analyses statistiques. Habituellement, la présentation des résultats consiste à fournir les résultats pertinents en ce qui a trait aux questions de recherche ou aux hypothèses. Selon le type d'étude, la présentation des résultats comporte soit une description des variables et de leurs relations, soit la confirmation ou l'infirmation des hypothèses qui ont été vérifiées à l'aide d'analyses statistiques. Dans l'analyse descriptive des données, le chercheur dégage un portrait de l'ensemble des caractéristiques des sujets. Dans l'analyse inférentielle, le chercheur vérifie des hypothèses d'association ou de causalité à l'aide de tests statistiques, afin de déterminer la nature des relations entre des variables ou la signification de différences entre des groupes dans des situations contrôlées.

L'interprétation des résultats comporte l'examen approfondi des étapes du processus de la recherche. Le chercheur interprète les résultats dans le contexte de l'étude et à la lumière d'autres travaux de recherche. Il cherche à établir le rapport entre les résultats obtenus et les questions de recherche ou les hypothèses formulées. La signification des résultats varie en fonction du type d'étude, selon qu'on explore des phénomènes, qu'on décrit des relations entre des phénomènes ou qu'on vérifie des relations causales ou d'association. Les résultats se présentent sous la forme de valeurs statistiques descriptives et inférentielles dans la vérification d'hypothèses. Dans la description des phénomènes, l'interprétation se rapporte au cadre conceptuel et à la définition des concepts.

Cinq types de résultats sont susceptibles d'être interprétés : des résultats significatifs prévus par le chercheur; des résultats non significatifs; des résultats significatifs mais opposés à ceux prédits par le chercheur; des résultats mixtes; des résultats non prévus.

En plus de la signification statistique accordée aux résultats, il faut considérer leur importance par rapport à l'avancement des connaissances et à la pratique professionnelle. La signification clinique d'une étude revêt une importance pour l'ensemble des connaissances d'une discipline donnée.

La généralisation des résultats est un autre aspect que le chercheur doit considérer dans la discussion. Dans quelle mesure les résultats de son étude peuvent-ils être généralisés à d'autres populations ou à d'autres contextes ? Le chercheur doit évaluer les facteurs externes qui ont pu limiter ou restreindre la portée de ses résultats. Enfin, le chercheur énonce des conclusions d'après les résultats obtenus et fait ressortir des implications pour la théorie, la recherche et la pratique.

Références bibliographiques

Burns, N., Grove, S. K. (1993). *The practice of nursing research : Conduct, critique and utilization*, 2ᵉ éd. Philadelphia : W. B. Saunders.

Kerlinger, F. N. (1986). *Foundations of behavioral research*, 3ᵉ éd. New York : Holt, Rinehart and Wintson.

Phillips, L. R. F. (1986). *A clinician's guide to the critique and utilization of nursing research*. Norwalk, Ct : Appleton-Century-Crofts.

Polit, D. F., Hungler, B. P. (1995). *Nursing research : Principles and methods*, 5ᵉ éd. Philadelphia : J. B. Lippincott Company.

Ricard, N., Fortin, M. F. (1995). *Étude des déterminants du fardeau subjectif et de ses conséquences sur la santé des soignants naturels d'une personne atteinte d'un trouble mental*. Rapport méthodologique. Montréal : Université de Montréal, Faculté des sciences infirmières.

Talbot, L. (1995). *Principles and practice of nursing research*. St. Louis : Mosby

Woods, N. F., Catanzaro, M. (1988). *Nursing research : Theory and practice*. Toronto : The C. V. Mosby Company.

CHAPITRE 22

COMMUNICATION DES RÉSULTATS

Marie-Fabienne Fortin

Objectifs d'apprentissage

À la fin de ce chapitre l'étudiant(e) devrait être capable de :

✔ Comprendre l'importance de la communication des résultats de recherche.

✔ Commenter les quatre parties d'un rapport de recherche.

✔ Discuter des éléments d'une présentation orale ou sur affiche.

Dernière étape du processus de la recherche, la communication des résultats est l'aboutissement logique des efforts du chercheur pour démontrer sa contribution personnelle au développement et à l'expansion de la connaissance scientifique. À moins d'être communiqués, les résultats de la recherche ont peu de retombées sur la communauté scientifique, la société et la discipline. Le développement de la connaissance, dans une discipline professionnelle, est un processus cumulatif partagé par l'ensemble des membres de la profession. La communication des résultats inclut l'élaboration d'un rapport de recherche et sa diffusion par le truchement de présentations à des congrès scientifiques à l'échelle nationale et internationale ainsi que par des publications dans des revues scientifiques et professionnelles. De manière à faciliter la communication des résultats de recherche, ce chapitre présente les grandes lignes du contenu d'un rapport de recherche, les différents types de rapport et les aspects liés à la présentation et à la publication des résultats.

22.1

LE RAPPORT DE RECHERCHE

Les rapports de recherche sont des ouvrages qui rendent compte des principales composantes d'une recherche, tels le problème, les objectifs, le cadre de référence, les méthodes et les résultats de recherche. Ils s'adressent à différents auditoires et servent divers buts. Par exemple, un mémoire de maîtrise et une thèse de doctorat ne servent pas uniquement à communiquer des résultats, mais aussi à démontrer que les travaux universitaires ont été accomplis avec succès, que la démarche de recherche a été bien comprise, et que l'auteur mérite l'octroi d'un grade. Ces ouvrages sont détaillés, contrairement aux articles de périodiques dont le contenu est soumis à un nombre de pages limité et fait l'objet d'une synthèse. Les communications orales ou sur affiche présentées à l'occasion de conférences scientifiques et professionnelles sont une autre forme de diffusion des résultats à un vaste auditoire préoccupé par des intérêts similaires.

Contenu du rapport

Quelle que soit la modalité de la communication des résultats, le contenu d'un rapport de recherche comporte des divisions toujours à peu près semblables. Ainsi, le rapport de recherche inclut quatre composantes : 1) une introduction, 2) une description des méthodes, 3) une présentation des résultats, et 4) une discussion.

1) L'INTRODUCTION

L'introduction a pour but d'informer le lecteur sur la nature du problème de recherche, sur sa pertinence et sa signification pour le domaine des connaissances d'une discipline donnée, et sur le contexte dans lequel l'étude du problème a été amorcée. L'introduction précise l'état actuel des connaissances concernant le problème à l'étude et inclut un bref résumé des écrits recensés, une description du cadre théorique ou conceptuel utilisé, la formulation du problème, les questions de recherche ou les hypothèses et, enfin, une justification indiquant pourquoi l'étude a été entreprise.

Dans l'introduction, le chercheur fournit une argumentation serrée sur la signification théorique et clinique du problème justifiant le bien-fondé de l'étude. Le problème de recherche s'accompagne d'une recension des écrits, qui peut prendre de quelques paragraphes à plusieurs, selon le type de rapport de recherche. Celle-ci sera exhaustive dans le mémoire de maîtrise et la thèse de doctorat, mais concise dans les articles de périodiques et les présentations orales. La recension des écrits permet de clarifier les fondements théoriques et pratiques du problème de recherche.

Le cadre de référence qui a servi de guide à l'orientation de la recherche est une dimension importante à introduire dans le rapport de recherche. Le chercheur définit les concepts dans le contexte de l'étude et décrit les relations entre les variables. Le lecteur doit avoir une bonne idée de la définition des concepts et de la manière dont ceux-ci s'articulent à l'ensemble de l'étude. Enfin, l'introduction se termine par la formulation des principales questions de recherche ou des hypothèses.

Selon la nature de la publication, comme dans certains articles de périodiques, l'introduction ne comporte pas toujours de titres ou de sous-titres pour désigner le problème, la recension des écrits, ou le cadre de référence. Habituellement, le texte présenté avant la section des méthodes est considéré comme l'introduction quelle qu'en soit la forme.

2) LES MÉTHODES

La section des méthodes porte sur les activités réalisées au cours de la planification de la recherche et montre comment ces activités ont conduit à la collecte et à l'analyse des données. Selon la nature du rapport de recherche, la section des méthodes sera détaillée, comme dans les mémoires et les thèses, ou plus succincte, comme dans les périodiques. Quoiqu'il en soit, la description des méthodes doit être suffisamment complète pour permettre une compréhension du lien entre les divers aspects de l'étude.

Plusieurs éléments relèvent de la section des méthodes. Le chercheur commence par préciser le devis de recherche, que l'on expliquera davantage dans les études de type expérimental que dans les études descriptives ou corrélationnelles. Dans les études de type expérimental, le chercheur précise la nature de l'intervention ou du traitement et indique comment les sujets ont été répartis dans les groupes expérimental et de contrôle. On s'attend à ce que le degré de signification statistique soit indiqué dans cette section.

Le chercheur précise dès le début quels sont les sujets qui ont participé à l'étude et décrit la population d'où provient l'échantillon d'après les critères de sélection et le milieu où s'est déroulée l'étude. Il décrit la méthode échantillonnale et apporte des précisions concernant la taille de l'échantillon, plus particulièrement la manière dont on s'y est pris pour déterminer la taille de l'échantillon nécessaire en fonction de la puissance des analyses utilisées.

La description des méthodes de collecte des données constitue un aspect important de cette section. Les variables étudiées sont définies de façon opérationnelle et les instruments de mesure sont précisés pour chacune des variables. Le chercheur doit indiquer s'il s'agit d'échelles de mesure normalisées ou si des questionnaires ont été élaborés dans le cadre de l'étude. Dans ce dernier cas, il doit décrire la démarche employée pour l'élaboration des questionnaires, leur vérification, et les méthodes utilisées pour assurer la validité du contenu. En outre, si le chercheur a eu recours a la traduction d'instruments de mesure, il doit indiquer comment cette traduction a été accomplie et les tests de fidélité et de validité qui ont été effectués par la suite sur les instruments.

En ce qui concerne le déroulement de la collecte des données, on doit faire état des étapes suivies et des procédés employés, y compris le type et la fréquence des mesures prises. Dans l'étude de type expérimental, le chercheur indique la période de temps écoulée entre l'intervention et la mesure des variables dépendantes. Si l'étude a comporté des entrevues, le chercheur indique le lieu et la durée moyenne de l'entrevue. Si des questionnaires ont été utilisés, le chercheur précise la méthode employée pour les faire passer, s'il y a eu relance et quel a été le taux de réponse.

3) LES RÉSULTATS

Cette section présente les résultats obtenus avec les analyses statistiques. Les analyses descriptives permettent de décrire l'échantillon. La description comprend le nombre de sujets qui ont participé à l'étude et leurs caractéristiques sociodémographiques pertinentes, telles que l'âge, le sexe, le statut marital, le groupe ethnique, l'occupation, le niveau de scolarité. La plupart de ces informations peuvent être incluses dans des tableaux accompagnés d'une narration concise. Les résultats descriptifs sont présentés en premier, suivis des résultats d'analyses inférentielles. On doit préciser les types d'analyses statistiques utilisés pour répondre aux questions de recherche ou aux hypothèses ainsi que les résultats obtenus.

La présentation des résultats sous forme d'illustrations et de tableaux est un excellent moyen de fournir une information claire et concise. Les tableaux permettent entre autres d'ordonner plusieurs informations dont l'énumération narrative serait fastidieuse. En outre, la compréhension de données complexes s'en trouve simplifiée. L'information présentée dans un tableau comprend les résultats concernant les variables étudiées, le groupe de sujets auquel se rapportent les résultats et les tests statistiques utilisés (Fortin, Taggart, Kérouac et Normand, 1988). Les graphiques servent aussi à illustrer des relations entre des variables tout en réduisant le contenu du texte narratif. Wainer (1984), Burns et Grove (1993) et Polit et Hungler (1995) fournissent des précisions quant à la préparation des tableaux et à leur utilisation (encadré 22.1).

La présentation narrative des tableaux et des figures, dans le rapport de recherche, a pour but de renforcer les principaux éléments utiles au lecteur. Elle doit servir à faire ressortir les faits saillants, les relations significatives découvertes plutôt que de reprendre en détail la description du contenu du tableau.

Les principaux types d'illustrations servant à reproduire les résultats de l'analyse des données sont les tableaux, les figures, les diagrammes. Dans tout rapport de recherche, les tableaux servent à représenter graphiquement, dans des colonnes et des rangées, les résultats de recherche obtenus. Une variété de résultats d'analyses statistiques descriptives et inférentielles peuvent être ainsi représentés, comme des mesures de tendance centrale (mode, médiane, moyenne), les écarts types, l'étendue, les valeurs de F, les va-

---

ENCADRÉ 22.1

Préparation des tableaux et leur utilisation.

— L'utilisation de tableaux permet de mettre en relief les modalités de comparaisons et de relations entre les données. Ils sont nécessaires à la compréhension des résultats. Cependant, il est recommandé de n'utiliser les tableaux et illustrations que pour l'information substantielle, c'est-à-dire celle qui rendrait le texte encombrant.

— Les tableaux doivent être organisés de façon simple et compréhensible. Trop d'informations dans un même tableau rend la lecture complexe et fastidieuse. Il convient, dans ce cas, de présenter deux tableaux plutôt qu'un.

— Les titres et sous-titres des tableaux et des figures doivent éclairer suffisamment le lecteur sur les résultats importants à retenir pour que celui-ci n'ait pas à consulter le texte pour en comprendre la signification.

— Chaque colonne doit contenir un en-tête qui reflète clairement le contenu et la logique du tableau ou de la figure.

— Pour une plus grande facilité de comparaison, les valeurs numériques peuvent être arrondies à une décimale près dans les tableaux, sauf dans le cas des coefficients de corrélation.

— Les valeurs de probabilité doivent être clairement indiquées, que ce soit sous la forme de valeurs de p ou à l'aide d'astérisques joints à une note indicative insérée au bas du tableau. (Le lecteur est prié de consulter la dernière version du guide de l'American Psychological Association (1994), pour plus de précisions à cet égard.)

— Les tableaux et les figures doivent être numérotés et insérés le plus près possible de la section du texte qui y fait référence.

leurs de *t*, les coefficients de corrélation *r*, la matrice de corrélation, la valeur du chi deux (χ^2) etc. Les figures (diagrammes, graphiques) fournissent une image globale d'un ensemble de résultats. Elles sont numérotées comme les tableaux et présentées à l'aide d'une référence dans le texte du rapport de recherche. Les principales figures incluent, entre autres, l'assiette de répartition, l'histogramme et le polygone de fréquence.

4) LA DISCUSSION

La présentation brute des résultats n'a de sens qu'à l'intérieur d'une discussion dans laquelle le chercheur leur donne une signification. Cette section du rapport place les résultats dans un contexte de réalité par la prise en compte des limites de l'étude, l'interprétation des principaux résultats et l'énoncé de recommandations, notamment d'implications pour des recherches futures. Le chercheur discute des principaux résultats de la recherche en fonction du problème de recherche, des questions ou des hypothèses. Il établit des comparaisons entre les résultats de cette étude et ceux d'autres travaux de recherche reliés au cadre de référence. Le chercheur doit justifier ses interprétations et les tentatives d'explications qui découlent des différences ou des similarités avec d'autres études scientifiques. Doit aussi prendre place une discussion sur l'étendue de la généralisation des résultats à d'autres contextes et une analyse de leur importance (Polit et Hungler, 1995).

La discussion portant sur les résultats doit inclure les limites connues de l'étude. Le chercheur est le mieux placé pour discuter des failles dans le processus d'échantillonnage, des contraintes d'application du devis, des difficultés rencontrées sur le plan de la mesure, etc.

Les conséquences ou implications découlant d'une étude sont souvent énoncées comme des suggestions, parce qu'une étude ne peut fournir des résultats définitifs (Cormack, 1986). Comme le chercheur fait des suggestions d'après les résultats, ce qui équivaut en quelque sorte à une hypothèse comme telle, cette ou ces nouvelles hypothèses pourraient être mises à l'épreuve dans une autre recherche (Polit et Hungler, 1995). Le rapport de recherche s'achève sur des recommandations pour des études ultérieures ou pour la reprise de la même étude dans des contextes différents ou avec des populations différentes. C'est également à la fin du rapport de recherche qu'un abrégé (abstract) est rédigé et inséré au début du rapport. Comme son nom l'indique, le résumé est une brève description du problème, des méthodes et des résultats, qui permet au lecteur d'évaluer la teneur du rapport. Plusieurs guides de présentation des travaux scientifiques à l'intention des auteurs sont disponibles, entre autres APA (1994); Kolin et Kolin (1980); University *of Chicago Press* (1993).

22.2

TYPES DE RAPPORT DE RECHERCHE

Le rapport de recherche peut revêtir différentes formes selon l'objectif pour lequel il est écrit. Quatre types de rapport sont décrits ci-après : le mémoire de maîtrise et la thèse de doctorat, l'article de périodique, le rapport oral et le rapport sur affiche. Le rapport de recherche que le chercheur rédige à la fin de ses travaux à la demande de l'organisme subventionnaire est similaire aux mémoires et aux thèses, et aussi détaillé.

Mémoires de maîtrise et thèses

Les mémoires de maîtrise et les dissertations sont des rapports de recherche écrits par des étudiants diplômés au terme de leurs études; ils constituent une exigence à l'octroi d'un grade.

Le contenu du mémoire ou de la thèse rend compte des étapes franchies dans la conduite du projet. Le contenu est habituellement organisé en chapitres, sous une forme similaire au tableau 22.1.

Articles de périodiques

Un article de périodique revêt généralement la même forme que le mémoire ou la thèse, bien qu'il soit plus succinct. L'article n'a pas pour but de démontrer des compétences en recherche, mais bien de faire connaître la contribution que l'étude apporte à la connaissance. La plupart des articles scientifiques se concentrent en grande partie sur les méthodes, les résultats et la discussion, après une brève présentation du problème de recherche. Les articles peuvent contenir entre 10 et 30 pages.

Le chercheur fait le choix du périodique ou de la revue selon le domaine d'étude traité. Avant de préparer le manuscrit, l'auteur potentiel doit vérifier les numéros récents du périodique pour être informé des exigences de style et du contenu couvert. Une fois que le manuscrit est rédigé selon les normes de présentation établies pour la revue et qu'il est prêt à être soumis à l'éditeur, il doit être accompagné du nombre de copies requises ainsi que d'une lettre de présentation. Bien qu'on reçoive, en général, un accusé de réception assez rapidement, il en est autrement pour l'acceptation et la publication du manuscrit, qui peuvent prendre plusieurs mois. Un manuscrit ne doit être soumis qu'à un périodique à la fois, qui en détient le copyright si l'article est publié.

Il existe des périodiques avec et sans comité de lecture. Les périodiques avec comité de lecture ou avec arbitrage font appel à des pairs pour déterminer la qualité scientifique et la pertinence du manuscrit. Dans le cas des périodiques sans

TABLEAU 22.1
Structure des mémoires et thèses.

Pages préliminaires

Page titre

Résumé

Table des matières

Liste des tableaux

Liste des figures

Chapitre I   LE PROBLÈME DE RECHERCHE
  Formulation
  Énoncé du but et des questions de recherche

Chapitre II   LA RECENSION DES ÉCRITS PERTINENTS
  Recension des écrits empiriques
  Recension des écrits théoriques
  Élaboration du cadre de référence
  Formulation des hypothèses

Chapitre III   LES MÉTHODES
  Description du devis de recherche
  Description de la population et de l'échantillon
  Description du milieu
  Définition des variables
  Description des instruments de mesure
  Description du déroulement de la collecte des données
  Présentation des considérations éthiques
  Description du plan d'analyse

Chapitre IV   LA PRÉSENTATION DES RÉSULTATS
  Présentation des résultats d'analyses descriptives
  Présentation des résultats d'analyses inférentielles

Chapitre V   LA DISCUSSION
  Interprétation des principaux résultats
  Description des limites
  Présentation des implications
  Énoncé de recommandations pour d'autres recherches

Références bibliographiques

Appendices

arbitrage, la décision d'accepter ou de rejeter le manuscrit est prise, la plupart du temps, par l'éditeur, après une forme quelconque de consultation. Pour ce qui est des périodiques avec comité de lecture, en général, l'éditeur soumet le manuscrit à des arbitres anonymes, qui peuvent être au nombre de deux ou trois; ces derniers se prononcent sur la qualité scientifique du manuscrit et sur sa pertinence. Les commentaires sont transmis à l'auteur par l'éditeur. Les travaux de recherche sont habituellement publiés dans les revues scientifiques qui, par définition, utilisent des comités de pairs pour l'évaluation des manuscrits.

Il existe des guides de présentation pour les publications dans les revues scientifiques. Ces guides indiquent généralement les techniques d'écriture et de style propres à ce genre de publication. Parmi ces guides auxquels le lecteur peut se référer, on retrouve : The Chicago Manual of Style (1993); Day (1988); Huth (1990). Un manuscrit de qualité ne doit pas comporter d'erreurs de structure de phrase, des clichés, des mots qui prêtent à confusion (Kolin et Kolin, 1980; Camilleri, 1988).

La présentation orale

La présentation orale des travaux de recherche à l'occasion de conférences scientifiques, nationales et internationales constitue une forme de communication des plus valables. En effet, ces conférences offrent l'avantage aux chercheurs de présenter les résultats les plus récents de leurs études tout en facilitant l'échange avec d'autres chercheurs et professionnels. Les auditeurs peuvent obtenir sur le champ des informations additionnelles et suggérer aux auteurs d'autres points de vue.

Ces conférences sont habituellement organisées à partir d'une invitation lancée aux chercheurs pour qu'ils soumettent un abrégé de leurs travaux de recherche. Sur acceptation du résumé (abstract), le chercheur est invité à élaborer un texte de présentation, qu'il transmettra à un auditoire spécialisé durant 10 à 20 minutes. La présentation est habituellement suivie d'une période de questions. Le contenu de la communication comporte les mêmes divisions que celles du rapport de recherche, à savoir le problème étudié et ses bases théoriques et empiriques, les questions de recherche ou hypothèses, les méthodes, les résultats et la discussion. Des techniques multimédias sont habituellement utilisées lors des communications orales pour illustrer les points saillants de la recherche présentée. Les résumés peuvent être acceptés soit pour une présentation orale, soit pour une présentation sur affiche. Ils peuvent aussi être refusés.

La présentation sur affiches

Les chercheurs ont diverses possibilités pour présenter leurs résultats de recherche. Pour la plupart des conférences nationales et internationales, on sollicite des abrégés de travaux de recherche en vue de les présenter sur affiches. La présentation sur affiches réunit donc plusieurs chercheurs pour présenter leur recherche, simultanément et dans un même lieu. La présentation sur affiches fournit les grandes lignes des principaux aspects de l'étude tout en résumant le thème proposé (Mottet et Jones, 1988). Au moment de la présentation, des participants font le tour de la salle où se trouvent les affiches; les chercheurs se tiennent à la disposition des participants pour répondre aux questions et fournir des informations additionnelles sur l'ensemble de la recherche. Les affiches sont généralement disposées sur des panneaux aux dimensions précises. Le contenu des affiches suit le même profil que pour les autres présentations, de sorte que les participants ont une idée générale du but de la recherche, des

ENCADRÉ 22.2

Composantes d'un agrégé.

L'abrégé destiné à être présenté sur l'affiche inclut généralement les composantes suivantes :

- Titre du projet

- Énoncé du problème, du but de l'étude et des objectifs

- Formulation des questions de recherche ou des hypothèses

- Description du cadre théorique ou conceptuel

- Description de la méthode : échantillon, instruments de mesure, déroulement, analyses

- Brève description des conclusions tirées des principaux résultats de recherche

- Énoncé des implications pour la recherche

---

méthodes utilisées, des résultats obtenus et des implications.

Pour être acceptés, les abrégés doivent répondre à certains critères de contenu et de présentation, en plus d'être pertinents par rapport au thème du congrès (Juhl et Norman, 1989). Les principales composantes d'un abrégé sont présentées à l'encadré 22.2.

Le format des affiches est habituellement fourni au moment de l'acceptation d'une présentation sur affiches. Selon les dimensions proposées pour l'affiche, le chercheur peut disposer à son gré les diverses composantes du contenu. Il existe plusieurs guides utiles à la préparation d'affiches, entre autres : Sexton (1984); Lippman et Pronto (1989); McDaniel, Bach et Poole (1993); Ryan (1989); Gregg et Pierce (1994) et Biancuzzo (1994 a, b).

22.3

RÉSUMÉ

La communication des résultats constitue la dernière étape du processus de la recherche. S'ils ne sont pas communiqués, les résultats de recherche ont peu de retombées sur les communautés scientifique et professionnelle. La communication des résultats nécessite l'élaboration d'un rapport de recherche qui rend compte de la nature du problème de recherche et des principaux résultats obtenus. En fait, les rapports de recherche incluent les quatre principales composantes d'une recherche, à savoir : 1) l'introduction, qui fait état du problème à l'étude et de l'état des connaissances théoriques et empiriques, des questions de recherche ou des hypothèses; 2) les méthodes, qui décrivent les stratégies et les activités planifiées pour réaliser l'étude, y compris le type de devis, la population cible, la taille de l'échantillon, les instruments de mesure des variables de l'étude, les analyses statistiques utilisées; 3) les résultats, qui sont accompagnés de tableaux et de figures illustrant les principales données; 4) la discussion, qui consiste à interpréter les résultats obtenus en relation avec le problème, les questions de recherche ou les hypothèses, et à établir des comparaisons et des contrastes avec des travaux antérieurs qui ont porté sur le même phénomène.

Références bibliographiques

AMERICAN PSYCHOLOGICAL ASSOCIATION (1994). *Publication manual of the american psychological association*, 3ᵉ éd. Washington, DC : Author

BIANCUZZO, M. (1994). Developing a poster about a clinical innovation. Part I : Ideas and abstract. *Clinical Nurse Specialist*, nᵒ 8 (3), p. 153-155.

BIANCUZZO, M. (1994). Developing a poster about a clinical innovation : Part II : Creating the poster. *Clinical Nurse Specialist*, nᵒ 8 (4), p. 203-207.

BURNS, N., GROVE, K. G. (1993). *The practice of nursing research : Conduct, critique and utilization*, 2ᵉ éd. Philadelphia : W. B. Saunders Company.

CAMILLERI, R. (1988). On elegant writing. Image : *Journal of nursing scholarship*, nᵒ 20 (3), p. 169-171.

COMRACK, D. F. (1986). Writing a research article. *Nurse Education Today*, nᵒ 6 (2), p. 64-68.

DAY, R. A. (1988). *How to write and publish a scientific paper*, 3ᵉ éd. Phoenix : Orxy Press.

FORTIN, M. F., TAGGART, M. E., KÉROUAC, S. ET NORMAND, S. (1988). *Introduction à la recherche : auto-apprentissage assisté par ordinateur*. Montréal : Décarie Éditeur.

GREGG, M., PIERCE, L. (1994). Developing a poster presentation. *Rehabilitation Nursing*, nᵒ 19 (2), p. 107-109.

HUTH, E. J. (1990). *How to write and publish papers in the medical sciences*, 2ᵉ éd. Philadelphia : Institute for Scientific Information.

JUHL, N., NORMAN, V. L. (1989). Writing an effective abstract. *Applied Nursing Research*, nᵒ 2, p. 189- 191.

KOLIN, P. C., KOLIN, J. L. (1980). *Professional writing for nurses in education, practice, and research*. St. Louis : Mosby

LIPPMAN, D. T., PONTON, K. S. (1989). Designing a research poster with impact. *Western Journal of Nursing Research*, nᵒ 11, p. 477-485.

MOTTET, E., JONES, B. (1988). The poster session : An overlooked management tool. *Journal of Nursing Administration*, nᵒ 18 (7, 8), p. 29-33.

McDANIEL, R. W., BACH, C. A., POOLE, M. J. (1993). Poster update : Getting their attention. *Nursing Research*, nᵒ 42, p. 302-304.

POLIT, D. F., HUNGLER, B. P. (1995). *Nursing Research : Principles and methods*, 5ᵉ éd. Philadelphia : J. B. Lippincott Company.

RYAN, N. M. (1989). Developing and presenting a research poster. *Applied Nursing Research*, nᵒ 2, p. 52-55.

SEXTON, D. L. (1984). Presentation of research tindings : The poster session. *Nursing Research*, nᵒ 33 (6), p. 374, 375.

UNIVERSITY OF CHICAGO PRESS (1993). *The Chicago manual of style*, 15ᵉ éd. Chicago : Author.

WAINER, H. (1984). How to display date badly. *The American Statistician*, nᵒ 38 (2), p. 137-147.

CHAPITRE

23

ANALYSE CRITIQUE DES TRAVAUX DE RECHERCHE

Marie-Fabienne Fortin

Objectifs d'apprentissage

À la fin de ce chapitre, l'étudiant(e) devrait être capable de :

✔ Définir les buts de la critique en recherche.

✔ Décrire les critères d'évaluation pour chaque étape du processus de la recherche.

✔ Évaluer les forces et les faiblesses d'un travail de recherche.

✔ Élaborer une critique du contenu d'un rapport de recherche.

L'appréciation de la valeur scientifique des travaux de recherche s'effectue par un examen approfondi des étapes du processus de la recherche. L'analyse critique est une démarche intellectuelle liée à la pensée critique : celle-ci permet de partir de la pensée des auteurs pour examiner en profondeur, critiquer et même porter un jugement sur la valeur et la solidité du contenu d'un écrit. L'analyse critique sert différents buts, entre autres celui de contribuer au développement d'un champ de connaissances. Pour procéder à l'analyse critique du contenu d'un rapport de recherche (sous quelque forme qu'il se trouve), il est nécessaire d'appliquer certains critères, qui tiennent lieu de guide, de l'évaluation des forces et des faiblesses ainsi que de la pertinence d'un travail de recherche.

Dans ce chapitre, on présente une définition de la critique en recherche, ses buts, son objet d'évaluation, et on propose des critères susceptibles de guider le lecteur dans l'analyse critique des différentes étapes des travaux de recherche.

23.1

QU'EST-CE QUE LA CRITIQUE EN RECHERCHE ?

La critique en recherche est une activité intellectuelle qui consiste à poser un jugement sur la valeur globale d'une étude scientifique rapportée par écrit (rapport de recherche, thèse, article), à l'aide d'un ensemble de critères explicites (Dionne, 1993). Le jugement doit porter sur la valeur de chacune des principales étapes de la recherche, de la formulation du problème jusqu'à l'interprétation des résultats. La critique scientifique doit s'appuyer sur des faits, des théories, sur l'analyse des éléments de la méthode, sur les résultats et leur interprétation. Faire une critique scientifique présuppose non seulement une connaissance approfondie du domaine étudié, mais aussi une connaissance du processus de la recherche.

Selon plusieurs auteurs, dont Burns et Grove (1993) et Komnenich et Noack (1981), la critique en recherche implique l'analyse et l'évaluation du contenu d'un écrit scientifique. L'analyse consiste à décomposer un texte en ses éléments essentiels (problématique, hypothèses, méthodes, résultats) afin d'en saisir les rapports et d'obtenir une vue d'ensemble. Selon Burns et Grove (1993), l'analyse comporte une critique des liens logiques qui existent entre les différents éléments d'une étude. L'évaluation consiste à chercher le « sens » de l'étude rapportée, à l'aide d'un ensemble de critères. Pour cela, l'étude est comparée avec d'autres études conduites antérieurement dans le même domaine. Par exemple, on évaluera les hypothèses de l'étude actuelle par rapport à d'autres hypothèses, le présent devis par rapport à des devis antérieurs et la façon de traiter les variables dans cette étude comparativement à la façon de les traiter dans d'autres études. Les résultats sont aussi examinés à la lumière d'autres résultats.

Cette approche rejoint celle de Dionne (1993) et Tremblay (1989) qui considèrent deux niveaux de la critique : 1) la critique interne et 2) la critique externe.

1) LA CRITIQUE INTERNE

La critique interne s'appuie uniquement sur l'évaluation du contenu de l'écrit : la cohérence, la logique, la rigueur par rapport au problème formulé, les liens entre le problème, le cadre théorique, les questions de recherche ou les hypothèses, ainsi que la justification du but par rapport à l'état des connaissances, et les méthodes utilisées pour répondre aux questions.

2) LA CRITIQUE EXTERNE

La critique externe vise à situer l'étude dans son contexte scientifique. On cherche à démontrer l'apport de l'étude à l'avancement des connaissances ou dans un domaine en particulier ou dans une discipline. Pour cela, on doit consulter d'autres écrits, d'autres textes et vérifier d'autres faits que ceux mentionnés par l'auteur.

Quand on élabore un résumé critique, il est souhaitable de préciser clairement l'approche qui sera prise pour évaluer le texte scientifique. À l'étape de l'analyse, les liens logiques entre les éléments constituent l'objet de la critique. C'est en quelque sorte la critique interne qui se rapporte au contenu. À l'étape de l'évaluation, c'est la situation de l'ouvrage dans son contexte scientifique qui fait l'objet de la critique. Le résumé critique contient donc un résumé puis une critique interne et une critique externe. Un résumé est une description condensée d'un texte, dans laquelle on exprime avec des mots différents le contenu d'un texte. Il ne contient aucune critique ou réflexion personnelle. Pour réaliser un résumé critique, il faut suivre certaines étapes (encadré 23.1).

ENCADRÉ 23.1

Les étapes de la critique.

1. Bien comprendre le texte. En faire une lecture approfondie, en recherchant le « sens » de l'étude rapportée;

2. Faire un résumé. Un résumé ne doit pas excéder 20 % de la longueur du texte de référence;

3. Analyser le texte à l'aide des critères formulés selon diverses sources;

4. Évaluer le texte : faire la critique interne et la critique externe;

5. Rédiger un brouillon;

6. Rédiger le texte final. Il faut noter en haut de la page la référence complète de l'ouvrage dont il est question, à simple interligne.

23.2
BUTS DE LA CRITIQUE EN RECHERCHE

En plus de concourir au développement d'un champ de connaissances d'une discipline donnée, l'analyse critique vise aussi d'autres buts. Parmi ceux-ci, mentionnons : le développement d'habiletés intellectuelles chez les étudiants et les étudiantes par leur démarche vers la découverte de la valeur scientifique de textes et de différents types de recherche; la sélection de manuscrits à publier dans une revue à la suite de l'évaluation par les pairs; la sélection de protocoles de recherche par des organismes subventionnaires; le choix d'abrégés de recherche à présenter à des conférences scientifiques; l'utilisation appropriée des résultats de recherche dans la pratique. Chaque lecteur a des vues différentes et possède des expériences variées : le but pour lequel un écrit est utilisé variera en conséquence.

L'analyse critique en recherche ne consiste pas en une simple revue ou résumé d'une étude; elle s'inscrit plutôt dans une démarche rigoureuse pour découvrir les forces et les limites d'un travail de recherche. Un résumé critique devrait pouvoir servir de guide tant aux chercheurs qu'aux cliniciens dans la recherche des conclusions sur la valeur et l'importance des résultats obtenus dans une étude. Aussi, la critique des travaux de recherche doit refléter l'objectivité, un apport constructif et une application juste des critères. Plusieurs ouvrages (Burns et Grove, 1993; Downs, 1984; Fleming et Hayter, 1974; Krampitz et Pavlovich, 1981; Leninger, 1994; LoBiondo-Wood et Haber, 1995; Polit et Hungler, 1995; Talbot, 1995) contiennent les grandes lignes à suivre pour la préparation d'un résumé critique d'un rapport de recherche. Ces grandes lignes se rapportent principalement à l'objectivité dans la façon de commenter les forces et les faiblesses d'une étude, qui n'exclut pas la possibilité de relever des aspects plus négatifs, qu'on doit noter avec beaucoup de tact. Toute critique doit être justifiée. Il peut être approprié de proposer une autre approche pour aborder le problème ou d'autres méthodes possibles que celles présentées par l'auteur. Lors de l'analyse et de l'évaluation d'une étude, il faut considérer les aspects conceptuels ou théoriques, les aspects méthodologiques et les aspects empiriques de la recherche.

23.3

ASPECTS DE LA CRITIQUE
EN RECHERCHE

Tous les aspects d'une étude doivent être analysés et évalués à travers une série d'étapes. Les aspects conceptuels ou théoriques concernent le problème de recherche, le but, les questions de recherche ou les hypothèses, la recension des écrits et le cadre de référence; les aspects méthodologiques ont trait au devis et aux méthodes utilisées pour répondre aux questions de recherche ou aux hypothèses; les aspects empiriques se rapportent au déroulement de la collecte des données, à l'analyse et à l'interprétation des résultats. Ces aspects correspondent aux trois phases du processus de la recherche décrit dans cet ouvrage.

Aspects conceptuels ou théoriques

Les aspects conceptuels ou théoriques se rapportent aux étapes de la phase conceptuelle, c'est-à-dire de la découverte d'un problème de recherche à l'énoncé du but et des questions de recherche ou des hypothèses. L'évaluation critique doit se fonder sur l'importance de l'étude par rapport à la signification du problème pour la discipline et la profession, la solidité de la conceptualisation et la justification du cadre théorique ou conceptuel. Le problème de recherche est le point de départ qui donne la direction à l'étude de manière que le lecteur puisse faire des liens entre les différentes parties de l'étude et ce point de départ.

Bien que plusieurs problèmes de recherche soient pertinents pour une discipline donnée, ils ne représentent pas tous nécessairement la même valeur. Comme le rapportent Polit et Hungler (1995), les chercheurs doivent s'interroger sur la meilleure façon de faire avancer la connaissance dans un domaine. La réplique d'étu-

des peut s'avérer essentielle à la consolidation des connaissances, comme elle peut aussi n'apporter rien de plus à ce qui est déjà connu.

La critique de la recension des écrits consiste à déterminer sa valeur générale par rapport au problème. Dans quelle mesure les écrits contribuent-ils à l'explication du problème et représentent-ils l'ensemble des connaissances sur le sujet ? Un autre aspect important à considérer dans l'évaluation de la phase conceptuelle est la place accordée au cadre de référence dans la définition du problème de recherche. Le cadre de référence fournit le contexte qui clarifie et précise le problème, permet d'évaluer les résultats de recherche et de faire des généralisations. Un problème de recherche qui n'est pas rigoureusement étayé par des assises théoriques plus vastes risque fort de ne pas contribuer à l'avancement des connaissances. Étant donné que le but de la recherche est de vérifier la théorie ou de générer de nouvelles connaissances, il est essentiel que les bases théoriques ou conceptuelles soient appropriées au type d'étude.

Les aspects théoriques sont généralement présentés dans l'introduction du rapport de recherche (ou de l'article, ou de la thèse). Le problème de recherche est souvent enraciné dans la recension des écrits, et celle-ci peut être présentée séparément ou incorporée au cadre théorique. L'introduction se termine par l'énoncé des questions de recherche ou des hypothèses.

Bien que des instructions précises soient difficiles à appliquer à cause de la diversité des études, nous proposons des critères à suivre (encadré 23.2), afin d'aider le lecteur à porter un jugement critique sur la valeur des travaux scientifiques. Ces critères s'inspirent des guides publiés par les différents auteurs indiqués précédemment. La grille d'analyse présentée dans l'encadré 23.2 n'est pas exhaustive, mais elle peut être utile à

ENCADRÉ 23.2

Grille d'analyse critique de la phase conceptuelle des travaux scientifiques.

La formulation du problème

1. Le problème à l'étude est-il formulé clairement et de façon explicite ?

2. Le problème est-il circonscrit ou semble-t-il trop complexe pour l'étude entreprise ?

3. Le problème est-il justifié par des travaux théoriques et empiriques appropriés au domaine à l'étude ? Les concepts sont-ils bien définis dans ce contexte ?

4. Discute-t-on de la portée scientifique et pratique du problème ?

5. Le problème a-t-il vraiment un lien avec la discipline ?

La recension des écrits

1. La recension des écrits semble-t-elle exhaustive ? Inclut-elle les principales études menées sur le sujet ?

2. Le contenu de la recension se rapporte-t-il directement au problème de recherche ?

3. La recension des écrits fait-elle état des divers types d'information utilisés, que celle-ci soit empirique, théorique ou méthodologique ?

4. La revue des écrits montre-t-elle les similitudes et les contradictions trouvées à travers les écrits ? Offre-t-elle des explications relativement à ces ressemblances ou à ces différences ?

5. La recension des écrits ne comporte-t-elle qu'un résumé des écrits antérieurs ou comprend-elle une évaluation critique et une comparaison de l'étude en cause par rapport à d'autres études quant à leur contribution à l'avancement des connaissances ?

6. Dans la recension, souligne-t-on les forces et les faiblesses des écrits antérieurs en soulevant les écarts existants ?

7. La recension des écrits se termine-t-elle par une synthèse de l'état des connaissances dans le domaine ?

Le cadre conceptuel ou le cadre théorique

1. Décrit-on clairement le cadre théorique ou conceptuel du domaine à l'étude ? Ce cadre est-il approprié pour expliquer le phénomène à l'étude ? Un autre cadre théorique serait-il plus approprié ?

2. Les concepts qui guident l'étude sont-ils définis clairement et en relation avec le cadre théorique ?

3. Le cadre conceptuel ou théorique reflète-t-il l'état des connaissances de la discipline en question ?

4. Les propositions issues de la théorie ou du cadre conceptuel sont-elles logiques ?

But, questions de recherche ou hypothèses

1. Le but de l'étude est-il lié de façon logique au cadre conceptuel ou théorique ?

2. Le but indique-t-il de façon précise comment l'étude va contribuer à l'acquisition de connaissances ? Par exemple, l'étude contribue-t-elle à décrire un phénomène, expliquer une relation entre deux ou plusieurs variables ou à prédire une variable-résultat ?

3. Les questions de recherche ou les hypothèses sont-elles liées directement et logiquement au problème de recherche ?

4. Les hypothèses découlent-elles logiquement du cadre théorique ?

5. Les hypothèses sont-elles bien formulées ? Expriment-elles une relation de prédiction entre deux variables ou plus ?

l'analyse et à la critique de la phase conceptuelle des travaux de recherche.

Il est bien évident qu'il est parfois difficile de répondre adéquatement à toutes les questions spécialement quand il s'agit de l'évaluation d'articles de périodique. Un rapport de recherche ne contient pas nécessairement tous les éléments mentionnés dans les questions des guides d'évaluation. Ces questions qui servent de critères sont là pour guider le lecteur dans sa démarche pour reconnaître les principaux aspects à considérer dans la critique d'une étude.

Aspects méthodologiques

La phase méthodologique concerne les étapes au cours desquelles des décisions sont prises par le chercheur en ce qui a trait à la manière de répondre aux questions de recherche ou aux hypothèses formulées à la phase conceptuelle. Le rapport de recherche devrait présenter une description claire des éléments du devis, ses forces et ses limites. Polit et Hungler (1995) établissent que le lecteur doit porter son attention sur quatre décisions importantes du chercheur au sujet des aspects méthodologiques ainsi que sur les conséquences de ces décisions :

1) le type d'étude qui devrait être mené pour obtenir des résultats fiables quant à la nature du phénomène à l'étude ou aux relations entre des variables;

2) la population qui devrait être étudiée, les caractéristiques de la population pour laquelle les résultats seront généralisés, la détermination de la taille de l'échantillon, le procédé utilisé pour recruter les sujets;

3) la façon de recueillir les données pour en assurer l'exactitude et la validité;

4) le choix des analyses les plus appropriées pour obtenir des réponses aux questions de recherche ou aux hypothèses.

Au cours de l'évaluation d'une étude, on doit tenir compte des circonstances dans lesquelles celle-ci a été menée et dans quelle mesure le chercheur a tenté de s'approcher le plus possible de conditions méthodologiques idéales. Une série de critères est proposée à l'encadré 23.3 comme guide à l'évaluation critique des principaux aspects de la phase méthodologique.

Aspects empiriques

Les aspects empiriques concernent le déroulement de l'étude, l'analyse des données et l'interprétation des résultats (encadré 23.4). Le chercheur doit décrire brièvement le déroulement de l'étude et comment les données ont été recueillies. Les analyses des données varient selon les types d'étude; le lecteur doit pouvoir se prononcer sur leur pertinence selon qu'il s'agit de décrire des phénomènes, d'examiner et de vérifier des relations entre des variables ou de vérifier des hypothèses causales. Une bonne connaissance des statistiques aidera le lecteur à juger de leur application appropriée. Cette connaissance lui permettra également de mieux comprendre l'interprétation des résultats.

Dans l'évaluation des travaux de recherche, il faut tenir compte des aspects éthiques en ce qui a trait à la protection des droits des sujets tout au long de l'étude. Polit et Hungler (1995) présentent une série de critères relatifs aux aspects éthiques.

La critique des études qualitatives

Étant donné que la recherche quantitative et la recherche qualitative s'appuient sur des philosophies différentes, qu'elles ont des buts différents et qu'on utilise des méthodes différentes pour atteindre ces buts, certains auteurs considèrent que des critères différents de ceux que nous venons de décrire doivent guider l'évaluation des études qualitatives (Leninger, 1994; Lincoln et Guba, 1985). Dans cette perspective, Leninger

ENCADRÉ 23.3

Grille d'analyse critique de la phase méthodologique des travaux scientifiques.

Type d'étude et devis

1. Le devis utilisé est-il le plus approprié, étant donné l'état des connaissances dans le domaine, pour obtenir les données souhaitées ?

2. Le devis permet-il d'étudier les questions de recherche ou les hypothèses ?

3. Les risques d'atteinte à la validité de l'étude sont-ils précisés ? Sont-ils éliminés lorsque c'est possible ?

4. Quelles sont les limites du devis utilisé ? Ces limites sont-elles reconnues par l'auteur ?

5. Le devis concorde-t-il avec la méthode d'échantillonnage utilisée ?

6. Si le devis est de type expérimental, quels sont les types de comparaisons décrits ?

7. Dans quelle mesure le devis affecte-t-il la validité interne de l'étude, si c'est approprié ?

8. Comment le chercheur s'y prend-il pour contrôler les variables étrangères ?

Échantillon

1. Comment l'échantillon a-t-il été choisi ? La méthode de sélection était-elle appropriée au but de l'étude ?

2. L'échantillon est-il représentatif des groupes pour lesquels les résultats seront appliqués ? Sinon, comment diffère-t-il ? Quelles sont les conséquences de cette différence ?

3. La taille de l'échantillon est-elle suffisante pour le nombre de variables et le type d'analyses statistiques utilisées dans l'étude ?

4. Quels sont les biais potentiels de la méthode d'échantillonnage ?

5. Si l'étude porte sur plus d'un groupe, ces groupes semblent-ils équivalents ?

6. La taille de l'échantillon est-elle suffisante pour détecter des différences significatives, si elles sont présentes ? La taille de l'échantillon est-elle justifiée sur une base statistique ?

Instruments de mesure

1. Quels instruments de mesure ont été utilisés pour mesurer les concepts à l'étude ? Reflètent-ils adéquatement les concepts à l'étude ?

2. Les instruments de mesure étaient-ils appropriés à la population étudiée ?

3. Le degré de fidélité et de validité des instruments est-il adéquat pour leur application dans l'étude ?

4. Si l'instrument de mesure a été traduit dans une autre langue, explique-t-on le procédé suivi pour la traduction ?

5. Les instruments sont-ils assez sensibles pour détecter de petites différences entre les sujets ?

6. Les instruments de mesure sont-ils décrits clairement ? Les aspects se rapportant à la fidélité et à la validité sont-ils décrits ?

7. Si les instruments ont été élaborés pour l'étude, quelles méthodes ont été utilisées pour évaluer leurs qualités métrologiques ou psychométriques ?

8. S'il s'agit de méthodes d'observation, l'objet d'observation est-il défini clairement ?

9. La fidélité entre les jugements des observateurs est-elle décrite ?

10. Les techniques d'enregistrement de l'observation sont-elles décrites ?

ENCADRÉ 23.4

Grille d'analyse critique de la phase empirique des travaux scientifiques.

Déroulement de l'étude

1. Le processus de collecte des données est-il décrit clairement ? A-t-il été suivi d'une façon constante tout au long de l'étude ?

2. L'entraînement des personnes chargées de l'entrevue est-il décrit et adéquat ?

3. Les méthodes de collecte des données respectent-elles l'éthique ?

4. Où et dans quelles circonstances les données ont-elles été recueillies ?

Analyse des données

1. Quelles méthodes statistiques ont été utilisées pour analyser les données ? Sont-elle appropriées aux types de données ? Fournissent-elles une réponse aux questions ?

2. Les analyses décrites sont-elles appropriées au but de l'étude ? Servent-elles à décrire ou à examiner des relations entre des variables ou des différences entre les groupes ?

3. Les analyses sont-elles précisées pour chaque question ou hypothèse ?

4. Les résultats positifs et négatifs sont-ils présentés lorsque c'est approprié ?

5. Les facteurs susceptibles d'influer sur les résultats ont-ils été considérés dans les analyses ?

6. Les tableaux sont-ils présentés avec clarté et précision ? L'information présentée dans le texte est-elle en rapport avec celle présentée dans les tableaux ?

Interprétation des résultats

1. Les résultats sont-ils analysés en rapport avec chaque question de recherche ou chaque hypothèse ?

2. Des explications concernant les résultats significatifs et les résultats non significatifs sont-elles données ?

3. Les résultats sont-ils reliés au cadre conceptuel ou théorique de l'étude ?

4. Les généralisations sont-elles appropriées ?

5. Les conclusions apparaissent-elles valides dans le contexte de l'étude ? Sont-elles justifiées par les résultats de l'étude ?

6. Les limites de l'étude sont-elles précisées ?

7. Quelles sont les recommandations appropriées pour des études ultérieures ?

8. Quelles recommandations seraient appropriées pour implanter les résultats de la recherche dans la pratique ?

(1994) a défini six critères qu'elle considère comme importants pour l'évaluation des différentes approches qualitatives. On trouvera ces critères dans les ouvrages suivants : Morse, 1994; Talbot, 1995). D'autres guides et critères pour la critique des études qualitatives sont également fournis dans un certain nombre d'ouvrages, entre autres : Burns et Grove, 1993; LoBiondo-Wood et Haber, 1995; Polit et Hungler, 1995; Wood et Cantazaro, 1988.

23.4
RÉSUMÉ

La critique en recherche est une activité intellectuelle qui consiste à poser un jugement sur la valeur d'une étude scientifique rapportée par écrit. Le jugement doit porter sur la valeur de chacune des étapes du processus de la recherche. La critique inclut, d'une part, l'analyse des liens logiques entre les différents éléments de la recherche et, d'autre part, la situation de l'étude dans un contexte théorique. La critique comporte un certain nombre d'étapes : il faut d'abord présenter un résumé du rapport de recherche à évaluer, puis, à l'aide de critères, analyser les liens logiques entre les éléments et faire la critique interne et la critique externe.

Les principaux aspects à considérer dans la critique des travaux de recherche sont les aspects conceptuels, les aspects méthodologiques et les aspects empiriques.

Les aspects conceptuels incluent l'évaluation du problème de recherche, de son importance et de sa signification relativement à une discipline donnée, la justification du cadre théorique et du choix des variables, la pertinence de la recension des écrits par rapport au problème à l'étude.

Les aspects méthodologiques concernent un ensemble d'éléments qui concourent à la réalisation de l'étude. Les aspects empiriques se rapportent au déroulement de l'étude, à l'analyse des données et à l'interprétation des résultats.

RÉFÉRENCES BIBLIOGRAPHIQUES

BURNS, N., GROVE, S. K. (1993). *The practice of nursing research : Conduct, critique and utilization,* 2ᵉ éd. Toronto : W. B. Saunders.

Downs, F. (1984). Elements of a research critique. In Downs, F. et Newman, M. (Éd.). *A Sourcebook of nursing research.* Philadelphia : F. A. Davis.

FLEMING, J., HAYTER, J. (1994). Reading research reports critically. *Nursing Outlook,* nº 22, p. 172-175.

KOMNENICH, P. K., NOACK, J. A. (1981). The process of critiquing In S.R. Krampitz et N. Pavlovich,. (Éd.). *Readings for nursing research.* St. Louis : Mosby

LENINGER, M. (1994). Evaluation criteria and critique of qualitative research studies. In J. M. Morse (Éd.). *Critical issues in qualitative research methods.* Thousand Oaks, CA : Sage.

LoBIONDO-WOOD, G., HABER, J. (1995). *Nursing research : Methods, critical appraisal, and utilization,* 3ᵉ éd. St. Louis : Mosby.

POLIT, D. F., HUNGLER, B. P. (1995). *Nursing research : Principles and methods,* 5ᵉ éd. Philadelphia : J. B. Lippincott.

TALBOT, L. A. (1995). *Principles and practice of nursing research.* St. Louis : Mosby.

WARD, N. F., FETLER, M. (1979). Evaluation research reports. *Nursing research,* nº 28, p. 120-125.

WOODS, N. F., CATANZARO, M. (1988). *Nursing research theory and practice.* St. Louis : Mosby.

APPENDICE 1

Distribution de t de Student.

	NIVEAU DE SIGNIFICATION POUR TEST UNILATÉRAL					
	0,10	0,05	0,025	0,01	0,005	0,0005
	NIVEAU DE SIGNIFICATION POUR TEST BILATÉRAL					
DL	0,20	0,10	0,05	0,02	0,01	0,001
1	3,078	6,314	12,706	31,821	63,657	636,619
2	1,886	2,920	4,303	6,965	9,925	31,598
3	1,638	2,353	3,182	4,541	5,841	12,941
4	1,533	2,132	2,776	3,747	4,604	8,610
5	1,476	2,015	2,571	3,376	4,032	6,859
6	1,440	1,953	2,447	3,143	3,707	5,959
7	1,415	1,895	2,365	2,998	3,449	5,405
8	1,397	1,860	2,306	2,896	3,355	5,041
9	1,383	1,833	2,262	2,821	3,250	4,781
10	1,372	1,812	2,228	2,765	3,169	4,587
11	1,363	1,796	2,201	2,718	3,106	4,437
12	1,356	1,782	2,179	2,681	3,055	4,318
13	1,350	1,771	2,160	2,650	3,012	4,221
14	1,345	1,761	2,145	2,624	2,977	4,140
15	1,341	1,753	2,131	2,602	2,947	4,073
16	1,337	1,746	2,120	2,583	2,921	4,015
17	1,333	1,740	2,110	2,567	2,898	3,965
18	1,330	1,734	2,101	2,552	2,878	3,922
19	1,328	1,729	2,093	2,539	2,861	3,883
20	1,325	1,725	2,086	2,528	2,845	3,850
21	1,323	1,721	2,080	2,518	2,831	3,819
22	1,321	1,717	2,074	2,508	2,819	3,792
23	1,319	1,714	2,069	2,500	2,807	3,767
24	1,318	1,711	2,064	2,492	2,797	3,745
25	1,316	1,708	2,060	2,485	2,787	3,725
26	1,315	1,706	2,056	2,479	2,779	3,707
27	1,314	1,703	2,052	2,473	2,771	3,690
28	1,313	1,701	2,048	2,467	2,763	3,674
29	1,311	1,699	2,045	2,462	2,756	3,659
30	1,310	1,697	2,042	2,457	2,750	3,646
40	1,303	1,684	2,021	2,423	2,704	3,551
60	1,296	1,671	2,000	2,390	2,660	3,460
120	1,289	1,658	1,980	2,358	2,617	3,373
–	1,282	1,645	1,960	2,326	2,576	3,291

APPENDICE 2

TABLEAU B

Distribution du χ^2.

DL	NIVEAU DE SIGNIFICATION				
	0,10	0,05	0,02	0,01	0,001
1	2,71	3,84	5,41	6,63	10,83
2	4,61	5,99	7,82	9,21	13,82
3	6,25	7,82	9,84	11,34	16,27
4	7,78	9,49	11,67	13,28	18,46
5	9,24	11,07	13,39	15,09	20,52
6	10,64	12,59	15,03	16,81	22,46
7	12,02	14,07	16,62	18,48	24,32
8	13,36	15,51	18,17	20,09	26,12
9	14,68	16,92	19,68	21,67	27,88
10	15,99	18,31	21,16	23,21	29,59
11	17,28	19,68	22,62	24,72	31,26
12	18,55	21,03	24,05	26,22	32,91
13	19,81	22,36	25,47	27,69	34,53
14	21,06	23,68	26,87	29,14	36,12
15	22,31	25,00	28,26	30,58	37,70
16	23,54	26,30	29,63	32,00	39,25
17	24,77	27,59	31,00	33,41	40,79
18	25,99	28,87	32,35	34,81	42,31
19	27,20	30,14	33,69	36,19	43,82
20	28,41	31,41	35,02	37,57	45,32
21	29,62	32,67	36,34	38,93	46,80
22	30,81	33,92	37,66	40,29	48,27
23	32,01	35,17	38,97	41,64	49,73
24	33,20	36,42	40,27	42,98	51,18
25	34,38	37,65	41,57	44,31	52,62
26	35,56	38,89	42,86	45,64	54,05
27	36,74	40,11	44,14	46,96	55,48
28	37,92	41,34	45,42	48,28	56,89
29	39,09	42,56	46,69	49,59	58,30
30	40,26	43,77	47,96	50,89	59,70

APPENDICE 3

Valeurs significatives du coefficient de corrélation.

	NIVEAU DE SIGNIFICATION POUR TEST UNILATÉRAL				
	0,05	0,25	0,01	0,005	0,0005
	NIVEAU DE SIGNIFICATION POUR TEST BILATÉRAL				
DL	0,1	0,05	0,02	0,01	0,001
1	0,98769	0,99692	0,999507	0,999877	0,9999988
2	0,90000	0,95000	0,98000	0,990000	0,99900
3	0,8054	0,8783	0,93433	0,95873	0,99116
4	0,7293	0,8114	0,8822	0,91720	0,97406
5	0,6694	0,7545	0,8329	0,8745	0,95074
6	0,6215	0,7067	0,7887	0,8343	0,92493
7	0,5822	0,6664	0,7498	0,7977	0,8982
8	0,5494	0,6319	0,7155	0,7646	0,8721
9	0,5214	0,6021	0,6851	0,7348	0,8471
10	0,4973	0,5760	0,6581	0,7079	0,8233
11	0,4762	0,5529	0,6339	0,6835	0,8010
12	0,4575	0,5324	0,6120	0,6614	0,7800
13	0,4409	0,5139	0,5923	0,5411	0,7603
14	0,4259	0,4973	0,5742	0,6226	0,7420
15	0,4124	0,4821	0,5577	0,6055	0,7246
16	0,4000	0,4683	0,5425	0,5897	0,7084
17	0,3887	0,4555	0,5285	0,5751	0,6932
18	0,3783	0,4438	0,5155	0,5614	0,5687
19	0,3687	0,4329	0,5034	0,5487	0,6652
20	0,3598	0,4227	0,4921	0,5368	0,6524
25	0,3233	0,3809	0,4451	0,5869	0,5974
30	0,2960	0,3494	0,4093	0,4487	0,5541
35	0,2746	0,3246	0,3810	0,4182	0,5189
40	0,2573	0,3044	0,3578	0,3932	0,4896
45	0,2428	0,2875	0,3384	0,3721	0,4648
50	0,2306	0,2732	0,3218	0,3541	0,4433
60	0,2108	0,2500	0,2948	0,3248	0,4078
70	0,1954	0,2319	0,2737	0,3017	0,3799
80	0,1829	0,2172	0,2565	0,2830	0,3568
90	0,1726	0,2050	0,2422	0,2673	0,3375
100	0,1638	0,1946	0,2301	0,2540	0,3211

GLOSSAIRE

Les définitions incluses dans ce glossaire représentent une variété de sources, que nous n'avons pas jugé opportun de rapporter, étant donné la nécessité de simplifier la présentation d'un glossaire.

ANALYSE DE LA VARIANCE (ANOVA)
Technique de statistique inférentielle qui consiste à examiner les différences entre les moyennes d'au moins deux groupes, en comparant la variabilité intergroupes et la variabilité intragroupe.

ANALYSE DES DONNÉES
Ensemble des méthodes statistiques permettant de visualiser, de classer, de décrire et d'interpréter les données recueillies auprès des sujets.

ANALYSE DE CONTENU
Stratégie servant à identifier un ensemble de caractéristiques essentielles à la signification ou à la définition d'un concept.

ANALYSE FACTORIELLE
Identification des facteurs ayant un effet sur un ensemble de variables mesurées auprès des mêmes individus, afin d'expliquer les relations entre ces variables.

AUTORITÉ (APPEL À L')
Méthode d'acquisition des connaissances qui fait appel à un expert dont la compétence est reconnue dans un domaine particulier.

BANQUE DE DONNÉES
Index automatisé fournissant des données bibliographiques sur un sujet particulier d'un domaine de connaissances. Une banque de données fait l'objet d'une mise à jour constante.

BIAIS
Toute influence pouvant fausser les résultats d'une recherche scientifique et gêner la généralisation des résultats obtenus auprès d'un échantillon à un autre échantillon ou à la population entière.

BIBLIOGRAPHIE
Liste de tous les documents utilisés par le chercheur pour rédiger un rapport de recherche.

CADRE CONCEPTUEL (MODÈLE CONCEPTUEL)
Agencement des concepts étudiés dans une recherche de manière à fournir une justification rationnelle et une perspective à l'étude.

CADRE THÉORIQUE
Description et explication des relations qui existent entre les concepts étudiés dans une recherche et qui sont contenus dans une théorie.

CATALOGUE D'UNE BIBLIOTHÈQUE
Répertoire, présenté sous forme de fiches, de microfiches ou d'une banque de données informatisée, des auteurs ayant écrit sur un sujet, ou des sujets ayant été traités par divers auteurs.

CATÉGORIES
Possibilités logiques dans lesquelles peut se situer un objet par rapport à une caractéristique donnée.

CATÉGORIES DE CONTENU
Rubriques significatives sous lesquelles les éléments du contenu sont classés et éventuellement quantifiés par une analyse de contenu.

CATÉGORIES EXHAUSTIVES
Classification dans laquelle toutes les possibilités sont incluses.

CATÉGORIES MUTUELLEMENT EXCLUSIVES
Classification dans laquelle chaque objet ou élément ne peut entrer que dans une seule catégorie.

CHAMP DE CONNAISSANCE

Informations, principes et théories organisés selon les croyances d'une discipline à un moment donné.

CLASSIFICATION Q

Technique élaborée pour explorer la personnalité des sujets à l'aide d'énoncés écrits sur des cartes classées par les sujets eux-mêmes.

CODAGE

Opération qui consiste à transformer, selon un langage uniformisé, des données brutes obtenues dans une étude, et ce afin de les ranger par catégories et de les analyser.

CODE D'ÉTHIQUE

Principes éthiques fondamentaux établis dans une discipline ou un établissement pour guider la conduite de la recherche auprès des êtres humains.

COEFFICIENT DE CONTINGENCE

Coefficient de corrélation calculé à partir d'un tableau de distribution d'effectifs à deux variables.

COEFFICIENT DE CORRÉLATION

Indice du degré de relation entre deux variables mesurées auprès d'un même groupe de sujets. Le coefficient peut varier entre des valeurs de +1,0 (corrélation positive parfaite) et de −1,0 (corrélation négative parfaite); un coefficient de 0 dénote une absence de relation entre les deux variables.

COEFFICIENT DE CORRÉLATION DE PEARSON

Coefficient de corrélation calculé entre deux variables continues.

COEFFICIENT DE CORRÉLATION DE SPEARMAN

Coefficient de corrélation calculé entre deux séries de rangs.

COEFFICIENT DE DÉTERMINATION

Coefficient de corrélation élevé au carré; il indique le pourcentage de la variation d'une variable expliquée par l'autre variable.

COEFFICIENT DE FIDÉLITÉ ALPHA DE CRONBACH

Coefficient de corrélation indiquant le degré d'homogénéité d'un instrument de mesure.

COEFFICIENT D'ÉQUIVALENCE

Valeur numérique, définissant la fidélité d'un instrument de mesure, déterminée en utilisant deux formes parallèles de cet instrument avec le même groupe de sujets et en calculant un coefficient de corrélation entre les scores que les sujets ont obtenu avec chacune des deux formes.

COEFFICIENT DE STABILITÉ

Valeur numérique, définissant la fidélité d'un instrument de mesure, calculée à partir de la constance des résultats obtenus à la suite d'utilisations répétées de l'instrument avec le même groupe de sujets.

COEFFICIENT D'HOMOGÉNÉITÉ

Valeur numérique, définissant la fidélité d'un instrument de mesure, obtenue en examinant l'uniformité des réponses aux divers énoncés d'un test; méthode utilisée lorsqu'il y a une seule forme disponible du test.

COHORTE

Groupe d'individus caractérisés par un ou plusieurs traits spécifiques, observés au cours d'une même période.

COLLECTE DES DONNÉES

Processus d'observation, de mesure et de consignation des données, visant à recueillir de l'information sur certaines variables auprès des sujets participant à une recherche.

CONCEPT

Idée abstraite ou abstraction qui tire son origine de certains phénomènes; c'est une représentation mentale de faits observés et de leurs relations.

CONCEPTUALISATION

Formulation d'un concept pour représenter une réalité à partir d'observations et de conclusions diverses.

CONCLUSION

Conséquence logique, déduite de l'analyse des données. *Aussi*, section d'un rapport de recherche qui résume les principaux résultats de la recherche, ses implications et ses limites; elle peut offrir des suggestions pour d'autres recherches.

CONFIDENTIALITÉ

En recherche, elle a trait au droit d'un sujet de permettre ou de refuser que les résultats d'une recherche soient divulgués.

CONSENTEMENT ÉCLAIRÉ

Principe d'éthique selon lequel le chercheur sollicite la participation volontaire des sujets après les avoir informés des avantages et des inconvénients possibles de l'expérimentation.

CONSTRUIT

Abstraction ou concept délibérément construit ou inventé par le chercheur dans un but précis (ex. : foyer de contrôle de la santé).

CONTRÔLE

Ensemble de moyens ou de méthodes utilisés pour limiter le plus possible l'introduction de sources d'erreurs de mesure lors d'une recherche scientifique.

CORRÉLATION (association)

Relation mathématique entre deux variables qui s'influencent mutuellement.

CORRÉLATION PARTIELLE

Corrélation existant entre deux variables, indépendamment de leur relation avec une troisième variable.

CRITÈRE

Mesure reconnue, généralisée et valable d'une variable.

CRITIQUE

Appréciation objective, critique et équilibrée des diverses dimensions d'un rapport de recherche.

DÉFINITION OPÉRATIONNELLE

Définition d'une variable par des termes mesurables et observables; on y spécifie les activités nécessaires pour manipuler, classer par catégories et mesurer les données relatives à une variable.

DEGRÉ DE LIBERTÉ

Élément d'information indépendant (tel que le nombre de sujets), utilisé lors d'un test de statistique inférentielle.

DEVIS DE RECHERCHE

Plan et stratégie d'investigation en vue d'obtenir une réponse valable aux questions de recherche, ou aux hypothèses formulées.

DEVIS EXPÉRIMENTAL

Stratégie d'investigation visant à obtenir des réponses valides aux hypothèses de recherche formulées. Ce type de devis fournit de l'information sur les sujets, l'échantillonnage, la méthode de collecte des données, les instruments de mesure et les techniques d'analyses statistiques.

DEVIS *APRÈS SEULEMENT* AVEC GROUPE TÉMOIN (post-test seulement)

Devis de recherche avec contrôle rigoureux, selon lequel des observations sont faites auprès d'un groupe expérimental et auprès d'un groupe de contrôle après le traitement expérimental seulement.

DEVIS À QUATRE GROUPES DE SOLOMON

Devis de recherche avec contrôle rigoureux, selon lequel des observations sont faites auprès d'un groupe expérimental et auprès d'un groupe de contrôle avant et après le traitement expérimental, et auprès d'un autre groupe expérimental et d'un autre groupe de contrôle après le traitement expérimental seulement.

DEVIS À SÉRIES TEMPORELLES INTERROMPUES

Les devis à séries temporelles interrompues se caractérisent par la prise de mesures répétées avant et après l'introduction d'un traitement, habituellement auprès d'un seul groupe, à un moment précis.

DEVIS *AVANT-APRÈS* AVEC GROUPE TÉMOIN NON ÉQUIVALENT (prétest/post-test avec groupe non équivalent)

Devis de recherche avec contrôle partiel, selon lequel des observations sont faites auprès d'un groupe expérimental et auprès d'un groupe de contrôle avant et après le traitement expérimental.

DEVIS *AVANT-APRÈS* AVEC GROUPE TÉMOIN (prétest/post-test)

Devis de recherche avec contrôle rigoureux, selon lequel des observations sont faites auprès d'un groupe expérimental et auprès d'un groupe de contrôle avant et après le traitement expérimental.

DEVIS AVEC GROUPES ÉQUILIBRÉS

Devis de recherche avec contrôle partiel, selon lequel des observations sont faites auprès de groupes qui sont tous exposés à tous les traitements expérimentaux.

DEVIS FACTORIEL

Devis expérimental selon lequel deux variables indépendantes ou plus, appelées « facteurs », sont manipulées simultanément; ce devis permet à la fois d'analyser séparément les effets des variables indépendantes et d'analyser les effets dus à l'interaction de ces variables.

DEVIS PRÉEXPÉRIMENTAL

Devis de recherche selon lequel on ne prévoit pas de moyen de contrôle pour obvier à l'absence de répartition aléatoire ou d'un groupe de contrôle.

DIAGRAMME EN BÂTONNETS

Graphique d'une distribution d'effectifs, construit à partir des données provenant d'une échelle de mesure nominale.

DISCUSSION

Section d'un rapport de recherche qui offre une interprétation non technique des résultats de la recherche.

DISTRIBUTION ASYMÉTRIQUE

Distribution des scores d'un groupe de sujets, relatifs à une variable, qui ne présente pas la forme d'une distribution normale, particulièrement dans le cas de petits groupes de sujets.

DISTRIBUTION DE FRÉQUENCE

Classement systématique des données, de la plus petite valeur à la plus grande, incluant la fréquence obtenue pour chaque classe. Une distribution peut être discrète ou continue.

DISTRIBUTION t DE STUDENT

Test de statistique paramétrique, utilisé pour étudier la différence entre deux moyennes.

DONNÉE

Chacune des informations obtenues dans une recherche, que l'on interprète et à partir desquelles on tire des conclusions.

ÉCART TYPE

Mesure de dispersion des scores d'une distribution, qui tient compte de la distance de chacun des scores par rapport à la moyenne du groupe.

ÉCHANTILLON

Groupe de sujets tirés d'une population.

ÉCHANTILLON ACCIDENTEL

Échantillon de type non-probabiliste où les éléments composant un sous-ensemble sont choisis en raison de leur présence à un endroit, à un moment donné.

ÉCHANTILLON À CHOIX RAISONNÉ

Échantillon de type non probabiliste où les éléments de la population sont choisis à cause de la correspondance entre leurs caractéristiques et les buts du chercheur.

ÉCHANTILLON ALÉATOIRE SIMPLE

Échantillon probabiliste où l'on choisit les éléments d'un ensemble suivant des techniques permettant à chaque élément d'avoir une chance égale de faire partie de l'échantillon.

ÉCHANTILLON ALÉATOIRE STRATIFIÉ

Échantillon de type probabiliste où les sujets sont choisis par une méthode utilisant le hasard, à l'intérieur de strates prédéterminées.

ÉCHANTILLON EN GRAPPES

Échantillon de type probabiliste où les éléments de l'échantillon sont choisis de façon aléatoire en grappes plutôt qu'à l'unité.

ÉCHANTILLONNAGE

Ensemble d'opérations qui consiste à choisir un groupe de sujets ou tout autre élément représentatif de la population étudiée.

ÉCHANTILLONNAGE NON PROBABILISTE

Processus par lequel tous les éléments de la population n'ont pas une chance égale d'être choisis pour faire partie de l'échantillon.

ÉCHANTILLON PAR QUOTAS

Échantillon de type non probabiliste où les sujets sont choisis parce qu'ils présentent certaines caractéristiques recherchées.

ÉCHANTILLONNAGE PROBABILISTE

Technique qui permet la sélection aléatoire des éléments d'une population pour former un échantillon.

ÉCHANTILLON SYSTÉMATIQUE

Quand on procède à un échantillon systématique, le premier élément est choisi aléatoirement dans une liste et, de ce point de départ, chaque nom sur la liste est choisi d'après un intervalle fixe.

ÉCHELLE À INTERVALLES

Échelle de mesure dont les valeurs numériques sont à intervalles égaux.

ÉCHELLE DE RAPPORT (de proportion)

Échelle de mesure qui, en plus de posséder des valeurs connues entre ses intervalles, établit le rapport entre deux valeurs par rapport à zéro.

ÉCHELLE DE TYPE LIKERT

Échelle de mesure permettant à un sujet d'exprimer dans quelle mesure il est en accord ou en désaccord avec chacun des énoncés proposés; le score total fournit une indication de l'attitude ou de l'opinion du sujet.

ÉCHELLE DIFFÉRENTIELLE SÉMANTIQUE

L'échelle différentielle est formée d'adjectifs contraires, disposés sur une échelle bipolaire à sept points, sur laquelle le sujet choisit le point qui décrit le mieux son opinion par rapport au concept en cause.

ÉCHELLE NOMINALE

Échelle de mesure utilisée pour organiser des données selon des catégories mutuellement exclusives et exhaustives, sans qu'il y ait l'idée d'un ordre d'une catégorie à l'autre.

ÉCHELLE ORDINALE

Échelle de mesure utilisée pour assigner une valeur numérique à des personnes ou à des objets que l'on classe en catégories selon un ordre de grandeur.

ÉCHELLE VISUELLE ANALOGUE

Une ligne d'une longueur de 100 mm est tracée et, à chaque extrémité de la ligne, des mots d'ancrage servent à décrire le degré d'intensité ou de magnitude d'un stimulus; le sujet exprime sa réponse en inscrivant une marque sur la ligne.

EFFET DE HAWTHORNE

Effet qui correspond à la prise de conscience par les sujets qu'ils participent à une recherche scientifique et à la modification de leur comportement en conséquence; un tel effet influence les observations relatives à la variable dépendante.

EFFET DE SÉLECTION

Facteur d'invalidité interne, résultant de différences préexistantes entre les groupes de sujets à l'étude.

ENCYCLOPÉDIE

Ouvrage qui présente une vue d'ensemble de différents sujets qui concernent une science ou un art.

ÉNONCÉ

Élément d'un instrument de mesure (item).

ENQUÊTE

Méthode de recherche selon laquelle les données sont obtenues auprès d'un échantillon représentatif à partir de questionnaires structurés remplis au moment d'une entrevue, en personne ou par téléphone, ou envoyés au participant, remplis par lui et renvoyés par la poste..

ERREUR D'ÉCHANTILLONNAGE

Différence qui existe entre les résultats obtenus auprès d'un échantillon et les résultats qui auraient été obtenus si toute la population d'où provient l'échantillon avait été étudiée.

ERREUR DE MESURE

Variation dans les scores en raison d'un manque de fidélité du test ou du processus de mesure; elle a pour effet que le score observé est différent du score vrai.

ERREUR DE TYPE I (erreur alpha)

Erreur qui consiste à conclure à l'existence d'une différence réelle entre deux populations alors que cette différence n'existe pas réellement; l'hypothèse statistique est rejetée alors qu'elle devrait être conservée.

ERREUR DE TYPE II (erreur bêta)

Erreur qui consiste à conclure à l'absence d'une différence réelle entre deux populations alors qu'il existe une différence en réalité; l'hypothèse statistique est conservée alors qu'elle devrait être rejetée.

ÉTENDUE

Mesure de dispersion qui correspond à la différence entre le plus grand score et le plus petit score d'une distribution d'effectifs.

ÉTHIQUE

Ensemble des règles régissant le caractère moral du processus de recherche.

ÉTUDE DE CAS

Exploration intensive d'une simple unité d'étude, d'un cas (ex. : personne, famille, groupe, communauté, culture).

ÉTUDE DE SUIVI

Étude qui consiste à recueillir des données auprès des sujets d'une recherche un certain temps après la fin de la recherche.

ÉTUDE LONGITUDINALE

Étude dont les données sont obtenues en diverses occasions, auprès des mêmes sujets d'une recherche, qui s'étend sur une certaine période de temps.

ÉTUDE PILOTE

Étude menée sur une échelle réduite afin de déterminer la faisabilité d'une recherche, d'identifier les problèmes susceptibles de se poser et de s'assurer que les méthodes et les objectifs de la recherche future sont adéquats.

FAIT

Événement, phénomène qui s'est produit et a pu être observé.

FIABILITÉ

Caractéristique d'un équipement ou d'une technique qui assure de recueillir les mêmes données chaque fois que les mêmes phénomènes se produisent.

FICHE BIBLIOGRAPHIQUE

Fiche qui fournit la référence bibliographique complète et indique la cote de l'ouvrage s'il y a lieu. On peut y trouver de l'information concernant les chapitres essentiels à consulter.

FICHE DE CITATION

Instrument de travail qui rapporte textuellement un extrait.

FICHE DE COMMENTAIRES

Instrument de travail qui consiste à faire un commentaire personnel et critique sur le texte, en identifiant le passage visé dans la référence abrégée.

FICHE DE RÉSUMÉ

Instrument de travail servant à résumer les idées d'un auteurs sur un sujet précis.

FIDÉLITÉ

Propriété des instruments de mesure selon laquelle on obtiendra les mêmes résultats si on prend une même mesure deux ou plusieurs fois dans les mêmes conditions auprès des mêmes sujets.

FORMULE DE SPEARMAN-BROWN

Formule mathématique qui permet d'estimer ce que serait le coefficient de fidélité d'un test si on lui ajoutait un certain nombre d'items.

GÉNÉRALISATION

Raisonnement qui permet d'étendre les résultats obtenus à partir d'un échantillon à un autre échantillon, à la population d'où il provient ou à d'autres contextes.

GROUPE DE CONTRÔLE (groupe témoin, de comparaison)

Groupe de sujets observés au cours d'une recherche scientifique, qui ne fait l'objet d'aucune influence ou de manipulation expérimentale.

GROUPE EXPÉRIMENTAL

Groupe de sujets observés au cours d'une recherche scientifique, auquel le traitement expérimental est appliqué.

HISTOGRAMME DE FRÉQUENCE

Illustration graphique d'une distribution d'effectifs, constituée par des rectangles placés côte à côte sur l'axe des X; la fréquence de chaque score ou groupe de scores est représentée par la hauteur de chaque rectangle.

HISTOIRE

Source d'invalidité interne selon laquelle des incidents ou des événements survenant au cours de la recherche en affectent les résultats.

HYPOTHÈSE DE RECHERCHE

Énoncé formel qui prédit la ou les relations attendues entre deux ou plusieurs variables. C'est une réponse plausible au problème de recherche.

HYPOTHÈSE DIRECTIONNELLE

Hypothèse de recherche qui prédit le genre de relation existant entre les groupes étudiés dans une recherche scientifique (ex. : le rendement du groupe X sera supérieur à celui du groupe Y).

HYPOTHÈSE NON DIRECTIONNELLE

Hypothèse de recherche qui ne prédit pas le genre de relation existant entre les groupes étudiés dans une recherche scientifique (ex. : il y a une différence significative entre le rendement du groupe X et le rendement du groupe Y).

HYPOTHÈSE STATISTIQUE (nulle)

Énoncé qui prédit l'absence de relation ou de différence statistiquement significative entre des groupes de sujets pour une variable dépendante.

INDICATEUR EMPIRIQUE

Ensemble des opérations effectuées à l'aide d'un ou de plusieurs instruments de mesure qui permet de classer un objet dans une catégorie selon une caractéristique donnée.

INFÉRENCE STATISTIQUE

Opération basée sur la théorie des probabilités, qui permet d'appliquer les résultats obtenus à partir d'un échantillon à la population d'où provient l'échantillon.

INTERACTION

Influence de deux variables sur une troisième.

INTERPRÉTATION

Étape d'une recherche qui vise à comprendre les données recueillies, à leur donner un sens.

INTERVALLE DE CONFIANCE

Intervalle numérique à l'intérieur duquel se situe le véritable paramètre selon un seuil de probabilité prédéterminé.

KHI CARRÉ (χ^2)

Test non paramétrique utilisé pour vérifier l'existence d'une relation entre deux variables nominales.

KUDER-RICHARDSON

Méthode utilisée pour calculer le coefficient d'homogénéité d'un test. quand chaque item ne comporte que deux réponses (ex. : vrai ou faux).

MÉDIANE

Mesure de tendance centrale indiquant le point milieu d'une distribution d'effectifs, c'est-à-dire le point en dessous duquel se trouvent 50 % des sujets et au-dessus duquel se trouvent 50 % des sujets.

MESURE

Opération qui consiste à attribuer des valeurs numériques à des variables (objets, événements, traits psychologiques) selon certaines règles, afin de représenter les caractéristique de ces variables.

MESURE DE DISPERSION

Indice du degré d'étalement des données, qui indique la variation des données, le plus souvent par rapport à la moyenne (l'étendue, l'écart type, la variance).

MESURE DE TENDANCE CENTRALE

Indice du regroupement des données au centre d'une distribution d'effectifs (la moyenne, la médiane, le mode).

MÉTHODE SCIENTIFIQUE

Démarche d'acquisition des connaissances définie par l'utilisation de méthodes reconnues de collecte, de classification, d'analyse et d'interprétation des données.

MÉTHODOLOGIE

Ensemble des méthodes et des techniques guidant l'élaboration du processus de recherche scientifique. Aussi, section d'un rapport de recherche qui rend compte des méthodes et des techniques utilisées dans le cadre de cette recherche.

MODE

Mesure de tendance centrale correspondant au score qui est le plus fréquemment observé dans une distribution d'effectifs.

MODÈLE

Représentation simplifiée d'un système réel (modélisation); représentation abstraite, mathématique ou symbolique de la réalité, qui fournit une vision simplifiée mais caractéristique d'un phénomène.

MODÉLISATION

Processus de préparation d'un modèle à partir de l'analyse de systèmes.

MOYENNE

Mesure de tendance centrale égale à la somme des scores obtenus par chaque sujet pour une variable divisée par le nombre total de scores.

NIVEAU DE CONFIANCE

Niveau de probabilité prédéterminé selon lequel l'intervalle de confiance inclut le paramètre étudié; en recherche, les niveaux les plus fréquents correspondent à 95 % et à 99 %.

NORMALISATION

Méthode qui permet de situer, par rapport à un groupe normatif, le rendement d'un sujet à un test, un questionnaire, un inventaire, etc.

NORMES

Informations permettant de comparer le rendement d'un sujet à celui d'autres sujets d'une même population relativement à une variable.

OBSERVATION

Procédé de recherche scientifique permettant de constater, à l'aide d'indicateurs, des faits particuliers, et de recueillir des données. Aussi, chacune des données recueillies lors d'une recherche.

OBSERVATION DIRECTE PARTICIPANTE

Méthode de recherche visant à repérer le sens, l'orientation et la dynamique d'une situation par la collecte de faits, des entrevues.

OPÉRATIONNALISATION

Processus méthodologique par lequel un concept est défini d'après les observations empiriques qui peuvent être faites; on dit aussi « définition opérationnelle ». Les observations empiriques nécessaires à l'opérationnalisation sont des « indicateurs ».

PARADIGME

Ensemble de convictions, de valeurs reconnues et de techniques communes aux membres d'une collectivité scientifique, qui permet d'avoir une perspective particulière de la réalité et des événements.

PARAMÈTRE

Valeur numérique obtenue par la mesure d'une variable de la population et caractérisant cette variable. C'est la moyenne arithmétique d'une population.

PENSÉE ABSTRAITE

Pensée orientée vers le développement d'une idée sans une application immédiate à un objet réel.

PERTE DE SUJETS (mortalité expérimentale)

Source de non-validité interne d'une recherche, qui découle du départ de sujets au cours de celle-ci, ce qui en affecte les résultats.

POLYGONE DE FRÉQUENCE

Représentation d'une distribution de fréquence par un graphique linéaire, obtenu en reliant les points correspondant à la fréquence de chaque score ou groupe de scores, dans le cas de l'étude d'une variable continue.

POPULATION

Ensemble de tous les sujets ou autres éléments d'un groupe bien défini ayant en commun une ou plusieurs caractéristiques semblables, et sur lequel porte la recherche.

POPULATION CIBLE

Population pour laquelle seront généralisés les résultats d'une recherche obtenus à partir d'un échantillon.

POSITIVISME

Approche de la recherche qui nécessite l'observation systématique, la détermination des faits et l'objectivité du chercheur.

POST-TEST

Mesure d'une variable effectuée chez des sujets après que le traitement expérimental a été appliqué.

POSTULAT

Affirmation indémontrable, considérée comme vraie à la suite d'une vérification partielle ou parce qu'elle est évidente en elle-même.

PRÉDICTION

Opération caractéristique de la recherche scientifique consistant à tenter de prévoir l'application d'une explication dans une situation nouvelle ou future.

PRÉTEST

Mesure d'une variable effectuée chez des sujets avant que le traitement expérimental soit appliqué. Aussi, essai d'un instrument de mesure ou d'un équipement avant son utilisation sur une plus grande échelle.

PROBABILITÉ

Degré de confiance avec lequel un événement peut être prédit ou une situation observée peut être généralisée. Aussi, rapport du nombre de cas favorables ou d'occurrences d'un événement au nombre de cas total.

PROBLÉMATIQUE

Domaine d'intérêt général et source de questionnement offrant au chercheur la possibilité de formuler un problème de recherche particulier.

PROBLÈME DE RECHERCHE

Énoncé formel du but d'une recherche prenant la forme d'une affirmation qui implique la possibilité d'une investigation empirique permettant de trouver une réponse.

PROJET DE RECHERCHE

Étape préliminaire d'une recherche scientifique, au cours de laquelle il faut établir les limites de l'objet de l'étude et préciser la manière de réaliser chacune des étapes du processus de la recherche.

PUISSANCE D'UN TEST

Probabilité de rejeter l'hypothèse nulle H_0 alors qu'elle est fausse, c'est-à-dire la probabilité de ne pas commettre une erreur de type II.

QUESTIONNAIRE

Ensemble d'énoncés ou de questions permettant d'évaluer les attitudes, les aptitudes et le rendement des sujets ou de recueillir toute autre information auprès des sujets.

RAISONNEMENT DÉDUCTIF

Opération mentale qui consiste à prendre comme point de départ une proposition de portée générale et à en tirer une hypothèse portant sur des cas particuliers.

RAISONNEMENT INDUCTIF

Opération mentale qui consiste à prendre comme point de départ des faits particuliers associés entre eux et à tirer de ces associations une proposition générale énonçant la probabilité que de telles associations se manifestent en d'autres occasions.

RANG CENTILE

Valeur permettant de classer le score d'un sujet selon le pourcentage de scores qui lui sont égaux ou inférieurs.

RAPPORT DE RECHERCHE

Compte rendu écrit d'une recherche. Il comprend habituellement les sections suivantes : introduction, cadre théorique, méthodologie, résultats, discussion, conclusion et références bibliographiques.

RECENSION DES ÉCRITS

Examen approfondi, systématique et critique des publications pertinentes se rapportant à l'objet de l'étude.

RECHERCHE APPLIQUÉE

Investigation ayant pour but premier de trouver une application pratique à de nouvelles connaissances résultant d'une intervention.

RECHERCHE CORRÉLATIONNELLE

Recherche qui porte sur l'étude des relations entre au moins deux variables, sans que le chercheur intervienne activement pour influencer ces variables.

RECHERCHE DESCRIPTIVE

Recherche qui fournit de l'information sur les caractéristiques de personnes, de situations, de groupes ou d'événements.

Recherche ethnographique

Étude descriptive des cultures, des communautés, des milieux, permettant d'identifier et de ranger par catégories certaines variables ou certains phénomènes, afin d'élaborer une théorie.

Recherche évaluative

Recherche qui vise à évaluer la valeur d'une pratique, d'un programme, d'un produit, dans une circonstance particulière et à un endroit donné.

Recherche expérimentale

Investigation objective et systématique faite dans le but d'expliquer, de prédire et de contrôler des phénomènes. Le chercheur manipule la variable indépendante et observe l'effet de cette manipulation sur la variable dépendante.

Recherche fondamentale

Recherche ayant pour but d'éprouver des théories, des lois scientifiques, des principes de base; elle vise à accroître le domaine du savoir sans se préoccuper des implications pratiques immédiates.

Recherche historique

Examen des événements passés à l'aide de documents et d'archives de façon à interpréter ces événements à la lumière du présent.

Recherche phénoménologique

Recherche basée sur une méthode qualitative, inductive et descriptive issue de la philosophie phénoménologique et ayant pour but de décrire l'expérience telle qu'elle est vécue par les participants de l'étude.

Recherche qualitative

Recherche dont le but est de comprendre un phénomène selon la perspective des sujets; les observations sont décrites principalement sous forme narrative.

Recherche quantitative

Recherche dont le but est de décrire, de vérifier des relations entre des variables et d'examiner les changements observés chez la variable dépendante à la suite de la manipulation de la variable indépendante.

Recherche quasi-expérimentale

Étude pour laquelle les sujets n'ont pas été assignés au hasard à des groupes et (ou) au cours de la quelle les variables étrangères échappent au contrôle parfait du chercheur. L'étude de la relation entre des variables à la suite de la manipulation de la variable indépendante reste quand même valide.

Recherche scientifique

Processus systématique de collecte et d'analyse de données empiriques visant à résoudre un problème de recherche particulier.

Régression statistique

Source d'invalidité interne d'une recherche, qui apparaît lorsque le chercheur choisit des groupes de sujets sur la base de scores extrêmes; de tels scores ont tendance à se rapprocher de la moyenne lors d'une seconde mesure auprès de ces sujets.

Relation curvilinéaire

Relation non linéaire entre deux variables, qui est représentée sur un graphique par une ligne courbe.

Relation linéaire

Relation entre deux variables, qui est représentée sur un graphique par une ligne droite.

Repérage informatisé

Consultation informatisée des fichiers de références bibliographiques (banque de données) ou de textes.

Réplique

Recherche dont le but est de refaire le plus précisément possible la démarche d'une recherche antérieure.

Résultats

Informations provenant de l'analyse des données obtenues à partir des questions de recherche ou des hypothèses. *Aussi*, section d'un rapport de recherche qui résume l'analyse des données de façon objective et sans interprétation.

Score

Valeur numérique qui traduit le nombre de points accumulés par un sujet à un test.

SCORE OBSERVÉ

Score obtenu par un sujet à partir d'un instrument de mesure, qui correspond au vrai score du sujet plus ou moins une certaine erreur de mesure.

SCORE VRAI

Score qui représenterait les connaissances ou habiletés réelles d'un sujet dans un domaine donné; ce score ne correspond pas nécessairement au score observé pour le sujet.

SÉLECTION DE SUJETS

Processus du choix de sujets qui participeront à une recherche; la sélection est une source d'invalidité interne lorsque les sujets ne peuvent être affectés au hasard à des groupes.

SEUIL DE SIGNIFICATION ALPHA (α)

Valeur numérique associée au risque de se tromper en rejetant l'hypothèse statistique lorsqu'en réalité cette hypothèse est vraie. Par exemple, si ce seuil est fixé à 0,05, le chercheur accepte la probabilité de se tromper 5 fois sur 100 en rejetant l'hypothèse statistique.

SOMMAIRE

Résumé d'un rapport de recherche comprenant le but de l'étude, une courte description des sujets et de leur rôle comme participants ainsi qu'un résumé des principales conclusions.

SOURCE DE TYPE PRIMAIRE

Document de recherche qui provient directement de l'auteur et dont le contenu est original.

SOURCE DE TYPE SECONDAIRE

Document qui consiste en une recension de travaux déjà publiés. Il s'agit de travaux dans lesquels on classifie, organise ou interprète les textes de source primaire.

SOURCE DE TYPE TERTIAIRE

Catégorie de documents qui contient à la fois des éléments de source primaire et des éléments de source secondaire, tels que les monographies de référence, les dictionnaires.

STATISTIQUE DESCRIPTIVE

Valeur numérique décrivant un ensemble de données numériques (moyenne, écart type, coefficient de corrélation.

STATISTIQUE INFÉRENTIELLE

Valeur numérique et opération permettant la généralisation de résultats obtenus auprès d'un échantillon à la population de laquelle provient l'échantillon. Il existe des statistiques paramétriques et des statistiques non paramétriques.

STATISTIQUE NON PARAMÉTRIQUE

Méthode de statistique inférentielle dont l'usage ne requiert pas l'estimation des paramètres de la population.

STATISTIQUE PARAMÉTRIQUE

Méthode de statistique inférentielle dont l'usage repose sur les postulats suivants : échantillon probabiliste tiré d'une population normale, données métriques, variance connue ou qui diffère peu entre les groupes.

STRATE

Regroupement de caractéristiques d'une population selon un critère qui permet une classification exhaustive et des catégories mutuellement exclusives.

SUJET

Individu auprès duquel des données sont recueillies lors d'une recherche.

SUJET DE RECHERCHE

Domaine délimité du savoir, à l'intérieur duquel sera formulé un problème de recherche.

SYSTÉMATISATION

Opération caractéristique de la recherche scientifique consistant à réunir des données empiriques, à poser des hypothèses de recherche plausibles et à éliminer les hypothèses qui sont sans fondement.

TABLE DE NOMBRES ALÉATOIRES

Tableau de nombres disposés au hasard en rangées et en colonnes, utilisé pour choisir des sujets au hasard afin de constituer un échantillon.

TECHNIQUE DELPHI

Méthode qui a trait à la collecte d'information auprès d'un groupe d'experts dans le cadre d'une recherche sans que ceux-ci aient à se déplacer.

TECHNIQUES PROJECTIVES

Stratégies qui consistent à étudier des réactions d'individus à l'aide de simulations peu structurées afin de connaître la perception du monde qu'ont ces individus.

TEST CRITÉRIÉ

Instrument pour lequel le score d'un sujet est interprété en relation avec un critère (tel que la performance prévue dans l'accomplissement d'une tâche donnée avec un certain niveau de qualité) plutôt qu'en rapport avec les scores des autres sujets.

TEST DE SIGNIFICATION STATISTIQUE

Opération qui consiste à déterminer si la différence observée entre les groupes est suffisamment grande pour que l'on puisse l'attribuer au traitement expérimental et non au hasard.

TEST D'HYPOTHÈSE

Processus qui consiste à vérifier si les résultats obtenus auprès d'un échantillon peuvent être généralisés à la population d'où provient cet échantillon.

TEST NORMALISÉ

Test pour lequel les méthodes d'administration, de notation et d'interprétation sont uniformisées pour tous les sujets.

TEST NORMATIF

Test permettant de comparer le score d'un sujet à une performance typique d'un groupe donné ou à des normes précises.

THÉORIE

Ensemble de généralisations portant sur des concepts et de propositions précisant des relations entre des variables, destiné à expliquer et à prédire des phénomènes.

THÉSAURUS

Liste alphabétique des termes et descripteurs utilisés dans un répertoire bibliographique pour représenter le contenu de documents et en permettre le repérage.

TRADITION

Méthode d'acquisition des connaissances fondée sur l'héritage du passé.

TRAITEMENT EXPÉRIMENTAL

Variable manipulée lors d'une étude expérimentale et qui devrait se traduire par des changements chez la variable dépendante.

TRIANGULATION

Méthode de vérification des données consistant à employer plusieurs sources d'information ou plusieurs méthodes de collecte des données ou plusieurs chercheurs pour une même étude.

VALIDITÉ

Qualité d'un instrument qui mesure réellement ce qu'il prétend mesurer.

VALIDITÉ DES CONSTRUITS

Qualité d'un test qui mesure la structure théorique sous-jacente à un instrument de mesure.

VALIDITÉ DU CONTENU

Degré selon lequel les énoncés d'un instrument de mesure représentent adéquatement le contenu d'un domaine que l'on cherche à évaluer.

VALIDITÉ EXTERNE

Qualité d'une recherche scientifique qui présente un degré de précision suffisant pour que les résultats obtenus puissent être généralisés à la population d'où provient l'échantillon, à d'autres milieux ou à d'autres contextes.

VALIDITÉ INTERNE

Qualité d'une recherche scientifique qui fournit une preuve suffisante pour permettre d'affirmer que le traitement expérimental (variable indépendante) est ce qui a produit la différence observée entre les groupes (relativement à la variable dépendante).

VALIDITÉ LIÉE À UN CRITÈRE

Degré selon lequel les scores obtenus d'un instrument de mesure sont corrélés avec un critère externe, souvent un autre instrument qui mesure le même concept. Si les deux mesures sont effectuées en même temps, il s'agit de la validité de concomitance. Si l'une des mesures est faite ultérieurement, il s'agit de la validité prédictive.

VALIDITÉ NOMINALE

Qualité d'un test dont les énoncés semblent mesurer le contenu du domaine à l'étude.

VARIABLE

Caractéristique de personnes, d'objets ou de situations étudiés dans une recherche; on peut lui attribuer diverses valeurs.

VARIABLE ATTRIBUT

Caractéristique des sujets d'une étude, qui sert à décrire l'échantillon.

VARIABLE CONTINUE

Variable correspondant à un concept qui peut être mesuré numériquement et qui peut prendre un nombre infini de valeurs dans un intervalle donné.

VARIABLE DÉPENDANTE

Variable influencée par la variable indépendante.

VARIABLE DICHOTOMIQUE

Variable discrète qui présente seulement deux catégories possibles pour classer les sujets.

VARIABLE DISCRÈTE

Variable utilisée pour classer des sujets, des objets, des situations par catégories prédéterminées. Ne prend aucune valeur.

VARIABLE ÉTRANGÈRE

Variable présente en dehors de la volonté du chercheur, qui a un effet inattendu sur la variable dépendante et qui risque de fausser les résultats attendus.

VARIABLE INDÉPENDANTE

Variable manipulée par le chercheur dans le but d'étudier ses effets sur la variable dépendante.

VARIABLE INTERMÉDIAIRE

Variable qui n'est pas observée, mais dont la présence est déduite de la relation entre la variable dépendante et la variable indépendante.

VARIANCE

Mesure de dispersion référant à la valeur globale de variabilité des scores par rapport à la moyenne.

VÉRIFICATION

Opération caractéristique de la recherche scientifique consistant à observer des liens entre des variables et à en déduire des conséquences.

INDEX